EL PACTO DE PUNTOFIJO: ORÍGENES, ACTORES, SIGNIFICADO, IMPLEMENTACIÓN Y EFECTOS

EL PACTO DE PUNTOFIJO: ORÍGENES, ACTORES, SIGNIFICADO, IMPLEMENTACIÓN Y EFECTOS

Allan R. BREWER-CARÍAS y Gabriel RUAN SANTOS
(Coordinadores)

Serie Estudios No. 149

editorial jurídica venezolana
international

2024

B758

Brewer-Carías, Allan R. y Ruan Santos, Gabriel

El Pacto de Puntofijo: orígenes, actores, significado, implementación y efectos / Allan R. Brewer-Carías; Gabriel Ruan Santos (Coordinadores). -- Caracas: Academia de Ciencias Políticas y Sociales; Editorial Jurídica Venezolana International, 2024.

610 p.

Serie Estudios, 149

ISBN: 979-8-89342-857-5

1. PACTO DE PUNTOFIJO 2. HISTORIA POLÍTICA DE VENEZUELA 3. DEMOCRACIA 4. ESTADO DE DERECHO I. Título

Impreso por: Lightning Source, an INGRAM Content company
para Editorial Jurídica Venezolana International Inc.
Panamá, República de Panamá.
Email: editorialjuridicainternational@gmail.com

Diseño de portada: Alexander Cano
Diagramación, composición y montaje por Mirna Pinto, en letra
Time New Roman 12, Interlineado Exacto 13, Mancha 18 x 12

Academia de Ciencias Políticas y Sociales

Junta Directiva
Período 2023-2024

Presidente:	*Luciano Lupini Bianchi*
Primer Vicepresidente:	*Rafael Badell Madrid*
Segundo Vicepresidente:	*Cecilia Sosa Gómez*
Secretario:	*Gerardo Fernández Villegas*
Tesorero	*Salvador Yannuzzi Rodríguez*
Bibliotecario:	*Juan Cristóbal Carmona Borjas*

Individuos de Número

Luis Ugalde, S.J.

Margarita Escudero León *(e)*

Juan Carlos Pró-Rísquez

José Muci-Abraham

Enrique Urdaneta Fontiveros

Alberto Arteaga Sánchez

Jesús María Casal

León Henrique Cottin

Allan Randolph Brewer-Carías

Eugenio Hernández-Breton

Carlos Eduardo Acedo Sucre

Luis Cova Arria

Humberto Romero-Muci

Ramón Guillermo Aveledo

Hildegard Rondón de Sanso

Colette Capriles Sandner *(e)*

Josefina Calcaño de Temeltas (+)

Guillermo Gorrín Falcón

James-Otis Rodner

Ramón Escovar León

Román J. Duque Corredor (+)

Gabriel Ruan Santos

José Antonio Muci Borjas

Carlos Ayala Corao

César A. Carballo Mena

Julio Rodríguez Berrizbetia

Magaly Vásquez González *(e)*

Héctor Faúndez Ledesma

Carlos Leáñez Sievert

Luis Guillermo Govea U., h

Oscar Hernández Álvarez

Fortunato González Cruz

Luis Napoleón Goizueta H.

Academia de Ciencias Políticas y Sociales

MIEMBROS CORRESPONDIENTES EXTRANJEROS

ALEMANIA
Dr. Erik Jayrne

ARGENTINA
Dr. Diego Fernández Arroyo
Dr. José Claudio Escribano
Dr. Juan Carlos Cassagne
Dr. Eduardo Sambrizzi
Dr. Armando S. Andruet (h)

BRASIL
Dra. Claudia Lima Marques

COLOMBIA
Dr. Mauricio Plazas Vega
Dr. Gilberto Álvarez Rarrúrez
Dr. Cesáreo Rocha Ochoa
Dr. Augusto Trujillo Muñoz

CHILE
Dr. José Luis Cea Egaña
Dr. Claudio Grossman
Dra. Marisol Peña Torres

ESTADOS UNIDOS DE AMÉRICA
Dr. Syrneon Syrneonides

ESPAÑA
Dr. Rafael Navarro-Valls
Dr. César García Novoa
Dr. Miguel Herrero Miñón
Dr. Santiago Muñoz Machado

FRANCIA
Dr. Pierre Michel Eisemann

ITALIA
Dr. Sandro Schipani
Dr. Natalino Irti

JAPÓN
Dra. Yuko Nishitani

MÉXICO
Dr. Leonel Pereznieto Castro
Dr. Bernardo Femández del Castillo
Dr. Eduardo Ferrer Mac-Gregor
Dr. Ignacio Luis Melo

PERÚ
Dr. Carlos Soto Coaguila

REPUBLICA DOMINICANA
Dr. Manuel Morales Lama

URUGUAY
Dr. Didier Opertti Badán

CONTENIDO

CONTENIDO

A MODO DE PRESENTACIÓN

SOBRE EL ESTUDIO DEL PACTO DE PUNTOFIJO, EN EL MARCO DE LA MANIPULACIÓN DE LA HISTORIA NACIONAL

Allan R. Brewer-Carías y Gabriel Ruan Santos

*Individuos de Número de la Academia de
Ciencias Políticas y Sociales*

El tema de este libro sobre el Pacto de Puntofijo, referente a la experiencia política surgida a partir del año 1958 y concluida en 1998, así como al manejo que han hecho de él sus detractores y apologistas, nos lleva a pensar y analizar cómo ha sido manipulada la historia nacional, al servicio de los intereses políticos dominantes en cada época de nuestra historia.

La historiografía nacional, en especial, la de procedencia oficial u oficialista, ha sido de combate político e ideológico, destinada más al control del Estado y de la sociedad que a la pedagogía colectiva y a la unidad nacional de los venezolanos, con una lamentable carencia de objetividad y de lealtad con los hechos. Como consecuencia, ha dado lugar a una interminable dialéctica de leyendas negras y blancas acerca del pasado, acríticas y definitivamente falsas, que ha tenido el efecto deletéreo de destruir relatos, símbolos e imágenes del pasado de la sociedad y, sobre todo, interrumpir el progreso acumulativo de la historia constitucional e impedir la formación natural de la identidad nacional, que propicia el devenir histórico. Y ello, con grave perjuicio de la autoestima popular, que se ve desorientada y con suma dificultad para hallar algo positivo y de valor en los acontecimientos y desarrollos del pasado.

Con fines de propaganda política se han creado leyendas negras de los gobiernos precedentes para justificar sus caídas, como consecuencia de guerras, golpes de Estado, revueltas, revoluciones, alzamientos o procesos eleccionarios polarizados. Dentro de la misma dialéctica, se han creado leyendas blancas para consolidar el poder de los triunfadores, mantener las élites gobernantes entronizadas y consolidar una conciencia colectiva totalmente acrítica y sumisa. Todo ello, inmerso en ciclos recurrentes, que reaparecen después de dos o tres décadas.

Así, la llamada ideología del *puntofijismo,* asociada con la democracia representativa, el sistema de partidos y el Estado de Derecho, no es una excepción, pues, con independencia de sus bondades, se monta sobre la leyenda negra del oprobioso régimen de la década militar comprendida entre 1948 y 1958, simple interrupción de la "República Liberal Democrática", y con desconocimiento absoluto de sus posibles logros de desarrollo físico del país, y, por otra parte, construye y fomenta la leyenda blanca de la Revolución de Octubre, según la visión de sus líderes y de la prédica del partido Acción Democrática, fuente de todos los bienes colectivos y republicanos alcanzados por la nación hasta el momento de su aparición.

Antes de la República del Pacto de Puntofijo, prevaleció el "Nuevo Ideal Nacional" creado por la propaganda del gobierno militar del general Marcos Pérez Jiménez y del ingenio de su principal ideólogo Laureano Vallenilla Planchart, especie de leyenda blanca de los sectores militares y militaristas de los años cincuenta del siglo XX, apoyada en la inercia del orden autoritario y en la obsesión por la construcción de obras públicas, como máxima demostración del progreso social. Contemporáneamente, se propició la leyenda negra del llamado "trienio adeco", que había dado al traste con la evolución política natural generada por los gobiernos predemocráticos encabezados por los generales López Contreras y Medina Angarita y había implantado el "canibalismo político" entre los partidos surgidos en los años cuarenta del siglo XX, sin reconocimiento alguno de los logros populares y democratizadores de ese período tan tormentoso y polarizado.

La llamada por algunos como ideología del puntofijismo, representativa de la Generación de 1928, niega valor a la apertura del post-gomecismo, es decir a los períodos de los presidentes López Contreras y Medina Angarita, etapa que califican como el "ocaso del gomecismo", derivando esta creencia en la leyenda negra de la hegemonía de los andinos, gobernantes u opositores, militares o civiles, haciendo de esta hegemonía la negación absoluta de la libertad y del progreso. Una pesada lápida que ha impedido a muchos ver en esta etapa de nuestra historia algún aspecto positivo. Por el contrario, los apologistas del gomecismo han sido prolijos en blanquear el relato de esta larga etapa de la historia política nacional, llegando a no reconocer la represión y violación de los derechos humanos durante este régimen político.

Con anterioridad, la Revolución Liberal Restauradora y su Evolución Rehabilitadora, presididas por los generales Cipriano Castro y Juan Vicente Gómez respectivamente, recogieron el rechazo del país a la hegemonía del *liberalismo amarillo* y a los llamados partidos históricos (liberal y conservador) para implantar la ideología del positivismo político del caudillo único y de la fuerza organizada, bajo los auspicios del culto bolivariano. "Los nuevos hombres, los nuevos ideales y los nuevos procedimientos" es un slogan que anuncia el entierro del liberalismo, en su versión posterior a la Guerra de la Federación, y su secuela enorme de corrupción, anarquía y disgregación, vivida por la nación a lo largo de casi cuarenta años. Lo cual no excluye una etapa de transición de alianza del castro-gomecismo con los partidos históricos.

La Federación y su cohorte de caudillos liberales amarillos invocaron la democracia tumultuaria para derrocar a la oligarquía paecista o conservadora, a la cual combatieron hasta el exterminio físico, generando la leyenda negra del paecismo y del godismo y la leyenda blanca y esplendorosa de la Federación y de la república liberal, entendida en su versión estatista, según la prédica de los fundadores del partido liberal venezolano de 1840. Se impuso férreamente en este largo período la dinastía de los Monagas y después la monocracia central guzmancista y el uso propagandístico original de la figura de El Libertador.

La república paecista y la fundación del Estado Venezolano en 1830, se inicia con la negación del liderazgo de Bolívar, de sus ideales constitucionales y del procerato militar. Se impone la leyenda negra del bolivarianismo y se magnifica la leyenda blanca del régimen republicano liberal puro surgido en 1811. Se proclama el regreso a la pretensión autonómica nacional levantada por el movimiento emancipatorio, se busca sustento en el antiguo orden social interno de la sociedad colonial y se aleja la élite gobernante del centralismo bolivariano y del sentimiento bélico anti hispánico. Hay un nuevo *fundador de la república*, el "esclarecido ciudadano" José Antonio Páez, opuestos al dictador Bolívar y a su camarilla militar.

La ideología de la independencia, tanto o más que los ideales republicanos se basaron en el odio a España y a su monarca, pero sobre todo en la leyenda negra de la conquista y de la colonia españolas, generada no sólo por la prédica de algunos misioneros, sino por la alianza de ciertas potencias enemigas de España y destacados integrantes de la élite criolla. La guerra de independencia impuso la propaganda belicista y el odio recíproco y polarizante entre patriotas y realistas, negando todo valor a la tradición institucional del régimen municipal español y de las costumbres civiles de la sociedad colonial, hasta el extremo de requerir de nuevos mitos integradores de la nación de carácter personalista, para sustentar el nuevo orden social, que a la larga dieron origen a la estructura de poder caudillista, como solución al vacío de poder dejado por la monarquía española. Sin embargo, la estructura caudillista requirió también de una fecunda leyenda blanca republicana, que evitara el desplome del nuevo orden político y alentara la recuperación del país, sumido en la ruina de la guerra.

Volviendo al presente, durante los años transcurridos del siglo XXI hemos presenciado la generación consciente y deliberada de una horrorosa leyenda negra de toda la historia republicana, desde el año 1830, a la cual se ha llamado la *cuarta república*, montada sobre la leyenda blanca de la refundación voluntarista de la República, por obra de la revolución chavista y de la creación del hombre nuevo socialista. En este contexto de fantasía, el *chavismo, el falso indigenismo, el militarismo* y la *antipolítica* montaron la leyenda negra del período puntofijista (los cuarenta años de la mal llamada *cuarta república*) para implantar arbitrariamente la leyenda blanca o

18

dorada de la *quinta república y el socialismo de siglo XXI,* obra del
teniente coronel Hugo Chávez Frías y de sus asesores, re-escribidores
de la historia patria y creadores de una nueva lengua del poder, que
ha pretendido cambiar el significado de todos los conceptos
inherentes a la patria, a la democracia y a la libertad. Este deletéreo
proceso no se ha quedado en el plano espiritual, sino que ha arrasado
con la economía nacional y con las instituciones y ha entregado la
conducción del país a intereses extranjeros, bajo el slogan de un nuevo
nacionalismo antiimperialista.

Es hora de poner término a esta sucesión de leyendas negras y
blancas de nuestra historia política. Por ello, no hemos dudado al
promover esta reconstrucción con la búsqueda o intento de encontrar
la verdadera historia del Pacto de Puntofijo y sus derivaciones en la
conformación de la democracia venezolana. Es un propósito que ha
animado la tarea de hacer este libro, con la ayuda de todas las muchas
ilustres plumas que lo componen.

Así, con el objeto precisamente de estudiar el *Pacto de Puntofijo,*
sus orígenes, actores, compromisos y efectos, propusimos la idea de
organizar este libro, habiendo sido el resultado de nuestro esfuerzo
común el haber recibido un conjunto de estudios muy valiosos que
conforman la obra, y que hemos organizado de acuerdo con el orden
alfabético de los autores, tratan los siguientes temas: ASDRÚBAL
AGUIAR A.: *"Crónica de «Puntofijo» o el alma del 23 de enero;"*
Ramón Guillermo AVELEDO, *"Valoración histórica y actual del
Pacto de Puntofijo;"* Allan R. BREWER-CARÍAS, *"El "Pacto de Punto
Fijo" de 1958 como punto de partida para el establecimiento y
consolidación del sistema democrático y del Estado constitucional de
derecho en Venezuela;"* Jesús María CASAL, *"El 23 de Enero, el Pacto
de Punto Fijo y el retorno a la constitucionalidad;"* Marta de la VEGA
VIDAL, *"El Pacto de Punto Fijo y más allá"*; Ramón ESCOVAR LEÓN,
"El Pacto de Puntofijo;" José Ignacio HERNÁNDEZ G., *"La libertad
de empresa y el Pacto de Puntofijo;"* L.M. LAURIÑO TORREALBA, *"El
diálogo social y el consenso, como habilitadores del proyecto político
de Rómulo Betancourt;"* Miguel Ángel MARTIN TORTABU, *"Las
represas institucionales del Pacto de Punto Fijo;"* Leonardo
PALACIOS MÁRQUEZ, *"El Pacto de Puntofijo", su deconstrucción y
la pretensión de los excluidos;"* Manuel RACHADELL, *"El proceso
político en la construcción de la unidad nacional en 1958 y su*

evolución posterior;" Juan Manuel RAFFALLI, "Trascendencia constitucional del Pacto de Punto Fijo"; Armando RODRÍGUEZ GARCÍA, *"Punto Fijo: Un Pacto con efectos de acción prolongada;"* José RODRÍGUEZ ITURBE, *"Puntofijo, Ayer y Hoy. Puntofijo, Como Acuerdo De Gobernabilidad;"* Gabriel RUAN SANTOS, *"Democracia de consensos en Venezuela y el Pacto de Puntofijo;"* Carlos J. SARMIENTO SOSA, *"El Pacto de Punto Fijo y la selección de magistrados y jueces en los primeros diez años (1958-1968) de la Venezuela de la Republica Civi*l"; Cecilia SOSA GÓMEZ, *"Las sombras del Pacto de "Puntofijo" y la Constitución de 1961"* y Gustavo TARRE BRICEÑO, *"Punto Fijo: La preservación de la democracia y la virtud republicana,"*

Nuestro agradecimiento a todos ellos, pues sus contribuciones, sobre los orígenes, actores, significado, implementación y efectos del Pacto de Puntofijo, sin duda, no solo permitirán ubicar en su justo lugar lo que fue un gran pacto político democrático, y poder apreciar el significado que tuvo en la consolidación del sistema democrático en el país, sino que contribuirán a pensar en cómo resolver exigencias futuras cuando podamos reconstruir la democracia demolida.

Pero la misión no debería finalizar aquí, sino que se debería emprender un trabajo de investigación y posterior divulgación que ponga de relieve la grotesca manipulación que se ha hecho con la historiografía y con la propaganda política del relato histórico de Venezuela, que desmienta a los "sembradores de cenizas", como diría Augusto Mijares, con la finalidad no sólo de desenmascarar el propósito que con ello siempre se ha perseguido, sino de identificar, resaltar y difundir los valores humanos individuales y colectivos y las tendencias positivas que ha habido en la historia del país.

Comencemos entonces con el relato verdadero de la democracia surgida con el 23 de enero de 1958, cuyas raíces provienen de etapas precedentes de la historia venezolana.

Allan R. BREWER-CARÍAS y Gabriel RUAN SANTOS

Caracas, 17 de mayo de 2024

CRÓNICA DE «PUNTOFIJO» O EL ALMA DEL 23 DE ENERO*

Asdrúbal AGUIAR A.**

UN GOBIERNO RESPETADO, HASTA QUE DEJÓ DE SERLO

El Gobierno de Marcos Pérez Jiménez funcionó, teóricamente, como un aparato de relojería. Por su formación castrense tenía un entendimiento particular acerca de la organización de la Administración Pública. La reformó, como consta en su Mensaje al Congreso de 1954. En él explica que "para hacer eficaz y económica la administración del Estado es necesario situar las actividades donde lógicamente deben estar", pues entendía al Gobierno, efectivamente, como una maquinaria funcionalmente jerarquizada, de prestación de servicios y de realización de obras, a la luz de los objetivos del Ideal Nacional.

La estructura militar con sustento real del poder fue atendida con preferencia, "no obstante el descuido de las condiciones económicas de los oficiales de las Fuerzas Armadas en las postrimerías del gobierno militar". Oscar Mazzei Carta, ministro de la Defensa, será,

---

* Los textos de este ensayo son una revisión y ordenación de varios artículos que he publicado sobre el asunto y parte también, editada y revisada para este libro, de nuestra obra colectiva De la revolución restauradora a la revolución bolivariana, Caracas, diario El Universal / UCAB, 2009. Es el contexto dentro del que nace y se forja el Pacto de Puntofijo de 31 de octubre de 1958.

** Profesor Titular, escritor y académico miembro de la Real Académica Hispanoamericana de Ciencias, Artes y Letras de España y de la Academia de Mérida, ejercí como gobernador de Caracas, ministro de la presidencia y de relaciones interiores, y presidente encargado de Venezuela en 1998.

así, quien asuma la Presidencia como Encargado en las pocas salidas de Pérez Jiménez al exterior, quien fue celoso con el tema de la soberanía y del principio de autodeterminación.

Sus relaciones con los demás países, dentro de las que contaban como privilegiados los vínculos con Estados Unidos de América, no fueron óbice para que se moviese con tacto, pero con firmeza en determinados asuntos. Su condición de militar y de dictador no le significaba al principio una suerte de rémora, dado el cuadro de la Guerra Fría en efervescencia, que le impulsaría a la ruptura de relaciones con la Unión Soviética el 13 de junio de 1952.

Con Colombia mantuvo relaciones muy cordiales durante todo el mandato, trabando amistad con los presidentes Arbeláez y Rojas Pinilla. Y lo cierto fue que en 1953 le hará devolución a dicho país del testamento de El Libertador, que había desaparecido de la Quinta San Pedro Alejandrino.

Sin embargo, tales relaciones encontrarán un momento de tensión durante el año de 1952 cuando Pérez Jiménez ejercía como ministro de la Defensa y miembro de la Junta de Gobierno. En enero de dicho año la Cancillería del país vecino realizó una publicación con el nombre de Territorios Nacionales, declarando su soberanía sobre el Archipiélago de Los Monjes y el 1° de marzo siguiente la fragata colombiana Almirante Padilla ancló en los Monjes del Norte e hizo disparos de artillería contra pesqueros venezolanos. Ya en 27 de febrero Venezuela había instalado un faro en dichas islas y el 8 de septiembre, a pesar de las disculpas ofrecidas por la Embajada colombiana en Caracas, el gobierno decidió la ocupación militar y artillada de Los Monjes, obligando a la Cancillería del vecino país a emitir una declaración de reconocimiento de nuestra soberanía nacional, que firmaría el 22 de noviembre.

Luego, cuando la Guayana Inglesa hizo saber de su deseo de independencia, el Canciller venezolano Aureliano Otáñez cuestionó en octubre de 1953 el intento de la Gran Bretaña de sostener la condición de vasallaje de dicho país, en tesis que acompañará también el dictador nicaragüense Anastasio Somoza durante su visita oficial a Venezuela argumentado al respecto el valor de la Doctrina Monroe. No obstante, el Gobierno de Venezuela pudo firmar favorablemente con la Corona inglesa la delimitación de sus áreas marinas y submarinas en el Golfo de Paria en el mes diciembre inmediato.

A inicios del Gobierno dictatorial, el Congreso chileno atacaría a Pérez Jiménez por sus atentados a la democracia, y al final, en 1957, Chile – nación donde fallece en el exilio Valmore Rodríguez, fundador del Diario El País y vicepresidente de Acción Democrática en la clandestinidad - rompe relaciones con Venezuela luego de que la Seguridad Nacional detiene al Agregado Civil de la representación diplomática chilena en Caracas, Jorge Basulto Guillén, quien se habría expresado en términos denostosos para con el régimen.

En el mismo año de 1957 Argentina también rompe sus relaciones con Caracas, luego de que su Embajador, el General Carlos Toranzo Montero, fuese acusado de no asistir a los actos de la Semana de la Patria. Pero el asunto tendría otro matiz, pues Juan Domingo Perón, acompañado por una Hermana de la Caridad y una joven rubia, sería recibido y protegido en Venezuela, a donde ingreso por Maracaibo procedente de Panamá siendo recibido por un General Tanco, quien habría conducido una revuelta en la nación sureña. Más tarde, el 25 de febrero del año de la ruptura de relaciones diplomáticas que obligarían a su vuelta a Caracas al Embajador Atilano Carnevali, el carro de Perón – coincidiendo con las celebraciones patrias de su país – sería objeto de daños por una bomba que estalló antes de que su chofer recogiese al exmandatario en su vivienda de la Urbanización El Rosal.

Morirían en el exterior, también exilados, José Rafael Pocaterra en Canadá, y Andrés Eloy Blanco en México. En tanto que, habiendo regresado de su exilio, fallecería en Caracas el General Isaías Medina Angarita.

Más allá de las formas, de las exigencias protocolares o de las anécdotas, lo cierto es que Venezuela, desde 1953, fue víctima de una presión sostenida por parte de los productores petroleros independientes norteamericanos, quienes, asociados a los productores de carbón, se quejaban y piden la disminución de las importaciones del crudo venezolano.

Luis José Silva Luongo, historiador y experto en la materia dará cuenta, más tarde, del ingreso que por 2.118 millones de bolívares obtuvo la República por las nuevas concesiones petroleras: consideradas por su acérrimo cuestionador – Juan Pablo Pérez Alfonso – como las más diligentes, metódicas y rendidoras de nuestra historia, pues "se recibió 100 veces más que en 1943-1944". La suma del caso, que no gastaría Pérez Jiménez y que, se supone, dejaría en el Tesoro a su caída, empero, se contrariaba con un gobierno que, antes de caer, comienza a atrasarse en el pago de sus deudas a los contratistas y proveedores de materiales de sus grandes obras. El presidente se hace el desentendido y hasta se muestra irritado cuando se le pregunta al respecto, dirán estos.

Dada la "cuestión de las importaciones petroleras", ya al final de la dictadura, el 28 de diciembre de 1957, el Canciller de la República anunciaría revisiones en la política exterior si Estados Unidos insistían en sus medidas restrictivas afectando con ellas la "cooperación entre las naciones del mundo libre".

Es el momento, pues, en que el gobierno militar recibe su primer ataque mortal, que lo llevará al derrumbe. Monseñor Rafael Arias Blanco, arzobispo de Caracas, hará leer una pastoral en mayo del año mencionado donde denuncia la irritante e insostenible realidad vigente en el país: "Una inmensa masa de nuestro pueblo está viviendo en condiciones que no se pueden calificar de humanas… mientras que los capitales invertidos en la industria y el comercio que hacen fructificar sus trabajadores aumentan a veces en forma inusitada".

El malestar, pues, se instaló en todos los órdenes y logró permear hacia el gobierno y hasta en la milicia.

Todos esperaban, incluidos los actores partidarios en el exilio, entre éstos el propio Rómulo Betancourt, que unas elecciones generales dieran término al régimen 'perezjimenista': provocasen su derrumbe mediante el voto. Pero ello no fue posible y Vallenilla Lanz, autor de la Ley Electoral que instalara el írrito plebiscito que se realizó el 15 de diciembre anterior, no pudo tener el éxito que le brindó a su jefe el 2 de diciembre de 1952, al compararlo con Napoleón. El estudiantado toma las calles y sorprende la protesta de los alumnos de la Universidad Católica Andrés Bello frente a la farsa plebiscitaria, dada la vinculación de dicha Casa de Estudios con la Iglesia.

La historia posterior será corta. Una Junta Patriótica, con los partidos opositores, entra en acción y en el ámbito militar se organiza el movimiento conspirativo, con Hugo Trejo, jefe militar de Caracas, a la cabeza. A su vez, el mayor Martín Parada conduce las operaciones aéreas desde la Base de Palo Negro. No tienen éxito el 1° de enero, pero el día 10 siguiente se alza la Marina siendo contenida por el diálogo y las ofertas del General Rómulo Fernández, jefe del Estado Mayor General.

Pérez Jiménez cede ante el pedido de Fernández, hace a un lado y envía al exterior a sus aliados más cercanos – Vallenilla Lanz y Pedro Estrada – reorganizando su gabinete, con Rómulo Fernández en el Ministerio de la Defensa: quien dura en su cargo hasta el 13 de enero, cuando lo hace preso el propio Pérez Jiménez con el apoyo de Luis Felipe Llovera Páez, a quien había preterido desde el mismo 2 de diciembre de 1952. Pero el envalentonamiento de nada le sirve. El 21 de enero estalla la huelga general y se cuenta que Llovera le habría dicho a Pérez Jiménez que "las cabezas no retoñan" y era llegada la hora de la partida.

En la madrugada del 23 de enero de 1958, aborda La Vaca Sagrada, como llamaba el pueblo al avión presidencial. Pérez Jiménez, su familia, acompañados de Llovera Páez y familia, Pedro Gutiérrez Alfaro, Raúl Soulés Baldó, Antonio Pérez Vivas y Fortunato Herrera, entre otros, despegan desde el Aeropuerto de La Carlota para no volver.

Marcos Pérez Jiménez, ya General de División por decisión del Senado, dejaría en el apuro una maleta, cuyo contenido serviría de prueba para su posterior enjuiciamiento por peculado y su extradición, favorecida por el Gobierno de los Estados Unidos de América, que lo condecoró y lo sostuvo hasta el momento en que consideró llegado el momento de construir alianzas en América Latina más duraderas, con mandatarios demócratas y electos mediante voto universal, directo y secreto.

La vieja República Militar llegaba así a su término, por lo pronto. Se abriría otra etapa del siglo XX venezolano, la de la República Civil, que es partidos y también acaudillada, obra de un amago transicional muy complejo, nada fácil, hijo de la madurez, de la amarga experiencia del exilio y el fracaso del sueño octubrista de 1945 que le hizo lugar a la llamada «década militar».

La Iglesia del 23 de enero

La política se hace y renace en la plaza pública, su lógica es ciudadana. Bajo los despotismos, medra la resistencia. Es dispersa en la Venezuela antes de la caída de la dictadura, el 23 de enero de 1958. Algunos de los suyos ceden en la oscurana presas del miedo, sin luces de libertad, atenazados por el instinto de la sobrevivencia. Es el contexto donde florecen las negaciones, pariente del otro en el que bullen los odios entre los que pierden el poder usufructuado antes en jolgorio de complicidades: Marcos Pérez Jiménez y Pedro Estrada, derrocados, se separan más tarde.

Sobre el 23 de enero de 1958 y la predicada unidad de los políticos se vierten cántaros de agua llegado cada aniversario. Ocultan la otra historia, la de su "alma", que es delta de circunstancias, obra del coraje cural, un deslave de la naturaleza.

Miguel Otero Silva escribe sobre la inmediatez: "Centenares de presos, centenares de torturados, centenares de muertos era, al cabo de nueve años de tiranía, el balance de una oposición heroica pero hondamente dividida". Ramón Díaz Sánchez recrea el ambiente de conmociones que arranca con el 18 de octubre de 1945, mientras Arturo Uslar Pietri, certero, apunta que "si el 18 de octubre fue el movimiento de un partido y un sector del ejército", el 24 de noviembre de 1948 un golpe militar seco, el 23 de enero ha sido singular y distinto.

A seis meses del derrocamiento del dictador, sobre el estado del alma venezolana en ebullición, cuando "huye de la oscuridad de la noche", es cuando la Junta Patriótica, formada por URD y los comunistas se establece. Luego llaman al COPEI y la clandestina AD; partidos que, una vez superado el puente se reorganizan y paren sus líderes el Pacto de «Puntofijo», para darle salida de largo aliento y estabilidad al huracán incontrolable: "Caracas es una vasta conspiración. Y cada casa de la ciudad una tertulia de conjurados. Se conspira en los barrios residenciales, en los sectores de clase media, y en los bloques obreros", narra desde el teatro quien luego será presidente de la Cámara de Representantes neogranadina, el poeta y diplomático José Umaña Bernal.

Frente al despilfarro y el grosero enriquecimiento dentro de la «boutique» caraqueña se disimulan las condiciones infrahumanas en que viven las mayorías. Son los párrocos y el arzobispo, Rafael Arias Blanco, quienes interpretan esa injusticia y enfrentan la vanidad del dictador.

El Vaticano se activa. Llega a Caracas el Cardenal Caggiano y desde el Municipio observa que "hay tanta riqueza que podría enriquecer a todos, sin que haya miseria y pobreza". Arias intima a la organización sindical, para que de ella surja una opción "entre el socialismo materialista y estatólatra que considera al individuo como pieza... y el materializado capitalismo liberal, que no ve en el obrero sino un instrumento de producción". La invita "a completar lo que aún falta a la paz social". Enciende la mecha.

Pio XII dedica tres veces su palabra al pueblo venezolano sufriente. En 1956, al Canciller de la dictadura le dice, sin concesiones, que sólo habrá desarrollo armónico cuando entiendan que el progreso significa "elementos otorgados no a una persona exclusivamente sino a toda una sociedad que debe sentir sus provechosos efectos".

Sorprende al régimen, sí, el cese del silencio de los intelectuales, los hombres de negocios y profesionales. Pasado el alzamiento del 1° de enero, cuando trepidaran sobre Caracas los fuselajes aéreos, firman remitidos antes de la huida del sátrapa: "Es necesario, para la recuperación institucional y democrática de Venezuela, que el gobierno garantice el pleno ejercicio de los derechos ciudadanos", mascullan cuidadosos.

La crónica de Gabriel García Márquez, El Gabo, en ese momento germinal de nuestra democracia – cuando "ya está el helado al sol" según la descripción de Llovera Páez – muestra el verdadero rostro de la diosa Tique del destino. El clero es el actor principal.

El arzobispo es llamado por el ministro del interior, Laureano Vallenilla – "no iba a misa, pero conocía los sermones", escribe García Márquez, y lo hace esperar hora y media para darle una lección. El padre Hernández Chapellín, director de La Religión, ante Vallenilla espeta: "Voy a hablarle como sacerdote, que sólo teme a Dios... casi todo el pueblo los odia y los detesta".

El padre Sarratud sabe que lo buscan. Se entrega a manos del segundo de Estrada, Miguel Sanz. A él y al padre Osiglia de la Candelaria y a Monseñor Moncada de Chacao, llevados a la Seguridad Nacional donde se encuentran Hernández Chapellín y el padre Barnola -el semi-interno le llaman- se les acusa de haber instigado el levantamiento.

El padre Álvarez de La Pastora se mueve, para que, al llegar los esbirros por haberle impreso volantes a la Junta Patriótica, ello no impida que los huelguistas del 21 de enero suenen las campanas de la Iglesia. El Nuncio Apostólico protege a Rafael Caldera, quien sucesivamente viaja al exilio, y al joven oficial Roberto Moreán Soto. Y Monseñor Jesús María Pellín, hombre de bibliotecas como el actual Papa Emérito, sermonea sobre el prevaricato imperante.

En la fecha, Monseñor Hortensio Carrillo – trujillano, de quien fuésemos monaguillos el hoy Cardenal Baltazar Porras y este simple escribano – protege en la Iglesia de Santa Teresa a los médicos manifestantes. El régimen la profanan con sus fusiles y ametralladoras. "Una bomba estalló a pocos metros de Monseñor… los fragmentos se le incrustaron en las piernas y con la sotana en llamas se arrastró hasta el Altar Mayor". Las mujeres "mojaron sus pañuelos en el agua bendita de la sacristía y apagaron la sotana", reseña quien más tarde será Premio Nobel de Literatura.

"El heroico pueblo de Caracas, con piedras y botellas, descongestionó el sector… el párroco [presa de terribles dolores] experimenta una inmensa sensación de alivio. La misma sensación de alivio que experimenta Venezuela". La dictadura ha sido derrocada. "El hambre carece de color político, y el dolor y la esclavitud, son siempre la tierra de nadie", precisa Umaña.

UN ESTADO DEL ALMA

"No hay líderes, ni jefes ni oradores; sólo la inmensa corriente de hombres y mujeres, que avanza, de los cuatro puntos cardinales hacia el centro de la ciudad. Al principio, empecinada y silenciosa, como una sombra tenaz, sofocada por muchos años, que sale de la sombra", es el recuerdo que le queda en su memoria a Umaña Bernal al declinar el año. Ya se inicia el decurso venezolano hacia el 23 de enero 1958, hacia su libertad.

Describe al celebérrimo barrio La Charneca, a la derecha del río Guaire, ese que después ilustrará no pocos discursos del presidente Rómulo Betancourt quien asume el gobierno a partir de 1959, en el primer tramo de una experiencia democrática que trastabillará en sus inicios: - "No es esa la tarea de un momento de fugaz alegría y de momentánea generosidad", advierte Arturo Uslar Pietri; pero Umaña lo hace para dar cuenta de algo que está allí presente, como un volcán en las vísperas de su erupción y sin que se le pueda mirar para describirlo, pero se le siente. Sólo captan sus signos los más perspicaces, como el animal que escucha los mensajes de la naturaleza. Nadie puede apropiarse del hecho, de la gente que se amalgama sin proponérselo, casi por instinto y en la hora agonal.

"Gente de bronce, si las palabras no estuvieran infamadas por el uso; hombres y mujeres de bronce, maliciosos y alegres, duros y tenaces… un pueblo con sentido de clase, que conoce los términos de la libertad" incluso bajo la férrea dictadura de los militares, pues si teme tampoco le disciplinan.

El pueblo venezolano, en efecto, es paciente y silencioso ante sus pesares así los masculle o los grite de tanto en tanto para drenarlos. "El primero de enero – cuando se alzan los aviadores y sus pájaros metálicos trepidan sobre el cielo de la Caracas que amanece – el pueblo no está en la calle. Y por muchas horas nadie sabe lo que pasa", relata la crónica.

Comprender la esencia de esa chispa del venezolano común que prende después y casi al azar envuelve a todos, cuando menos lo espera el que la genera, no es, por ende, tarea fácil. Es casi oficio para taumaturgos sociales. Algunas veces lo logran hombres de Estado muy decantados y esquilmados por el ostracismo, no los políticos logreros o de medianía. De tanto en tanto los intelectuales madurados a fuerza de tener como su objeto de observación y para fabularla al alma popular, como en el caso de Rómulo Gallegos, lo logran con finura.

De nada sirven para comprender lo inédito de la «revolución de 1958», cuyos efectos bienhechores cubren a las tres generaciones siguientes, los papeles que describen a la circunstancia; esos del tiempo previo y posterior a los hechos del 23 de enero y sobre un vértice social que se mixtura a lo largo de la historia patria de una manera accidentada, en lucha contra los amagos o artificios de poder que forjan las espadas o el látigo o se montan en las escribanías del oportunismo.

Otero Silva mira también al margen de su cuaderno cuando escribe acerca de los presos y los torturados atribuyéndolos como efecto de las mezquindades partidistas: - "en tanto que no arriaron sus divergencias y sus contradicciones para enfrentarse al enemigo común, lograron apenas llenar las cárceles con sus militantes". Pero lo cierto es que sobre esa colcha de retazos que impone la lucha clandestina contra la dictadura de Marcos Pérez Jiménez, al termino quien domina es el difuso «espíritu del 23 de enero». Es lo que importa destacar, lejos de los gendarmes y traficantes de ilusiones, sean de charreteras o de levita.

Lo veraz, como lo narra Umaña, es que mientras militares soportes de la dictadura avanzan en sus estrategias – cada uno con su portafolio de intereses en la mano del disimulo, predicando cambios «gattopardianos» o libertades tuteladas – entonces "no baja el pueblo de La Charneca, ni se mueven los trabajadores de Catia".

El pueblo de Caracas, frívolo y desorganizado, zamarro y calculador como lo es el venezolano, en la circunstancia se hace generoso, decidido y audaz al extremo. Si bien apuesta al éxito de los alzados a la vez que se mantiene reservado, no ajeno a las tensiones interiores que se le vuelven nudo en la garganta y alimentan frustraciones recurrentes. Y el fracaso aparente del 1° de enero, en la hora de los cuarteles alzados, y también de la huelga general del 21 siguiente atizan ese estado de ánimo. Entretanto la realidad muestra que caen bajo las metrallas la gente del pueblo llano – se dice al término que han fallecido más de 1.000 venezolanos durante las refriegas. ¡Y es que las rupturas históricas y las revoluciones que las amamantan – así ocurre de modo inesperado y germinal en los días previos al 23 de enero – durante sus deslaves terminales se vuelven "un estado del alma"! No tienen nombre propio, ni linderos sociales.

"La revuelta – dice Umaña – es el puesto fronterizo a donde, temprano o tarde, llegan todos los desterrados de la libertad y de la justicia. "No es la de los importantes y los oportunistas", machaca.

Más allá de los conciliábulos en el Palacio de Miraflores o de la Academia Militar que en el clímax hacen convencer al dictador que perdió el apoyo y lo llevan a abandonar el país, lo que no se dice es que "Caracas preparó su revolución". Lo confirma El Gabo: "Todo el mundo, desde el industrial en su gerencia hasta el vendedor ambulante en la calle estaba conspirando". No hubo héroes ni jefes providenciales, ni caudillos victoriosos, "ni minorías que cabalgasen sobre el lomo de la historia".

UNA SOLA GRAN VERDAD, VENEZUELA

"No es Caracas una ciudad alegre este fin de año… es hoy una ciudad millonaria, pero, también, una ciudad melancólica… Bajo su espléndido cielo del trópico, Caracas es una ciudad que se asfixia. Le falta aire. El aire de la libertad" que se le ha negado a Venezuela. Eso vuelve a escribir Umaña Bernal en su *Testimonio de la revolución en Venezuela*, en vísperas del 23 de enero de 1958.

Cambiando lo cambiable, el párrafo hace descripción viva de lo actual venezolano; pero en sus entrelíneas se lee a la ciudad que asfixia bajo la violencia de la ambición construida sobre el vil metal que igualmente mata, tanto como aquella que es carne del mesianismo, del narcisismo dislocado en los altares del poder. Lo supo antes el Libertador, Simón Bolívar, al observar las trágicas consecuencias de su quehacer épico que aún hoy no cesan, pues hoy como ayer han vuelto a la nación nuestra una nada que es agonía, ilusión vana para quienes la reducen a su yo personal, tal y como lo revela la carta que dirigiese a su tío Esteban Palacios desde el Cuzco: "¿Dónde está Caracas?, se preguntará Usted. Caracas no existe, pero sus cenizas, sus monumentos, la tierra que la tuvo, ha quedado resplandeciente de libertad y está cubierta de la gloria del martirio".

¡Y es que, en ese anhelo de libertad, fueron disueltas como arena u olvidadas como ahora las palabras que son memoria del maestro Andrés Bello, dichas en la antesala de nuestra emancipación y como conjuro! "En la gobernación de Venezuela era el hallazgo del Dorado, el móvil de todas las empresas, la causa de todos los males…". Y agrega lo que para él resultará auspicioso al revisar en 1810 nuestro decurso: "En los fines del siglo XVII, debe empezar la época de la regeneración civil de Venezuela", luego del quehacer de unos hombres antes guiados por la codicia… "Entre las circunstancias favorables que contribuyeron a dar al sistema político… una consistencia durable debe contarse el malogramiento de las minas que se descubrieron a los principios de su conquista", ocupando el espacio la religión y la política. Así reza el texto del filólogo de América que acompaña a su *Calendario Manual y Guía Universal de Forasteros* editado en Caracas por la imprenta de Gallagher y Lamb.

Umaña nos recuerda el papel crucial que otra vez juegan en la circunstancia de 1957 la Iglesia Católica y sus sacerdotes, pero trae también la voz de los intelectuales, universitarios, dirigentes obreros y empresariales y hasta hace relación diaria de las actividades que despliega la Junta Patriótica desde su instalación el 11 de junio. Es memorable el reportaje de García Márquez a quien cito antes, y quien ejerce el periodismo en nuestra ciudad capital: "Me di el gusto – decía entonces el ministro del interior, Laureano Vallenilla – de hacer esperar al arzobispo durante hora y media". Y cuenta del coraje y firmeza de los curas párrocos venezolanos al momento de enfrentar a la tiranía. "El sacerdote, que no se había escondido, se echó al bolsillo el breviario y se dirigió en automóvil a la Seguridad Nacional. Lo recibió Miguel Sanz, quien sin fórmula de juicio lo mandó a la celda".

La relectura de este libro habría de ser, incluso en tiempos de inmediatez como los que nos acogotan, una suerte de catecismo, ya que sólo aquél quien sepa escapar a las tentaciones de la diosa Calypso, la que intenta ofrecer gloria y paraíso a Ulises para impedirle su regreso al hogar, a Ítaca, será capaz de entender lo que luego se calificará de milagro, el 23 de enero. Hace posible lo que Rómulo Betancourt refiere como intersticio – la libertad – entre gobiernos despóticos y opresores, alcanzando a durar cuatro décadas hasta 1998.

Betancourt advierte sobre las responsabilidades de la comunidad internacional a fin de que se logre la verdadera democratización del país: "Las propias denominaciones de derechas y de izquierdas resultan un poco artificiales, ante el insoslayable imperativo común de impedir el retorno de sistemas que no establecen distingos… cuando se trata de abolir libertades y humillar la dignidad del hombre", recuerda. Seguidamente expresa sin ambages que "le resta autoridad ética al mundo libre – se refiere a la actitud de organismos como la ONU o los europeos – porque resulta moralmente contradictorio condenar los sistemas brutales de gobierno de los totalitarismos en otros continentes cuando en forma amistosa se coexiste con los totalitarismos americanos".

Rafael Caldera, con igual clarividencia le sale al paso al freno de nuestros atavismos: "Que no se diga que, porque Pérez Jiménez se fue, ya nadie trabaja en Venezuela; que no se diga que el manguareo es enfermedad de la democracia y que es necesario el sable desnudo, inclemente, sobre el cuerpo, para poder cumplir con el deber de hacer la grandeza nacional". Y destaca que la Iglesia, que ha estado al lado del pueblo sin denominación de partidos, sabe que los derechos de la persona no son "planta que pueda desarrollarse con lozanía a la sombra corruptora de los poderosos".

Jóvito Villalba, sólido constitucionalista, el de más experiencia dentro de los líderes de la generación de 1928, recuerda la lección de los fracasos habidos en 1936 y 1948 para evitar los errores del sectarismo: "En el lugar antes ocupado por voluntades dispares e irreconciliables, se levanta una sola gran verdad: Venezuela. Hay que salvar a Venezuela, como una patria para nosotros y para nuestros hijos".

Transcurrida la ominosa década dictatorial, marcados por la cárcel y el exilio, aprendieron los parteros del Pacto de «Puntofijo» que más allá de ellos estaban la nación y su destino. La unidad que les era imprescindible mal podía ser "máscara de fariseos de quienes se unen para repartirse el botín a espaldas de quienes trabajan, para conservar el statu quo y mantener en pie los privilegios de las minorías antipopulares".

EL TIEMPO DE LAS IDEAS Y DE LOS PARTIDOS

El doctor Edgard Sanabria, presidente de la Junta de Gobierno, quien sucede como tal al Contralmirante Wolfgang Larrazábal Ugueto a finales de 1958, al comentar sobre el período iniciado a la caída del dictador Marcos Pérez Jiménez, padre del Nuevo Ideal y – según éste mismo – redentor de la Nación, dice bien y no exagera en su última Alocución a los venezolanos, el 13 de febrero de 1959, que "el año que hemos pasado en la actividad incansable del Gobierno será memorable". Señalaba el insigne romanista y catedrático universitario que la Junta recibió "una nación en la que ninguna libertad subsistía y en la que la vida y la dignidad del hombre sólo tenían existencia retórica y en cambio la abyección y el agravio eran las notas distintivas del trato político".

Antes, en su mensaje anterior de final de año, Sanabria explicaba la razón de fondo de su predicado: "Como consecuencia de los sufrimientos pasados, cada parcialidad política y cada grupo social ha revisado su conducta de ayer. El resultado ha sido el propósito de rectificar, si no la rectificación misma. Unidad, concordia, convivencia, ha sido llamada esa posición a la que todos hemos llegado por un mismo camino de dolor".

El presidente Sanabria miraba hacia el futuro con visión aguda, tanto que previno sabiamente sobre aquello que medio siglo después se tornará en cruel fatalidad: "Todo el pasado nos enseña que la alternativa de esa unidad, de esa concordia, de esa convivencia, no es ya el sectarismo o la dictadura, sino la destrucción total de nuestras instituciones".

La prensa del 23 de enero de 1958 da cuenta, pues, en grandes titulares, del derrocamiento de la dictadura luego de la medianoche del día anterior. El ya general de división Marcos Pérez Jiménez, junto a su familia y otros colaboradores había viajado a Santo Domingo desde el Aeropuerto de La Carlota, cerca de las 3 de la madrugada.

Ramón J. Velásquez escribirá años después sobre la sorpresa que anidó en el Ejército al verse abandonado por el dictador; pero lo cierto es que la fractura militar sobrevenida y el error del plebiscito (diciembre 15,1957) que hicieron posible, ambas, el cambio de gobierno, igualmente lo hicieron inviable. Su fuerza la perdió de improviso y a fuerza de los señalados atropellos a la dignidad de propios y de ajenos.

La historia de este corto pero nutrido y fecundo proceso de ruptura y de revolución, que no solo de renacimiento democrático, dirá mucho acerca del país del porvenir y sus inmediatos perfiles. Cabe entenderlo, para situar lo sucesivo en su contexto adecuado.

El alzamiento militar del primero de enero, conducido por los capitanes Hugo Trejo, en Caracas, y Martín Parada, aviador, en Maracay, fue el hito que corre el velo mostrando a la dictadura en su precariedad. Mas, por tratarse de una iniciativa netamente militar –

eran 114 oficiales, un general, un coronel, el resto desde tenientes coroneles hasta subtenientes, los investigados por el gobierno luego de los sucesos o detenidos antes de ellos – cabía suponer que ocurriría un eventual y simple paso de manos dentro del amago restaurador de la República Militar que fuera el régimen depuesto. Ello fue así, aun cuando los militares complotados desde septiembre anterior mantuviesen contactos individuales con algunos civiles como Lorenzo Fernández y Godofredo González de COPEI, Orestes Di Giácomo, cabeza de la Asociación Venezolana de Periodistas y miembro de AD, o el mismo Saverio Barbarito, ministro de Agricultura durante el régimen de Medina.

Sea lo que fuere, la insurrección fallida del 1° de enero de 1958: animada - ¿qué duda cabe? – por el ambiente provocado por el Frente Universitario (que integraran Enrique Aristeguieta Gramko y Remberto Uzcátegui por COPEI, Jesús Carmona y Jesús Petit Da Costa por AD, y por el PCV Faustino Rodríguez Bausa y Mercedes Vargas Medina) asesorado por Gonzalo García Bustillos, y la huelga estudiantil del 21 de noviembre, ayudaron a la pérdida de miedo por la población e hicieron posible lo que era un imposible: El giro profundo, luego concordado, de la historia política de Venezuela y la final cristalización de nuestra experiencia democrática, que ya no del fatal o conocido cuartelazo, el ¡quítate tú para ponerme yo!

Las Fuerzas Armadas hubieron de entenderse, en lo sucesivo, con los civiles, quienes a partir de entonces tomaron la calle y propician la nueva insurgencia. Y los civiles – forzados ahora por la experiencia lacerante vivida durante la llamada "década militar" (nombre del esclarecedor libro de José Rodríguez Iturbe, dedicado al estudio del período) – hubieron de ceder en sus protagonismos estériles y avenirse en lo fundamental para la construcción de otro modelo de República. Éstos entendieron, por vez primera, que de nuevo tenían el poder suficiente como para acotar al estamento castrense, pero disponiéndolo al servicio de la Nación toda y sin necesidad de vejar, aislar o sorprender en su buena fe a los integrantes de la milicia.

La antesala de la unidad civil para la lucha final contra la dictadura tuvo como sede efectiva a la Junta Patriótica clandestina.

Antes del plebiscito decembrino, desde Nueva York, Rómulo Betancourt venía impulsando junto a los otros dirigentes partidarios venezolanos una iniciativa – el llamado "pacto a tres" (AD, COPEI, URD) constante en su declaración de 8 de agosto de 1957, para atender el proceso eleccionario que Pérez Jiménez y Vallenilla Lanz habían trucado para derivarlo en un plebiscito reeleccionista: mediante una Ley Electoral inconstitucional que le exigieron aprobar al sumiso Congreso. Las acciones desde el exilio, sin embargo, no lograrían concretarse a nivel interno por razones prácticas explicables, dado que, como lo reconocería el propio Rafael Caldera, la insurgencia – que tendría como focos a la Junta Patriótica mencionada y también al Frente Universitario - no fue obra de "las cúpulas": "fue un verdadero estallido colectivo, que se había venido gestando bajo la dictadura, agudizándose con la materialización del plebiscito y culminando con los movimientos militares iniciados desde el 1° hasta el 23 de enero" de 1958.

En todo caso, el acuerdo o pacto, indispensable para mostrar ante la opinión internacional - sobre todo norteamericana - que la salida del dictador no implicaba la sucesión del caos o la ingobernabilidad, terminaría siendo la base fundacional del tiempo posterior.

En el seno de la Junta Patriótica, cuya gestación arrancara hacia junio de 1957 pero logrando estabilidad hacia finales de año, se juntaron finalmente y antes de hacerse más amplia luego del 23 de enero, los partidos URD, Comunista, el socialcristiano COPEI, y Acción Democrática, pero con un espíritu suprapartidista que supieron defender sus miembros a cada instante. Ellos eran Fabricio Ojeda, presidente de la Junta, Guillermo García Ponce, Enrique Aristeguieta Gramcko y Silvestre Ortiz Bucarán, quien sustituye a Moisés Gamero.

Los manifiestos varios de la Junta denunciado tanto el plebiscito como la violación constitucional consumada con éste, y haciéndole un llamado a las Fuerzas Armadas a objeto de que le pusiese fin a los atropellos del dictador, quedaron coronados con su documento de enero de 1958, donde reconoce la unidad necesaria del "pueblo y Ejército" para dar término a la usurpación; y al hacer pública la honda fractura existente en el Ejército denunció al paso la prisión del general Hugo Fuentes y del coronel Jesús María Castro León, detenidos y vejados por el "triunvirato" gobernante: Pérez Jiménez, Vallenilla Lanz y Pedro Estrada, una vez como se develó el golpe fallido de comienzos de año.

De modo que, la acción del 1° de enero fue seguida por la huelga de los diarios del día 6, la detención de profesores universitarios el día 7, los rumores del día 8 que apuntaban al descontento dentro de la Marina y el inicio, el día 9, de la denominada "gimnasia revolucionaria" – así la califica Rodríguez Iturbe - con manifestaciones localizadas en la ciudad de Caracas y enfrentamientos con la policía en las distintas barriadas populares.

El 10 de enero cede el dictador y cambia el Gabinete bajo presión del general Rómulo Fernández, jefe el Estado Mayor General, como se ha señalado. Y el 17 de enero la Junta Patriótica convoca a una huelga general para el día 21 y de concierto el llamado Comité Militar de Liberación se pronuncia contra el Régimen. Llegado el momento de la huelga, no circulan los periódicos.

La población comprende que la misma no fue aplazada a pesar de la contra información puesta en marcha por el gobierno. La policía toma las puertas de las Iglesias para evitar que suenen las campanas llamando a huelga y a las 12 del mediodía el sonar de las cornetas de los vehículos y las sirenas de las fábricas anuncian el paro general del país. En la tarde caen muertos y heridos en número importante producto de las refriegas y de los ametrallamientos hechos por la policía, y se dicta un toque de queda a partir de las 5 de la tarde. Se reseñan como bajas civiles y según datos de los hospitales: 302 muertos y 1234 heridos: "sin duda aquella jornada era, como pocas veces en la historia turbulenta de la patria, la jornada de una polifacética insurrección popular", dirá en su historia Rodríguez Iturbe y no sin razón. La acción militar no llegó ese día, a pesar de lo anunciado y prometido por el Comité Militar, pues las coordinaciones habrían fallado.

A las 5.30 a.m. del día 22, los buques de la Armada de Venezuela atracados en La Guaira se hicieron a la mar para apoyar el movimiento popular insurgente y en cierne, y en tal condición permanecieron hasta el anuncio cierto de que Pérez Jiménez había cedido en su pretensión de mantenerse en el poder. Éste, avanzado el día, ordena sin ser acatado la salida de aviones militares en su defensa, y notificado en Miraflores – donde jugaba al dominó con el Gobernador de Caracas – de la sublevación de la Marina y de la Guarnición capitalina en curso decide invitar a dialogar a los sublevados, cuyos dirigentes se encontraban en la Escuela Militar.

El almirante Larrazábal conversa telefónicamente con los coroneles Roberto Casanova y Abel Romero Villate, leales a Pérez Jiménez y los invita a sumarse al movimiento, aceptando éstos a condición de integrar la nueva Junta Militar y dado lo cual aquél le solicita al presidente Pérez Jiménez abandonar el país.

El Ejército - quedaba demostrado - ya no era capaz por sí solo de hacerse y de sostener el poder sin el apoyo de las otras fuerzas militares, a pesar de la unidad de mando que les diera, hasta 1958, la figura institucional del Estado Mayor General.

El acotamiento civil sobre el mundo militar, inédito hasta entonces, encontraría su mejor testimonio en la ampliación que hubo lugar durante el mismo día 23 de enero de la Junta Militar de Gobierno, que se constituyera inicialmente en la Escuela Militar siendo ya la 1 a.m. del día mencionado y bajo la presidencia del contralmirante Wolfgang Larrazábal Ugueto. Compuesta la misma junto a los coroneles Abel Romero Villate, Roberto Casanova, Carlos Luis Araque y Pedro José Quevedo, hubo de cambiar su nombre por Junta de Gobierno y sumar a su seno al empresario Eugenio Mendoza – sito en Nueva York – y a Blas Lamberti, ex presidente del Colegio de Ingenieros.

Habiendo abandonado el país el dictador, la presión de la opinión no se hizo esperar en los días siguientes, originando la renuncia de los coroneles Romero Villate y Casanova, señalados por sus estrechos vínculos con el gobierno depuesto, quienes salen con destino a Curazao, siendo sustituido el Secretario de la Junta, doctor Renato Esteva Ríos, ex Embajador en Chile, por el doctor Sanabria; personaje éste quien antes acompañara la renuncia de varios profesores de la UCV en protesta contra el régimen de Pérez Jiménez, encabezados por el profesor y jurista François Ciavaldini Ortega.

En la reacción popular habida en lo inmediato, los saqueos inevitables contra bienes de los jerarcas del régimen depuesto, la rabia manifestada contra la Seguridad Nacional, y en el reclamo colectivo para que se atendiese la orden de liberar a los presos políticos – sitos

38

en la dependencia de ésta de Plaza Morelos y en la cárcel del Obispo, en el Guarataro - dada por la Junta, se producen 161 muertos y 477 heridos, como lo registra el diario El Universal de 24 de enero.

La mayoría de los altos funcionarios, sin embargo, no fueron detenidos y muchos tomaron la vía del exilio ingresando a distintas Embajadas, en tanto que algunos de los esbirros y espías de la "Seguranal" son linchados en la vía pública.

Pérez Jiménez, en todo caso, no se va para siempre, pues años después regresa extraditado con base en los papeles y valores que mostraban sus actos de peculado y que reposaban en una maleta que dejó en su apresurada partida a bordo de La Vaca Sagrada, nombre del avión presidencial cuyo despegue motivó una estruendosa manifestación de júbilo popular no conocida hasta entonces en Venezuela. Las campanas de las iglesias repiquetearon una vez más y hasta más no poder.

LLEGAN LOS PADRES DE "PUNTOFIJO"

La Junta Patriótica, ampliada - por iniciativa de Miguel Otero Silva y para doblegar el llamado "pacto a tres" - con los nombres de Irma Felizola, viuda del general Medina Angarita, Lorenzo Fernández, Numa Quevedo, Manuel R. Egaña, Raúl Leoni, Ignacio Luis Arcaya, entre otros más, hicieron fe de su respaldo a la Junta de Gobierno sobre las bases de los principios democráticos que anunciara defender el mismo Contralmirante Larrazábal al asumir el mando: "Libertad dentro de la Ley, unidad dentro del honor, generosidad dentro de la justicia", son sus palabras. Lo que implicaba para éste llevar al país, en lo inmediato, hacia "las prácticas universales de la democracia y del derecho".

La Junta hizo constar, por lo mismo, su decisión de sostener la "unidad nacional" de todas las fuerzas que contribuyeron al derrocamiento de la dictadura; de encaminar la unidad hacia la realización de elecciones generales de todos los poderes públicos; y de su compromiso, sin mengua de la independencia doctrinaria y organizativa de los partidos que coexisten en su seno, de "establecer una tregua en sus actividades en la lucha inter partidista", sembrando los presupuestos sustantivos de lo que luego se concretará en el Pacto de «Puntofijo» y que imaginan en su encuentro de Nueva York - apenas

39

caída la dictadura – Rómulo Betancourt, Jóvito Villalba, y Rafael Caldera, líderes fundamentales de los partidos Acción Democrática, Unión Republicana Democrática y el social cristiano COPEI.

Durante los meses de enero y de febrero ha lugar la saga hacia el país, la "vuelta a la patria" de centenares de exilados, a cuyo efecto el gobierno establece un puente aéreo con apoyo de la Pan American Airways para la repatriación desde México de cerca de mil exilados. Gustavo Machado, cabeza del Partido Comunista, radicado en este país, pondrá de nuevo su pie en el Aeropuerto Internacional de Maiquetía y también los complotados del primero de enero, quienes habían escapado hacia Colombia. De otros destinos volverán también Raúl Leoni, Luis Lander, Domingo Alberto Rangel y Luis Augusto Dubuc, entre otros tantos.

Los líderes de Nueva York llegan a Caracas: Jóvito el 27, Caldera el 2 de febrero, y Rómulo el día 9 siguiente. Todos a uno, rodeados del pueblo y cada cual en mítines de recepción realizados en la plaza Diego Ibarra del Centro Simón Bolívar, le darán su respaldo al gobierno de la Junta.

Todo era unidad inédita nunca imaginada y bajo el llamado "espíritu del 23 de enero". Rómulo apoyaba a la Junta de Larrazábal, quien, como capitán de Fragata y comandante de las Fuerzas Navales, apoyó antes el derrocamiento de Rómulo Gallegos. Jóvito se aproxima a Betancourt, su compañero de la Generación de 1928, luego de que los separara el derrocamiento por Betancourt del gobierno de Medina.

Y Caldera, quien participó de los grupos que durante el "lopecismo" le dieron lucha sin cuartel a los comunistas, a su regreso en 1958 recibe en su casa «Puntofijo» la visita de Gustavo Machado y Pompeyo Márquez: ¡Por la patria! brinda Caldera, a lo que Machado le responde: ¡Por la unidad!

En febrero de 1958, se levanta la censura de prensa instaurada por la dictadura desde 1950 y de nuevo se practica la confiscación de los bienes de un gobernante, tal y como ocurrió con Juan Vicente Gómez a su muerte.

La Junta dicta sus decretos números 28 y 29, mandando la ocupación preventiva de todos los bienes del expresidente Marcos

Pérez Jiménez, disponiendo la integración provisional de una Comisión Investigadora de Enriquecimiento Ilícito ya prevista por la Ley sobre la materia y asignando las competencias judiciales más altas, al respecto, a la Corte Federal.

La lista inicial de los investigados no sería tan extensa como aquella de la Revolución de Octubre, pero la Comisión Investigadora de Enriquecimiento Ilícito la haría pública para inicios de marzo de 1958 y en ella figuraron Laureano Vallenilla Lanz, los generales Luis Felipe Llovera Páez y Néstor Prato, Silvio Gutiérrez, Antonio Pérez Vivas, Pablo Salas Castillo, el teniente coronel Juan Pérez Jiménez, Julio Santiago Azpúrua, Guillermo Cordido Rodríguez, el teniente coronel Guillermo Pacanins, Alberto Caldera, Pedro Estrada y Rafael Pinzón.

UN MILITAR DEMÓCRATA

Wolfgang Larrazábal, carupanero de nacimiento, marino e hijo de Fabio Larrazábal y Jerónima Ugueto, hace parte de las hornadas de militares de academia formados durante la dictadura de Juan Vicente Gómez. Ejerce por dos veces la Comandancia de la Armada, en 1947 y luego en enero de 1958, antes de la caída de Marcos Pérez Jiménez. La primera vez y en tal calidad firma el acta de derrocamiento del presidente Rómulo Gallegos, el 24 de noviembre de 1948.

No obstante, durante su mandato como presidente de la Junta Militar - luego Junta de Gobierno - entre el 23 de enero y el 14 de noviembre de 1958, se revela como un líder carismático, de reconocida bonhomía y espíritu conciliador, quien sabe administrar sus arrestos populistas – que para algunos le aproximaban a la figura de Juan Domingo Perón - hasta transformarse en candidato presidencial de los partidos URD y Comunista. No ganará, pero llega de segundo detrás de Rómulo Betancourt con un caudal significativo de votos entre los que cuentan, de manera determinante, los de las masas sitas en la capital de la república. Caracas, a partir de entonces y desde entonces hasta hoy será una suerte de hervidero indócil, colcha de retazos sin horma permanente, producto del acelerado fenómeno de urbanización metropolitana a que la sometiese la obra física desplegada sobre ella por la década militar.

La primera expresión convulsiva de la capital estará compuesta por las manifestaciones de desempleados, campesinos llegados a ella y atraídos por el olor de la bonanza o por extranjeros venidos en búsqueda de un mejor destino, quienes deciden no abandonar a esta tierra poblada sobre las faldas del Ávila, originalmente llamada San Francisco y más tarde Santiago de León. Ella es, lo denuncia el mismo Rómulo Betancourt, una suerte de "boutique" extraña a la realidad dramática de la provincia. Pero por ello mismo Larrazábal no puede evitar la adopción de medidas urgentes – el llamado Plan de Emergencia: con un fondo de 127 millones de bolívares – para atender la crisis social sobrevenida y que, a juicio de sus críticos, por tratarse de una suerte de subsidio colectivo al desempleo, no hace sino agravar la situación fiscal del país consagrando el sedentarismo e indolencia ciudadanos.

Sea lo que fuere, bien parece que no tenía otra alternativa, lo que bien grafica su ministro de Relaciones Interiores, Numa Quevedo, al declarar que sólo había dos alternativas: "o plata, o plomo". Así de simple. Y no le faltaba razón, dado que, durante los meses del mandato de la Junta conducida por este atípico marino, hubo de enfrentar su gobierno varias asonadas golpistas que buscaron impedir el avance hacia la democracia civil y que pudo dominar sobre todo con "apoyo popular" y no con el uso de las armas.

Entre tanto los partidos realizaban concentraciones unitarias, como aquella del Nuevo Circo, de 7 de marzo de 1958, compuesta de 10.000 mujeres entre las que destacaban Isabel Carmona (AD), Leonor Mirabal (COPEI), Argelia Laya (PCV) y Rosa de Ratto (URD). Seguían siendo detenidos jerarcas del régimen anterior y despachados hacia el extranjero, como Miguel Moreno, Rafael Heredia Peña, Leonardo Altuve Carrillo, Gregorio Rivas Otero y Julio Santiago Azpúrua, entre otros más. Y se elaboraban las listas de la infamia en los gremios profesionales, para repudiar públicamente a maestros o a periodistas acusados de servir a la dictadura.

El ambiente de tensión y de revancha parecía incontenible, tanto que fue necesario organizar un acto nacional en defensa de los inmigrantes, con participación del empresariado, del gobierno y de la propia Junta Patriótica y dado que habían sido acusados, aquéllos, de votar a favor del dictador durante el plebiscito.

Las denuncias de peculado – como el negociado que habría realizado Llovera Páez para la construcción de la siderúrgica nacional con la empresa italiana Innocenti – y el embargo judicial de bienes copaban las páginas de los periódicos, en un momento en que las restricciones a las importaciones petroleras desde Venezuela hacia Estados Unidos afectaban nuestra economía, y a su vez, los partidos y movimientos políticos de todo género trabajaban infructuosamente en la búsqueda de un candidato presidencial de consenso, señalándose al efecto el nombre del catedrático y ex rector de la UCV, Rafael Pizani.

Faltará superar algunos escollos, sin embargo, antes de que la primera campaña presidencial democrática de la República de partidos llegue a buen puerto.

"Los hombres que desde el 23 de enero hemos sido llamados a desempeñar funciones de gobierno, actuamos con la convicción de que un deber se destacaba por encima de todo: el de propiciar y garantizar unas elecciones mediante las cuales los venezolanos pudieran darse su gobierno con entera libertad. Creemos haberlo cumplido para bien de todos. Cábenos la íntima satisfacción de haber iniciado nuevos procedimientos...", declarará al respecto el presidente Sanabria, en su alocución del 13 de febrero de 1959, al asumir el poder Rómulo Betancourt.

EL CLIMA DE UNIDAD NO CESA

A finales del mes último indicado de 1958 la Junta de Gobierno promulga un Estatuto Electoral, redactado bajo la presidencia de Rafael Pizani, y con la participación de actores políticos hasta entonces irreconciliables. El general Eleazar López Contreras ocupa sitio de honor al lado de Rómulo Betancourt, cuyo gobierno lo persiguió escarnecidamente después del 18 de octubre de 1945, y de Rómulo Gallegos, derrocado por la misma institución castrense de la que antes formara parte López.

El mes de julio trae de nuevo las aguas encrespadas cuando se inician agresiones a la residencia de Rómulo Betancourt y son detenidos los miembros de la Junta Patriótica, como antesala del intento de golpe militar que lleva adelante entre el día 22 y 23 el general Jesús María Castro León, ministro de la Defensa. Éste, a la sazón, le ofrece la presidencia de la Junta a Eugenio Mendoza en presencia, se cuenta, de Rafael Caldera y de Jóvito Villalba. Mas el rechazo de éstos tuvo eco en paralelo. 7.000 estudiantes de la UCV se declaran dispuestos a defender con las armas a la Junta de Larrazábal y 300.000 trabajadores se fueron a un paro simbólico contra la intentona golpista. Larrazábal logra dominar la situación y a su lado, en acto público en el Palacio de Miraflores, Castro León renuncia a su cargo y sale al extranjero junto con otros oficiales complotados, entre ellos los comandantes Luis Evencio Carrillo, Juan Merchán López, Clemente Sánchez Valderrama, Martín Parada, Juan de Dios Moncada Vidal y José Elí Mendoza Méndez, y los mayores Oswaldo Graziani Fariñas, Edgar Duhamel Espinoza, Manuel Azuaje Ortega, Edgar Trujillo Echevarría y José Isabel Correa.

Más 80.000 venezolanos se congregan durante el día 23 en la plaza de El Silencio, animados por los discursos de Betancourt, Villalba, Caldera, Machado y el mismo Fabricio Ojeda, en representación de la Junta Patriótica.

Durante el año de la Junta, cabe reseñarlo, fallecen dos ilustres venezolanos, Mario Briceño Iragorry, quien llega del exilio para entregar sus huesos en suelo venezolano, y Pedro Manuel Arcaya, historiador y jurista de fama, ministro de Relaciones Interiores durante el gomecismo.

En septiembre Moncada Vidal y José Elí Mendoza Méndez reinciden en su actitud golpista, al regresar clandestinamente al país e intentar en la madrugada del 8 de septiembre – fallidamente- la toma del Palacio Blanco, en una rebelión que cuesta 10 muertos y 84 heridos y da lugar a una huelga general y a otro acto de unidad y de reafirmación democrática en El Silencio. El mismo día Larrazábal anuncia la degradación pública y el enjuiciamiento militar de los alzados.

De conformidad con el Código de Justicia Militar, el Ministro de la Defensa, general Josué López Henríquez, ordenó el juicio por la rebelión de septiembre de 1958, ante Consejo de Guerra, contra los tenientes coroneles Juan de Dios Moncada Vidal, José Ely Mendoza Méndez, Clemente Sánchez Valderrama, Juan Merchán López; los mayores Alcibíades Pérez Morales, Alí Chalbaud Godoy, Rafael Marcelo Pacheco, Luis Alberto Vivas Ramírez, José Isabel Gutiérrez

Rodríguez, Manuel Alfredo Azuaje Ortega, Oswaldo Graziani Fariñas, Edgar Eloy Trujillo Echeverría, y Edgar Duhamel Espinoza; los capitanes Francisco Pavón y Rafael González Windevoxchel; y los tenientes Carlos Quintero Florido, Manuel Silva Guillén y Víctor Gabaldón Soler.

Luego vendría la detención de los civiles vinculados a la acción insurreccional, entre quienes se señalaron a Antonio María Colmenares y Antero Rosales, como escogidos para asesinar al Presidente de la Junta de Gobierno y otros dirigentes de AD y el partido Comunista; quedando a la orden de las autoridades policiales, además, el periodista Franco Quijano, el ex ministro José Trinidad Rojas Contreras, Alfredo Kell- ex ayudante de Vallenilla Lanz -, Eugenio Romero de Pasquali y su secretario, Enrique Cabezas, como el ex diputado y ex gobernador Roberto Betancourt. La Junta de Gobierno, dado los hechos, procedería a la reforma del Código Penal, al objeto de incrementar las penas de los conspiradores civiles.

A LOS QUE LA PRESENTE VIEREN, ¡SALUD!

Frustrada la intención de una candidatura presidencial única los partidos fundamentales se entregan a la tarea de escoger sus propios candidatos. A inicios de octubre, Luis Miquilena, en nombre de URD le anuncia al país la aceptación por Wolfgang Larrazábal de su candidatura presidencial.

Acto seguido COPEI proclama como candidato a Rafael Caldera, y luego AD, arguyendo la insistencia de los primeros partidos en candidaturas propias, señala que tendrá como candidato a uno de sus militantes: Rómulo Betancourt, designado por acuerdo del Comité Nacional de su partido realizado los días 11 y 12 de octubre. Los partidos en cuestión, conscientes de la delicada situación nacional y de los desafíos graves que le esperaban al país, deciden avenirse en un "pacto de unidad" suscrito el 31 de octubre y que en lo sucesivo se le conocerá como el Pacto de «Puntofijo», nombre de la residencia de Rafael Caldera, situada en Las Delicias de Sabana Grande. El mismo implicaba el compromiso de los partidos firmantes para la defensa de la constitucionalidad y del derecho a gobernar conforme al resultado electoral, el establecimiento de un gobierno de unidad nacional, y la ejecución de un programa mínimo común a ser ejecutado por el candidato que resulte electo en los comicios de diciembre. "El mantenimiento de la tregua política y la convivencia unitaria de las organizaciones democráticas" se afirma luego - en apéndice al Pacto que suscriben los candidatos el 6 de diciembre de 1958 y que incluye el programa mínimo común - como necesaria hasta el afianzamiento y permanencia de las instituciones republicanas.

El documento de octubre, que lleva las firmas de Jóvito Villalba, Ignacio Luis Arcaya y Manuel López Rivas, por URD; de Rómulo Betancourt, Raúl Leoni y Gonzalo Barrios, por AD; y de Rafael Caldera, Pedro del Corral y Lorenzo Fernández, por COPEI, no cuenta con la adhesión del Partido Comunista, quien luego respalda públicamente los "puntos positivos" del Pacto, pero haciendo constar que seguiría "luchando por una candidatura de unidad extra partido, [por lo que] mal puede suscribir acuerdos contrarios a esta justa aspiración popular".

Larrazábal entrega la Presidencia de la Junta de Gobierno a Edgar Sanabria el 14 de noviembre, y al día siguiente inscribe su candidatura en el Consejo Supremo Electoral, luego de que lo hicieran, sucesivamente, Rafael Caldera, con 42 años, y Rómulo Betancourt, de 50 años. Larrazábal tiene para el momento 47 años, y días después recibe el apoyo electoral de los comunistas no sin advertir: "No soy comunista ni tengo relación política de ninguna especie con las teorías comunistas".

Mientras ello ocurre, reunido Sanabria en su casa para celebrar su designación como nuevo gobernante interino hasta que asuma el gobierno que decidan las urnas electorales, un último movimiento subversivo queda al descubierto y es controlado, teniendo por cabecilla al coronel Héctor D'Lima Polanco, Jefe de la Oficina Técnica del Ministerio de la Defensa, y del que participan el capitán Ramírez Gómez y los tenientes Américo Serritiello, José María Galavis Cardier, Enrique José Olaizola Rodríguez y Alberto Ruiz González.

Sanabria, caraqueño, hijo de Jesús Sanabria Bruzual y de Teresa Arcia, formado por los Padres Franceses y el Instituto San Pablo, egresó como bachiller en 1928 del Liceo Caracas y más tarde como doctor en Ciencias Políticas, en 1935, alcanzando a titularse incluso como Maestro normalista. Inicia su actividad pública durante los gobiernos de López Contreras y Medina, fungiendo ora como Cónsul General en Nueva York, ora como Consultor Jurídico de la misma Cancillería o de los despachos de Hacienda y de Fomento, y más tarde, luego de su breve presidencia, será embajador con distintos destinos y casi a perpetuidad: pero alguna vez la chismografía popular le atribuye haber osado sentarse en la silla del Papa cuando fue Embajador de la República ante el Vaticano. Sea lo que fuere, el neo presidente de la Junta centra su vida en la docencia universitaria y en la academia, quedando marcado por las mismas y alcanzando, por mérito propio, ser Individuo de Número de las academias Venezolana de la Lengua (1939), de Ciencias Políticas y Sociales (1946), y de la Historia (1963).

Edgard Sanabria, de suyo, es en buena lid el primer gobernante de la República Civil y con tal sentido ejerce su breve pero fructífero gobierno.

"Al descender del poder, una de las mayores satisfacciones que, como profesor universitario, puedo experimentar, es la de que mis discípulos comprueben que no he traicionado mis prédicas, ni como ciudadano ni como gobernante. Aquí estamos destruyendo el mito de que, al frente de los destinos del pueblo venezolano, maestros y universitarios no podrían jamás concluir en paz su mandato. Me siento orgulloso de que, habiéndose respetado con dignidad al poder militar, me haya cabido la honra de reivindicar a José María Vargas, y junto con él, a la majestad augusta del poder civil", reza la alocución que pronunciará en el acto de transmisión de poderes a Rómulo Betancourt.

En propiedad, sobre la base incluso de la experiencia o de la simbiosis cívico-militar provocada por los acontecimientos que llegaron a cristalizar en el señalado "espíritu del 23 de enero", Sanabria desanda, en efecto, la madeja que impedía la relación constructiva entre los militares y el sector civil venezolano: determinante de todo ese complejo proceso de transición – la estira y encoge entre políticos y los hombres de uniforme, para decirlo de algún modo - que se da entre 1936 y 1958. Y haber hecho ceder definitivamente a la República Militar salvaguardando a la Fuerza Armada en su dignidad institucional, sin mengua del ingreso pleno de Venezuela en los espacios del Derecho y de la democracia, en los que sólo cuenta la soberanía popular, fue cometido que Sanabria reivindica como obra de la Junta.

"Hallamos un ejército receloso de los civiles y expuesto a la discordia interna. Procuramos hacer una amistad limpia que borrase las susceptibilidades con que los hombres de uniforme planteaban sus problemas específicos, y en beneficio de la paz doméstica, que debe ser irrenunciable derecho de todos los ciudadanos, comenzamos a eliminar la desconfianza absurda por culpa de la cual se miraban como adversarios el civil lleno de presagios y el militar inficionado de prejuicios. Quisimos que esos dos mundos ficticios que interesadamente se habían creado dieran paso a una sola comunidad de venezolanos unidos por la aspiración igual de encausar la República. Considerando con perspectiva lo ocurrido en este intenso año de Gobierno, creemos que nuestros propósitos han tenido resultados felices", prosigue en su citada alocución.

EL DEBUT DE FIDEL CASTRO RUZ

En vísperas de las elecciones Larrazábal declara que el proceso electoral a realizarse debe considerarse "como la más brillante página de la historia política" venezolana y la decisión de no "saber más de dictadores". Para Caldera el país se juega la suerte por toda una generación y no la de determinados hombres o partidos. Betancourt, al situar el hecho como un hito histórico, dice que se trata de "otra vez" y no la única cuando el pueblo venezolano demostrará "su capacidad plena para el ejercicio y disfrute de los sistemas democráticos".

Montado sobre la elección presidencial en la que vence Betancourt y quien acto seguido visita a sus contrincantes, Larrazábal y Caldera, desde Miraflores Sanabria apresura la marcha de su breve gobierno.

Deja firmes varios actos que marcarán su emblemática gestión. Aprueba la Ley de Universidades proclamando la autonomía y crea la Universidad de Oriente, con sede en Cumaná.

El 18 de diciembre se realiza, con su presencia, un acto histórico en el Aula Magna de la UCV, para reafirmar la necesaria independencia de las ideas y de su debate dentro del claustro universitario, y el 19, procede a firmar la Reforma de la Ley de Impuesto sobre la Renta, eliminando un gravamen injusto que pechaba a las operaciones comerciales con un 5 por mil, favoreciendo la elevación de hasta el 66% de la participación del Estado en los ingresos netos de la industria petrolera, dejando atrás el célebre fifty-fifty.

La protesta de la Creole no se hace esperar y ante ella el ministro de Minas e Hidrocarburos de Sanabria, Julio Diez, cierra el capítulo magistralmente: "No se trata de relaciones contractuales sino de un acto de soberanía".

El 20 de diciembre de 1958, Sanabria reincorpora al servicio activo como oficial almirante de la Armada a Larrazábal y luego le nombra embajador en Chile; ello, antes de ascender más tarde al rango de Vicealmirante por disposición de Rómulo Betancourt. El 30 de diciembre, crea el presidente de la Junta la célebre Oficina Central de Coordinación y Planificación de la Presidencia de la República, desde donde se elaborarán todos los planes nacionales de desarrollo durante la República Civil en nacimiento.

A días de hacer entrega del poder, luego juzgar en su alocución de fin de año la citada jornada electoral de 1958 como "el propósito [de todos] de rectificar, sino la rectificación misma", Edgard Sanabria da testimonio de coherencia intelectual y de transparencia al someter de conjunto la obra de la Junta de Gobierno – originada en los hechos – a la consideración y aprobación de un parlamento de Derecho nacido con las elecciones de 1958.

No solo eso. Al declarar con sinceridad que el Plan de Emergencia, puesto en marcha por la Junta para atenuar la crisis social y económica incubada antes de la caída del dictador, no dio los resultados satisfactorios esperados, se muestra leal y agradecido – excepción de nuestra historia política - al dejar constancia, en su mensaje, "del desinterés y el noble afán con que el contralmirante Larrazábal se dedicó al desempeño de su histórico destino, iniciando una gestión que la patria habrá siempre de agradecerle".

Sobre la obra material de gobierno afirma Sanabria que no había sido suntuosa, pero tampoco escasa y que tuvo, eso sí, presente a la provincia.

Durante el gobierno de la Junta se creó el Estado Mayor Conjunto y se le da autonomía a las distintas ramas de las Fuerzas Armadas; se firmó la Declaración de Bogotá, primer esbozo de la decisión de crear un mercado común entre las naciones andinas; fueron reincorporados los militares dados de baja o enviados a disponibilidad durante la década militar; se dictan las reglas para el catastro industrial, la creación del Consejo de Industrias, y el establecimiento de las normas industriales; se elimina la Seguridad Nacional y se crea el Servicio Criminológico y luego el Cuerpo Técnico de Policía Judicial y reorganizado todo el Poder Judicial, incorporándose como jueces a los mejores abogados de las promociones más recientes; se concluyó el ferrocarril Puerto Cabello-Barquisimeto; nacen las Universidades de Carabobo y de Oriente; se terminan los estudios para el puente sobre el río Orinoco y la construcción de la autopista Valencia-Puerto Cabello; es creada la Escuela de Aduanas; se establecen 2.823 centros de alfabetización, se reabrió el Liceo Fermín Toro y se crearon otros 19 liceos diurnos y nocturnos; se construyó el dique para la Presa de Lagartijo y se iniciaron los trabajos del acueducto submarino que dota de agua a Margarita y Coche; cedieron las epidemias, salvo la de rabia que hizo crisis, y ha lugar a la vacunación masiva de la población contra las enfermedades contagiosas; de los 500.000 niños sin escolaridad se reinsertan 200.000, creándose 295 escuelas e incorporándose un plantel de 3.300 maestros; se decreta la autonomía universitaria; la producción petrolera alcanza a 2.596.763 de barriles diarios; se elaboran los proyectos de Código Penal y de Procedimiento Civil y la Ley de Carrera Judicial; es eliminada la visa de reingreso al país para los venezolanos; se activan las negociaciones del Modus Vivendi con la Santa Sede; se firman todas las Convenciones de Ginebra sobre Derecho del Mar; Venezuela respalda la creación de un Banco de Fomento Regional Interamericano y reingresa como miembro de la Organización Internacional del Trabajo, que designa a Rafael Caldera presidente de las delegaciones gubernamentales ante la Conferencia; se reforma el Impuesto sobre la Renta e incrementa el ingreso fiscal petrolero de Venezuela; se elaboró el proyecto de Ley de Bancos Hipotecarios Urbanos.

Dos hechos en apariencia inocuos dejan su estela sobre el destino de la dinámica democrática que recién se inaugura: uno, la decisión de la Junta Patriótica de recolectar fondos para apoyar a la revolución cubana en su momento más crítico de lucha contra la dictadura; dos, la petición pública de la Asociación Venezolana de Periodistas al gobierno de la Junta, para que rompiese relaciones con el gobierno del dictador Fulgencio Batista, dada "la lucha de resistencia" que libraba el pueblo y los ataques a éste por la dictadura, ante la imposibilidad de "contener la ofensiva del Ejército de Liberación que comanda Fidel Castro".

No pasarán tres semanas desde el petitorio firmado por los periodistas de Caracas el 30 de diciembre, cuando Castro, un año exacto después desde la caída de la dictadura 'perezjimenista' y en un 23 de enero haga su entrada pacífica a Venezuela como nuevo gobernante de la isla. Será su primera incursión en nuestro suelo, antes de intentar repetir la misma, más tarde, pero por vía de la violencia armada durante el gobierno de Rómulo Betancourt.

A todos los que la presente vieren, ¡Salud!, era la consigna de factura hispano medieval y saludos repetidos de Sanabria como Presidente y luego como ex Presidente, quien llega al poder como Secretario de la Junta de Gobierno, luego como su miembro, siendo sustituido en la secretaría por Héctor Santaella, y finalmente como Jefe del Estado y Comandante en Jefe de las Fuerzas Armadas, teniendo por Secretario a Ignacio Iribarren Borges.

LA SAÑA CAINITA DE LOS VENEZOLANOS

El país queda, así, en las manos expertas de un hombre a quien la historia postrer le asignará el título de padre de nuestra democracia: Rómulo Betancourt. Y la verdad es que la República le abre espacios en su dirección a este civil de a pie, hijo de un modesto inmigrante canario, Luis Betancourt y de Virginia Bello, nativa de la humilde población de Guatire. Y tanto lo fue de a pie que él mismo diría de sí, a través de Alfredo Tarre Murzi, "del pueblo vengo, en cuna pobre nací, me formé a puñetazos con la vida, y codo a codo con los trabajadores".

Sin embargo, corre con la suerte de estudiar en el Liceo Caracas dirigido entonces por el escritor Rómulo Gallegos, donde compartirá con la pléyade de condiscípulos quienes más tarde integran como estudiantes universitarios la brillante Generación del 28. Jóvito Villalba, Raúl Leoni, Juan Bautista Fuenmayor, Isaac J. Pardo, Carlos Eduardo Frías, Miguel Acosta Saignes, Armando Zuloaga Blanco, entre otros, son los nombres de aquellos personajes quienes interactúan con el novel presidente durante su juventud.

Asume el poder el 13 de marzo de 1959, pero esta vez - y a diferencia de su anterior presidencia colectiva de 1945 - mediando el voto universal, directo y secreto del pueblo: reclamo éste que le hiciera participar, justamente, como un primer actor en el golpe cívico-militar del 18 de octubre de 1945. Se trata, pues, de un hombre curtido en la acción y constante de espíritu.

La protesta estudiantil de los carnavales de 1928 le lleva a prisión y dos meses después, quizás acicateado por tal experiencia, decide compartir desde el ámbito estudiantil la fallida conspiración militar del 7 de abril de dicho año contra Juan Vicente Gómez, quien lo envía por vez primera al exilio, hasta 1936.

Pero Betancourt es también un hombre ganado para la cultura y para la escritura, "con obsesión intelectual" como bien lo describe Simón Alberto Consalvi y a pesar de que los avatares de su lucha le impiden graduarse como abogado en la Universidad Central.

Desde el lejano 1925 inició sus colaboraciones en la Revista Billiken y en otros medios, y no deja de estudiar ni producir panfletos, ensayos, opúsculos y hasta libros sobre la política y el país como su celebérrima Venezuela, Política y Petróleo. Una de sus primarias y reconocidas muestras de escritura fue, sin duda alguna, Las huellas de la pezuña: hecha al alimón con Miguel Otero Silva, que cuenta con un prólogo de José Rafael Pocaterra. Es una protesta más y muy propia contra la dictadura del Benemérito.

De modo que, a la luz de todo cuanto ocurrirá en el período 1959-1963, vale observar que no hubiese sido nunca suficiente "el espíritu del 23 de enero" para asegurarle al país, así no más, su naciente experiencia de civilidad democrática y su proyección durante el medio siglo posterior. No hubiese bastado el Pacto de «Puntofijo» como soporte, si acaso el responsable del mando no hubiese comprendido su real necesidad y significación, a la par de tener una recia e integrada personalidad.

Al concluir el primer año de su mandato constitucional, durante el ocurren la expulsión de la Universidad Central de los profesores 'perezjimenistas', la ruptura de relaciones diplomáticas con República Dominicana, la acusación al ex dictador Pérez Jiménez por peculado y la solicitud de su extradición a los Estados Unidos, reconoce Betancourt ante el Congreso que "fue patriótico acierto el de los líderes de los tres grandes partidos nacionales, Acción Democrática, COPEI y Unión Republicana Democrática cuando suscribieron el pacto del 31 de octubre de 1958".

"No faltan opiniones – ajusta el mandatario - en el sentido de que sería más cómodo y más expeditivo para mí como jefe del Estado escoger mis colaboradores sin tomar en cuenta el pacto [en cuestión]. El "Yo acabaré con los godos hasta como núcleo social", de la conocida frase del autócrata, que se exhibía con externo atuendo liberal, es expresión que tipifica esa saña cainita que ha dado fisonomía a las pugnas inter partidarias en Venezuela, señala Betancourt. "La Coalición ha significado y significa la eliminación de ese canibalismo tradicional en nuestro país en las luchas entre los partidos, realizadas en los limitados interludios democráticos, paréntesis fugaces entre largas etapas en las que se impuso sobre la nación el imperio autoritario de dictadores y de déspotas", concluye.

Y es que el mismo Caldera, consecuente con el compromiso asumido, desde la televisión recuerda, evocando en 1960 la jornada contra la dictadura precedente que "el 23 de enero constituye en Venezuela un hecho singular. Tiene algunos antecedentes en nuestra historia; pero, en medio de los paralelismos históricos, el 23 de enero va corriendo hasta ahora con mayor fortuna, porque cada vez que parece que puede naufragar el experimento que se está realizando, una voluntad superior se impone en todos los venezolanos, para deponer diferencias y para robustecer la decisión común de defender la libertad y buscar, a través de ella, la justicia social y el desarrollo del país."

Mas agrega lo que es esencia del mandato que fijase el pueblo venezolano tras la hornada del 23 de enero y que los firmantes del Pacto de «Puntofijo» tenían la obligación de acatar: "Y si alguna recompensa de la posteridad pudiéramos tener derecho a desear los hombres que hemos actuado desde diversas filas en la dirección de los asuntos nacionales, ninguna podría ser mayor que la de que se pueda escribir en las páginas de la historia patria que tuvimos la suficiente reflexión, la suficiente generosidad y el suficiente patriotismo, para poner la lección de la historia y los intereses de Venezuela por encima de nuestras rencillas y de nuestras preocupaciones personales o de grupo."

Domeñar a los militares y ganarse a la Iglesia

Rómulo Betancourt vuelve así al poder a contracorriente de la historia común para domeñarla, en su obsesión por hacer de Venezuela una República Civil. Regresa a Miraflores, empero, con un pesado fardo sobre las espaldas que le costará zafárselo.

No lo querían los militares y tampoco simpatizaba con él la Iglesia Católica; y hasta los americanos como sus procónsules petroleros albergaban severas reservas acerca de él: pues nació en el ala izquierda de la política y alguna vez se hizo militante comunista, aun cuando luego pudo definir con el tiempo y a partir de su Plan de Barranquilla, en 1931, una visión o cosmovisión propia: que tituló como "izquierda a la criolla".

Tras bastidores, felizmente, sirve de eficiente articulador de voluntades durante el período y limador de asperezas con los sectores indicados el secretario presidencial, el historiador Ramón J. Velásquez, quien logra su propósito y el creador, por cierto, del Archivo Histórico de Miraflores. Décadas después, en otra hora de crisis, ocupará la misma silla del jefe del Estado.

Lo cierto fue que, a los militares, desde antes de asumir el mando, Betancourt les prometió – en corrección del pasado – no hacerlas "objeto de ninguna maniobra partidista", pidiéndoles a cambio "respeten el orden institucional de la República".

Pero es que también hubo un cambio sustantivo en la política militar del presidente, claramente expresada a inicios de su gestión: "He podido observar… cómo detrás de las fachadas de espectaculares edificaciones, no solicitadas ni deseadas por la institución castrense, se ocultan muchas dificultades y problemas para la mejor estructuración de nuestras Fuerzas Armadas". Vio, con agudeza, no cabe duda, a los ojos de cada soldado y no al Ejército como logia o institución vertebral de nuestro Estado. Y en verdad, les abre el camino a los militares para su servicio a la comunidad en tiempos de paz, organizándolos alrededor de la Operación Cayapa que ayuda a los campesinos a recoger sus cosechas obtenidas gracias a la Reforma Agraria. Transforma a los oficiales y suboficiales en maestros alfabetizadores, disponiendo la ingeniería militar para la construcción de carreteras en el Amazonas, o integra a la milicia dentro de la

Operación Pittier para reforestación y el cuidado de nuestros recursos naturales. En fin, les da seguridad social personal y familiar con preferencia, sin mengua de su apresto bélico: la Armada recibe, durante el quinquenio, su primer submarino, El Carite.

Y en cuanto a la Iglesia Católica – granjeándose su afecto con base en una relación de recíproco respeto y armonía – logra su adecuada separación del Estado. Le puso término antes de concluir su mandato a la Ley de Patronato Eclesiástico, perteneciente – como lo dice el mismo presidente – "a la prehistoria de nuestro Derecho Público". La sustituye por un Modus Vivendi convenido de mutuo acuerdo con la Santa Sede y firmado el 6 de marzo de 1964. Ésta retribuirá al país durante dicha primera presidencia de la República Civil, donándole un primer cardenal y príncipe de la Iglesia Católica universal en la persona del ya arzobispo de Caracas, monseñor José Humberto Quintero, quien ocupa la sede del combativo monseñor Rafael Arias Blanco, fallecido trágicamente en 1959 en compañía de monseñor José Humberto Paparoni, Obispo de Barcelona.

"He dicho, y reiterarlo no es baldío, que el acatamiento del principio constitucional de la libertad de cultos no es incompatible con el reconocimiento por el gobierno de que determinante proporción del pueblo venezolano profesa la fe católica", dirá Betancourt en su Mensaje Anual de 1962.

Era clara, pues, la rectificación histórica de Betancourt, pero su vuelta desde la izquierda marxista tendría un costo adicional que paga durante el gobierno y que sufre Venezuela toda: pero permite cimentar a la democracia como experiencia ganada y no regalada. Su partido se dividirá. Unión Republicana Democrática se irá del gobierno dando al traste con el Pacto de «Puntofijo» en protesta por el anticomunismo presidencial. Y sobre la ebullición de la izquierda extrema y extremista conoceremos la traumática experiencia de las guerrillas urbana y rural.

El espíritu del 23 de enero y el derrocamiento de la dictadura militar, efectivamente, logran emparentarse en algunos espíritus – equivocadamente y en un momento inicial de euforia colectiva – con la igual acción que emprendiera en La Habana y por la vía armada Fidel Castro Ruz, quien visita a Venezuela como jefe de su revolución triunfante – como se dijo - una vez como Betancourt es declarado presidente electo.

El parlamento, en discurso encendido de Domingo Alberto Rangel, militante del partido Acción Democrática, declara ante Castro que tiene carta de naturaleza en Venezuela y "es hoy un héroe, quizá el único héroe que ha producido América Latina desde que terminó la gesta de los Libertadores".

Castro viene en 1959, justamente, para agradecer el gesto de Venezuela, pero también para prometerle, como lo hiciera en el soberbio mitin que se realiza en la Plaza O'Leary el día 25 de enero, que contase con sus hombres y con sus armas pues "aquí en Venezuela hay muchas más montañas que en Cuba".

En los mentideros se afirma que éste no pudo entenderse con Betancourt, a quien le pidió petróleo a crédito o trocando productos cubanos. Pero el mandatario venezolano, conocedor de la materia petrolera y de su valor estratégico para el desarrollo nacional, lo frenó en seco advirtiéndolo que el crudo eran divisas y nada más.

Por encima de todo, el desencuentro de marras si acaso ocurrió o si estuvo o no en el origen de la citada explosión guerrillera de los años '60, sirvió por vía de efecto para resolver un problema central que hubiese hipotecado o contribuido a la fractura de la experiencia democratizadora naciente: despejó la reserva que el Ejército tenía frente a Betancourt y la misma guerrilla ocupará al Ejército de sus menesteres propios, separándolo de la política cotidiana.

Fidel se irá de Venezuela en medio de vítores y aplausos, aclamado sobre todo por los jóvenes de la izquierda radicalizada a quienes magnetizó, y con un Betancourt atravesado entre ceja y ceja. Y partió bajo un signo trágico o anunciante del tiempo turbulento que nos esperaba: la sangre de su escolta, el comandante Paco Cabrera, queda regada sobre el aeropuerto de Maiquetía al ser triturado por la hélice del avión que lo llevará de regreso hasta La Habana.

¡ESE SEÑOR SÍ QUE HA REPARTIDO AGUA!

El fin de toda su política pública es, para Rómulo Betancourt, "sembrar el petróleo", como lo pedía desde atrás Arturo Uslar Pietri, su antípodas en la lucha de calle y como él mismo lo entiende cabalmente a la luz de dos ideas que macha sin tregua: una, el nacionalismo prudente y constructivo; otra, el "atender las muchas necesidades insatisfechas de una nación donde millones de familias viven al margen de las ventajas de la vida civilizada" y quienes durante la campaña electoral sólo le pedían "agua, agua, agua…". Y lo cierto es que la gente del pueblo, al verlo en televisión, lo primero que decían de este presidente quien gustaba llamarse a sí mismo "presidente andariego", era que repartía agua a diestra y siniestra, inaugurando pozos y acueductos a lo largo de la geografía patria.

"Los cimientos de la nación venezolana serán endebles y avergonzadores para un país con las riquezas naturales del nuestro, mientras sigan malviviendo sin agua potable, sin cloacas y sin otros servicios elementales, centenares de pueblos y de caseríos", refiere Betancourt en alocución de Año Nuevo de 1962.

Al final de su azaroso quinquenio y en lucha cruenta contra la violencia de las fuerzas extremas antidemocráticas, Betancourt logra que los embalses de los sistemas de agua operados por el INOS crezcan desde 32 millones de metros cúbicos en 1958 hasta 400 millones de metros cúbicos para marzo de 1964. Así, la población servida se incrementa en un 65 % en relación con 1958, situándose la misma en 2.968.000 por acueductos urbanos y 1.415.000 por acueductos rurales.

La expectativa de vida crece a un promedio de 10 meses por año, para ubicarse en 66 años, siendo la más alta conocida en una zona tropical como Venezuela. Las tasas de mortalidad general e infantil descienden a 7,3 por mil habitantes y 48 por mil nacidos vivos, respectivamente, para 1963. Y ha lugar a un incremento de más de 5 mil camas en los hospitales del Estado, equivalente a un 20% del total de los servicios asistenciales oficiales.

La matrícula escolar crece en un 70% alcanzándose la cifra de 1.700.000 alumnos y se construyen 6.300 aulas para la educación primaria, frente a las 5.700 construidas en los sesenta años anteriores. Nace, por iniciativa de Luis Beltrán Prieto Figueroa, el Instituto Nacional de Cooperación Educativa (INCE).

Se repartieron cerca de 1.800.000 hectáreas de tierra para beneficio de 60.000 familias campesinas, al objeto de detener el éxodo del campo a la ciudad. Se incorporan a los sistemas de riego existentes más de 30.000 Ha. y se inicia la construcción de 8 sistemas de riego con capacidad para 73.000 Ha. Adicionales; terminándose las represas de Guanapito y la de Las Majaguas, y quedando en desarrolló las de Boconó, Guanare, Santo Domingo, Cariaco, El Pilar y Tamanaco.

Entre intentos de golpes de Estado y una guerra de guerrillas que llega a cubrir montañas y ciudades, el país, paradójicamente, avanza sin pausa ni desaliento hacia su crecimiento físico e industrial, obviándose, lo repetimos, el modelo suntuario que diera lugar, según lo refería el mismo Betancourt, a la "boutique" caraqueña del 'perezjimenismo'.

Se construyen 2.537 kilómetros de carreteras, con lo cual la red vial nacional aumenta en 1.500 kilómetros; siendo que, de esa red vial, para 1958, solamente estaban pavimentados 5.500 km., un 37% del total. Para 1963, han sido pavimentados 11.000 kilómetros, o sea, el doble. Y se pone en funcionamiento la autopista Puerto Cabello – Caracas, tanto como se construyen 107 km. de autopistas a un costo de 400 millones de Bs. En los nueve años anteriores, la dictadura había construido 118 kilómetros a un costo de 600 millones de Bs.

En suma, entre 1959 y 1963 se suscriben 3.500 contratos colectivos que cubren a más de 400.000 trabajadores, alcanzando los beneficios de la contratación a un número doble, incidentes aquéllos en salarios, vacaciones, elevación de indemnizaciones por despido, jubilación y vivienda. El PTB pasa de 24.327 millones en 1958 a 30.140 millones en 1963, con una tasa de incremento del 4,5 %, y en el ámbito agrícola el crecimiento es de 6,5 %, superior en 1/3 al crecimiento 1951-1959. El producto industrial aumenta a razón del 8% anual, al pasar de 3.456 millones en 1958 a 5.105 millones en 1963; con lo que el crecimiento de este sector en el PTB significó un aumento desde 14% hasta 17%. La Planta Siderúrgica del Orinoco alcanza para 1963 el 50% de su capacidad instalada, momento en que se inician los trabajos de la Represa de El Guri.

Y en cuanto a la vivienda, deja Betancourt en marcha el Programa Nacional de Vivienda Rural orientado a la erradicación del rancho o viviendas de paja en el campo, que en número de 700.000 se encuentran plagadas de chipos o chupones, vectores del mal de Chagas, además de proveer a la construcción directa por el Estado de 55.000 viviendas y financiar otras 12.500 adicionales.

Establece asimismo el Sistema Nacional de Ahorro y Préstamo, para canalizar fondos internacionales y privados destinados a la solución del problema del techo propio y la erradicación del rancho urbano.

Betancourt entrega el mando con una Hacienda Pública saneada y un superávit acumulado en el Tesoro de 744 millones de bolívares, luego de haber recibido un fisco sobre el que gravitaba una deuda flotante a corto plazo de miles de millones de bolívares. E incluso, habiendo roto el mito gomecista de lo dañino que era para el país tener deuda externa y soportado la acusación de que ¡se está hipotecando al país!, decide atender la diversificación industrial con empréstitos tomados en el extranjero para no comprometer los recursos del fisco sino en el desarrollo de la infraestructura y en los servicios reclamados por la comunidad. La deuda pública nacional, sin embargo, alcanzará para el 31 de diciembre de 1963 a 1.985 millones de bolívares, de los cuales sólo 662 millones de bolívares, o sea 192 millones de dólares, corresponden a deuda externa.

"Debo ser enfático al decir que al utilizar su crédito externo el Gobierno de Venezuela ha procedido como la casi totalidad de los gobiernos del mundo. Revela mala fe, por cuanto aquí no cabe suponer ignorancia, afirmar que el Estado enajena parte de su soberanía cuando adquiere un préstamo externo en condiciones sanas y sin cláusulas, en el contrato que perfecciona esa operación, lesivas para su estatus de nación libre y autónoma", dice ante el Congreso de 1960.

Hubo, en suma y dada una voluntad presidencial férrea, espacio hasta para pensar en el hábitat, en el derecho de los venezolanos a los derechos de tercera generación y en un momento en el que apenas se adentraban en el ejercicio de sus derechos primarios y secundarios, los políticos y los económicos. El proyecto del Parque del Este y del Parque Naciones Unidas – éste sobre los predios del viejo Hipódromo Nacional, que tanto visitara Juan Vicente Gómez, comienzan a ser realidad tanto como los balnearios de Catia La Mar y Naiguatá, y la recuperación del histórico balneario de Macuto.

NI LA DERECHA, NI LA IZQUIERDA

"La democracia es el lugar en donde los extremismos no prevalecen (y si lo hacen se acabó la democracia)", afirma con buena razón a finales del siglo XX el célebre pensador italiano Norberto Bobbio. Ello, mucho antes, lo había entendido así Rómulo Betancourt a contrapelo de lo que declarara en julio de 1960 y en su "vuelta a la Patria" el Almirante Larrazábal, militar de la transición hacia la República Civil: "el problema político de Venezuela debe plantearse entre derechas e izquierdas".

Al denunciar las distintas conjuras, revueltas, guerrillas y sediciones múltiples padecidas por su gobierno, aquel afirmó acerca de éstas, categóricamente, que en virtud de una ironía en que la historia parece complacerse, "la extrema derecha de rancia estirpe criolla y la extrema izquierda de novedoso atuendo sovietizante, han confluido y coincidido en sus objetivos básicos de minarle los cimientos al régimen democrático. Y de intentar la implantación en el gobierno de una tiranía nuda y primitiva, que no pretenda justificarse sino en las solas apetencias de mando incontrolado de quien la ejerza, en asocio de sus camarilla palaciegas; o la otra, en la que el tirano, se atribuye al ejercicio unipersonal de todos los poderes del estado, pero dándole al control omnímodo de la sociedad un barniz de fraseología revolucionaria y creándose una base de sustentación en las masas populares, a través de la satisfacción de algunas de sus más justas reivindicaciones, pero regimentándolas dentro de moldes rígidos de control a sus libertades para organizarse en partidos, asociaciones o sindicatos; para ejercitar la libertad del pensamiento; para vivir como seres humanos y no como robots manejados por implacables maquinarias de propaganda y de policía".

Así, el 8 de abril de 1960, por otra parte, la dirigencia juvenil de Acción Democrática abandona dicho partido político y se abre por el camino de la extrema izquierda, luego insurreccional.

Allí coinciden, entre pichones y algunos veteranos Domingo Alberto Rangel, Simón Sáez Mérida, Gumersindo Rodríguez, Helí Colombani, Américo Martín, Gabriel Quintero Luzardo, Moisés Moleiro, Héctor Pérez Marcano, Lino Martínez, Isabel Carmona, Jesús Petit Da Costa, Rómulo Henríquez, entre otros. El 13 de abril se constituye Acción Democrática de Izquierda, con los dirigentes mencionados y la presencia de Jorge Daher: quien se separa del Tribunal Disciplinario adeco, y de Jesús María Casal Montbrun. Y el 20 de abril, no distante el tiempo del 5 de marzo cuando Betancourt le pone el ejecútese a la Ley de la Reforma Agraria en el Campo de Carabobo, en otra banda Jesús María Castro León, ya retirado de las Fuerzas Armadas por razones disciplinarias, vuelve por sus fueros e intenta, sin éxito, alzarse en San Cristóbal tomando el Cuartel Bolívar. Allí cuenta con el apoyo del coronel Francisco Lizardo y del teniente coronel Alcides González Escobar. Lo hacen preso días después los propios campesinos de Capacho afiliados a COPEI, y son dados de baja de la milicia, por el alzamiento del caso, varios oficiales, entre ellos Martín Parada.

El gobierno, ante cada alzamiento, si apela a las armas igualmente busca el respaldo de la calle, convocando al pueblo, luego de cada asonada o en el curso de la misma, a la Plaza O'leary. Esta nunca deja de desbordar. Es una práctica establecida desde 1958 y bajo el espíritu del 23 de enero: "Se informaba al pueblo que todo estaba dominado, que los facciosos se entregaban y pedían que la gente se retirara. Pero nadie hizo caso, obstinadamente: pese a las balas y las bajas sufridas, la multitud permanecía allí, gritando contra los enemigos de la democracia", reseña el diario El Universal de 8 de septiembre.

Pero en el fragor de la lucha interna e internacional que ocupa a Betancourt, también encuentra el respaldo del Congreso Pro-Democracia y Libertad, que él intenta inaugurar en el Aula Magna de la UCV con la presencia de los líderes Carlos Lleras Restrepo, de Colombia, Eduardo Frei Montalva y Salvador Allende, de Chile.

La tragedia se hace espacio inevitable, sin embargo, el 24 de junio, Es el Día del Ejército. A las 9.20 a.m., transitando por el Paseo Los Próceres para presenciar el desfile militar de la efeméride, el presidente es víctima de un magnicidio fallido del que sale con las manos quemadas y otras heridas graves. Allí fallece su jefe de la Casa Militar, el coronel Ramón Armas Pérez. Pero no llega a su plenitud el día siguiente sin que Betancourt reaccione con el dominio pleno de sí y la valentía que le eran reconocidas. Antes de la medianoche se va al Palacio de Miraflores y desde su cama de enfermo, horas después, le habla a la Nación: "No me cabe la menor duda de que en el atentado de ayer tiene metida su mano ensangrentada la dictadura dominicana... Ocho horas después del atentado, con las manos vendadas me vine a Miraflores, porque el puesto del timonel es el timón", afirma.

Las Fuerzas Armadas no dudan en apoyar al jefe del Estado. Son detenidos en lo inmediato como autores materiales del hecho, el capitán de Navío Eduardo Morales Luengo así como Manuel Vicente Yanes Bustamante, el capitán Carlos Chávez: propietario de la empresa aérea RANSA que trasladó el artefacto explosivo a Venezuela, Lorenzo Mercado, Juvenal Zabala, Luis Álvarez Veitía, Herman Escarrá Quintana y Luis Cabrera Sifontes, este último señalado de haber detonado el potente explosivo que destroza el vehículo presidencial; que también hace víctimas, hiriéndolas, a la esposa del ministro de la Defensa, Josué López Henríquez, al capitán López Porras y al guardaespaldas Elpidio Rodríguez. Azael Valero y Félix Acosta, chofer y motorizado del presidente salen ilesos.

La VI Reunión de Consulta de ministros de Relaciones Exteriores de la OEA, actuando en consecuencia, le aplica sanciones a República Dominicana, determinando la separación de ella de todos sus embajadores y representantes consulares. Se aísla a Chapita, quien muere asesinado el 30 de mayo de 1961 a manos de sus propios militares, encabezados por el general Juan Tomás Díaz, inaugurándose en Santo Domingo, así, el primer mandato del también líder histórico civil Joaquín Balaguer.

Otros amagos de alzamiento tendrán lugar a finales de 1960 e inicios de 1961, cuando un teniente de la Guardia Nacional, Jesús Valdivia Celis, toma la emisora Radio Continente para vocear consignas subversivas, o cuando el coronel Edito Ramírez, director de la Escuela Superior de Guerra, decide encabezar una intentona golpista secundado por el sacerdote Simón Salvatierra. Otro tanto ocurre con el amago golpista provocado, con apoyo de militares retirados y ex policías de la extinta Seguridad Nacional, por Oscar Tamayo Suárez, ex jefe de la Guardia Nacional de la dictadura.

Pero lo cierto es que tras estos avances militares puntuales y sin eco en las Fuerzas Armadas, se va montando, poco a poco, el otro frente de presión contra la democracia que tiene como punto de referencia a la Cuba de Fidel Castro. De modo que, el argumento luego dado acerca de la no participación del Partido Comunista en la firma del Pacto de «Puntofijo» y por verse preterido dentro de la experiencia democrática naciente, no bastaba para predicar su decisión de irse a la insurgencia.

Sea lo que fuere, así como en abril Rafael Caldera, presidente de la Cámara de Diputados, le pide al dictador de La Habana cese en su paredón de fusilamientos, en julio del mismo año 1960 José Herrera Oropeza, diputado quien preside a la sazón la Comisión de Política Exterior le otorga su respaldo a Cuba. Se generan disturbios en el Capitolio.

En agosto es detenido Humberto Cuenca, presidente del Comité de Defensa de la Revolución Cubana y ha lugar a la crisis que deja fuera del gobierno a Ignacio Luis Arcaya, canciller de la República, quien se retira de la VII Conferencia de la OEA celebrada en Costa Rica por desacuerdo con sus colegas y con el mismo presidente Betancourt, en la decisión condenatoria que hicieran de las interferencias extracontinentales en América y de Cuba en los asuntos de los demás países americanos.

El ambiente, pues, comienza a caldearse y el 14 de octubre el MIR, legalizado como partido mes y medio antes, hace pública su línea insurreccional en el semanario Izquierda. Son asaltados el día 27 los talleres donde se imprimen Fantoches, el Semanario de URD y Tribuna Popular, el 5 de noviembre siguiente. Son detenidos José Vicente Fossi, José Gregorio Contreras y el doctor Erasmo Contreras Vito, acusados de terroristas y por haber puesto 20 bombas.

El 17, sensiblemente, URD abandona definitivamente el Gobierno a Tres, poniéndole término al Pacto de «Puntofijo», a cuatro meses de haber suscrito el Reglamento de éste junto a AD y COPEI y de haber declarado, públicamente, el carácter indivisible de la coalición.

"Fácil resulta explicar y comprender por qué Venezuela ha sido escogida como objetivo primordial por los gobernantes de La Habana para la experimentación de su política de crimen exportado. Venezuela es el principal proveedor del occidente no comunista de la materia prima indispensable para los modernos países industrializados, en tiempos de paz y en tiempos de guerra: el petróleo. Venezuela es, además, acaso el país de la América Latina donde con más voluntariosa decisión se ha realizado junto con una política de libertades públicas otra de cambios sociales, con simpatía y respaldo de los sectores laboriosos de la ciudad y el campo. Resulta así explicable cómo dentro de sus esquemas de expansión latinoamericana, el régimen de La Habana conceptuara que su primero y más preciado botín era Venezuela, para establecer aquí otra cabecera de puente comunista en el primer país exportador de petróleo del mundo". Rómulo Betancourt, Mensaje Anual al Congreso, 1964.

Sea lo que fuere, así como en abril Rafael Caldera, presidente de la Cámara de Diputados, le pide al dictador de La Habana cese en su paredón de fusilamientos, en julio del mismo año 1960 José Herrera Oropeza, diputado quien preside a la sazón la Comisión de Política Exterior le otorga su respaldo a Cuba. Se generan disturbios en el Capitolio.

El presidente Betancourt le recuerda al país, en todo caso, que no ahogará "en ríos de sangre" a quienes ejecutan la violencia, sino que los enviará a los tribunales: y usa de estos, efectivamente, para allanar la inmunidad parlamentaria de distintos diputados participantes de la guerrilla – como Teodoro Petkoff o Eloy Torres - o golpistas, como también para ilegalizar al Partido Comunista y al Movimiento de Izquierda Revolucionaria (MIR). La prensa o los tabloides de la izquierda como Clarín, La Hora, Tribuna Popular, no se salvan de la arremetida oficial legitimada por la mayoría del pueblo.

NI RENUNCIO NI ME RENUNCIAN

Acción Democrática, partido fundamental del gobierno, a la par y habiendo abandonado Kennedy el suelo patrio sufre su segunda división en enfrentamiento contra lo que Raúl Ramos Jiménez, jefe del grupo llamado ARS, califica de "vieja guardia", representada por el mismo Betancourt, Raúl Leoni y Luis Beltrán Prieto Figueroa. Aquél, César Rondón Lovera y José Manzo González, forman AD-Oposición.

Ya allanado Petkoff e intimando los estudiantes a la OEA por su planteada intervención sobre Cuba, y habiéndole pedido éstos a Betancourt que renunciara: quien responde "ni renuncio ni me renuncian", el 2 de marzo de 1962 queda marcado como la fecha histórica de la insurgencia guerrillera comunista en Venezuela. Ella copará al resto del período de Betancourt y prorrogará sus efectos sobre los gobiernos sucesivos hasta Rafael Caldera, quien, a partir de 1969, sobre los amagos de su antecesor, Raúl Leoni, se fija como objetivo crucial la pacificación.

"Me anima la confianza de que, para honra suya y bien de la Nación, las Fuerzas Armadas de Venezuela tendrán en lo futuro una conducta tan ceñida a las pautas de Ley y al honor profesional, como ha sido la suya durante estos cinco años de régimen constitucional", dirá el presidente, luego de aclarar que "no he utilizado la facultad que me concede la Ley Orgánica del Ejército y la Armada vigente para sobreseer juicios militares en cualquiera de sus instancias en beneficio de los máximos representantes del terrorismo político que ha sufrido este país... Irresponsable hubiera sido, y la irresponsabilidad no se puede señalar entre mis características de hombre público, si al final de mi mandato procurara granjearme un ambiente de Presidente benévolo, abriéndole, con la firma al pie de un decreto de sobreseimiento las puertas de las cárceles a quienes en ella están no por delitos de opinión, ni por haber ejercitado el legítimo derecho que tiene todo ciudadano de oponerse en todas las tribunas a un gobierno,...", será su mensaje ante el Congreso, en 1964, al término del primer gobierno de un período excepcional que se inicia entre el espíritu del 23 de enero y la saña de Caín, abroquelado por el Pacto de «Puntofijo» y que cierra su ciclo 40 años más tarde, bajo el mito de Sísifo.

Un texto constitucional, concreción del Pacto y adoptado en 1961, fue la barrera para evitar el desafuero y asegurar la vigencia de una democracia civil y republicana en Venezuela

La Constitución de 1961, ciertamente, que durará hasta 1999, es el odre donde queda recogida esa nueva visión, de largo plazo, hija de los equilibrios propios a la democracia, y acerca de un país distinto, modelado por el mismo pueblo, ajeno a la gendarmería, e incluso hecho bajo inspiración "bolivariana".

"La norma a seguir nos la señaló el Libertador, en su lúcido y magnífico Mensaje de Angostura: «No aspiremos a lo imposible –dirá Rómulo Betancourt -, no sea que por elevarnos sobre la región de la libertad descendamos a la región de la tiranía. De la libertad absoluta se desciende siempre al poder absoluto, y el medio entre los dos términos es la suprema libertad social. Teorías abstractas son las que producen la perniciosa idea de una libertad ilimitada. Hagamos que la fuerza pública se contenga en los límites que la razón y el interés prescriben; que la voluntad nacional se contenga en los límites que un justo poder le señala; que una legislación civil y criminal, análoga a nuestra actual Constitución domine imperiosamente sobre el Poder Judicatorio, y entonces habrá un equilibrio y no habrá el choque que embaraza la marcha del estado, y no habrá esa complicación que traba en vez de ligar la sociedad", precisa Betancourt en su Mensaje Anual al Congreso, en 1961.

La verdad es que el texto constitucional de 1961 fue la obra paciente de un parlamento activo, con luces, plural, representativo de todo el país y de todas sus fuerzas, incluidas las extremas. No fue la resultante de una Constituyente de circunstancia: que como tal sólo hubiese expresado una circunstancia de nuestra historia, sin vocación para lo permanente. Hizo reunir bajo un mismo seno, uno al lado del otro, en calidad de Senadores Vitalicios y en inédita tregua pedagógica hacia el porvenir, a dos actores fundamentales de la primera mitad de nuestro Siglo XX: el último de la República Militar, quien le abre el paso a los civiles y a sus aspiraciones democráticas, el general Eleazar López Contreras, y el primero de la imaginada República Civil, electo por el pueblo y derrocado por la milicia, el escritor Rómulo Gallegos.

Los nombres de los miembros de la Comisión Bicameral designada el 28 de enero de 1959 para que acometiese la grave comisión de estudiar y redactar el nuevo texto fundamental de la República, es emblemática al respecto: Raúl Leoni, Luis Beltrán Prieto Figueroa, Lorenzo Fernández, Luis Hernández Solís, Jesús Faría, Elbano Provenzali Heredia, Ambrosio Oropeza, Ramón Escovar Salom, Martín Pérez Guevara, Carlos Febres Poveda, y Arturo Uslar Pietri, como Senadores. Y como Diputados, Rafael Caldera, Jóvito Villalba, Gonzalo Barrios, Gustavo Machado, Octavio Lepage, Godofredo González, Enrique Betancourt y Galíndez, Guillermo García Ponce, Germán Briceño Ferrigni, Elpidio La Riva y Orlando Tovar. Todos a uno actores fundamentales de la República Civil y firmantes de un texto que no tuvo reservas y se aprobó por unanimidad, si bien algunos de estos – Pedro Ortega Díaz, Luis Miquilena, José Vicente Rangel – luego serán actores del proceso que dará término a la República Civil y la empujará hacia otro tiempo de desmantelamiento constitucional y destrucción republicana, iniciado en 1999.

El texto de marras presenta semejanzas con la Constitución de 1947 dictada durante el trienio "octubrista", que sirve de guía para los trabajos de la Comisión Bicameral designada para los fines de su redacción. Pero la Constitución de 1961 adquiere también rasgos propios, obra de la decisión parlamentaria de avanzar sobre los denominadores comunes de nuestra azarosa experiencia política e histórica y formadores de la identidad nacional, dejando de un lado y al efecto los debates ideológicos que pudiesen romper el espíritu de unidad o restablecer la pugnacidad partidaria acre: esa que dio al traste con el experimento revolucionario de 1945-1948.

Ella diseña un sistema de controles sobre el Poder Ejecutivo que teóricamente impiden su vuelta o regresión hacia las dictaduras o autocracias: sujetándolo al parlamento en formas varias sin que ello implique la asunción del modelo parlamentario de organizador del poder, y sin que tales ataduras impidan, dentro del marco de la evolución política del mismo país, un fortalecimiento relativo del presidencialismo. Hubo a la vez una suerte de transacción histórica, que da término a la controversia – no pocas veces cruenta a lo largo de nuestra evolución patria – entre los partidarios del centralismo o del federalismo; a cuyo efecto, la Federación queda reconocida como desiderátum y mira "hacia [la] cual debe tender la organización de la República".

La Constitución prevé, por ende, la elección directa de los gobernadores una vez como lo dictamine el Congreso y en un momento propicio, sin mengua de sostener un Estado centralizado que proteja a la democracia de sus enemigos existenciales situados en la derecha y la izquierda, como lo advirtiera y probara hasta la saciedad Rómulo Betancourt: partero la democracia venezolana por obra y gracia de su tenacidad y del apoyo indiscutido que le dieran sus colegas de hornada, Rafael Caldera y Jóvito Villalba.

En su memorable mensaje de 1964, dejará Rómulo Betancourt dos párrafos aleccionadores, hijos como efectos del constitucionalismo reseñado, cuya vigencia todavía interpela, en pleno siglo XXI

"Nadie en Venezuela se atreve a decir que el jefe de Estado en vísperas de transferir su mandato a quien habrá de sucederle en Miraflores… ha aumentado su peculio privado en forma ilícita, … He cumplido no sólo con un deber legal, constitucional, al presentar a ustedes éste mi último mensaje como presidente de Venezuela. Mientras lo redactaba iba creciendo dentro de mí mismo un sentimiento de satisfacción venezolana, de orgullo de ser venezolano… Ya en nuestro país los gobernantes no se autoeligen, sino que el pueblo les otorga un mandato con la cédula del voto… Haber contribuido, con modesto aporte, a este cambio histórico en Venezuela no es para mí motivo de envanecimiento sino de humilde, íntima, profunda satisfacción… Este tesoro muy mío y no cotizable en bolsas de valores, de salir del ejercicio de la Presidencia de la república después de haber aportado un tenaz esfuerzo de alfarero para contribuir a la modelación de una Venezuela democrática, es algo que nadie podría arrebatarme. No aspiro ni deseo, después de que Venezuela me ha dado en dos etapas de su historia la oportunidad de conducir sus destinos, a nada más… Los más suspicaces y prejuiciados apreciarán cómo hago buenas mis palabras de no ser en lo futuro factor activo y beligerante en la vida pública de la nación".

De modo que, al despedirse, se retira con una firme convicción acerca del drama venezolano y de la circunstancia difícil que le tocara vivir durante su segunda presidencia. "Es una constante histórica en la América Latina, dirá, la de conceptuar el gobierno de las Repúblicas como botín de audaces…La mala herencia del pronunciamiento militarista español se aprecia como un factor de importancia en este fenómeno tan generalizado. Pero en el específico caso venezolano, después del auge petrolero, el madrugonazo para llegar a Miraflores por el atajo del golpe de Estado y no por la vía ancha del sufragio libre tiene una explicación local fácil de descubrir y señalar. El fisco venezolano es rico y las oportunidades de enriquecimiento ilícito tentadoras para quien gobierne sin sujeción a las leyes y al margen de la vigilancia de una opinión pública asfixiada por el rigor de todas las formas de censura", concluyó.

Condado de Broward, 23 de enero de 2024

VALORACIÓN HISTÓRICA Y ACTUAL DEL PACTO DE PUNTOFIJO

Ramón Guillermo AVELEDO[*]

Individuo de Número de la
Academia de Ciencias Políticas y Sociales

Este 2023 se cumplen sesenta y cinco años del Pacto de Puntofijo, importante hito en nuestra accidentada trayectoria republicana, no exento de polémica. El acuerdo, su cumplimiento y sus resultados constituyen una excepción entre nuestras grandes fechas, porque la nuestra ha sido una historia signada más bien por la confrontación a través de guerras, revoluciones, golpes u otros eventos con dinámica vencedores-vencidos.

El 31 de octubre de 1958 los líderes de Acción Democrática, Unión Republicana Democrática y Partido Socialcristiano COPEI, los tres mayores partidos políticos de Venezuela, suscribieron un compromiso de convivencia en el respeto a las normas democráticas, acatamiento del resultado electoral, defensa de la constitucionalidad y formación de un gobierno de unidad nacional, para el cual se convendría un programa mínimo. Invitados como testigos estuvieron la organización del empresariado FEDECÁMARAS, la Federación de Gremios Universitarios, el Comando Sindical Unificado, la Federación de Centros Universitarios y la Junta Patriótica[1].

---

[*] Presidente del Instituto de Estudios Parlamentarios Fermín Toro. Profesor de la Universidad Metropolitana y del Doctorado en Derecho de la UCAB.

[1] Los tres últimos dejaron constancia de su protesta por la "exclusión" del Partido Comunista y de Integración Republicana.

En las ya más de dos décadas desde las elecciones de 1998, una intensa campaña desde el poder ha denostado de aquel acuerdo, aunque su descalificación empezó antes, en plena crisis del sistema de partidos que puede decirse se inauguró con motivo de él, aunque su desarrollo pleno, con logros y falencias, haya trascendido en el tiempo al período constitucional 1959-1964 para el cual pactaron sus autores en el documento suscrito en una casa de Las Delicias de Sabana Grande, la quinta Puntofijo[2], residencia de Rafael Caldera y su familia.

Por esas paradojas que sólo el asiduo, riguroso estudio histórico, hace comprensibles, mientras crecía entre líderes y académicos a nivel internacional la apreciación positiva de aquel pacto de los actores políticos venezolanos, dentro del país se ahondaban las diferencias y así como nos alejábamos del espíritu de Puntofijo, fue diluyéndose el recuerdo del mismo. Devino así, injustamente, en sinónimo de los defectos durante las últimas etapas del predominio bipartidista con sus manifiestas insuficiencias.

Este texto espera contribuir a la valoración más objetiva del pacto, sus antecedentes, sus características y sus consecuencias, de modo que su evaluación pueda ser insumo para analistas y decisores hoy y de ahora en adelante.

Este aniversario tan señalado, transcurridas ya seis décadas y media, así como las demandas del prolongado y crecientemente agravado cuadro nacional, sugieren que puede ser útil por oportuna esta revisión que no aspira ser aceptada como indiscutible y menos como única, tampoco como imparcial.

Antecedentes más o menos remotos

Cierta vez, el presidente de la Cámara de Representantes del Congreso estadounidense[3] invitó a almorzar a un grupo de grandes

---

[2] Puntofijo es una sola palabra y no dos como es frecuente leerla citada, acaso confundiéndola con Punto Fijo, la capital del municipio Carirubana en la península de Paraguaná. El nombre lo puso al inmueble el matrimonio Caldera-Pietri seguramente por ser su primera casa propia y se debe, según el dueño de casa, al punto más alto en la vieja carretera entre San Felipe y Nirgua.

[3] Thomas "Tip" O'Neill, congresista demócrata por Massachusetts.

estrellas del béisbol. Uno de ellos Warren Spahn[4] se levantó y dijo "*Mr. Speaker* el béisbol es un juego de fracaso. Hasta el mejor bateador falla más o menos el 65% de las veces. Los dos lanzadores del Salón de la Fama[5] que estamos aquí hoy, perdimos más juegos de los que un equipo juega en una temporada completa. Sólo espero que ustedes, compañeros del Congreso tengan más éxito que lo que los peloteros tenemos". Así comienza un clásico libro de Will, ensayista político que también escribe de béisbol.[6] Y responde que no y que los parlamentarios lo saben. No hay bateadores de 400 en Washington. El comentario vale allí y en cualquier parte pues tampoco tienen los políticos y gobernantes que enfrentarse a diario con las mediciones objetivas de su desempeño en la pizarra.

La política, como el béisbol, es un juego de fracasos. En los fracasos aprenden los que quieren aprender y los que no pueden evitarlo, así como hay otros que como decían los franceses de los Borbones, "Ni aprenden ni olvidan". A gente que conocemos lo de aprender no se les da bien o simplemente, no se les da, aunque seamos justos, en las cosas de la memoria y el olvido, más que negados, son más bien selectivos.

El liderazgo venezolano de 1958 venía de diez años de militarismo, despóticos los más, durante los cuales la mayoría de sus principales exponentes sufrió todos o algunos de las siguientes prácticas del poder: intimidación, persecución, cárcel o destierro. El asesinato no estuvo excluido del catálogo dictatorial. La experiencia les hacía lógicamente sensibles a evitar repetir fracasos anteriores.

En el siglo XX venezolano hubo dos intentos democratizadores, uno reformista y el otro revolucionario, aunque en uno y otro hubo progresos que el tiempo ha permitido apreciar mejor, ambos fracasaron. El reformista, modernizador del Estado, durante las presidencias de Eleazar López Contreras e Isaías Medina Angarita,

---

[4] Warren Spahn (1921-2003) Considerado el más grande pitcher zurdo de la historia del béisbol. 363 ganados y 245 perdidos. 2583 ponches. ERA vitalicio 3.09, WHIP (bases por bolas más hits recibidos por entrada) 1.19. Lanzó más de 5000 entradas y estuvo en las Grandes Ligas hasta los 44 años.

[5] Él mismo y Bob Gibson.

[6] George Will, *Men at Work. The craft of baseball* (New York: Macmillan, 1990).

entre diciembre de 1935 y octubre de 1945, estuvo signado por la precaución y por una intención gradualista de paso lento. Más conservador, a pesar de la conquista popular del Programa de Febrero y pasos significativos como la Ley del Trabajo y la creación del Banco Central el primero y más liberal el segundo, no obstante, su escasa audacia. Los que están arriba y adentro no tienen motivos para la prisa y son renuentes a compartir el poder. Colapsó, principalmente, porque era menos de lo que la mayoría de los venezolanos aspiraba.

En alusión a López Contreras diría Gallegos[7] que "tuvimos la buena suerte de que en el sitio propicio y en la hora oportuna, se encontrase un hombre de recomendables condiciones personales..." y ennoblece al opositor hacer tal reconocimiento sin dejar, más adelante de profundizar, "Los hombres-providencia son la infancia de las naciones, la personificación fetichista a través de la cual el espíritu de los pueblos niños trata de precisar lo que dentro de él se agite..."

El *dramatis personae* influye y cómo, máxime en un país como el nuestro, más de quien que de qué y claro que casualidades y causalidades no son circunstancias absolutamente excluyentes, elenco y trama no son independientes, pero la apuesta institucional se basa en la convicción de que no se puede depender de una persona, un evento, un imprevisto que cambie el curso de los acontecimientos. En 1958 ocurrió otra afortunada circunstancia con el Contralmirante Larrazábal que, en medio de una crisis militar tras el alzamiento del 1 de enero, apenas el día 11 había sido designado Comandante de las Fuerzas Navales y siendo el oficial de más alto rango el desenlace del 23 del mismo mes se encontró con su destino.

El primer intento democratizador del siglo fracasó por insuficiente comprensión de la hondura de los cambios que el país había ido experimentando en silencio durante las casi tres décadas del gomecismo, insuficiencia que se nota en las decisiones acerca de los pasos necesarios para que la política se atreviera a progresar hasta donde la sociedad empezaba a reclamar que lo hiciera. La desconfianza hacia las mayorías, la idea de que estaban ante un pueblo menor de edad que requería tutoría. Pero cómo eludir preguntarse cuál

---

[7] Rómulo Gallegos, Discurso en el Nuevo Circo de Caracas, 5.4.1941 en *4 Presidentes. 40 años de Acción Democrática*. Tomo I (Caracas: Ediciones de la Presidencia de la República, 1981).

habría sido el curso de los acontecimientos si la fórmula de Diógenes Escalante hubiera podido cumplir su objetivo o aún si imposibilitada ésta, como fue, el Medinismo y AD, los actores que ya había hecho lo más difícil, hubieran regresado a la mesa de diálogo y buscado una alternativa. Con Escalante, estima Stambouli[8], se había resuelto la cuestión de la sucesión presidencial satisfactoriamente, aunque desacuerdos subyacían en el seno del propio sistema, lógica consecuencia de aquel evento era buscar otra opción convergente en vez de intentar imponer unilateralmente la suya. O incluso, si en el mismo seno del sistema de las élites tutelares, la militar y la civil, Medina y López Contreras hubieran sido capaces de entenderse.

Fracasó también el intento democratizador "revolucionario" del Trienio 1945-48, acaso por lo contrario a la cautelosa apertura precedente, aunque dio pasos fundamentales en la conexión del Poder Público con la mayoría social. Sometió a prueba la nueva estructura de la política venezolana, al ponerle demasiada carga a la resistencia de los materiales de que estaba hecha o sin que su cemento hubiese secado.

A comienzos del año 1947, ecuador del trienio, el Presidente de la Junta de Gobierno, Rómulo Betancourt[9] consideraba al depuesto "un absurdo orden de cosas" en apariencia inamovible porque "se suponía apoyado por las Fuerzas Armadas Nacionales", pero "estando acordes todas las clases sociales en repudiar al régimen" sólo un sector políticamente organizado del mundo civil -entiéndase su partido- se le oponía abiertamente y "esta sentimiento de repulsa contra lo existente y el anhelo de un nuevo estilo de Estado penetró en los cuarteles..."

La revolución triunfante -explica- integró la Junta con "los factores que la habían incubado, que juntos habían afrontado el riesgo de realizarla", identificados sobre los principales problemas del país y el modo de solucionarlos.

---

[8]   Andrés Stambouli, *La Política Extraviada* (Caracas: Fundación para la Cultura Urbana, 2002).

[9]   Rómulo Betancourt, Discurso ante la Asamblea Nacional Constituyente, 20-01-1947

El debate político se desarrolló entonces con la mayor intransigencia. No fueron los actores políticos capaces de generar espacios de entendimiento básico que sustentaran el sistema político que se intentaba implantar. Aislamiento y peligrosa autosuficiencia del partido en el poder y oposición sin cuartel con la secuela de estimular a los adversarios de la democracia, en opinión de Velásquez[10]. Se suele decir y es razonable que la carga de responsabilidad es mayor en quien gobierna, más cuando se sustenta en tan amplia mayoría, pero cuando de construir una democracia se trata, como era el caso, los demócratas fuera del poder y aspirantes a ejercerlo no están eximidos del deber de ser responsables.

Aparte de la autoestima inflamada que le es característica, la noción revolucionaria parte naturalmente de la premisa de que los cambios son definitivos e irreversibles. La evidencia histórica ha demostrado mil veces lo contrario.

En uno y otro caso los actores cometieron errores, algunos muy graves por los que ellos, sus familias y el país pagaron un alto precio. ¿Subestimaron la realidad? ¿Sobrestimaron su poder o sus capacidades? ¿Mostraron una insuficiente comprensión de los obstáculos a superar? De seguro hay de todo eso, aunque sea en dosis variables según cada quien.

No fueron éstas las primeras veces en las que la política se extravió en nuestra historia, para usar la expresión feliz de Stambouli, poco más de ochenta años antes había fracasado la "Unidad Nacional" de la incruenta reacción multipartidista a la arbitrariedad nepótica del Monagato, la Revolución de Marzo de 1858 con su "fusión" de conservadores y liberales en un gabinete integrado, cuenta Gil Fortoul que "pareció por lo pronto completa y leal, proclamando todos a una voz la unión y olvido del pasado"[11] pero no tardó cada partido en intentar sacar provecho, vinieron medidas contradictorias, yerros por "pasión irreflexiva o ideología inoportuna", que acentuaron temores y mutuas desconfianzas. La ola de la guerra inundó todo por casi cinco años. La Convención de Valencia, comenta

---

[10]   Ramón J. Velásquez, *Evolución Política* en VVAA *Venezuela Moderna 1926-1976* (Caracas: Fundación Eugenio Mendoza, 1976).

[11]   José Gil Fortoul, *Historia Constitucional de Venezuela* (Caracas: Las Novedades, 1942).

Gil Fortoul, "mezcló equidad con parcialidad, como sucede con toda asamblea surgida de una revolución". A propósito, aprovechemos de leer una reflexión de él mismo,

La justicia de las revoluciones no es más que la venganza de los partidos, eficaz solamente mientras están en el poder[12]

Naufragarían así mismo las conversaciones entre José Antonio Páez y el jefe del liberalismo Antonio Leocadio Guzmán en 1861 que pudieron acortar la costosa "Guerra Larga" y canalizar la contienda política. Y cuando el desenlace de ese, el más cruento de nuestros conflictos civiles parecía inevitable, Guzmán Blanco por el lado federal y Pedro José Rojas por el gobierno de Páez, firmaron el Tratado de Coche en 1863, pero los vencedores no lo aceptaron, aunque su predominio político no evitó los personalismos ni trajo la paz.

De la década reformadora desde las élites (1935-1945) queda la huella de las prácticas hegemónicas no superadas, a pesar de la voluntad de abrir el sistema político. Y, en criterio de Velásquez, los sectarismos y la "infantil y mortal guerra a cuchillo" del trienio[13].

Además del sectarismo, otro condicionante del desarrollo político venezolano ha sido el papel político de los hombres en armas. Hasta 1903, de los caudillos y las montoneras que los seguían. Luego de las reformas durante Cipriano Castro y Juan Vicente Gómez, de las Fuerzas Armadas regulares. Siempre ser el ejército "constitucional" fue una ventaja importante, pero la prolongada inestabilidad y la fragilidad institucional, han conferido a lo militar una incidencia mayor.

No por casualidad López y Medina eran militares, andinos ambos si bien más "caraqueñizado" éste por su prolongada estancia y amplias relaciones sociales en la capital. Los dos habían sido ministros de Guerra y Marina, como se llamaba al despacho y gozaban de liderazgo en la que ya era una institución. Quien escribe confiesa que le llamó la atención ver y oír en un documental

---

[12]   Gil Fortoul, *ob. cit.*

[13]   Velásquez, *ob. cit.*

histórico[14] a Uslar Pietri, intelectual que fuera ministro en los gabinetes de uno y otro, referirse a las divergencias que emergieron entre el expresidente López y el Presidente Medina, Uslar Pietri se refiriera a ellos no como presidentes, sino como generales.

En octubre de 1945 el protagonismo es corresponde a una alianza entre la joven oficialidad militar y el principal partido político de la oposición, juntos hacen "La Revolución". El acta constitutiva de la Junta Revolucionaria de Gobierno, la suscriben el día 19 los mayores Julio César Vargas, Carlos Delgado Chalbaud y Celestino Velazco, el capitán Mario Ricardo Vargas, el teniente Horacio López Conde y el Alférez de Navío Luis J. Ramírez a nombre del Comité Militar, con la representación de Acción Democrática formada por Rómulo Betancourt, Raúl Leoni, Gonzalo Barrios, Luis B. Prieto F., Luis Troconis Guerrero y Eligio Anzola Anzola y el independiente Edmundo Fernández "como colaborador eficaz de ese movimiento y enlace entre el Ejército del Pueblo y el Partido del Pueblo..."

El 24 de noviembre de 1948, "En atención a que las Fuerzas Armadas Nacionales han asumido el control de la situación de la República..." constituyeron una Junta Militar de Gobierno "formada por los Tenientes Coroneles Carlos Delgado Chalbaud, Marcos Pérez Jiménez y Luis Felipe Llovera Páez, el primero de los cuales actuará como Presidente".

El 23 de enero de 1958 "Las Fuerzas Armadas Nacionales en atención al reclamo unánime de la nación y en defensa del supremo interés de la República que es su principal deber, han resuelto poner término a la angustiosa situación política que atravesaba el país a fin de enrumbarlo hacia un *Estado Democrático de Derecho...*" y en consecuencia, constituyeron una Junta Militar de Gobierno presidida por el Contralmirante Wolfgang Larrazábal, e integrada por los coroneles Abel Romero Villate, Roberto Casanova, Carlos Luis Araque y Pedro José Quevedo.

---

[14] *El General López Contreras. La Transición.* Carlos Oteyza Director. Cine Archivo Bolívar Films. Caracas, 1997.

Poco después la Junta pasa a llamarse sólo de Gobierno cuando Romero Villate y Casanova son sustituidos por dos civiles provenientes del sector empresarial, Eugenio Mendoza y Blas Lamberti.[15]

Los veintitrés años que transcurren de diciembre de 1935 a diciembre de 1958 son elocuente evidencia del papel político de la institución militar venezolana. Buena nota tomaron de ello los líderes del proceso nacional a iniciarse este último año, como veremos y en particular el Presidente electo el 7 de diciembre Rómulo Betancourt quien invirtió el mes de enero de 1959 en diálogo con los más diversos sectores nacionales y muy especialmente con los altos mandos de las Fuerzas Armadas y con las unidades militares en Caracas, Maracay, La Guaira, Valencia, Maracaibo, San Juan de los Morros y Maturín. El historiador Ramón J. Velásquez, quien será su Secretario General de la Presidencia, reseña la "fórmula sencilla y comprensible" empleada por el estadista al dirigirse a los militares:

Yo soy un político y por lo tanto un hombre polémico. un hombre sobre quien se discute con pasión. Ustedes durante diez años, han sido objeto de una campaña encaminada a desfigurar mi pensamiento, así como el programa de Acción Democrática. Hoy soy Presidente de la República por la voluntad mayoritaria del pueblo expresada en las urnas el pasado 7 de diciembre. Sería faltarme el respeto a mí mismo y faltarles a ustedes el respeto pedirles que cambien de opinión sobre Rómulo Betancourt por el simple hecho de que ahora no es un exiliado, sino el Presidente Constitucional de la República. Yo sólo voy a pedirles que respeten el orden institucional de la República, que sean guardianes de la Constitución y de la voluntad del pueblo. Por mi parte, garantizo que, durante mi mandato, la Institución Armada no será objeto de ninguna maniobra partidista y que se respetará en todo momento el espíritu y la fisonomía que a la misma conforma, de institución al servicio de la República y no del personalismo. "[16]

---

[15] Ver Allan R. Brewer-Carías, *Las Constituciones de Venezuela*. Tercera Edición, Serie Estudios N° 71 (Caracas: Academia de Ciencias Políticas y Sociales, 2008)

[16] Velásquez: *ob. cit.*

Antecedentes más cercanos

En las elecciones de Asamblea Constituyente convocadas para 1952, no pudieron participar AD y el PCV por estar ilegalizados. AD perseguida desde el golpe de noviembre de 1948, aunque su "disolución" fue decretada recién en diciembre de 1949 y los comunistas desde el 13 de mayo de 1950, ambos deciden llamar a la abstención en los comicios. URD y el Partido Socialcristiano Copei que mantienen una precaria legalidad con limitaciones para acceder a los medios participan, también el PSV. No es solo la ciega confianza en la victoria la que anima al régimen a convocar una elección. El país había ido cambiando desde 1936 y era difícil negarle la participación que había logrado. Las bases acción democratistas y comunistas, a pesar de la línea de sus dirigentes, acuden a votar por las listas de URD, partido que gana la elección. En Mérida y Táchira se repite el triunfo copeyano. A mediodía del 1 de diciembre se suspende la transmisión de resultados electorales. Consumado el fraude, URD y COPEI no reconocerán el resultado, pero la dictadura está en control.

Nada es eterno y menos el poder, aunque parezca invencible. El panorama externo e interno van cambiando. Han sido asesinados los dictadores Somoza de Nicaragua y Castillo Armas de Guatemala. En Colombia cae Rojas Pinilla y liberales y conservadores convienen el Frente Nacional. Internamente, aparece el manifiesto suscrito por más de mil profesionales y la Pastoral del 1° de mayo de Monseñor Arias Blanco, Arzobispo de Caracas sobre la situación social.

En junio de 1957 se constituye la Junta Patriótica, iniciativa animada por el PCV, su proponente es García Ponce. La aceptan los otros partidos que estuvieron representados en ella por dirigentes de segunda fila. URD por Fabricio Ojeda, José Vicente Rangel y Amilcar Gómez. Moisés Gamero desde el comienzo y luego Silvestre Ortiz Bucarán por AD. Pedro Pablo Aguilar y luego Enrique Aristeguieta Gramcko por COPEI. Gómez y Aguilar son detenidos. De la participación socialcristiana, Aristeguieta relata versión no coincidente con la información previa de quien escribe, pero que debo reseñar. En entrevista con motivo de sus noventa años, dice que informado de la propuesta surgida según entiende de los comunistas, la conversa con José de la Cruz Fuentes con quien compartía activismo en el Frente Universitario, así acordaron que él se "acercaría a la Junta", con lo cual habría asumido "el riesgo inconsultamente". Sólo en el breve lapso entre la salida de prisión y asilo y exilio de Caldera, tuvo ocasión de informarlo.[17] El Programa de la Junta es de tres puntos: Amnistía, Elecciones Libres y Gobierno Democrático. Su Segundo manifiesto cita a Fermín Toro. "Dos cosas imposibles existen, perderse con la Constitución y salvarse sin la Constitución"

La unidad opositora que se ha mostrado elusiva durante la dictadura asoma en 1957. Una confluencia parece posible. Dada la proximidad de la elección prevista en la constitución, en agosto del año anterior Betancourt declara en Puerto Rico solicitando elecciones libres. Villalba desde Nueva York y Gallegos desde México apuntan en la misma dirección en 1957. Se va vislumbrando una alternativa de entendimiento opositor en torno al nombre de Rafael Caldera quien está en el país, lo promueve la Junta Patriótica.

Entre enero y febrero de 1957, Luis Herrera Campíns escribe el ensayo *Frente a 1958*. Participar aún en muy malas condiciones, alega "*...ha sido, hasta ahora -no se olvide- el único medio en el cual se ha derrotado la dictadura*"[18] Recurre a metáfora deportiva cuando advierte acerca de cuidarse de *"la obsesión de la pértiga"*, como llama a cierta vocación de dar saltos, a causa de nuestras *"ansiedad e impaciencia"*. Porque *"La democracia total no es carrera de velocidad"*.

Plantea, así mismo, a la oposición un diálogo "con los ofensores" y reconoce que *"Suena raro proponer un diálogo insólito en un país donde la política se ha hecho a base de monólogo, pero (...) para alcanzar ese camino incruento y digno –propone echar mano- a nuestras reservas de buena fe..."*

En noviembre, después de la Ley del Plebiscito, Herrera escribirá en otro tono, con la amargura de la frustración, *La Tumba de la Dictadura*. No habrá elección ni posibilidad electoral unitaria.

---

[17]   Enrique Aristeguieta Gramcko en entrevista con Naudy Suárez Figueroa y Silvia Schanely de Suárez. Caracas, 2023.

[18]   Luis Herrera Campins, *Frente a 1958. Material de Discusión política electoral venezolana (*Caracas: Ediciones de la Presidencia de la República, 1983).

Pero la huelga estudiantil del 21 de noviembre y los pronunciamientos de profesionales y profesores universitarios serán síntomas de la reacción en aquel país aparentemente amodorrado.

En enero se cartean Betancourt y Herrera Campíns. Nunca lo habían hecho directamente, pero de seguro sí indirectamente, porque éste mantiene correspondencia con otros desterrados, altos dirigentes de Acción Democrática. "Ahora -le dice RB- ya tenemos que pensar en el futuro. Es un gran paso el que se ha dado que las fuerzas políticas civiles nos hayamos comportado, en la práctica, con un sentido de entendimiento." Le invita a venir a Nueva York para reunirse con él y Villalba. Herrera no puede, debido a su "crónica pobreza" pero, además, es Caldera el más calificado para ese encuentro en cuya importancia coinciden. Cree que el líder socialcristiano, entonces asilado en la Nunciatura, podrá ser pronto expulsado del país.[19]

Rafael Caldera quien ha estado detenido en la Seguridad Nacional, a poco de ser puesto en libertad busca asilo en la Nunciatura Apostólica, logra con la ayuda de la legación vaticana el salvoconducto. El 20 de enero en el *Athletic Club* de Nueva York se encontrarán Rómulo Betancourt, Jóvito Villalba y Rafael Caldera. Juntos hacen lo que Velásquez llama "Examen de conciencia y propósito de enmienda".

1958, la transición que comienza en año proclive al optimismo

La crisis terminal de la dictadura había empezado a manifestarse con motivo de su fraude a la constitución al burlar a través de la Ley del Plebiscito, su artículo 104 que disponía la elección presidencial por votación universal, directa y secreta al menos tres meses antes del 19 de abril, se manifestaba en protestas públicas y manifestaciones, indicio de la pérdida del miedo en la población y lo más preocupante para su cúpula, por el malestar que revolvía las aguas militares. El alzamiento del 1° de enero fue controlado, pero a un costo tan elevado que ya el régimen no estaba en condición de encajar. El 23 de enero el dictador huyó del país y se constituyó una Junta.

---

[19]   Las cartas en Ramón Guillermo Aveledo, *El Llanero Solidario. Verdades ignoradas sobre Luis Herrera Campíns y su tiempo* (Caracas: LibrosX Marcados, 2012).

Se habla del "espíritu del 23 de enero" para referirse a un clima unitario, de encuentro nacional en la libertad recién adquirida. Un clima esperanzado predominó en Venezuela en aquel que sería un año proclive al optimismo.

Proliferarán los acuerdos y entre empresarios y trabajadores se pacta una tregua social. En ese ambiente, estrenan los voceros empresariales un papel político que Herrera[20] considera "doble maniobra", la de la dirigencia partidista que pone de relieve esa participación para ampliar la base estabilizadora de los cambios democratizadores y la de las cúpulas del empresariado que adquieren así una significación que en realidad fue mayor de su peso real. Habrá que sortear amenazas regresivas, como la protagonizada en julio por el Ministro de la Defensa general Jesús María Castro León, y la del 7 Septiembre protagonizada por el Teniente Coronel Juan de Dios Moncada Vidal y otros oficiales.

Caldera[21] analiza aquel cuadro en estos términos,

> *El tiempo transcurría. Las dificultades aumentaban. De allí vino la idea de formalizar un compromiso mediante el cual, yendo cada partido con candidato propio y con su lista de aspirantes a los cuerpos legislativos, nos comprometiéramos a sumar la fuerza moral y política que cada uno obtuviera en respaldo del que resultara ganador. Esto se haría en virtud de un programa mínimo común y del compromiso de participar en el Gobierno en forma solidaria. En la hipótesis de que alguno de los comprometidos pasara a la oposición, mantendría su apoyo al Gobierno y le daría pleno respaldo en caso de amenaza insurreccional. Esta fue, en síntesis, la base del Pacto de Puntofijo".*

---

[20]   Luis Herrera Campíns, *La Transición Política* en VVAA. *1958, Tránsito de la dictadura a la democracia en Venezuela* (Barcelona-Caracas-México: Ariel, 1978).

[21]   Rafael Caldera, *Los Causahabientes. De Carabobo a Puntofijo* (Caracas: Panapo, 1999).

El Pacto de Puntofijo y el Programa Mínimo

Pacto de Puntofijo y Programa Mínimo deben leerse en conjunto, comprender ambas ayudas a la correcta interpretación de cada uno. Con Suárez Figueroa convendremos en que el Pacto resultaría ser el gran acuerdo político que posibilitaría la coalición para el gobierno y el Programa Mínimo "...el de las propuestas de acción gubernamental común".[22]

Los acuerdos de 1958 ponen de manifiesto que en Venezuela se ha revalorizado el papel del equilibrio consenso – disenso en la vida pública. No es que la divergencia sea abolida o ignorada, se la reconoce, pero se entiende que para ser viable la vida democrática, sus libertades, sus derechos, deberes y garantías, así como la institucionalidad que la organiza y sustenta, debe encontrar un balance en los consensos que permiten la convivencia de todos. Ese, me parece, es el hallazgo fundamental del país de 1958, a través de sus líderes, madurado y metabolizado por ellos en el aprendizaje de las experiencias, las leídas en los antecedentes históricos nacionales y en la propia trayectoria vital de cada uno.

Visto lo anterior, la viabilidad del proceso democrático dependía de proyectos, ideas y actos de fuerzas diversas, desde los recursos que les eran propios y que podían y querían movilizar, explica Stambouli[23] que partidos, empresariado, Iglesia y Fuerzas Armadas, a lo cual hay que añadir sindicatos y gremios. "en un acto de voluntad política negociadora, lograron concertar sus particularidades en función de un consenso político nacional básico que permitiera estabilizar la democracia representativa de manera inmediata". El Pacto de Puntofijo "fue la expresión más visible" de esa alianza nacional.[24]

Se constituye una comisión multipartidista para conversar acerca de las bases de un futuro gobierno, la defensa activa de la constitucionalidad y la cooperación para resolver la cuestión de la

---

[22] Naudy Suárez Figueroa, *Puntofijo y otros puntos. Los grandes acuerdos políticos de 1958* (Caracas, FRB, 2006).

[23] Stambouli: *ob. cit.*

[24] *Idem*

candidatura presidencial y el programa unitario. La integran Luis Augusto Dubuc de AD, Ignacio Luis Arcaya de URD, Luis Herrera Campíns de COPEI, Gustavo Machado del PCV e Isaac Pardo de Integración Republicana.[25] La opción de un candidato unitario, muy presente en los medios, no tardaría en demostrarse inviable, pero sí avanzaría la idea de un programa mínimo común, a partir de la crítica compartida del modelo del desarrollismo militar de la dictadura, de la cual participa incluso FEDECÁMARAS, según documento consignado en julio ante la Junta de Gobierno, en el cual tilda de "irracional la conducta seguida por la dictadura al desviar el gasto gubernamental hacia las obras públicas no directamente productivas"[26]. Abundaron las propuestas y documentos presentados por líderes y partidos, otras organizaciones y personalidades. Una "verdadera riada" en palabras de Suárez Figueroa, quien contabiliza al menos quince entre las más importantes. Se crearon subcomisiones de trabajo por áreas para procesarlas.[27]

Las conversaciones plurales marcaron la tónica política de aquel año.

En aquella atmósfera de unidad nacional se ventiló en la opinión pública y en el liderazgo político, académico y gremial la idea de una candidatura presidencial unitaria. Suenan Rafael Pizani, José Antonio Mayobre, Martín Vegas, venezolanos de indiscutibles méritos. Pero, como se ha anotado, una vez pasada la fase de las declaraciones y llegada la hora de las definiciones, era más un buen deseo que una posibilidad real.

El último día de octubre, a un mes y una semana de los comicios, se firma el Pacto de Puntofijo. Un órgano de prensa tituló "Pacto de Unidad Nacional firmaron los 3 partidos".[28]

---

[25]   Herrera Campíns: *ob. cit.*

[26]   Suárez Figueroa, *ob. cit.*

[27]   Suárez Figueroa: *ob. cit.*

[28]   Diario *El Mundo.* 31 de octubre de 1958

Por Unión Republicana Democrática suscriben Jóvito Villalba, Manuel López Rivas e Ignacio Luis Arcaya. Por el Partido Socialcristiano COPEI, Rafael Caldera, Lorenzo Fernández y Pedro del Corral. Por Acción Democrática, en tercer lugar, Rómulo Betancourt, Raúl Leoni y Gonzalo Barrios.[29]

En el acuerdo se establecen pautas de convivencia superando el "unanimismo" del tiempo dictatorial, con respeto a las reglas democráticas, defensa de la constitucionalidad y el derecho a gobernar según el resultado electoral, todo lo cual llegará a parecernos obvio, pero no lo era entonces, conocida la historia de Venezuela. Además, compromisos más concretos como la formación de un gobierno de Unidad Nacional y el entendimiento en torno a un Programa Mínimo Común.

Adicionalmente, dos declaraciones, una política y otra simbólica pero ambas significativas por su valor en el tramo que el país iniciaba esperanzado:

• *La Unidad es compatible con la diversidad de candidaturas, la tolerancia y el mutuo respeto. A fines de velar porque se mantuviera el clima de tregua y convivencia se acuerda designar una Comisión Interpartidista.*

• *Los votos de todos los partidos y candidatos se entienden como votos para este compromiso unitario.*

En el marco solemne de un acto en el Consejo Supremo Electoral, celebrado el 6 de diciembre, víspera de las elecciones, los candidatos presidenciales Rómulo Betancourt (AD), Wolfgang Larrazábal (URD-PCV) y Rafael Caldera (Socialcristiano COPEI-IR-PST) suscriben la Declaración de Principios y Programa Mínimo.

La Declaración es una ratificación del compromiso del Pacto. El Programa contiene lineamientos en ocho áreas fundamentales: Político-Administrativa, Económica, Petrolera y Minera, Social y Laboral, Educativa, Fuerzas Armadas, Inmigración y Relaciones Internacionales.

---

[29] Curiosamente, serán los tres candidatos presidenciales adecos en 1958, 1963 y 1968. En el caso de COPEI, Caldera y Fernández serán sus dos primeros nominados a la Presidencia, aquel en esas tres elecciones y éste en las de 1973.

Un sumario apretado de lo convenido como tareas para el gobierno unitario sería. En cuanto a Acción Político-Administrativa: Redacción de una nueva Constitución; regularización relaciones entre la Iglesia Católica y el Estado Venezolano y Reforma de la Administración. En Política Económica se asume el papel del Estado en la economía y el reconocimiento iniciativa privada; Plan Integral de Desarrollo; Industrialización en el país de petróleo y hierro; órganos estatales como la Corporación Venezolana de Fomento (CVF), el Banco Industrial de Venezuela (BIV) y el Banco Agrícola y Pecuario (BAP) serán motores en "el adelanto económico del país"; Reorganización y defensa de las industrias estatales petroquímica y siderúrgica; Reforma tributaria y Reforma Agraria. En Política petrolera y minera: Revisar relaciones Estado-Petroleras para favorecer una mayor participación venezolana en los beneficios y mejor control; Estudios para crear una empresa nacional de petróleo lo cual dio origen a la CVP, así como una flota petrolera nacional; Revisión política del hierro orientada a una "razonable participación" de la nación en los beneficios. Política Social y Laboral que defienda y valorice el capital humano; protección de la madre y el niño; Política de vivienda urbana y rural; Reconocimiento del trabajo elemento fundamental del desarrollo; Lucha contra el desempleo; Reforma de la legislación del Trabajo para modernizar relaciones, reivindica-ciones justas para que sea "un instrumento cada vez más efectivo de la justicia social y la armonía entre capital y trabajo"; Salario familiar; Reorganización del Seguro Social. En Educación: Fomento educación popular en todos los niveles; revisión a fondo del sistema; erradicación del analfabetismo; intervención estatal sin detrimento de la libertad de enseñanza; Protección y dignificación del magisterio; Defensa valores nacionales. En cuanto a las Fuerzas Armadas: Perfeccionamiento y modernización de sus distintas armas; concepción como cuerpo apolítico, obediente y no deliberante con educación institucionalista; Reconocimiento a los méritos y servicios; mejora-miento progresivo de las condiciones de vida; Servicio Militar sin distingos de clases sociales. Para la Política Inmigratoria se prescribe su reorientación y la defensa y protección del "inmigrante útil". Una Política Internacional que reafirme principios de paz y cooperación; Repudio a medidas contrarias a la autodeterminación de los pueblos; la ONU y la OEA, como escenario e instrumento para la resolución pacífica de las controversias; Respeto compromisos adquiridos por

Venezuela; promoción de relaciones interamericanas coherentes con sus postulados de democracia y cooperación; relaciones internacionales amplias; fomento relaciones comerciales.

Los actores: partidos y líderes

Los firmantes de aquel pacto no son exactamente viejos socios. Se trata de partidos diferentes y competidores, así como líderes con personalidades e historias distintas y una vida de enfrentamientos, incluso enconados. Coincidían en la democracia, ecosistema del pluralismo y puede que, hacia adelante, en más aspectos programáticos de los que quisieran reconocer, pero el pasado abría entre ellos brechas hondas.

El más numeroso y de más amplia implantación en la sociedad, Acción Democrática es un partido de orientación nacional revolucionaria, laico. Empezará a asociarse con la socialdemocracia en la década del sesenta. Los analistas lo acercan al aprismo peruano. Sus estatutos y sus tesis política, económica, petrolera, agraria y sindical lo alinean con la izquierda democrática nacionalista. Su líder principal Rómulo Betancourt que a diferencia de Villalba y Caldera en sus partidos es *primus inter pares*, ha tenido una ruptura temprana y radical con el marxismo en los años treinta. Presidió la Junta Revolucionaria de Gobierno en 1945 y regresa al país tras largo exilio. Aquí unos lo reciben con esperanza y otros con profundas reservas.

Unión Republicana Democrática es un partido de la tradición Liberal Radical, también laico. Lo han fundado en 1945 personalidades provenientes del Medinismo que en 1946 invitan a participar a Jóvito Villalba, figura de la Generación de 1928 que tiene con AD un pasado común en el Partido Democrático Nacional del cual es secretario general y Betancourt secretario de organización, con quien tendrá ruptura "irreconciliable" según el historiador acciondemocratista Magallanes[30] en 1939. Senador independiente, tiene posiciones distintas a la de sus antiguos compañeros ante Medina y con motivo del 18 Octubre.

---

[30] Manuel Vicente Magallanes, *Los Partidos Políticos en la Evolución Histórica de Venezuela* (Editorial Mediterráneo, Madrid. Caracas: 1973).

A la caída de Gallegos en 1948, URD dirá que el 24 de noviembre culmina una crisis que se había planteado el 18 de octubre.

A su regreso del exterior en 1936, Villalba será elegido Presidente de la Federación de Estudiantes de Venezuela y separado de quienes habían sido sus compañeros, no participa en la creación de Organización Venezolana (ORVE) y más bien solicita la legalización de otro partido, llamado FEV (Organización Política).

Es evidente que si bien menos elaborada, la ideología y el programa del urredismo tienen afinidades con las de AD, pero las historias personales cuentan. Las diferencias entre los líderes desde los años cuarenta y los antecedentes de gravitación del PDV medinista de los fundadores del partido amarillo. En los años setenta Escovar Salom abogará en artículos por la "reunificación de la gran familia socialdemócrata", lo cual nunca llega a ocurrir. Con la declinación electoral de URD, buena parte de su espacio en el Oriente, tanto electoral como de figuras, se movería hacia la órbita de COPEI. Reitero lo dicho, Venezuela ha sido siempre un país más de quien que de qué.

De otra raíz es COPEI inicialmente un comité, convertido en partido y definido desde 1948 como de ideología socialcristiana. Activo en las lides universitarias, Caldera rompe con los estudiantes de izquierda laica en mayo de 1936. Con ellos convivían los estudiantes católicos en la FEV hasta que arrinconados se separan y fundan la Unión Nacional Estudiantil (UNE). Salidos los fundadores de UNE de la universidad, emprenden la fundación de partidos, primero Acción Electoral en 1938 y luego Acción Nacional en 1942 que en las inmediaciones del lopecismo logra elegir dos diputados y algunos concejales. Coincidieron con AD en la fallida elección de diputados por el Distrito Federal en el Concejo Municipal de enero de 1945, cuando la deserción imprevista de un edil adeista rompió el empate en la cámara entre la alianza oficialista (PDV-UP) y la oposición (AD-AN). En 1947 COPEI fue la minoría más numerosa en la Asamblea Constituyente y ejerció una dura oposición en el trienio.

Sin embargo, esos partidos y esos líderes tuvieron una lectura coincidente de lo necesario y fueron capaces de establecer objetivos compartidos y una estrategia dirigida a alcanzarlos y consolidarlos.

87

Una pregunta que naturalmente se hace es ¿Por qué no participó el PCV?

Ese partido había sido tenazmente valeroso en la lucha anti-dictatorial y singularmente activo en la unidad opositora clandestina lograda en junio de 1957, clave en la fase decisiva. Entre los partidos signatarios y el Partido Comunista había diferencias que no eran menores sino muy profundas. La unidad contra aquella dictadura no implicaba un acuerdo acerca del modelo de Estado a implantarse. El modelo ideológico defendido por PCV proponía otra dictadura, la del "proletariado". El carácter táctico de su apoyo a la unidad podía y debía ser advertido por los actores políticos. En las discusiones del mismo año cincuenta y ocho asoman las divergencias, como la planteada por la idea comunista de convocar una Constituyente, frente a la predominante de elegir un Congreso que aprobara una nueva constitución.

El contexto internacional es el de la "Guerra Fría" y su consecuencia la política internacional de bloques. En mayo, los violentos disturbios callejeros con motivo de la visita a Caracas del Vicepresidente norteamericano Richard M. Nixon, en cuya organización y promoción participó el PCV, produjeron una sacudida muy severa y amenazas serías que incluyeron aleta a la flota de los EEUU.

En su toma de posesión, el presidente Betancourt dedicó atención a la cuestión. "De ese pacto -argumenta- fue excluido el Partido Comunista, por decisión razonada de las organizaciones que lo firmaron" cuya posición fundamentaron "los tres grandes partidos nacionales en que "la filosofía política comunista no se compagina con la estructura democrática del Estado venezolano, ni el enjuiciamiento por ese partido de la política internacional que debe seguir Venezuela, concuerda con los mejores intereses del país."[31]

Con el PCV, el Presidente se compromete a respetar sus derechos "a actuar como colectividad organizada en el país". Recuerda que en su campaña fue explícito en advertir que no llamaría al gobierno ni consultaría decisiones con ese partido, lo cual, por cierto, también

---

[31] Rómulo Betancourt, discurso el 13-02-1959 en *4 Presidentes. Los 40 Años de Acción Democrática*. Tomo I, Rómulo Betancourt y Rómulo Gallegos. (Ediciones de la Presidencia de la República, Caracas: 1981).

había considerado necesario aclarar Larrazábal, quien recibió el apoyo electoral de la tarjeta de la estrella roja a su nominación. Al aceptar su postulación, declaró en el Consejo Supremo Electoral no ser comunista ni compartir las teorías comunistas, por su condición de "católico de arraigada e inquebrantable fe" así como de "demócrata liberal de muy definidos principios".

"Quiero advertir –dijo el candidato Larrazábal- que la presente aceptación no entraña compromiso alguno, presente ni futuro con el mencionado partido".[32]

Sin embargo, es de justicia también recordar que, a raíz de las elecciones ganadas por Betancourt, se produjeron protestas en Caracas y no faltaron voces que plantearan el desconocimiento de esa elección, lo cual rechaza el PCV como lo hicieron el Presidente Sanabria y el conjunto de la Junta y el Coronel Marco Aurelio Moros, comandante del Ejército. Lo mismo que en agosto, el Pleno del Comité Central de esa colectividad partidista había formulado planteamientos sobre la "fisonomía del próximo gobierno", bastante coincidentes con varios puntos de lo que sería el Programa Mínimo suscrito en diciembre, si bien característicamente revestidos de retórica anticapitalista y antiimperialista.[33]

Según el analista, se leerá de "exclusión del Pacto" o de "provocaciones betancouristas" en aquel acto, incluso como justificación de la insurrección armada en la cual se embarcaría el PCV en breve. En su III Congreso de 1960, con parlamentarios en el Congreso y participando en la discusión de la nueva constitución, discutieron esa opción a proposición de Argimiro Gabaldón. En esa reunión, celebrada en el Club Las Fuentes, Jesús Faría "proclamó que el próximo Congreso lo realizaríamos en el poder". En 1962, participaron en la creación del Frente de Liberación Nacional (FLN) y su brazo militar las Fuerzas Armadas de Liberación Nacional (FALN). Al respecto, es ilustrativo el testimonio de Pompeyo Márquez, entonces secretario de organización y senador del PCV quien aunque como es previsible repite los argumento de la "represión betancourista", que golpeaba sobre todo "después de la derrota de los

---

[32]   Citado por Velásquez en *ob. cit.*

[33]   Ver Suarez Figueroa: *ob. cit.*

alzamientos de Carúpano y Puerto Cabello", en los cuales por cierto tuvieron participación cuadros del partido, anota que aquella era "una izquierda obsesionada por la línea insurreccional", un Pleno del Comité Central plantearía la "política de viraje", mientras se iba dando "una radicalización de hechos cumplidos". En su autocrítica de 2011, rememora el III Congreso del 1960.[34]

Sobre el Estado de Partidos

La lógica consecuencia del Pacto y sin duda su intención es la constitución de lo que denomina la literatura un Estado de Partidos, en cuya comprensión es fundamental el aporte de García Pelayo[35], maestro de larga y fructífera presencia en nuestro país desde 1959 hasta su retiro como profesor titular en la Universidad Central de Venezuela en 1979 y su designación como Presidente del Tribunal Constitucional, creado por la Constitución española de 1978.

Como se sabe, el Estado de Partidos es una resultante de la interacción entre el sistema estatal y el sistema de partidos. Diferente a la *contradictio in terminis* del "Estado de Partido" en singular, naturalmente antidemocrático por encarnar la negación del pluralismo, el Estado de Partidos es por definición democrático. Partido viene de parte, por lo mismo nunca de totalidad, aunque su propuesta lo sea para la sociedad entera. El Estado de Partidos es una consecuencia politológica del Estado democrático de Derecho.

En tiempos dictatoriales, se cultivó el mito de la unanimidad. El "ideal nacional" era uno y único en una Nación igualmente uniforme. El advenimiento de la libertad primero y la democracia después, suponían el reencuentro con esa condición natural de la sociedad que es la pluralidad.

Consideró el maestro que, en una era de masificación y organización, la democracia necesitaba ser una democracia de partidos. Sólo así se podía expresar y organizar la vida cívica en una sociedad plural. Ese era claramente el desiderátum en 1958. Como el

---

[34] Pompeyo Márquez, *Contado por sí mismo. 90 años de Historia en la Gesta de un Luchador Social* (Caracas: Fundación Gual y España-KAS, 2011).

[35] Manuel García-Pelayo, *El Estado de Partidos. Obras Completas.* Tomo II. (Madrid: Centro de Estudios Constitucionales. 1991).

tiempo no transcurre en vano, las demandas sociales cambian, pero siguen requiriendo sistematización que influyan en programas de acción política que puedan ser adelantados por personas.

Por expresar una parte, no siempre fue aceptada como positiva la existencia de partidos. Vistos como sinónimo de facción, atentaban contra una supuesta unidad nacional fundamental. La lectura más repetida de la última proclama del Libertador Bolívar en su lecho de muerte en Santa Marta "Si mi muerte contribuye a que cesen los partidos y se consolide la unión…" es usada como argumento, sea punto de partida o *in extremis* del antipartidismo. Al referirse al pluralismo, Sartori escribe que

> *La transición de la facción al partido se base en un proceso paralelo: la transición, todavía más lenta, más elusiva y más tortuosa de la intolerancia a la tolerancia, de la tolerancia al disentimiento y, con el disentimiento, a creer en la diversidad. Los partidos no pasaron a ser respetables porque Burke declarase que lo eran. Los partidos llegaron a verse aceptados -de forma subconsciente e incluso así con una enorme renuencia- al comprenderse que la diversidad y el disentimiento no son necesariamente incompatibles con, ni perturbadores de, el orden político* [36]

Pluralismo y pluripartidismo son, aprecia, correlativos y dependientes de la cosmovisión liberal. El pluralismo es cultural, societal y político. El elemento de pluralidad es inherente a cualquier sociedad política auténtica, dirá Maritain. En su seno hay unidades familiares y "una multiplicidad de otras sociedades" cuyos derechos y libertades le anteceden.[37]

El Estado de Partidos es neutral y abierto, en el sentido de no estar vinculado esencialmente a un determinado partido o ideología[38]. Cualquier partido que se atenga a sus reglas constitucionales puede gobernarlo y en la medida de su incidencia en la sociedad toda y sus instituciones, pueden influirlo. El sistema de partidos, sí, condiciona su funcionamiento.

---

[36]   Giovanni Sartori, *Partidos y Sistemas de Partidos* (Alianza, Madrid: 2005).

[37]   Jacques Maritain, *El Hombre y el Estado* (Club de Lectores, Buenos Aires).

[38]   García-Pelayo: *ob. cit.*

El Estado de Partidos tiene límites jurídicos, pues el Derecho es el marco y la medida de la legitimidad de su acción. También límites funcionales-institucionales como la autonomía de la Administración Pública, cuyo funcionamiento ha de guiarse por principios de objetividad, imparcialidad y neutralidad. En la Administración Pública profesional y autónoma, hay que prevenirse ante la posibilidad no infrecuente de desviaciones burocrática o tecnocrática, naturalmente reacias a controles externos, sobre todo los democráticos. Crucial para que estos límites sean eficaces y los principios guías en lo político, constitucional y administrativo sean viables en la práctica, será el grado de independencia de la función jurisdiccional, señalada, aunque no únicamente, la constitucional.

Desde costados del debate nacional, sea por partidos de menor influencia relativa debido a su limitada implantación social o desde posturas abierta o disimuladamente antipolíticas, se acuñó la expresión "Partidocracia" para censurar el proyecto de Estado de Partidos como contrario a la democracia y negador de ella. Secuelas de esa anticultura son la devaluación del consenso, el menosprecio al acuerdo o la descalificación de la negociación.

A la intención del liderazgo plural que refundó la democracia venezolana en 1958, no es imputable el designio del exclusivismo. El primer gobierno constitucional lo formaron los tres partidos firmantes de Puntofijo, con participación adicional de ministros sin militancia partidista. Empezó siendo una coalición a tres y quedó a dos, al retirarse de ella URD. En el segundo gobierno constitucional, presidido por Leoni, tras prolongadas negociaciones, los social-cristianos decidieron no participar, pero se formó gabinete con Acción Democrática el partido del Presidente, URD que se había separado del de Betancourt y el Frente Nacional Democrático (FND)[39], recién fundado por Uslar Pietri que había sido señalado opositor durante el quinquenio 1959-1964. Salvo un experimento muy parcial en la segunda presidencia de Pérez y la participación del Movimiento al

---

[39] Reunión de distintos grupos que habían apoyado la candidatura presidencial independiente de Uslar Pietri, con tendencia más hacia una derecha liberal-conservadora.

Socialismo (MAS) en la segunda de Caldera,[40] no hubo otros gobiernos coaligados, pero sí múltiples entendimientos electorales y parlamentarios, a nivel nacional y también, sobre todo a partir de 1989, estadal y municipal.[41]

El Estado de Partidos venezolano, desarrollado a partir de Puntofijo experimentó, como es lógico suponer, un desarrollo desigual y en ciertos aspectos, contradictorio.

La vigencia de la separación de poderes diseñada en la constitución, la legislación de carrera administrativa, los avances dificultosamente logrados en materia de autonomía del Poder Judicial, la reforma del Estado y los procesos de descentralización política de finales de los años ochenta en los años noventa del siglo pasado, debieron nadar contra la secular corriente de autoritarismo y arbitrariedad, aunadas a las presiones provenientes del centralismo y el presidencialismo fortalecidos por una estructura fiscal dominada por la renta petrolera, manchas en el tejido histórico resistentes a las lavadas democráticas. El rentismo alimentaría al estatismo, al paternalismo y al clientelismo, como clientelismo, caudillismo y corrupción serán presencias recurrentes, aunque con variable intensidad y concentración.

Ninguno de estos factores es inherente al modelo, como puede apreciarse en las democracias del mundo entero, pero en todas puede un partidismo más o menos exacerbado incidir y el único antídoto para ello es el funcionamiento del Estado Democrático de Derecho, con un poder público distribuido y dividido y la participación de la ciudadanía activa, vigilante, exigente con el poder y consigo misma.

---

[40] Carlos Walter fue Ministro de Sanidad, Pompeyo Márquez Ministro de Estado y desde Planificación Teodoro Petkoff lideró el gabinete económico en la segunda mitad del quinquenio.

[41] Al respecto, se puede encontrar más información en mis trabajos *Parlamento y Democracia. Congreso, Asamblea y futuro en perspectiva histórica, constitucional y política* (Caracas: Fundación para la Cultura Urbana, 2005) y *La 4ª República, la Virtud y el Pecado* (Caracas: LibrosXMarcados, 2008).

Resultados y balance

El acuerdo fue para un gobierno, pero su espíritu se proyectó en el nuevo sistema político instaurado.

Ha escrito Rafael Caldera, uno de los suscritores del Pacto, Presidente de la Cámara de Diputados en los primeros años de vigencia del acuerdo y cuyo partido no continuó en la coalición gubernamental una vez concluido el gobierno de Betancourt, pasando a una línea de "Autonomía de Acción" que deslizaría más pronto que tarde a la oposición,

> *No se previó su duración más allá del primer quinquenio, como se acaba de indicar, pero indudablemente, el espíritu del 23 de enero, el compromiso solidario de sostener las instituciones por encima de las diferencias partidistas, la defensa de las libertades y de los derechos humanos y el compromiso social, inseparable del derecho y el deber de gobernar, valores que inspiraron el Pacto de Puntofijo, sobrevivieron el término previsto.[42]*

Las alianzas entre partidos –nos dice Duverger- pueden tener formas muy variables, desde las efímeras y desorganizadas para objetivos más o menos inmediatistas, hasta otras con perfiles más estructurados.[43] Son más frecuentes en los sistemas multipartidistas que en los bipartidistas. En sus modalidades influyen el régimen constitucional, el sistema electoral, las tradiciones nacionales y la opinión pública. Veremos alianzas electorales, parlamentarias y gubernamentales. La lógica de funcionamiento de esas alianzas es distinta en períodos revolucionarios "inversa a la del gobierno normal", dirá el tratadista francés, pues "la prudencia y la moderación se convierten en debilidades en el ejercicio del poder".

Él mismo distingue, en los casos de alianzas de "Unión Nacional" según las experiencias de su país, así como las de Holanda, Suiza y

---

[42] Caldera: *ob. cit.*

[43] Maurice Duverger, *Los Partidos Políticos*. Tercera reimpresión en español. (Fondo de Cultura Económica, México: 1969).

Bélgica. Las del tipo Poincaré[44] cuya amplitud excluye a un sector, ante el cual es "anti" por definición y las "auténticas", justificadas en circunstancias excepcionales como una guerra o grandes crisis.

La coalición de gobierno que se constituyó como resultado del pacto podríamos encuadrarla en las emanadas a consecuencia de acuerdos de gobernabilidad, mediante los cuales actores políticos, liderazgos y partidos convienen unas reglas de funcionamiento del sistema político en transiciones. Son acuerdos que incluyen el gobierno compartido pero que no se limitan a él, y abarcan entendimientos para el funcionamiento del Estado entero. Como en el caso de los Pactos de La Moncloa en la transición española a la democracia del último tercio del siglo XX, puede haber pactos de gobernabilidad que no implican coaliciones de gobierno.

En Colombia vemos el caso del Frente Nacional, vigente de 1958 a 1974. Los exiliados líderes conservador Laureano Gómez y liberal Alberto Lleras Camargo, colectividades históricas con antiguos antecedentes de broncos enfrentamientos a veces irracionales hasta la violencia con tránsitos autoritarios[45], suscriben en 1956 el Pacto Nacional o Pacto de Sitges. Con este acuerdo se inaugura una etapa de estabilidad política que con problemas de diverso calado e incluso gravedad, sirvió de base para el progreso de Colombia, durante su vigencia y aún después de la misma, aunque ya los partidos tradicionales no son lo que solían ser.

A diferencia del venezolano de 1958, el pacto colombiano se inspira en el modelo del "Turno" español, aquel entendimiento entre Antonio Cánovas del Castillo y Práxedes Mateo Sagasta, que en la Restauración Monárquica de la segunda mitad del XIX terminó con los "pronunciamientos" militares y estabilizó la monarquía parlamentaria.

---

[44] Raymond Poincaré (1860-1934) Presidente de la República Francesa y tres veces Primer Ministro. Sus coaliciones fueron anti-izquierdistas como, en símil que establece Duverger, en un "poincareismo a la inversa" tras la Liberación Nacional en la II Guerra Mundial, se aliaron todos los partidos MRP, SFIO, Radical, UDSR e incuso PCF, aislando a la derecha clásica desacreditada por Vichy.

[45] De 1946 a 1957 se estima que por esta causa murieron unas 180.000 personas.

Del Frente Nacional colombiano hay evaluaciones múltiples. Unas son muy críticas mientras otros, como la de Roll Vélez, si bien registra un consenso entre los estudiosos acerca de sus efectos "contraproducentes", lo considera "La reforma política clave del siglo XX".[46]

En el caso venezolano, como hemos dicho, luego de arduas negociaciones, al final, se decantó la solución por la presentación de candidaturas por parte de los partidos y la suscripción de un pacto para hacer un "gobierno solidario" en el análisis posterior de Luis Herrera Campíns[47], partícipe del equipo plural redactor del acuerdo,

De manera que se ve a las claras la doble significación de "Puntofijo" por un lado, un pacto con ribetes electorales para ceñir la disputa a reglas de altura, de compostura republicana y de consideración cívica, y, por otra parte, un pacto ejecutivo, de gobierno.

El liderazgo democrático venezolano de 1958 pactó para asegurar la estabilidad del sistema democrático restablecido, pero no acordó candidaturas únicas ni turnos alternos. Ni siquiera recurrió a la modalidad de entendimiento exitosamente ensayada en Uruguay con la constitución de 1934, de cuotas parlamentarias convenidas. Quisieron aquellos líderes, fundar un nuevo sistema para que se desarrollara libremente, cuyo rasgo distintivo fuera la apertura.

Las coaliciones políticas en el presidencialismo latinoamericano han sido tema del interés de quien escribe. De ellas debe destacarse su contribución a la estabilidad en sistemas multipartidistas, así como anotar como factores claves de su éxito: la solidez del compromiso pactado y el liderazgo del Presidente de la República.

Son exigencias específicas para su manejo exitoso las reglas de toma de decisiones y la existencia de instancias de concertación y coordinación. Así, el gobierno coaligado tendrá siempre más posibilidades de que su por definición difícil manejo, produzca mayor

---

[46] Ramón Guillermo Aveledo, *Coaliciones en el Presidencialismo Latinoamericano*. México, Durango: Ponencia en la Universidad Juárez del estado de Durango, en las Jornadas de Derechos Humanos y Cultura Cívica en homenaje a Diego Valadés, 2019.

[47] Herrera Campíns: *ob. cit.*

rendimiento. Lo mismo que nunca insistiré lo suficiente, el liderazgo asertivo y eficaz de un Presidente de la República que, sin aislarse de su partido, si milita en uno, sea capaz de gobernar como el líder de todos.

Puntofijo abrió el camino para una prolongada estabilidad política, sobre la base de la alternancia efectiva de las diversas opciones políticas verificada por decisión popular en elecciones libres, verdaderamente competitivas. No elecciones perfectas, aunque fueron perfeccionándose con el tiempo y las decisiones acertadas, pero elecciones cuya salud sistémica esencial se demuestra en que, sin contar las de 1958 ganadas por Betancourt y en las cuales participaron Larrazábal que dejó la Presidencia de la Junta para competir y Caldera, de ocho elecciones realizadas entre 1963 y 1998, en seis ganaron nominados desde la oposición: Caldera, Pérez, Herrera, Lusinchi, Caldera por segunda vez y Chávez.

Fruto del acuerdo es la constitución de 1961, la de más prolongada vigencia en nuestra historia hasta el presente y aquella ante la cual gobernantes y gobernados observamos una conducta relativamente mejor. Con todo lo que pueda observarse, el país alcanzó logros objetivos de progreso, a los cuales me he referido en otros trabajos y no es del caso reiterar ahora[48].

También es cierto que con el tiempo y la costumbre el "espíritu del 23 de enero" fue desvaneciéndose y el espíritu de Puntofijo fue atenuándose y desviándose. Los logros vaciaron el contenido que no supo o no quiso renovarse, pero también estimularon en el liderazgo un conformismo cada vez menos compartido por la población. La confrontación política democrática crecientemente intensificada, fue rompiendo el equilibrio consenso-disenso que había sido sabiamente asimilado pero que no tardó en ceder prioridad.

Enseñanzas

De la experiencia nacional del Pacto de Puntofijo nos quedan enseñanzas, no para el calco mecánico del caletrero ni para anacrónicos ejercicios de soberbia que prescriban su repetición acrítica sin considerar las realidades del presente.

---

[48] Ver Ramón Guillermo Aveledo: *La 4ª República...*, *ob. cit.*

Una enseñanza es que hay que aprender de la historia y también de la experiencia propia. El imperativo político de los equilibrios ya está en *La Política* de Aristóteles, tres siglos antes de Cristo. Como hemos visto, en la historia venezolana no escasean los ejemplos útiles, sobre todo aquellos de los fracasos, para huir de ellos como de una casa en llamas.

Puntofijo nos dice que la estabilidad no es gratis, tampoco la libertad. Una y otra cuestan y lo más frecuente es el costo se cargue, principalmente, a la cuenta de los protagonistas de los hechos políticos que las posibilitaron. Nos preguntaremos si no es injusto que así sea. Creo que lo es, pero más injusto es que sean los pueblos los que paguen los errores de sus dirigentes, de aquellos que han buscado y asumido la responsabilidad de dirigirlos.

1958 y Puntofijo representan el principio de una reconciliación entre venezolanos. La distancia en el tiempo nos permite atrevernos a comenzar a apreciarlo en su justa perspectiva. Hay una ética de la reconciliación que incluye una apología de la diferencia. A propósito, el humanista venezolano Víctor Guédez, educador con profusa y densa obra escrita, nos deja reflexiones sustanciosas para dar su justo valor al coraje de entenderse a partir de posiciones confrontadas. Cita a Montesquieu, si al acercar el oído a una sociedad no se oye rumor alguno de discusión o enfrentamiento "significa que estamos ante una tiranía" y con Marina, no aboga por erradicar las diferencias "Sólo las diferencias injustas" porque "Buscando una igualdad sin condiciones podemos eliminar la distinción, el mérito, el sacrificio, el heroísmo, la calidad…"

Para plantearnos que

> *La premisa básica para pensar en un proceso de reconciliación es que la unidad no es uniformidad, así como la integración no es fusión. Por esta razón debe aceptarse que el respeto es siempre el **respeto de las diferencias**, asumiendo que discrepamos a partir de las diferencias y para preservar las diferencias. En el mismo sentido, la integración es siempre integración de las diferencias, ya que nos complementamos a partir de las diferencias y para preservar las diferencias.*[49]

---

[49] Víctor Guédez, *Ética, Política y Reconciliación. Una reflexión sobre el origen y propósito de la inclusión* (Criteria, Caracas: 2004).

La democracia exige pluralismo: en su dinámica de funcionamiento, a través de alternativas y posibilidad real de alternancia entre ellas, a partir del reconocimiento de diversidad de intereses que coexisten y han de convivir en la sociedad, pero sobre todo en su base que es la libertad, condición inseparable de la dignidad de la condición humana.

BIBLIOGRAFÍA

AVELEDO, Guillermo Tell. *La Segunda República Liberal Democrática 1959-1998*. Caracas: FRB. 2014.

AVELEDO, Ramón Guillermo. *El Llanero Solidario. Verdades ignoradas sobre Luis Herrera Campíns y su tiempo.* LibrosXMarcados, Caracas: 2012.

_____ *La 4ª República, la virtud y el pecado.* LibrosXMarcados, Caracas: 2008.

_____ *Parlamento y Democracia. Congreso, Asamblea y futuro en perspectiva histórica, constitucional y política.* Fundación para la Cultura Urbana, Caracas: 2005.

BREWER-CARÍAS, Allan R. *Las Constituciones de Venezuela.* Tercera Edición, Serie Estudios N° 71. Academia de Ciencias Políticas y Sociales, Caracas: 2008.

CALDERA, Rafael. *Los Causahabientes. De Carabobo a Puntofijo.* Panapo, Caracas: 1999.

DUVERGER, Maurice. *Los Partidos Políticos.* Tercera reimpresión en español. Fondo de Cultura Económica, México: 1969.

GIL FORTOUL, José: *Historia Constitucional de Venezuela.* Las Novedades. Caracas: 1942.

GUÉDEZ, Víctor. *Ética, Política y Reconciliación.* Criteria, Caracas: 2004.

HERRERA CAMPÍNS, Luis. *Frente a 1958. Material de Discusión política electoral venezolana.* Ediciones Presidencia de la República, Caracas: 1983.

MAGALLANES, Manuel Vicente. *Los Partidos Políticos en la Evolución Histórica de Venezuela.* Editorial Mediterráneo, Madrid. Caracas: 1973.

MARITAIN, Jacques. *El Hombre y el Estado.* Club de Lectores. Buenos Aires.

MÁRQUEZ, Pompeyo. *Pompeyo Márquez Contado por sí mismo.* Fundación Gual y España-KAS, Caracas: 2011.

SARTORI, Giovanny. *Partidos y Sistemas de Partidos.* Alianza, Madrid: 2005.

STAMBOULI, Andrés. *La Política Extraviada.* Fundación para la Cultura Urbana, Caracas: 2002.

SUÁREZ FIGUEROA, Naudy. *Punto Fijo y otros puntos. Los grandes acuerdos políticos de 1958.* FRB, Caracas, 2006.

URBANEJA, Diego Bautista, *Venezuela y sus Repúblicas.* Caracas: Instituto de Estudios Parlamentarios Fermín Toro-ABEdiciones UCAB-KAS, 2022.

VVAA. *1958, Tránsito de la dictadura a la democracia en Venezuela.* Ariel, Barcelona-Caracas-México: 1978.

VVAA. *Venezuela Moderna 1926-1976.* Fundación Eugenio Mendoza, Caracas: 1976.

VVAA. *4 Presidentes. Cuarenta Años de Acción Democrática.* Caracas: Ediciones de la Presidencia de la República, 1981.

WILL, George. *Men at Work. The craft of baseball.* Macmillan, New York: 1990.

Conferencia; AVELEDO, Ramón Guillermo, *Coaliciones en el Presidencialismo Latinoamericano.* México, Durango: Universidad Juárez del Estado de Durango, Jornadas de Derechos Humanos y Cultura Cívica en homenaje a Diego Valadés 2019.

EL "PACTO DE PUNTOFIJO" DE 1958 COMO PUNTO DE PARTIDA PARA EL ESTABLECIMIENTO Y CONSOLIDACIÓN DEL SISTEMA DEMOCRÁTICO Y DEL ESTADO CONSTITUCIONAL DE DERECHO EN VENEZUELA*

Allan R. BREWER-CARÍAS

Profesor emérito de la Universidad Central de Venezuela
Individuo de Número y expresidente de la
Academia de Ciencias Políticas y Sociales

El 18 de octubre de 1958 se suscribió en Caracas el llamado *Pacto de Puntofijo,*[1] documento político mediante el cual, luego de la caída del régimen de Marcos Pérez Jiménez en enero de 1958, se inició en Venezuela el complejo proceso de establecer un régimen democrático, el país que para entonces era el que menos tradición democrática había tenido en toda la historia de América Latina.

---

*   Texto escrito para el *Libro Homenaje a Humberto Romero Muci*, Academia de Ciencias Políticas y Sociales, Caracas 2023.

[1]   Véase el texto en Presidencia de la República, *Documentos que hicieron historia,* Tomo II, Caracas 1962, pp. 443 a 449. Sobre el Pacto de Puntofijo y las consideraciones que formulamos aquí véase: Allan R. Brewer-Carías, Allan R. Brewer-Carías, *Tratado de Derecho Constitucional, Tomo IV, Instituciones del Estado democrático de derecho en la Constitución de 1961, Colección* Fundación de Derecho Público, Editorial Jurídica Venezolana, Caracas 2014, p. 142-155.

Dada la satanización o demonización que a partir de 1999 se hizo del Pacto de Puntofijo, en paralelo al proceso de demolición sistemática de las instituciones democráticas que condujo el gobierno del Presidente Hugo Chávez Frías, es importante recordar cuál fue reamente el contenido y efectos de aquél Pacto, particularmente porque la mayoría de las veces cuando se formulan críticas en contra el mismo, las mismas provienen de personas que ni siquiera lo han leído, sumándose al coro de estigmatización por ignorancia e incomprensión. En la situación actual, de demolición completa de la democracia y de colapso total del Estado de derecho en Venezuela, pienso que es de interés volver a estudiar dicho documento, no sólo para comprender el aporte que el liderazgo que lo concibió hizo para establecer la democracia, sino porque en algún momento futuro, un nuevo pacto político será necesario para poder restablecer la democracia.

En 1958, los líderes de los tres más importantes partidos democráticos que en una u otra forma habían contribuido desde la clandestinidad al derrocamiento del dictador Pérez Giménez(Acción Democrática, Partido Social Cristiano Copei, y Unión Republicana Democrática),[2] con vista a la necesidad de la realización de unas elecciones generales en ese mismo año de 1958, y a la posterior conformación del gobierno y de un sistema político que consolidara la democracia en el país, suscribieron dicho *Pacto de Puntofijo*, con el cual no sólo reconocieron y establecieron entre ellos unas "reglas de juego" político-partidistas para guiar sus relaciones en el futuro, sino que fijaron las bases de un mínimo de entendimiento que garantizara el funcionamiento del régimen democrático a establecerse. Se trató, como lo describió nuestro recordado amigo el profesor Juan Carlos Rey, de:

---

[2]   Los partidos Acción Democrática, Copei y URD, que fueron los signatarios del Pacto asumiendo el compromiso de mantener el sistema democrático, obtuvieron más del 92% de los votos en las elecciones generales de 1958.

"uno de los más notables ejemplos que cabe encontrar en sistema político alguno, de formalización e institucionalización de unas comunes reglas de juego, al propio tiempo que muestra la lucidez de la élite de los partidos políticos venezolanos."[3]

Los partidos democráticos habían aprendido que el enemigo de la democracia había que ubicarlo en el sector militar, en los grupos de presión económica, y en los partidos de extrema izquierda, y que, por tanto, la lucha fundamental por establecer lograr la supervivencia del régimen democrático no estaba entre ellos. Por ello convinieron en poner de lado el sectarismo que caracterizó la lucha interpartidista entre 1945 y 1948, y particularmente AD comprendió que el exclusivismo en el juego político no era la mejor vía para establecer una democracia funcional y asegurar la conducción del gobierno.[4]

Se trató, por tanto, de un convenio entre partidos democráticos, suscrito entre ellos partiendo del supuesto de que tenían "la responsabilidad de orientar la opinión para la consolidación de los principios democráticos," para lograr puntos de unidad y de cooperación y sentar las bases conducentes a la consolidación del régimen democrático.

Por eso es importante revisar en qué consistió efectivamente dicho Pacto político, escudriñar cuales fueron los principios generales que llevaron a los partidos democráticos a suscribirlo, y determinar

---

[3]   Véase Juan Carlos. Rey, "El sistema de Partidos Venezolanos", *Politeia* número 1, Instituto de Estudios Políticos. Caracas, 1972., p. 214; y en Juan Carlos Rey, *Problemas Socio–Político de América Latina*, Caracas 1980, p. 315. Esto lo escribió el profesor Rey en 1972, seis años antes de 1978, cuando otro pacto político de enorme importancia, como fueron los Pactos de la Moncloa, condujo a establecer el régimen democrático en España en la época post-franquista.

[4]   Es de observar, por ejemplo, que a pesar del triunfo electoral mayoritario del Partido AD en las elecciones de 1973, la tesis de prometer un Gobierno de consenso nacional y no de carácter monopartidista fue expuesta insistentemente por el Presidente C. A. Pérez al ser electo. *V.* por ejemplo, *EL NACIONAL,* 12 de diciembre de 1973. *CFR.* asimismo, C. A. Pérez, *ACCIÓN DE GOBIERNO.* Caracas, 1973, p. 6, donde señaló que "nuestro Gobierno no será monopartidista ni sectario". Las lecciones del trienio 1945-1948 ciertamente que fueron demasiado duras, por lo que su no asimilación para el gobierno iniciado en 1974 podría ser peligroso.

los compromisos políticos que del mismo derivaron, para poder establecer su real importancia en la consolidación del régimen democrático en Venezuela, habiendo sido como en efecto fue uno de sus productos inmediatos, la sanción de la Constitución de 1961. Ello permitirá, además, apreciar porqué fue satanizado a partir de 1999, y con ello, porqué se demolió la democracia en el país.

I.   LOS PRINCIPIOS GENERALES DEL PACTO DE PUNTOFIJO

El Pacto de Puntofijo, en efecto, fue un acuerdo de convivencia entre los partidos democráticos para garantizar el desarrollo de un proceso electoral de 1958, de manera que condujera a la formación de un gobierno democrático con participación de los diversos sectores políticos. Para lograrlo, los partidos políticos democráticos acordaron:

En *primer lugar*, establecer unas pautas de convivencia basadas en el mutuo respeto, inteligencia y cooperación entre las diversas fuerzas políticas, sin perjuicio de la autonomía organizativa de cada una de ellas o de sus características ideológicas. Estas pautas de convivencia se consideraron como una garantía para no romper el frente unitario que ellas implicaban, y buscaban prolongar la tregua política que se había establecido luego de la caída de Pérez Jiménez, despersonalizar el debate y erradicar la violencia partidista.

En *segundo lugar*, ese esfuerzo de cooperación entre las fuerzas políticas democráticas tenía un fin inmediato: lograr, entre todos, que se desarrollase el proceso electoral de diciembre de 1958, y que los poderes públicos que resultaren electos de ese proceso respondieran a pautas democráticas. Se trataba, por tanto, de un acuerdo para el establecimiento de un sistema democrático.

En *tercer lugar*, como principio general del Pacto se adquirió el compromiso de que se estableciera como resultado de las elecciones un gobierno y unos cuerpos representativos que agruparan equitativamente a todos los sectores de la sociedad interesados en la estabilidad de la República como sistema popular del gobierno. Por tanto, en este aspecto, el Pacto fue más allá del acuerdo de respeto mutuo y de cooperación, y se convirtió en un acuerdo para lograr la participación de todos los sectores interesados en la formación del nuevo gobierno democrático, lo cual se hizo realidad, no sólo en la estructuración del primer gobierno de Rómulo Betancourt en 1959, con participación ministerial de los tres principales partidos democráticos, sino por el establecimiento del principio de la representación proporcional de las minorías, para lograr la "equitatividad" en la representación en los cuerpos deliberantes, de manera que todos los sectores de la sociedad interesados en la estabilidad republicana estuviesen representados en ellos, sin que quedasen algunos de aquéllos fuera del juego político.

Por supuesto, se trataba de un acuerdo "de todos los sectores de la sociedad interesados en la estabilidad republicana", por lo que quedaron fuera del Pacto aquellos sectores que no estaban interesados en esa estabilidad, representados por los sectores del perezjimenismo y de la conspiración militar, y por el Partido Comunista de Venezuela, [5] el cual tampoco estaba interesado en la estabilidad republicana, como quedó demostrado por la lucha subversiva interna que se desarrolló en el país durante más de un lustro, a partir de esa fecha.

II. LOS COMPROMISOS POLÍTICOS DEL PACTO DE PUNTO FIJO

Hemos dicho, que entre los principios generales que motivaron el Pacto entre los partidos políticos, estuvo el de garantizar entre todos, que no se rompiera el frente unitario que se había establecido, y que la tregua política que se había logrado con motivo de la Revolución

---

[5]   El Partido Comunista, que no obtuvo más del 5% de los votos en las elecciones de 1958, fue dejado fuera del pacto debido a su programa y doctrinas antidemocráticas. En contraste, en dichas elecciones, los partidos Acción Democrática, Copei y URD, obtuvieron más del 92% de los votos. Por tanto, ni en ese momento, ni en ningún otro en la historia política de Venezuela, se podía considerar al Partido Comunista como "una fuerza considerable en la política venezolana." Véase Daniel Hellinger, "Political Overview: The Breakdown of *Puntofijismo* and the Rise of Chavismo," in Steve Ellner & Daniel Hellinger, *Venezuelan Politics in the Chávez Era. Class, Polarization & Conflicrs*, Lynne Reiner Publishers, London 2003, p. 29. Cuarenta años después, en las elecciones generales de 1998, el Partido Comunista solo obtuvo el 1.25% de los votos. Véase Richard Gott, *Hugo Chávez and the Bolivarian revolution*, Verso, London 2005, p. 139.

democrática de 1958 fuera prolongada. Es decir, prolongar la tregua política, no romper el frente unitario, despersonalizar el debate y erradicar la violencia partidista, fueron los principios generales que están en la base del Pacto de Puntofijo, y que fueron los que provocaron el establecimiento de tres compromisos formales entre los partidos signatarios.

Estos compromisos fueron los siguientes:

1. *Defensa de la constitucionalidad y del orden democrático*

En primer lugar, la defensa de la constitucionalidad y del derecho a gobernar conforme el resultado electoral, lo cual, en definitiva, se configuró como un acuerdo de unidad popular defensivo del sistema constitucional, del sistema democrático, y de las elecciones que se iban a realizar.

En relación con este compromiso debe señalarse que la Revolución Democrática de 1958 no derogó la Constitución de 1953, que había sido producto de una Asamblea Constituyente convocada y dominada por la dictadura; de manera que el Acta Constitutiva de gobierno que se constituyó el 23 de enero de 1958, dejó en vigencia el régimen constitucional precedente, que era el de la Constitución de 1953, con las modificaciones que la Junta de Gobierno pudiera adoptar,[6] no convocándose para sustituirla ninguna Asamblea Constituyente.

En esta decisión sin duda, había una motivación práctica. El convocar elecciones para una Asamblea Constituyente, elaborar una Constitución y luego convocar a elecciones para constituir los nuevos Poderes Públicos conforme a la nueva Constitución, era entrar en un proceso que podía remover o socavar la propia unidad que se buscaba establecer, la tregua política que se había logrado y la despersonalización del debate, y quizás, hubiera sido caer en una lucha interpartidista al máximo. Por ello se dejó en vigencia el régimen constitucional de 1953, a pesar de que se hubiera incluso opinado que

---

[6] Véase el Art. 3 del Acta Constitutiva de la Junta Militar de Gobierno de la República de Venezuela, en *Gaceta Oficial*: N° 25.567 de 23-1-1958. Véase en Allan R. Brewer-Carías, *Las Constituciones de Venezuela*, Academia de Ciencias Políticas y Sociales, Tomo II, Caracas 2008, p. 1377.

lo que debió haber hecho la Junta de Gobierno era derogar la Constitución de 1953, para poner en vigencia la Constitución de 1947 y realizar todo el proceso político al amparo de ésta.[7]

Sin embargo, esto no se hizo: como señalamos, se dejó en vigencia la Constitución de 1953 y se fue directamente a un proceso electoral de acuerdo con las previsiones de la Ley Electoral que se había dictado en mayo de ese mismo año 1958 por la Junta de Gobierno, a los efectos de elegir al Presidente de la República y a una Asamblea-Congreso que debía elaborar la nueva Constitución,[8] y en el cual se declaró como inexistentes el plebiscito y elecciones que se habían realizado en diciembre de 1957.

Por eso, el primer compromiso del *Pacto de Puntofijo* fue la defensa de la constitucionalidad, y ésta era la establecida en la Constitución de 1953, con las modificaciones establecidas por el Gobierno de facto.

Ahora bien, este compromiso implicaba ir a elecciones y respetar el resultado de las mismas por lo que el Pacto configuró una "unidad popular defensiva" del sistema constitucional y del resultado de las elecciones.

Para lograr este primer objetivo del *Pacto de Puntofijo*, en su texto se establecieron una serie de compromisos concretos:

En *primer lugar*, el compromiso político de que los Poderes Públicos para el período 1959-1964 serían los resultantes de las elecciones; en *segundo lugar*, el que todas las fuerzas políticas consideraban como un delito contra la patria, la intervención por la fuerza contra las autoridades electas, en virtud del compromiso de respetar el resultado electoral; en *tercer lugar*, la obligación general

---

7   Eso fue lo que había ocurrido en 1948 con motivo del golpe militar contra el presidente Rómulo Gallegos, cuando se derogó la Constitución de 1947 y se restableció la vigencia de la Constitución de 1936 reformada en 1945. Véase "Acta de constitución del Gobierno Provisorio de los Estados Unidos de Venezuela e 24 de noviembre de 1948," en *Gaceta Oficial*: N° 22778 de 25-11-1948. Véase en Allan R. Brewer-Carías, *Las Constituciones de Venezuela*, Academia de Ciencias Políticas y Sociales, Tomo II, Caracas 2008, p. 1345.

8   Por Decreto-ley N° 20 de 3-2-1958 se había derogado la Ley de Elecciones de 1957, en *Gaceta Oficial* N° 25.576 de 3-2-1958.

de las fuerzas políticas de defender las autoridades constitucionales contra todo intento de golpes de Estado que se pudieran producir; compromiso que asumieron las fuerzas políticas, aun cuando no estuviesen participando en el futuro gobierno y estuviesen, en lo que se llamó en el Pacto, "en una oposición legal y democrática al Gobierno" o sea, dentro del mismo juego democrático; y en *cuarto lugar*, así como se estableció que se consideraba delito contra la patria la intervención por la fuerza contra las autoridades electas, se estableció, también, como un "deber patriótico," la resistencia contra la fuerza o contra todo hecho subversivo.

Como consecuencia, también se consideró como un delito contra la patria, la colaboración con las fuerzas y con los hechos subversivos, que pudieran provocar la ruptura de la estabilidad constitucional y democrática que resultara de las elecciones.

2. *La constitución de un gobierno de unidad nacional*

El segundo compromiso político establecido en el Pacto fue el de la constitución de un gobierno de unidad nacional, como exigencia para darle estabilidad al Estado de Derecho.

Por tanto, no sólo se trató de un acuerdo político para establecer una unidad popular defensiva del sistema democrático, sino, además, de un pacto para convertir dicha unidad, dentro del sistema constitucional y como producto del hecho electoral, en un gobierno unitario nacional. Este compromiso político no tenía, además, límite temporal: la idea de establecer el gobierno unitario fue un compromiso que se adquirió por tanto tiempo como perdurasen los factores que amenazaban el ensayo republicano.

Por otra parte, el establecimiento de un gobierno de unidad nacional se consideró como el camino para canalizar las energías partidistas, para evitar que la oposición sistemática debilitara el movimiento hacia la democracia, y por supuesto, para evitar la discordia interpartidista.

Por último, otro elemento fundamental de este compromiso de búsqueda de un gobierno de unidad nacional fue el de declarar que no debía haber hegemonía en el Gabinete Ejecutivo que resultara designado una vez que se produjeran las elecciones y, por tanto, que las corrientes políticas democráticas nacionales estarían representadas en él, junto con los sectores independientes, a los efectos de garantizar la participación de todos los actores en el proceso político.

3. *La adopción de un programa electoral mínimo común*

En tercer, lugar, para constituir ese gobierno de unidad nacional se llegó a un tercer compromiso político del Pacto, que fue establecer un programa mínimo común para concurrir al proceso electoral.

Si se trataba de un compromiso de cooperación interpartidista para mantener el régimen democrático, y para formar un gobierno de unidad nacional, era lógico que se estableciese un programa mínimo común entre los partidos participantes. Por ello, las fuerzas políticas se comprometieron a acudir al proceso electoral con un programa mínimo común.

Como consecuencia de este compromiso político, se acordó que ninguno de los partidos debía incluir en sus programas puntos contrarios al programa mínimo común, lo que desde el punto de vista práctico implicaba, hasta cierto punto, la renuncia por los partidos políticos participantes del Pacto, de ir contra el programa mínimo común en sus respectivos programas electorales.

Por supuesto, no se trataba de una renuncia a tener puntos discordantes, sino a ponerlos en sus programas de gobierno. Podía, por tanto, haber discusión sobre los puntos no incorporados en el programa mínimo común y los puntos no comunes, pero se estableció el compromiso -y este fue otro de los puntos centrales del Pacto, de los más importantes- de que la discusión pública de los puntos que no estuvieran en el programa mínimo común debía mantenerse dentro de "los límites de tolerancia y mutuo respeto", a lo cual los obligaban los intereses superiores de la "unidad popular y de la "tregua política".

Aquí, de nuevo, se insistió en el elemento central de la unidad popular, de la tregua política y del mutuo respeto, qué fue lo que motivó, básicamente, este ensayo de establecer unas nuevas reglas de juego para el sistema político democrático.

Estos tres fueron, sin duda, los tres puntos básicos del Pacto; luego vinieron otros tres puntos de implementación que también se configuraron como compromisos políticos.

III. LOS COMPROMISOS DE IMPLEMENTACIÓN

A los efectos de materializar los compromisos políticos del Pacto, también se adoptaron específicos compromisos de implementación del mismo.

1. *Los principios para la participación en la contienda electoral*

Así, en *primer lugar*, se establecieron compromisos básicos sobre el sistema de elección de los representantes. Para ese momento, octubre del año 1958, los partidos políticos no habían podido llegar a un acuerdo sobre una candidatura única presidencial, ni sobre listas únicas para los cuerpos representativos. Por ello, en el Pacto renunciaron a un candidato único y a planchas unitarias, y acordaron que cada quien presentara su candidato presidencial y sus listas de candidatos a los cuerpos deliberantes, lo cual se consideró como compatible con la unidad. Por ello, en el documento se estableció el propósito común de fortalecer el sentimiento común de interés patriótico, así como la voluntad de tolerancia y del mutuo respeto de las fuerzas unitarias.

2. *Los mecanismos para asegurar el cumplimiento de los acuerdos políticos*

En segundo lugar, se estableció una *Comisión Interpartidista de Unidad*, es decir, un sistema de vigilancia del cumplimiento del Pacto, para garantizar la tregua política y la convivencia unitaria de las organizaciones democráticas. A tal efecto, la Comisión Interpartidista de Unidad debía vigilar el cumplimiento de los acuerdos, orientar la convivencia interpartidista, y conocer de las quejas que pudieran formularse contra estos principios de unidad por desviaciones personalistas o sectarias. La Comisión, además, tenía por misión realizar diligencias para morigerar y controlar todo lo que pudiera comprometer la convivencia democrática.

3. *Los principios relativos a la forma de participación en el proceso electoral para evitar la pugna interpartidista*

En tercer lugar, se establecieron una serie de compromisos de implementación relativos al proceso electoral que se iba a desarrollar, como resultado de la voluntad común de fortalecer la democracia.

En efecto, se estableció el compromiso de que aun cuando habría candidatos diferentes, sin embargo, debía garantizarse la "tolerancia mutua", de nuevo, entre los partidos y candidatos, durante la campaña electoral, para asegurar que debían cumplirse los compromisos, cualquiera que fuera el partido que ganara las elecciones. Por ello se trató de un Pacto, no sólo para las elecciones de 1958, sino posteriormente, para la formación del gobierno. De allí la declaración común de que todos los votos que se obtuvieran eran para consolidar el sistema democrático y el Estado de Derecho, y de que esos votos debían considerarse como votos comunes en favor del régimen constitucional.

Por ello, asimismo, se estableció el compromiso de todos los partidos de realizar una campaña positiva, imbuida de un espíritu unitario, y que evitara –y este fue otro punto central del Pacto– planteamientos y discusiones que pudieran precipitar "la pugna interpartidista, la desviación personalista del debate y divisiones profundas" que luego pudieran comprometer la formación del Gobierno de Unidad Nacional.

4. *Los principios para la formación del nuevo gobierno de unidad*

En este excepcional documento político, por tanto, no sólo había un programa mínimo común, no sólo se comprometían los partidos a no discutir públicamente puntos disidentes con el mismo; a no incorporar en sus programas puntos contrarios; y a discutir públicamente los asuntos divergentes en forma que no comprometiera la unidad, sino además, se estableció el compromiso de realizar la campaña en forma tal que no se cayera en lo que se quería evitar: la pugna interpartidista, las desviaciones personalistas, y las divisiones entre los diversos partidos que pudieran comprometer la formación del futuro gobierno. Concluyó el documento con el compromiso de todos de respaldar el nuevo gobierno y de prestarle leal y democrática colaboración.

Cuando se lee de nuevo este documento, realmente uno se percata del hecho de que los partidos políticos sí habían aprendido una dura lección, que fue que: la lucha interpartidista extrema, basada en la destrucción del adversario y la hegemonía de un partido sobre otros, había provocado la destrucción del novel sistema democrático en la década de los cuarenta y habían provocado la dictadura. El *Pacto de Puntofijo* fue una expresión de voluntad formal de evitar caer en la misma situación. Por supuesto, no es frecuente encontrar este tipo de Pacto Político como base para el establecimiento de un sistema político, lo que como se dijo, llevó a Juan Carlos Rey a calificarlo como "uno de los más notables ejemplos que cabe encontrar en sistema político alguno,"[9] de un pacto entre partidos para concretar una voluntad común para implementar la democracia, luego de un régimen autoritario.

Mediante este compromiso político, por tanto, se estableció en Venezuela un sistema de partidos, basado en relaciones mixtas de cooperación y conflictos, para asegurar la defensa del sistema frente a los enemigos antagónicos que no estaban incorporados al Pacto: las fuerzas perezjimenistas, por una parte, y las fuerzas de la extrema izquierda, por la otra, que conspiraban ambas contra el régimen democrático.

IV. LOS COMPLEMENTOS DEL PACTO: LA DECLARACIÓN DE PRINCIPIOS DE DICIEMBRE DE 1958 Y EL PROGRAMA MÍNIMO COMÚN

Realizada y desarrollada la campaña electoral hasta diciembre de 1958, conforme a las prescripciones del Pacto de Puntofijo, para reforzar sus principios y el espíritu que lo animó, en diciembre de 1958, concluida dicha campaña y antes de la elección, los candidatos presidenciales, Rómulo Betancourt, Rafael Caldera y Wolfang Larrazábal, firmaron en la sede del Consejo Supremo Electoral el 6 de diciembre de 1958, una Declaración de Principios

---

9   Véase Juan Carlos Rey, *Problemas Socio–Político de América Latina*, Caracas 1980, p. 315.

ratificatoria del Pacto y el Programa Mínimo Común que se habían comprometido elaborar.[10]

La Declaración de Principios se hizo, "con el propósito de reafirmar el clima unitario" que había prevalecido en Venezuela desde el 23 de enero de 1958, "de asegurar la convivencia interpartidista y la concordia del pueblo venezolano y para disipar cualesquiera diferencias que hubieran podido surgir entre las organizaciones políticas en el curso del debate cívico" que venía de concluir, pues se consideraba que eran "condiciones todas indispensables a la estabilidad de las instituciones democráticas y del próximo gobierno constitucional."

Con base en esos propósitos, los candidatos a la Presidencia de la República, "tomando en cuenta el contenido y el espíritu del Pacto de Unidad suscrito por Acción Democrática, COPEI y Unión Republicana Democrática" el 31 de octubre de 1958, formularon una Declaración de Principios en torno a los siguientes cinco puntos:

1. *El respaldo al resultado de las elecciones y defensa del régimen constitucional*

En *primer lugar*, en cuanto al respeto absoluto del resultado de las votaciones y defensa del régimen constitucional, en cuanto al candidato a la Presidencia que resultare electo por voluntad popular, el mismo gozaría del respaldo de los otros candidatos y de los partidos que suscribieron el Pacto,

"comprometiéndose todos actuar en defensa de las autoridades legítimamente constituidas y de las instituciones democráticas en el caso de que se produjera una acción que pretenda vulnerar y desconocer la decisión soberana del pueblo".

2. *La organización de un gobierno de unidad nacional*

En *segundo lugar*, se reiteró la voluntad de que con el objeto de darle efectiva vigencia a la unidad popular y obtener de ella sus máximos frutos, el Presidente constitucional que resultara electo

---

[10] Véase el texto en el *Pacto suscrito...*, folleto publicado por el Concejo Municipal del Distrito Federal, *cit.*, pp. 15 y ss.

113

debía organizar "un gobierno de unidad nacional sin hegemonías partidistas" en el cual debían estar representadas las corrientes políticas nacionales y los sectores independientes del país.

3. *El desarrollo de una política basada en el Programa mínimo común adoptado*

En *tercer lugar*, los candidatos a la Presidencia declararon que el gobierno constitucional que resultara de las elecciones, debía "realizar una administración inspirada en el programa mínimo de gobierno" que en esa misma fecha aprobaron y firmaron los candidatos, en el cual se establecieron definiciones de acción gubernamental en las áreas "Acción Política y Administración Pública", "Política Económica", "Política Petrolera y Minera", "Política Social y Laboral", "Política Educacional", "Fuerzas Armadas", "Política Inmigratoria" y "Política Internacional."

4. *El mantenimiento de la tregua política interpartidista*

En *cuarto lugar*, se reiteró que la preocupación fundamental del Presidente de la República, de su gobierno y de las organizaciones políticas signatarias del Pacto de Puntofijo, sería "el mantenimiento y consolidación de la tregua política y la convivencia unitaria de las organizaciones democráticas como las mejores y más sólidas garantías del afianzamiento y permanencia de las instituciones republicanas", a cuyos efectos, tanto el gobierno como los partidos debían adoptar las providencias que estimaran necesarias al cumplimiento de tan importantes finalidades.

5. *La voluntad común de reconstruir la democracia como obra permanente*

Por último, en *quinto lugar*, en la Declaración de Principios de diciembre de 1958, los tres candidatos a la Presidencia de la República reiteraron el espíritu unitario de la reconstrucción democrática, al declarar que la firma de la misma tenía por propósito llevar a la conciencia de los venezolanos la convicción de que al terminar ese proceso electoral, ejemplar en nuestra historia democrática, era indispensable el concurso generoso y responsable de todos para realizar con sentido de permanencia la obra de recuperación democrática, cultural, espiritual y económica que reclamaba el país.

V. LA CONSECUENCIA DEL PACTO DE PUNTOFIJO: LA CONSTITUCIÓN DE 1961

El Pacto de Puntofijo, puede decirse, tuvo como producto fundamental el texto de la Constitución de 1961, y ello resulta del hecho de que la primera tarea que se impusieron los Senadores y Diputados electos en las elecciones generales de diciembre de 1958 fue la elaboración del texto constitucional.

1. *La sanción de la nueva Constitución por el Congreso electo conforme a la Constitución de 1953*

En efecto, como se dijo, el *Pacto de Puntofijo* se suscribió en octubre de 1958; las elecciones generales se realizaron en diciembre de 1958; el 23 de enero de 1959 se celebró el primer aniversario de la Revolución democrática de 1958, y el 2 de febrero de 1959 se instaló en el Congreso la Comisión de Reforma Constitucional, como Comisión Bicameral en el Congreso electo.

Puede decirse que en la historia constitucional venezolana sólo ha habido dos casos en los cuales una Constitución no fue elaborada por una Asamblea Constituyente, sino por el Congreso existente o electo, y esas fueron las Constituciones de 1936 y de 1961.

En 1936, luego de la muerte del dictador J. V. Gómez, fue el Congreso que existía el que reformó la Constitución, lo cual se explica porque al asumir el poder el general Eleazar López Contreras se abrió un período de transición, sin que hubiese habido una ruptura total del sistema anterior.

Sin embargo, en 1958 a pesar de que hubo una ruptura completa en el proceso político, pues incluso en febrero se declaró inexistente el plebiscito celebrado el 15 de diciembre de 1957 y las elecciones realizadas en esa fecha para los cuerpos representativos, los cuales fueron formalmente disueltos, no se optó por convocar una Asamblea Constituyente, habiéndose procedido a elegir los diputados y senadores al Congreso, habiendo asumido entonces el Congreso electo, confirme a lo dispuesto en la Constitución de 1953, el proceso de elaboración y sanción en el nuevo régimen, de la nueva Constitución.

2. *Los acuerdos para la elaboración de la nueva Constitución en la Comisión Bicameral designada*

La Comisión de Reforma Constitucional, como se dijo, se instaló el 2 de febrero de 1959 y en su segunda reunión que tuvo lugar el 23 de febrero de 1959 se formularon tres acuerdos básicos que orientaron la elaboración del Proyecto de Constitución:

En *primer lugar*, se acordó tomar como base de discusión el texto de la Constitución de 1947, y de allí todas las semejanzas que existen entre el texto de 1947 y el de 1961. Además, la Constitución de 1947 había sido intensamente discutida en una Asamblea Constituyente, en la cual habían intervenido todos los partidos políticos que participaron en el Pacto de Puntofijo.

En *segundo lugar*, se acordó que los miembros de la Comisión y los partidos políticos debían precisar los puntos de divergencia con relación al texto de la Constitución de 1947.

Y, en *tercer lugar*, se acordó también que debían precisarse los puntos de divergencia entre los partidos políticos respecto al proceso de reforma constitucional.[11]

De las discusiones de la Comisión, en su segunda sesión, se evidenció la existencia de un acuerdo tácito: que la reforma constitucional debía concebirse en el seno de la propia Comisión al elaborarse el Proyecto, y que no debía abrirse la discusión en las Cámaras al presentarse el Proyecto a las mismas. Este Acuerdo se precisó luego, en la tercera reunión de la Comisión el 26 de febrero de 1959.

En efecto, en el texto del Acta N° 3, consta que se dio lectura a una comunicación del Partido Comunista, que había participado en las elecciones, aun cuando no era parte del Pacto de Puntofijo, en la cual señaló que estaba conforme con que se iniciara la elaboración de

---

[11]   Véase el texto en *La Constitución de 1961 y la evolución constitucional de Venezuela*, Tomo I, Vol. 1, Caracas 1971, p. 5.

la Constitución partiendo del texto de 1947, pero advirtiendo que en la oportunidad en la cual se discutiera una reforma a fondo de la Constitución, sostendrían sus puntos de vista sobre las cuestiones que considerasen debían ser incluidas en el texto. En relación a ello, el Senador Raúl Leoni, Presidente del Senado y quien luego fue Presidente de la República (1964-1969), manifestó que en dicha comunicación "se ha dejado abierta la posibilidad de plantear una discusión filosófica en el seno de las Cámaras *lo que es precisamente lo que se ha querido evitar.*"[12]

Evitar discusiones filosóficas sobre un texto no era otra cosa que abogar por el mantenimiento del espíritu unitario que existía, y ese fue el criterio que se siguió en la Comisión Bicameral, en la cual se discutió el proyecto, no habiendo sido el mismo objeto del debate en las Cámaras.

En el mismo sentido, el entonces Diputado Rafael Caldera y luego también Presidente de la República (1969-1974), formuló la propuesta de que los partidos políticos debían presentar los temas que pudieran ser polémicos para discutirse en la Comisión, pero con la advertencia de que los partidos no debían fijar posición "ya que esto último puede suscitar diferencias ideológicas,"[13] con lo cual se buscaba evitar que se cerrara el debate y la posibilidad de llegar a acuerdos por diferencias ideológicas, que luego no permitieran llegar a un consenso.

3. *La redacción de la Constitución de 1961 sin rigidez ideológica*

Por tanto, sin duda, el espíritu de la Comisión Bicameral de Reforma Constitucional, de un Congreso cuya elección era el resultado de un pacto unitario, fue el de redactar un texto que también fuera reflejo de ese pacto político.

Ello resulta claro, por otra parte, de la propia Exposición de Motivos del Proyecto, al hacer el recuento del trabajo realizado por la Comisión. Se afirmó, en efecto, que:

---

[12]   *Loc. cit.*, pp. 6 y 7

[13]   *Loc. cit.*, p. 8.

"se ha trabajado en el seno de la Comisión Bicameral con gran espíritu de cordial entendimiento. Se ha mantenido en todo instante el propósito de redactar un texto fundamental que no represente los puntos de vista parciales, sino aquellas líneas básicas de la vida política nacional en las cuales pueda haber y exista convergencia de pensamientos y de opiniones en la inmensa mayoría, quizás podríamos decir en la totalidad de los venezolanos."[14]

Este párrafo de la Exposición de Motivos, en el cual se afirmó que la Comisión Bicameral quiso elaborar un texto que no representara el punto de vista parcial y que representara las líneas básicas de la vida política nacional, de manera que realmente fuera un pacto político - como es toda Constitución - de la sociedad venezolana en un momento determinado, evidencia que fue una consecuencia de un pacto político previo para establecer un sistema de partidos, como lo fue el Pacto de Puntofijo, con base a criterios unitarios y por sobre las luchas políticas. democrática

De allí que en esa Exposición de Motivos de la Constitución de 1961 se afirmara que:

"Esta idea nos ha conducido a hacer de todas y cada una de las reuniones de la Comisión, una ocasión de intercambiar puntos de vista y esforzarnos para encontrar fórmulas de aceptación común. Las deliberaciones no se han mantenido en los límites formales del debate parlamentario; han tenido más bien carácter de conversaciones sinceras e informales, tras de las cuales hemos logrado en la mayoría de los casos una decisión unánime."[15]

Resulta, por tanto, de la Exposición de Motivos, el empeño que tuvo la Comisión Bicameral en lograr fórmulas de aceptación común, que no representaran puntos de vista parciales, sino las líneas básicas de la vida política nacional. Por ello, el texto no podía representar una opción rígida político-ideológica, agregándose en la propia Exposición de Motivos, que el texto:

---

[14]   Véase el texto en *Revista de la Facultad de Derecho*, N° 21, Caracas 1961, pp. 205 y ss.

[15]   *Loc. cit.*, p. 205.

"deja cierta flexibilidad al legislador ordinario para resolver cuestiones e injertar modificaciones que correspondan a las necesidades y a la experiencia de la República sin tener que apelar a la reforma constitucional."[16]

Esto fue muy importante, pues expresó la idea de la Constitución como un instrumento que no respondía a un punto de vista parcial, cuyos dispositivos podían ser complementados por el legislador ordinario, para adaptarla a las nuevas realidades concretas, derivadas de la experiencia de vida republicana, sin llegar a modificar el texto. Por supuesto, la "flexibilidad" de la cual habla la Exposición de Motivos, no se refiere a que la Constitución de 1961 no fuera rígida, que lo era, por los mecanismos especiales de Enmienda y Reforma General que previó, sino a que la misma no tendría rigidez ideológica, en cuanto a las opciones para su desarrollo y adaptabilidad en el proceso político.

4. *La reafirmación de la Constitución de 1961 como producto del Pacto de Puntofijo*

Ahora bien, ese carácter de la Constitución de 1961 como producto directo del Pacto de Puntofijo, se confirmó en diversas expresiones formuladas por los propios redactores del Proyecto de Constitución, y basta para constatarlo mencionar las opiniones de tres de las personas que estuvieron directamente involucradas en el proceso: la del Presidente Raúl Leoni, quien fue Presidente de la Comisión Bicameral; la del Presidente Rafael Caldera, quien fue Vicepresidente de la Comisión Bicameral, y la del Secretario de la propia Comisión Bicameral, el profesor José Guillermo Andueza.

En efecto, Raúl Leoni, Presidente del Congreso para el momento en el cual se promulgó la Constitución, y luego fue Presidente de la República (1964-1969), en el discurso que pronunció en el "Congreso al conmemorarse el X Aniversario de la Constitución" el 23 de enero de 1971, expresó que después del 23 de enero de 1958:

---

[16] *Loc. cit.*, p. 205.

"se cancela el desorden instituido en el gobierno y lógicamente, el recobrar de la soberanía reclama la elaboración de una nueva Carta Fundamental. Fruto de un tácito pacto de todas las fuerzas políticas, la dictadura se derrumba. Un clima de armonía preside el Congreso que dicta la Constitución. Y este ambiente de transacción y conciliación trasciende el ámbito mismo de la Comisión Redactora. Así, el resultado permite que ideologías a veces contrapuestas, coincidan en una finalidad superior, como era la de lograr con la promulgación de la Constitución, el cabal retorno a la legalidad y la derogatoria de un ordenamiento constitucional espurio que debió haber sido derogado el 23 de enero."

Luego agregó Leoni:

"La Constitución del 61 permite la transformación de la sociedad venezolana, sin que tenga como contrapartida el doloroso sacrificio de las libertades. Más que una Constitución pragmática, de lo cual nos cuidamos mucho sus elaboradores, es una Constitución flexible. No en el sentido que le dan los constitucionalistas ortodoxos, sino en el mucho más amplio que nos enseña la semántica"[17].

Quedó clara, así, la apreciación de Raúl Leoni de que la Constitución fue elaborada bajo el espíritu de unidad, de transacción, de conciliación derivado del proceso del 23 de enero de 1958, origen del Pacto de Puntofijo, y de que era un texto "flexible," en el sentido de no comprometido, que permitía luego su desarrollo en el proceso democrático.

El Presidente Rafael Caldera también coincidió con esta apreciación. En su discurso ante el Congreso sobre el "Pensamiento Político Latinoamericano con motivo del Bicentenario del Libertador Simón Bolívar," en junio de 1983, señaló que:

"Estaban frescas todavía las experiencias de la etapa que se inició imperfectamente de 1936 a 1945 y que tuvo un ritmo especial de 1945 a 1948. Los fracasos, los desengaños, los peligros fueron, sin duda, una advertencia, y todo ello se refleja

---

[17] Véase en Raúl Leoni, *X Aniversario de la Constitución de 1961, Discurso de Orden*, Caracas 1971, p. 11.

en una Constitución que contiene una mezcla de idealismo y de realismo, que tiene una inspiración ideal, clara, marcada, proyectada hacia adelante y que tiene en sí misma el resumen de la experiencia, de las dificultades experimentados y de los fracasos sufridos en oportunidades anteriores."[18]

Este pensamiento lo expresó Rafael Caldera desde el mismo momento en el cual se promulgó la Constitución. Y así, en el discurso que pronunció en el acto de promulgación de la Constitución el 23 de enero de 1961, dijo lo siguiente:

"Queríamos una Constitución del pueblo y para el pueblo; una Constitución de todos y para todos los venezolanos. Para ello necesitábamos animar el espíritu de unidad nacional que caracterizó el movimiento del 23 de enero. En la Comisión y en los debates consta el elevado espíritu que pudo mantenerse, de lo cual hay elocuente testimonio en variadas intervenciones. Se solventaron casi siempre con espíritu venezolano, las comprensibles discrepancias; las que subsistieron –como no podía menos de ocurrir– no alcanzaron a borrar el anchuroso espacio de la convergencia."[19]

Posteriormente, en el discurso que pronunció a los 15 años de la Constitución, Caldera resumió el planteamiento en una frase: "El presupuesto básico de la Constitución reside en el consenso, en su aceptación general,"[20] lo que llevó al profesor José Guillermo Andueza a expresar que: "El espíritu del 23 de enero, tuvo, en verdad, su mejor expresión en la Carta Fundamental."[21]

---

[18] Consultado en original, p. 8

[19] Véase en *Anuario de la Facultad de Derecho*, Universidad de Los Andes, N° 7, p. 32.

[20] Rafael Caldera, *A los 15 años de la Constitución Venezolana*, Caracas 1971, p. 11.

[21] Véase su nota "Rafael Caldera, Constitucionalista" en *Estudios sobre la Constitución Libro Homenaje a Rafael Caldera*, Tomo I, Caracas 1979, pp. XXVI y XXVII.

El mismo Andueza destacó "el espíritu del 23 de enero" como uno de los factores ambientales que influyeron mucho en algunas de las decisiones políticas tomadas en la Constitución de 1961.[22]

En todo caso, basta leer el texto del *Pacto de Puntofijo* y seguir el proceso político posterior, para constatar que la Constitución de 1961 fue un producto directo del mismo: su texto se elaboró influido por los principios que hemos visto de unidad, de concordia, de evitar las divergencias interpartidistas y de lograr acuerdos entre ellos, para establecer un texto flexible, no comprometido definitivamente con ninguna orientación y que sentara las bases de la República, de acuerdo al espíritu unitario, dentro de un régimen democrático. Por ello, la Constitución de 1961 fue la de más larga vigencia en la historia constitucional anterior, más que la de la Constitución de 1830 que duro hasta 1858.

En todo caso, si se analiza globalmente la Constitución de 1961, a la luz de sus antecedentes políticos, puede concluirse que ese "espíritu del 23 de enero" tuvo efectos directos en el texto constitucional, particularmente en tres aspectos: en el establecimiento de un régimen político democrático representativo, con previsiones para su mantenimiento que marcó la constitución política del Estado; la estructuración de un Estado constitucional de derecho; y en el establecimiento de un peculiar sistema político-económico-social, que configuró la constitución económica, basada en el principio de la libertad económica con posibilidad para el Estado de promover el desarrollo económico y restringir dicha libertad.

En particular, en cuando al establecimiento de los principios para el funcionamiento del Estado de derecho, en la Constitución de 1961, como pacto político adoptado por el pueblo en ejercicio de su soberanía, que resultó del pacto de Puntofijo, se aseguró que los representantes del pueblo fueran siempre electos democráticamente mediante sufragio universal, directo y secreto; que quienes gobernasen y ejercieran el poder público estuviesen sometidos a controles conforme al principio de la separación de poderes, y con sujeción plena a la Constitución y a las leyes (principio de legalidad);

---

[22] Véase en "Introducción a las Actas" en *La Constitución de 1961 y la evolución constitucional de Venezuela, cit.*, Tomo I, Vol. I, p. XXIV.

y que el funcionamiento del Estado se desarrollara en un marco en el cual la primacía de la dignidad humana estuviese garantizada, y los derechos del hombre que se declararon expresamente en el texto constitucional, fuesen protegidos, pudiendo los ciudadanos exigir el control judicial de todos los actos del Estado.

La satanización del Pacto de Puntofijo por parte de Hugo Chávez, en realidad, no fue otra cosa sino una satanización de la propia democracia, y ello es lo que explica que hubiera sido progresiva y deliberadamente demolida a partir de 1999, con las políticas y acciones de su gobierno.[23]

En todo caso para cuando haya que restablecer la democracia en el país, la enseñanza del liderazgo y de los partidos políticos de 1958, reflejadas en la suscripción del pacto de Puntofijo, es algo que deberá tener en cuenta el nuevo liderazgo que tenga que asumir esa tarea.

New York, enero 2022

Post Scriptum

Después de una década de dictadura militar, tras el golpe dado a Rómulo Gallegos en 1948, para que los venezolanos pudieran llegar a definir como proyecto político el implantar a juro la democracia en Venezuela, con Rómulo Betancourt a la cabeza, tuvieron que darse cuenta que la democracia no podía ni puede funcionar sobre la base de la hegemonía de un partido único o casi único sobre todos los otros, ni con exclusiones, sino que tiene que tener como soporte el pluralismo partidista y de ideas, donde el diálogo, la tolerancia, la negociación y la conciliación sean instrumentos de acción.

El Pacto de Punto Fijo de 1958, firmado por los líderes políticos de los tres partidos fundamentales que entonces existían, Acción Democrática, Copei y Unión Republicana Democrática, y que en una u otra forma habían contribuido desde la clandestinidad al derrocamiento del dictador, se formuló con el objetivo común de contribuir y participar en la realización de elecciones generales en ese

---

23 Véase Allan R. Brewer-Carías, *Dismantling Democracy. The Chávez Authoritarian Experiment*, Cambridge University Press, New York, 2010.

mismo año de 1958, y con la voluntad igualmente común de conformar un gobierno unitario que contribuyera a consolidar la democracia como régimen político. Fue, así, sin duda, el producto más depurado de la dolorosa experiencia del militarismo de los años cincuenta, precisamente con el objeto de implantar la democracia, habiendo dado sus frutos plenos en las décadas posteriores.

Se trataba, sin duda, de una tarea compleja, que era la de establecer un compromiso para afianzar un régimen democrático en el país que en toda la historia política de América Latina, para entonces, era el que menos tradición democrática había tenido; y sus ideólogos lo lograron, no solo estableciendo entre ellos unas "reglas de juego" político-partidistas para guiar sus relaciones de respeto mutuo hacia el futuro, sino que fijaron las bases mínimas de un entendimiento entre ellos que garantizara el funcionamiento del régimen democrático que se estableció y desarrolló durante cuarenta años, hasta 1998.

En esa tarea los partidos políticos asumieron el papel protagónico; por eso el Estado que comenzó a desarrollarse en 1958 fue un Estado Democrático Centralizado de Partidos; y así, la democracia se estableció en Venezuela por obra de aquellos partidos y sus líderes, habiendo quedado plasmadas las bases del nuevo régimen democrático en el texto de la Constitución de 1961, producto de consensos y acuerdos políticos, que permitieron que fuera la de mayor años de vigencia (38) en todo el constitucionalismo venezolano, seguida solo en duración por la Constitución de 1830, producto de otro Pacto político, en su momento, el pacto centro-federal, al restablecerse el Estado de Venezuela luego de la desaparición de la República de Colombia que había decretado el Libertador Simón Bolívar en el Congreso de Angostura en 1819, que luego se reguló en la Constitución de Cúcuta de 1821.

Pero, así como la historia nos enseña cómo aquellos líderes en 1958 tan exitosamente construyeron la democracia con espíritu unitario, habiendo democratizado al país, también nos enseña cómo, con el correr del tiempo, los mismos actores luego no entendieron la necesidad de renovarla y de aflojar el férreo control partidista que se había desarrollado en todos los ámbitos del país, con el propósito de asegurar la propia democracia. Sin duda, tuvieron un extraordinario éxito: la democracia se implantó en Venezuela; pero lamentablemente de Estado de Partidos se pasó a Partidocracia, pues los partidos se olvidaron que eran instrumentos para la democracia y no su finalidad.

Asumieron el monopolio de la participación y de la representatividad en todos los niveles del Estado y de las sociedades intermedias, lo que sin duda había sido necesario en el propio inicio del proceso. Pero con el transcurrir de los años se olvidaron abrir el cerco que tendieron para controlarlo y permitir que la democracia corriera más libremente. Y al final del último período constitucional de la década de los ochenta, la crisis del sistema se nos vino encima cuando el centro del poder político definitivamente se ubicó afuera del Gobierno y del aparato del Estado, en la cúpula del Partido que en ese momento dominaba el Ejecutivo Nacional, el Congreso y todos los cuerpos deliberantes representativos; que había nombrado como Gobernadores de Estado incluso a los Secretarios Generales regionales del partido, y que designaba hasta los Presidentes de cada uno de los Concejos Municipales del país. El gobierno del Partido Acción Democrática durante la presidencia de Jaime Lusinchi, sin duda, fue el peor de los gobiernos de la democracia, no porque todos los otros hayan sido mejores en sus ejecutorias, sino porque hizo todo lo contrario de lo que reclamaban las más de dos décadas de democracia que teníamos cuando se instaló, que era la apertura frente a la autocracia partidista que se había desarrollado y la previsión de nuevos canales de participación y representatividad. Fue el Gobierno donde más se habló de reforma del Estado para precisamente no hacer nada en ese campo, sino todo lo contrario, pues en ese período de gobierno fue cuando apareció la Partidocracia con todo su espanto autocrático. Afortunadamente, al menos, de esa época quedaron los estudios de la Comisión Presidencial para la Reforma del Estado.

Pero la democracia había entrado en crisis, no por culpa del Pacto de Puntofijo, que ya bien había cumplido sus objetivos, sino por la incomprensión del liderazgo por los pasos que era necesario seguir para recomponer la democracia, provocando dicha crisis unas rupturas con las cuales se inició su progresiva extinción. Primero el *Caracazo* de febrero de 1989, a escasos quince días de la toma de posesión del nuevo Presidente electo por segunda vez, Carlos Andrés Pérez, fue el signo trágico del comienzo de la crisis del sistema de

Estado de Partidos, seguido del intento de golpe de Estado militar, militarista y sangriento, que un grupo de oficiales subalternos intentaron en febrero de 1992 comandados por el Teniente Coronel del Ejército, Hugo Chávez Frías, entre otros, contra el gobierno del Presidente Carlos Andrés Pérez., al cual siguió otro intento de golpe en noviembre de ese año, los cuales, además de atentatorios contra la Constitución, costaron centenares de vidas.

Los golpistas entonces no lograron sus objetivos, pero con el golpe fallido hirieron en el corazón a la democracia, enceguenciendo a los partidos y a su liderazgo, lo que les impidió ver que un nuevo acuerdo o pacto político era evidentemente necesario e indispensable entre ellos, para asegurar su sobrevivencia y enfrentar el asalto al poder. En 1998, incluso, asombrosamente todavía el partido Movimiento al Socialismo calificaba la acción de los golpistas como una "conducta democrática" de los militares para expresar su descontento. Estos podían haber estado arrepentidos de la intentona golpista, pero de que no fue democrática no hay duda, sobre todo si se releen los proyectos de Decretos que planeaban dictar.

Y así, la crisis siguió, y si todavía en 1998 teníamos democracia, diez años después del afloramiento de la crisis, sólo se debía a los remedios inmediatos de terapia intensiva, pero incompletos, que se le suministraron al sistema al inicio del segundo gobierno de Carlos Andrés Pérez, con el comienzo del proceso de descentralización política, mediante la revisión constitucional que se hizo con la elección directa de Gobernadores y el inicio de la transferencia de competencias nacionales a los Estados, reformándose el viejo y dormido esquema federal, proceso que lamentablemente comenzó a revertirse en 1994.

Y así, en medio de la crisis que continuaba, en 1998, el antiguo golpista, que en definitiva no fue enjuiciado por el intento de golpe de Estado, ya estaba de candidato a la presidencia de la República, presto de nuevo con sus huestes militaristas a asaltar el poder, pero esta vez utilizando las vías democráticas, pero para igualmente destruir la propia democracia.

Yo habían sido particularmente crítico de la ceguera partidista y del intento de golpe militar, y había planteado la necesidad de un nuevo pacto político constituyente que reconstituyera el sistema

126

político democrático, por lo que en plena campaña presidencial de 1998, como Presidente que entonces era de la Academia de Ciencias Políticas y Sociales, propuse y fue aceptado, que la Academia, –acompañada luego por la Academia de Ciencias Económicas–, convocara a todos los candidatos presidenciales para que expusieran sus programas políticos ante los académicos y ante el país, pues las sesiones fueron televisadas, inaugurándose con ellas las transmisiones en directo que iniciaba entonces Globovisión. Todos los candidatos comparecieron y expusieron, habiéndome correspondido presentarlos a todos, para sus exposiciones.

Llegada la presentación de Hugo Chávez Frías, luego de exponer sobre algunos aspectos relevantes del momento político, me referí en particular a lo que entonces era evidente, a la:

"crisis aguda del sistema político instaurado hace 40 años, crisis que incluso he calificado en algún momento como crisis terminal, que requiere de un inevitable y necesario cambio como lo pide la mayoría, aunque también como lo reflejan las encuestas esa mayoría quiere que esos cambios se realicen en libertad, en democracia."

Y cuando hube de referirme al candidato Chávez, le indiqué que sabíamos que:

"hizo aparición en la vida política recientemente en medio de una gran crisis y por una vía no democrática, pero como usted lo ha dicho, ya pagó por ello. Su participación en esta contienda electoral como las de todos los candidatos, lo compromete ahora con la tarea de contribuir a que los cambios necesarios e inevitables se realicen democráticamente; ese es el reto que tenemos todos los venezolanos y que tenemos que asumir cada uno en su área. Las Academias por eso han asumido esta tarea de formular esta invitación para que los candidatos expongan libremente aquí sus concepciones sobre el Estado y el futuro gobierno que tienen planteado."

La referencia que hice a su participación en el golpe de estado de 1992, sin duda, selló nuestra relación y nuestro desencuentro, y lo llevó a la necesidad de tratar el tema, tratando de justificar el golpe contra Carlos Andrés Pérez, diciendo que varios lustros después de haberse graduado y de haber recibido el sable de parte del mismo Pérez:

"lo desenvainamos contra el que nos dio el sable, y el que a nombre de Dios y a nombre de la Bandera y la Constitución nos tomó el juramento, aunque también nos mandó a masacrar a un pueblo el 27 de febrero de 1989.

Ya se había roto la democracia, Doctor Brewer, nosotros hicimos una rebelión militar en estado de necesidad, nosotros hicimos una rebelión militar para restituir la legalidad rota, para restituir incluso el honor militar que nos prohíbe arremeter con las armas de la Nación contra la misma Nación, como si fuéramos un ejército de invasores, eso fue lo que aquí pasó el 27 de febrero de 1989.

Lo he dicho en diversas ocasiones y lo repito en esta Academia, si no hubiese ocurrido el 27 de febrero, muy difícilmente hubiese ocurrido el 4 de febrero de 1992, nosotros somos militares de otra generación, fuimos formados para la democracia, fuimos y estamos formados estructuralmente para el respeto de los Derechos Humanos y un poco por eso, ,quizás, el 4 de febrero, a pesar de la magnitud de la rebelión, pues, nadie puede decir que hubo un desangramiento irracional en Venezuela, lo hubo sí el 27 de febrero, tres años antes."

Luego Chávez pasó a referirse a la "crisis moral, económica, social, política" del país, afirmando que:

"se deslegitimó de manera absoluta el sistema político, dejó de ser *democracia*, aquí desde hace tiempo no tenemos democracia señores Académicos y amigos todos.

No podemos seguir cayéndonos a mentiras, aquí tenemos cualquier sistema político menos una democracia, ese sistema político dejó de ser democrático hace tiempo atrás, porque cuando un sistema pierde la *legitimidad*, pierde la esencia de lo que debe ser la democracia y cuando comienza a gobernar, a moverse o a actuar en contra de un pueblo, en contra del *demos*, pues, no es democrático, es antidemocrático, no tiene sustentación moral, no tiene sustentación jurídica, no tiene sustentación de legitimidad. Eso pasó aquí hace bastante tiempo, mucho antes del 4 de febrero ya había ocurrido eso; no ocurrió a posteriori del 4 de febrero, ya había ocurrido […]

Han pasado casi 7 años y no ha habido en Venezuela ninguna rectificación que podamos colocar en primer lugar; no ha habido capacidad para regular ni la crisis ética que comenzó por allá por los 70. Esa continúa empeorada, no hay forma de detener la *corrupción* en Venezuela, no ha habido forma, ni se ve en el espacio venezolano alguna forma visible, viable, existente ahora mismo, capaz de detener la corrupción y la crisis ética y moral sigue galopando por todo el país. La crisis económica tampoco se ha regulado, seguimos con un país quebrado, endeudado, empobrecido cada día más, quebrado, aunque la crisis social tampoco se ha podido regular. La pobreza critica –según cifras oficiales– está pasando el 80% la pobreza general y sigue creciendo cada día más el desempleo, el subempleo, la marginalidad, la pobreza atroz o feroz -como la llaman también- y la *crisis militar* –digamos– que está detenida. […], está allí, tampoco ha sido regulada y de errores en errores hemos venido acumulando las cargas explosivas de toda Venezuela, en lo ético, político, social, económico, militar. Estamos entonces en el mero centro de una terrible *catástrofe histórica* que sigue amenazando a nuestro país."[24]

Releyendo ahora, en 2024, estos textos, de una exposición formulada hace un cuarto de siglo sobre todo en relación con la falta de legitimidad del régimen y a la corrupción rampante, parecerían escritas para describir, no la situación anterior a 1998, sino la situación actual, consecuencia de las ejecutorias de su propio gobierno entre 1998 y 2012 y del de su sucesor a partir de 2013.

Según Chávez, en todo caso, la democracia que se estableció con el Pacto de Puntofijo habría sido la madre de todas las crisis del país en 1998, y precisamente por ello, la demonización paulatina que se fue construyendo desde su gobierno contra el Pacto, como por ejemplo, el mismo lo resumió en lo que explicó unos años después de su elección en 1998, ya como Jefe de Estado, en un discurso que dio en un mitin celebrado en Caracas el 23 de enero de 2011, con motivo

---

[24]   Véase el texto completo del discurso de Hugo Chávez en la Academia del 11 de agosto de 1998, en el libro: Allan R. Brewer -Carias (Coordinador), Los Candidatos Presidenciales ante la Academia, Academia de Ciencias Políticas y Sociales, Caracas 1998, pp. 96 ss.

del 53 aniversario del derrocamiento de Pérez Jiménez, en el cual afirmó falazmente que la "última dictadura en Venezuela," no había sido la de Pérez Jiménez, sino "la dictadura del Pacto de Puntofijo" que según él, había sido "la traición al 23 de enero, y al pueblo," y que, como dictadura, había caído formalmente el 6 de diciembre de 1998, cuando él fue electo Presidente.[25]

La pauta dada en ese discurso sobre el pacto de Puntofijo fue seguida fielmente con posterioridad, siendo muestra de ello, por ejemplo, lo expresado por Nicolás Maduro **el 31 de octubre de 2018,** al recordar **los 60 años de la** firma del Pacto de Puntofijo, según la reseña oficial de un Ministerio llamado del "Ecosocialismo" diciendo:

> "Se cumplen 60 años de la firma de un acuerdo antidemocrático que traicionó la esperanza de nuestra Patria, el 'Pacto de Punto Fijo'. Época signada por la exclusión y oscuridad. Con la llegada del comandante Chávez, el pueblo despertó y se liberó de semejante adefesio. ¡No volverán!», enfatizó el jefe de Estado a través del Twitter." [26]

Esa satanización que a partir de 1998 se ha hecho contra el Pacto de Puntofijo, que en realidad ha sido contra la democracia consolidada con el mismo entre 1958 y 1998, se ha desarrollado en paralelo al proceso de demolición sistemática de todas las instituciones democráticas del país,[27] todo lo cual ha convertido a la Constitución de 1999 y a sus previsiones, en una gran mentira, en particular por lo que se refiere al establecimiento de un régimen político democrático representativo y participativo, que no ha ocurrido; al establecimiento de un Estado democrático de derecho y de justicia, lo cual no ha sucedido; a la consolidación de un Estado federal descentralizado, que al contrario se ha abandonado; al

---

[25] Véase el video de su exposición en https://www.youtube.com/watch?v=lD PsRTZ8-8k; y también en http://www.correodelorinoco.gob.ve/presidente-chavez-se-suma-a-concentracion-revolucionaria-conmemoracion-al-23-enero-1958/

[26] Véase "Hugo Chávez aseguró que el Pacto de Punto Fijo fue el de la traición al pueblo" en http://www.minec.gob.ve/presidente-maduro-chavez-libero-al-pueblo-del-pacto-antidemocratico-de-punto-fijo/

[27] Véase Allan R. Brewer-Carías, *Dismantling Democracy. The Chávez Authoritarian Experiment*, Cambridge University Press, New York 2010.

establecimiento de un Estado social, que no pasó de ser una vana ilusión propagandista, habiendo solo adquirido la deformada faz de un Estado populista: y al establecimiento de una Administración Pública al servicio del ciudadano, para garantizar y asegurar sus derechos económicos y sociales, lo que no ocurrió, habiéndose desarrollado una burocracia gigante e ineficiente, que ha quebrado los servicios públicos y a los cientos de empresas del Estado, que han resultado manejadas en gran parte manejadas por militares, fuera del régimen funcionarial civil.[28]

En esta forma, en paralelo a denigrar sobre la democracia de cuarenta años que se desarrolló como consecuencia del Pacto de Puntofijo, desde que se sancionó la Constitución de 1999 la misma ha sido violada abierta y sucesivamente, habiéndosela convertido en un texto maleable, que ha perdido toda carácter de texto supremo, que se vulnera y modifica constante e impunemente por los más variados órganos públicos,[29] sin que nadie la controle, y más bien, con el aval del órgano llamado a controlarla que es la Sala Constitucional del Tribunal Supremo de Justicia, convertido en el instrumento y arma más letal de la guerra del Estado contra el Estado de derecho[30]

En particular, la Constitución dejó de ser la garante de la separación de poderes, por la guerra desatada por el Estado contra los mismos, lo que ha llevado al apoderamiento total y totalizante de sus instituciones, eliminando la autonomía e independencia que tienen en la Constitución, habiendo el principio de separación de poderes,

---

[28] Véase Allan R. Brewer-Carías, *Sobre la militarización de la política. Un mal que nos acecha desde la Independencia. Algunos Escritos*, Colección de Crónicas constitucionales para la Memoria Histórica, No 3, Biblioteca Allan R. Brewer-Carías, Universidad Católica Andrés Bello, Caracas 2023.

[29] Véase Allan R. Brewer-Carías, *La Constitución de plastilina y vandalismo constitucional. La ilegítima mutación de la Constitución por el Juez Constitucional al servicio del autoritarismo*, Colección Biblioteca Allan R. Brewer-Carías, Instituto de Investigaciones Jurídicas, Universidad Católica Andrés Bello, No. 13, Editorial Jurídica Venezolana, Caracas 2022.

[30] Véase Allan R. Brewer-Carías, *El Juez Constitucional y la aniquilación del Estado Democrático. Algunas claves "explicativas" encontradas en una Tesis "secreta" hallada en Zaragoza,* Colección de Crónicas constitucionales para la Memoria Histórica, No. 4, Biblioteca Allan R. Brewer-Carías, Universidad Católica Andrés Bello, Caracas 2024.

totalmente demolido, por el control total que ejerce el Poder Ejecutivo, y el partido de gobierno, sobre el gobierno sobre todos los Poderes Públicos, contra el Poder Judicial.[31] .

Esta realidad, es el contraste histórico de la democracia desarrollada al amparo del Pacto de Puntofijo, con la acción antidemocrática desarrollada por los gobiernos desde 1999 hasta ahora, violándose las propias previsiones de la Constitución de 1999, lo que obligan ahora, sin duda, a estudiar aquél Pacto tan defendido por muchos y tan atacado por otros, y recordar cuál fue reamente su contenido y efectos, particularmente porque la mayoría de las veces cuando se formulan críticas en contra el mismo, las mismas provienen de personas que ni siquiera lo han leído, sumándose al coro de estigmatización por ignorancia e incomprensión.

Por ello, en la situación actual de demolición completa de la democracia y de colapso total del Estado de derecho en Venezuela, hemos pensado que es de interés volver a estudiar dicho documento, no sólo para comprender el aporte que el liderazgo que lo concibió hizo para establecer la democracia, sino porque en algún momento futuro, un nuevo pacto político será necesario en el país para poder restablecer la democracia.

En 1958, lo cierto es que los partidos democráticos habían aprendido que el enemigo de la democracia había que ubicarlo en el sector militar, en los grupos de presión económica, y en los partidos de extrema izquierda, y que, por tanto, la lucha fundamental por establecer y lograr la supervivencia del régimen democrático no estaba entre ellos. Por ello convinieron en poner de lado el sectarismo que caracterizó la lucha interpartidista entre 1945 y 1948, y entendieron que el exclusivismo en el juego político no era la mejor vía para establecer una democracia funcional y asegurar la conducción del gobierno.

---

[31]   Véase Allan R. Brewer-Carías, *La demolición de la independencia y autonomía del Poder Judicial en Venezuela 1999-2021*, Colección Biblioteca Allan R. Brewer-Carías, Instituto de Investigaciones Jurídicas de la Universidad Católica Andrés Bello, No. 7, Editorial Jurídica Venezolana, Caracas 2021.

El Pacto de Puntofijo fue, por tanto, un convenio entre partidos democráticos, suscrito entre ellos partiendo del supuesto de que tenían "la responsabilidad de orientar la opinión para la consolidación de los principios democráticos," para lograr puntos de unidad y de cooperación y sentar las bases conducentes a la consolidación del régimen democrático.

Por eso es importante revisar en qué consistió efectivamente dicho Pacto político, escudriñar cuales fueron los principios generales que llevaron a los partidos democráticos a suscribirlo, y determinar los compromisos políticos que del mismo derivaron, para poder establecer su real importancia en la consolidación del régimen democrático en Venezuela, habiendo sido, como en efecto fue, uno de sus productos inmediatos, la sanción de la Constitución de 1961, y el desarrollo de una democracia de gobiernos representativos y alternativos que se extendió por cuarenta años.

Ello, además de permitir ubicar en su justo lugar lo que fue un gran pacto político democrático, y poder apreciar el significado que tuvo en la consolidación del sistema democrático en el país, permitirá apreciar porqué es que ha sido tan satanizado a partir de 1998, y con ello, porqué desde entonces se demolió la democracia en el país, pudiendo contribuir también a pensar en cómo resolver exigencias futuras cuando podamos reconstruir la democracia demolida.

Nueva York, mayo 2024

EL 23 DE ENERO, EL PACTO DE PUNTOFIJO Y EL RETORNO A LA CONSTITUCIONALIDAD

Jesús María CASAL

Decano de la Facultad de Derecho,
Universidad Católica Andrés Bello
Individuo de Número de la
Academia de Ciencias Políticas y Sociales

I.   INTRODUCCIÓN

Con posterioridad al golpe del 24 de noviembre de 1948 surgió en algunos círculos la reflexión sobre la necesidad de alcanzar la *constitucionalidad*[1], de restablecer las "garantías constitucionales"[2], de pasar de la "actual situación de hecho al Estado de Derecho"[3]; incluso en esferas del gobierno militar se consideraron ideas al respecto. El 1° de enero de 1952 el Presidente de la Junta de Gobierno,

---

[1]   "Alocución del Dr. Germán Suárez Flamerich, Presidente de la Junta de Gobierno de los Estados Unidos de Venezuela, el 1° de enero de 1952", en *Discursos de la Junta de Gobierno desde el 10 de diciembre de 1951 hasta el 6 de julio de 1952,* Caracas, Oficina Nacional de Información y Publicaciones, 1952, pp. 5 y 6.

[2]   Como reclamaba en 1950 un movimiento de profesores, universitarios, intelectuales, profesionales, estudiantes y trabajadores impulsado por AD, el cual también exigía el cese de la represión; Betancourt, Rómulo, *Posición y doctrina*, Caracas, Cordillera, 1959, pp. 174-175.

[3]   Comunicación del 1 de marzo de 1951, dirigida por Alirio Ugarte Pelayo, entonces Gobernador del Estado Monagas, al Presidente de la Junta de Gobierno; *vid.* Torres Molina, Bhilla, *Alirio*, Caracas, Escuela Técnica Popular Don Bosco, 1978, p. 98.

Germán Suárez Flamerich, destacaba que "la Nación tiene conciencia del bien que obtendrá mediante el sufragio, pues con éste alcanzará una constitucionalidad en cuya virtud habrán de afirmarse las libertades públicas inherentes a la índole democrática de nuestro pueblo y necesarias para la convivencia ideológica"; también anhelaba que en 1952 se produjera la "definitiva conciliación de la familia venezolana"[4]. En abril de ese año precisó que, desde el primer momento, el Gobierno provisorio había señalado que se encaminaría a construir "una constitucionalidad perdurable" y destacó que tenía presente que "habrá de someter sus actos al examen del Poder Constituyente", en razón de "los principios sustentados por quienes creemos en la organización democrática del Estado"[5].

El fraude electoral de diciembre de 1952 echó por tierra los buenos, aunque tardíos propósitos que algunos pudieran haber albergado y dio cauce a las determinaciones de los detentadores del poder y a la voluntad dictatorial dominante. Pero la separación del Presidente y demás miembros del Consejo Supremo Electoral que no estaban dispuestos a alterar los resultados de los comicios del 30 de noviembre, junto a palmarias evidencias de tal adulteración, hicieron patente el fraude[6].

Luego, ante el próximo vencimiento del periodo de cinco años para el cual Pérez Jiménez había sido designado por la espuria asamblea constituyente de 1953, se generalizó en las fuerzas democráticas el reclamo genuino de celebrar elecciones a finales de 1957, según lo previsto en la Constitución de 1953 (art. 104). Se exigía el respeto a lo dispuesto en el texto constitucional (sufragio directo, universal y secreto), para la celebración de elecciones libres. Con la creación de la Junta Patriótica se hacía énfasis en la necesidad de recuperar o instaurar "la constitucionalidad", o lograr "el establecimiento definitivo de la constitucionalidad y la vida

---

[4] "Alocución del Dr. Germán Suárez Flamerich...", *op. cit.,* pp. 5 y 6.

[5] *Discursos de la Junta de Gobierno...*, *op. cit.*, pp. 29 y 30.

[6] Mayobre, Eduardo, *Venezuela. La dictadura militar, 1948-1958*, Caracas, Fundación Rómulo Betancourt, 2013, pp. 31 y ss.

democrática"[7]. Se promovió un "amplio frente nacional anti-continuista"[8].

La imposición por el régimen militar de un plebiscito, contrario a la Constitución y a los reclamos democratizadores, fue otro revés para los factores democráticos, pero representó otro desgarramiento en las estructuras de poder y en la precaria legitimidad del régimen, que vulneraba "su propia legalidad"[9]. Este fraude programado contribuyó a que se precipitaran los acontecimientos que desembocaron en el 23 de enero de 1958. Defenestrados Pérez Jiménez y sus más cercanos colaboradores, asumieron el poder, militares de distintos componentes de las fuerzas armadas, encabezados por el Contralmirante Wolfgang Larrazábal, que conformaron la Junta Militar de Gobierno. De inmediato se incorporaron dos civiles, pasando aquella a denominarse Junta de Gobierno, y se separaron dos militares cercanos al dictador depuesto. No se suprimió el sustento militar de la Junta, ya que el Acta Constitutiva reformada siguió emanando de las "Fuerzas Armadas Nacionales" y uno de sus Considerandos aclaraba que el Gobierno provisional puede "actuar por sí mismo como representante y delegatario de las Fuerzas Armadas"[10], pero la incorporación de dos civiles, Blas Lamberti y Eugenio Mendoza, era expresión de la base social, cívica y democrática, del movimiento que condujo al 23 de enero y que signará la integración del Gabinete ejecutivo y la gestión del Gobierno provisional o provisorio. Larrazábal se comprometió a convocar prontamente elecciones[11]. Después del 23 de enero se reiteraron los llamados a "llevar al país a la constitucionalidad"[12], y se reconocería

7   Plaza, Elena, *El 23 de enero de 1958 y el proceso de consolidación de la democracia representativa en Venezuela,* Caracas, UCV, 1999, pp. 79-80.

8   Plaza, *op. cit.*, p. 78.

9   Aveledo, Ramón Guillermo, "La política en la transición venezolana de 1958", en *Revista de la Facultad de Derecho UCAB,* 72, 2018, p. 401.

10 Gaceta Oficial de la República de Venezuela N° 25.567, del 23 de enero de 1958.

11 Arráiz Lucca, *Venezuela: 1830 a nuestros días,* Caracas, Alfa, 2009, p. 160.

12 Quevedo, Numa, *El Gobierno Provisorio 1958*, Caracas, Pensamiento Vivo, C. A., y Librería Historia, 1963, p. 46.

posteriormente a la Junta de Gobierno su éxito al "conducir al país en el tránsito de despotismo a constitucionalidad"[13].

En este trabajo se pretende examinar cómo fueron resueltas, desde el 23 de enero, las grandes cuestiones constitucionales que quedaban planteadas por la caída de Pérez Jiménez, tomando en cuenta en este análisis el Pacto de Punto Fijo y el Programa Mínimo Común.

II. RASGOS DEL GOBIERNO QUE IMPULSÓ LA DEMOCRATIZACIÓN Y CONSTITUCIONALIZACIÓN

Conviene resumir los rasgos distintivos del Gobierno provisorio que se instaló el 23 de enero de 1958 y se mantuvo en el poder hasta el 13 de febrero de 1959, ya que fue el responsable de establecer las bases de la ruta electoral que desembocó en las elecciones generales del 7 de diciembre de 1958. Fue un gobierno civil y militar; plural y colegiado; con presencia relevante del empresariado nacional y con cierta distancia respecto de los principales partidos políticos; calificado como de facto, pero respetuoso de la ley, los derechos y otros principios del orden democrático en construcción.

El derrumbe del régimen militar dirigido por Marcos Pérez Jiménez traía consigo asuntos importantes de índole político-institucional y específicamente constitucional que debían ser abordados. El marco o estructura política en el que las cuestiones constitucionales se suscitaron fue el siguiente: las Fuerzas Armadas Nacionales emitieron el Acta Constitutiva de la Junta Militar de Gobierno, luego Junta de Gobierno, lo cual se hizo "en atención al reclamo unánime de la nación y en defensa del supremo interés de la República" y para "poner término a la angustiosa situación política porque atravesaba el país a fin de enrumbarlo hacia un Estado democrático de Derecho"[14]. La Junta incorporó de inmediato a dos

---

[13] Betancourt, "Discurso al tomar posesión de la Presidencia constitucional de la República el 13 de febrero de 1959", en *Rómulo Betancourt, Leninismo, revolución y reforma, (Selección, prólogo y notas de Manuel Caballero)*, México, Fondo de Cultura Económica, 1997, p. 244.

[14] Gaceta Oficial de la República de Venezuela N° 25.567, del 23 de enero de 1958.

civiles y separó a dos militares próximos a Pérez Jiménez, como se dijo, lo cual fue fruto de la presión de la Junta Patriótica y de la movilización social[15]. Se designó el Gabinete ejecutivo, integrado casi en su totalidad por civiles, con representación importante entre ellos de sectores económicos del país.

El Gobierno provisional tuvo, por tanto, una composición tanto militar como civil. Su finalidad esencial era eminentemente civil; la pronta recuperación democrática y constitucional. Su sustento civil iba más allá de los integrantes de la Junta de Gobierno y del Gabinete ejecutivo, pues el amplio movimiento social y cívico, conformado por sindicalistas, empresarios, estudiantes, profesionales e intelectuales, líderes políticos y religiosos, que había cristalizado en el 23 de enero seguía en pie y fue primordial para sostener el esfuerzo democratizador, amenazado desde distintos frentes[16].

En lo que concierne a la integración de la Junta y el gabinete, que globalmente considerados solían denominarse el Gobierno provisional o provisorio, era clara la presencia relevante de factores empresariales[17], que apoyaron a la Junta Militar y se incorporaron a la Junta reconstituida y al gabinete, junto a otros sectores. Esto se vincula con otro sello distintivo del Gobierno provisorio: el de sus peculiares relaciones con los partidos políticos y sus dirigentes. Tras el 23 de enero, regresaron al país líderes fundamentales de las principales organizaciones políticas, quienes se hallaban en el exilio. Los propios partidos debieron recomponerse después de largos años de persecución, resistencia, clandestinidad o repliegue[18]. Al hacer eclosión el 23 de enero las fuerzas partidistas y su militancia estaban dispersas y debilitadas. Junto a ello la prolongada dictadura había acicateado la ponzoña de la desconfianza hacia los partidos, como supuestos causantes de la división social, de los desórdenes y del

---

[15] Plaza, *op. cit.,* pp. 101 y ss.

[16] Aveledo, *op. cit.*, pp. 401 y ss.

[17] Suárez, Naudy, "Ganado para la democracia. El empresariado privado nacional y su incorporación a la unidad nacional en torno al régimen político articulado en 1958", *Revista sobre Relaciones Industriales y Laborales,* N° 45, 2009, pp. 59 y ss.

[18] Caballero, Manuel, *Historia de los venezolanos en el siglo XX*, Caracas, Alfa, 2011, pp. 191-192.

sectarismo que hacían naufragar el destino potencialmente glorioso de la nación. Este sentimiento estaba muy extendido en el mundo castrense y en élites económicas, particularmente contra Acción Democrática. De allí que a las primeras de cambio el entendimiento de los civiles con los militares que participaron en la revuelta se produjera más en cabeza de los empresarios y otros sectores no partidistas que en la de los dirigentes de las organizaciones políticas.

Esto se tradujo en tensiones que se hicieron palpables en los primeros meses de 1958 y que dieron lugar a señalamientos públicos sobre la tendencia a una composición del gabinete calificada de oligárquica[19]. Una de las causas explicativas de esta situación ha sido subrayada por Naudy Suárez:

> "La circunstancia de reinar por entonces la desconfianza en las relaciones entre ejército y hombres de partido pudo haber tenido un peso importante en la participación política desequilibrada a su favor de que dispondrán los empresarios venezolanos durante y a partir de 1958. Estos habrían resultado en la coyuntura una clase de civiles más fácilmente digeribles para el sector militar, puesto que no pesaban sobre ellos, como sobre los hombres de partido, los efectos de la persistente campaña de descrédito hecha en su contra durante casi una década por parte de Pérez Jiménez"[20].

Esto no significa que los partidos, sus líderes y su militancia no hayan contribuido al triunfo democrático del 23 de enero ni tampoco resta valor al apoyo que prestaron al Gobierno provisorio. Existieron desde el comienzo puentes de comunicación. El propio Gobierno provisorio dio pasos orientados a incorporar a los dirigentes de los principales partidos en la discusión y decisión sobre los puntos centrales de la agenda democratizadora. En tal sentido, el 22 de febrero la Junta de Gobierno creó una Comisión encargada de redactar un Proyecto de Ley Electoral y se esforzó en darle una integración realmente plural, tal como ocurrió. Había en ella representación de los partidos, como también de intelectuales independientes, el empresariado, los sindicatos y otros sectores. La Comisión, presidida

---

[19] Suárez, *op. cit.*, p. 71.
[20] *Ibídem*, p. 61.

por Rafael Pizani, debatió amplia y diligentemente sobre este proyecto y lo entregó al Ejecutivo a principios de mayo. Las deliberaciones de la Comisión se caracterizaron por el espíritu unitario y democrático, y por un tono y ritmo de trabajo dignos de encomio[21], que ejemplificaban el sistema naciente y anticipaban el talante republicano de la próxima gestación constitucional. Igualmente, los partidos fueron considerados, junto a personalidades independientes, al integrar provisionalmente los Concejos y otras instancias de poder municipal y estadal[22].

Sin perjuicio de lo anterior, hubo manifestaciones diversas de la dirección política autónoma que llevaba a cabo el Gobierno provisorio, que mostraba cierta distancia respecto de los partidos políticos, que estos tampoco querían eliminar del todo. Con razón algunos dirigentes de estas organizaciones se quejaron de que eran llamados a Miraflores para ser informados sobre decisiones ya tomadas, no tanto para ser consultados[23]. Esto tenía sus ventajas y sus desventajas, siendo una de aquellas que permitía a la Junta y al gabinete actuar con cierta imparcialidad o lejanía respecto de la lucha política preelectoral entre los partidos, atemperada ciertamente por la tregua y la búsqueda de consensos propia de ese periodo, pero latente. Cuando se concretó la aspiración presidencial de Wolfgang Larrazábal ya el Gobierno provisorio había sentado los cimientos de

---

21   Ugarte Pelayo, Alirio, "Sentido de una proposición", *El Nacional*, 10 de mayo de 1958, en Ugarte Pelayo, *Destino Democrático de Venezuela*, México D.F, Editorial América Nueva, 1960, pp. 18-19.

22   *Vid.* el mensaje presentado por el Presidente de la Junta de Gobierno, Edgar Sanabria, en 1959, ante el Congreso recientemente instalado: *Mensaje de la Junta de Gobierno de la República de Venezuela presentado por su Presidente, Dr. Edgard Sanabria (sic), al Congreso Nacional*, Caracas, Imprenta Nacional, 1959, p. 5.

23   Así lo sostuvo Betancourt, quien destacó la coincidencia en esta crítica de los representantes de COPEI y URD; Betancourt, *op. cit.*, p. 186: "En las observaciones críticas que se le formulaban a la Junta por ese proceder coincidían con nosotros los representantes de los Partidos COPEI y URD..."; ídem. Caldera era ciertamente del mismo parecer, *vid.*, Quevedo, *op. cit.*, p. 105. Para superar esa insuficiente comunicación la Junta propuso la creación de un Consejo Consultivo, como instancia de interrelación entre Gobierno y partidos, junto a otros integrantes, pero la iniciativa finalmente naufragó; Betancourt, *op. cit.*, pp. 186-187.

la ruta democratizadora. Era desventajoso, por otro lado, el riesgo de formación de brechas entre la visión del Gobierno provisorio y la de las principales organizaciones políticas.

Otro rasgo distintivo del Gobierno provisorio fue el carácter colegiado del Poder Ejecutivo, reconocido en la misma Acta Constitutiva. Larrazábal era Presidente de la Junta y en tal condición ejercía "las funciones normales del Jefe del Estado en todo cuanto sea compatible con el carácter colegiado del Poder Ejecutivo" (art. 5°). Por otra parte, los decretos normativos de la Junta debían ser refrendados por el Gabinete ejecutivo, de acuerdo con lo dispuesto en el artículo 3° del Acta, y otros decretos debían serlo por el Ministro o Ministros con competencia en la materia respectiva, según el artículo 6°. Esto implicaba discutir en la Junta, y con el Gabinete o con los Ministros correspondientes, los principales actos de gobierno. Ello sin perjuicio de las atribuciones presidenciales que debieran ejercerse en Consejo de Ministros conforme a la Constitución de 1953.

Una última nota del Gobierno provisorio, esencial para entender el desarrollo de la agenda de democratización y constitucionalización de 1958, radica en que era calificado como un *gobierno de facto*[24]. A primera vista la atribución de este rasgo puede sorprender. Sobre todo, en atención a la significación democrática del 23 de enero y al propósito manifiestamente cívico de la intervención de las Fuerzas Armadas, junto al pueblo, dirigida a enrumbar al país "hacia un Estado democrático de Derecho". Propósito que no fue solo una declaración cosmética, sino que se correspondió con el proceder del Gobierno provisorio. Sin embargo, el Gobierno provisorio no surgió del voto popular ni su gestión fue legitimada en elecciones. La misión que asumió fue justamente la de contribuir a organizar y a llevar a cabo tal elección, que diera sustento democrático a la institucio-

---

[24] Quevedo, *op. cit.*, p. 43; *vid.* igualmente el mensaje presentado por el Presidente de la Junta de Gobierno, Edgar Sanabria, ante el Congreso recién instalado: *Mensaje de la Junta de Gobierno de la República de Venezuela...*, *op. cit.*, p. 116; así como el Informe y Acuerdo del Congreso, de julio de 1959, aprobatorio de la Memoria y Cuenta del Ministerio de Relaciones Interiores del Gobierno provisorio: Quevedo, *op. cit.*, pp. 334 y ss. Este Informe califica a dicho gobierno como "de facto", pero al compararlo con el de Pérez Jiménez lo considera "legítimo", lo cual pone de manifiesto la licitud de fines y medios, en las circunstancias reinantes, antes apuntada.

nalidad de la nación, de procedencia dictatorial. Evidentemente, el
Gobierno provisorio encabezado por el Contralmirante Wolfgang
Larrazábal no fue dictatorial, ni en sus objetivos ni en sus procedimientos, pero su legalidad era precaria, al originarse en un acto de
fuerza, y al concentrar poderes que en un Estado de Derecho tendrían
que estar separados. Interesa subrayar no solo que a dicho gobierno
se atribuía un carácter de facto, en el sentido señalado, sino que
quienes ocuparon posiciones relevantes en ese Gobierno a lo largo de
1958 se empeñaron en destacar que aquel tenía esa naturaleza.

La razón de esta insistencia radicaba en la voluntad del Gobierno
provisorio de conducir al país lo antes posible al proceso electoral que
permitiera establecer un sistema democrático[25]. No se quería dejar
lugar a dudas al respecto, y reiterar el carácter de facto del Gobierno
provisorio era una forma de demostrar la conciencia de quienes lo
conducían de que detentaban el poder temporal o, mejor, interinamente,
y que su gestión gubernamental solo podía justificarse en la medida
en que se mantuviera el movimiento decidido hacia la consulta
electoral. Recalcar la ilegitimidad de origen del Gobierno provisorio
era un repique recurrente de campanadas que invitaba a la convocatoria electoral.

Al mismo tiempo, el régimen así calificado fue legalista y
respetuoso de los derechos humanos, en tanto que procuraba apegarse
a la ley, siempre que esta fuera compatible con el orden en gestación,
y adoptó medidas liberalizadoras encaminadas a favorecer el goce de
los derechos y libertades. Tal como diría uno de sus protagonistas:
"Este pensamiento ha determinado que, así sea de facto su poder, la
Junta ha querido ajustar sus decisiones a un ideal de juridicidad que
instintivamente se traduce en respeto recíproco, en ejercicio de
tolerancia, en diálogo permanente y en voluntad de servicio, en
nombre de los supremos intereses de la Nación"[26]. Dicho gobierno
fue democrático en su manera de proceder, favorecedora del
pluralismo y la participación política[27], y en el uso mensurado de las
facultades de las que disponía. Al mismo tiempo, gozó de amplio

---

[25] Respecto de esta voluntad de celebrar elecciones lo antes posible *vid.* Arráiz,
      op. cit., p. 160; Quevedo, *op. cit.*, Preámbulo.

[26] Quevedo, *op. cit.*, p. 43.

[27] Betancourt, *op. cit.*, pp. 230-231.

apoyo popular, el cual era invocado por las autoridades provisorias para sustentar el ejercicio de sus poderes, entendiendo aquel como el respaldo de la sociedad a la tarea democratizadora desarrollada gracias al 23 de enero[28]. Este respaldo popular al Gobierno provisional y a la ruta democratizadora que impulsaba fue fundamental para su sostenimiento en los momentos difíciles vividos con motivo de las insurrecciones militares de julio y septiembre de 1958.

Un aspecto relevante que apenas dejaré apuntado estriba en que los principios que guiaron la actuación del Gobierno provisorio no solo no fueron los de la dictadura, sino tampoco en rigor los de la Constitución de 1953; se rigió por postulados superiores relacionados con el Estado democrático de Derecho, la libertad de expresión, la independencia del Poder Judicial, la soberanía popular y el sufragio directo; sumados a elementos históricos, como la significación tradicional del Municipio, "célula básica de la organización democrática del Estado", todo ello como prefiguración del nuevo orden político[29]. El Gobierno provisorio representó, pues, un esfuerzo democratizador, un periodo de transición en el que se establecieron fundamentos democráticos.

III. LAS PRIMERAS CUESTIONES CONSTITUCIONALES RESULTANTES DE LA CAÍDA DE PÉREZ JIMÉNEZ: LA CONSTITUCIONALIDAD TRANSITORIA

1. *El Acta Constitutiva de la Junta de Gobierno y la Constitución de 1953*

Tras la huida de Pérez Jiménez, precedida de la intentona insurreccional militar del 1 de enero de 1958, revueltas populares y la huelga general, se forma la Junta Militar de Gobierno y emite su Acta Constitutiva, la cual estaba llamada a indicar las funciones o poderes que estaba asumiendo y, de alguna forma, las pautas que regirían su actuación. Ello suscitaba el interrogante sobre la Constitución que podía ser tomada como marco durante el periodo transitorio.

---

[28]   Quevedo, *op. cit.*, p. 270.

[29]   Casal, Jesús María, *Apuntes para una Historia del Derecho Constitucional de Venezuela*, Caracas, CIDEP y Academia de Ciencias Políticas y Sociales, 2023, pp. 249 y ss.

El Acta Constitutiva, además de trazar claramente el objetivo de conducir al país hacia un "Estado democrático de Derecho", establecía que: "La Junta así constituida asumirá todos los poderes del Estado, y, por lo tanto, ejercerá el Poder Ejecutivo de la Nación mientras se organizan constitucionalmente los Poderes de la República dentro de las pautas del artículo 3° (art. 2°). El mismo día se puntualizaría, en el Acta reformada, que "el Gobierno provisional debe estar en condiciones de ejercer en todo momento la totalidad del Poder".

El artículo 3° del Acta precisaba que: "Se mantiene en plena vigencia el ordenamiento jurídico nacional, en cuanto no colida con la presente Acta Constitutiva y con la realización de los fines del nuevo Gobierno, a cuyo efecto la Junta Militar dictará mediante Decreto refrendado por el Gabinete Ejecutivo, las normas generales y particulares que aconseje el interés de la República, inclusive las referentes a nueva organización de las ramas del Poder Público"[30].

De este modo el artículo 3° aludía implícitamente a la Constitución de 1953, como parte fundamental de ese ordenamiento jurídico nacional. Al respecto surgió después un debate público, ya que muchos estimaban que entonces debía declararse en vigor la Constitución de 1947, dado el carácter democrático de esta y espurio de aquella. Lucía contradictorio insurgir contra la dictadura, cuya permanencia y envilecimiento se basó en buena medida en el fraude o golpe de diciembre de 1952, que permitió la integración ilegítima de una asamblea constituyente, y declarar la vigencia de la Constitución aprobada por esa asamblea, cuyas disposiciones transitorias, además, dieron pie a la designación por tal cuerpo fraudulento de Pérez Jiménez y demás autoridades que debían ser electas por sufragio popular.

Al adoptar una decisión sobre este asunto había que colocar en la balanza las razones que podían apuntar en favor de la declaración de la vigencia de la Constitución de 1947, como su legitimidad democrática, ausente en la de 1953, y las que lo hacían en pro de la de 1953, ligadas a la seguridad jurídica y a dar preferencia a la inercia

---

[30] Gaceta Oficial de la República de Venezuela N° 25.567, del 23 de enero de 1958.

que evitaba diatribas innecesarias, aunado ello a las polémicas que rodearon, también en el mundo militar, la aplicación de aquella Constitución, base normativa del régimen contra el cual las Fuerzas Armadas se habían rebelado[31].

Sin entrar ahora en esta discusión, conviene preguntarse si esa cuestión podía y debía ser resuelta en estas primeras horas de la instalación de la Junta. Un actor destacado de aquellas horas, cuyo testimonio y opinión puede ser útil para entender lo ocurrido, fue Alirio Ugarte Pelayo, Consultor Jurídico de la Junta de Gobierno[32] y luego Secretario Privado del Presidente de la Junta, quien estaba junto a Larrazábal antes incluso de estas designaciones formales y participó en la elaboración del Acta Constitutiva o fue, según sus propias palabras, su redactor[33]. Ugarte Pelayo sostuvo que: "La contradictoria y agresiva realidad que se tradujo en la composición inicial de la Junta, hace ridícula la pretensión de que se produjera un estudio y una discusión acerca de la conveniencia de mandar a regir tal o cual Constitución"[34], añadiendo que los antecedentes que en aquel momento se tuvieron en cuenta, "apresuradamente consultados entonces en apenas dos horas"[35] como el Acta Constitutiva de la Junta Revolucionaria de Gobierno de octubre de 1945 y la instalación de la Asamblea Nacional Constituyente de 1946, presuponían también la continuidad del ordenamiento jurídico en vigor, con los ajustes resultantes de esos actos o de los que se originaran en decretos u otras

---

[31] Acerca de ese debate *vid.* Oropeza, Ambrosio, *La nueva Constitución venezolana 1961,* Caracas, Academia de Ciencias Políticas y Sociales, 1986, pp. 55 y ss. y 131 y ss.; Rachadell, Manuel, "El proceso político en la formación y vigencia de la Constitución de 1961", en Combellas, Ricardo/ Plaza, Elena (Coord.), *Procesos constituyentes y reformas constitucionales en la Historia de Venezuela. 1811-1999,* T. II, Caracas, UCV, 2005, p. 701; Casal, *op. cit.,* pp. 238 y ss.

[32] Gaceta Oficial de la República de Venezuela N° 25569, del 25 Enero 1958.

[33] Afirmó Ugarte Pelayo, refiriéndose a Larrazábal, que: "De su palabra sencilla recibí el encargo de redactar el Acta Constitutiva y los primeros documentos que fijaron el nacimiento de la Junta de Gobierno"; *vid.* Ugarte Pelayo, "Almirante, ¡Salud!", *El Nacional*, 18 de diciembre de 1958, en Ugarte Pelayo, *op. cit.,* p. 72.

[34] Ugarte Pelayo, "La situación jurídica creada el 23 de enero de 1958", *El Nacional*, 10 de febrero de 1959, en Ugarte Pelayo, *op. cit.,* p. 111.

[35] *Ídem.*

disposiciones posteriores. Hubo según relata otros asuntos prioritarios en esa alborada de la Junta: atribuir a Wolfgang Larrazábal la condición no solo de Presidente de la Junta, como cuerpo colegiado, sino también de Jefe de Estado y por tanto Comandante en Jefe de las Fuerzas Armadas Nacionales; rechazar la propuesta de que las decisiones de la Junta debieran adoptarse por unanimidad. En síntesis, Ugarte Pelayo quería enfatizar que la Junta, en su Acta Constitutiva, no había querido tomar una determinación específica o definitiva sobre la vigencia de la Constitución de 1953 hasta que fuera elegido un Congreso con base en sus disposiciones, que se encargara de la reforma constitucional. No se buscaba, en sus propios términos, imponer la intangibilidad de la Constitución de 1953 durante ese periodo, sino "disponer lo conducente a la continuidad del Estado y a la validez de la vida jurídica basada en el ordenamiento anterior"[36].

Ciertamente, es comprensible que bajo el apremio de los hechos que desencadenaron la caída del gobierno dictatorial y en esas primeras horas de la madrugada del 23 de enero, al establecer y perfilar la Junta Militar de Gobierno, hubiera otras urgencias y que lo natural era declarar la continuidad del ordenamiento jurídico en vigor, salvo lo que la propia Junta pudiera resolver en sentido contrario, cuando fuera necesario para el cumplimiento de la finalidad democratizadora. No obstante, importa aclarar que no debe descartarse que se hubiera podido dar una consideración de la cuestión. Incluso, entre los antecedentes que no podían ser ignorados estaba el del 24 de noviembre de 1948, ocasión en la cual fue, en gran medida, restablecida la vigencia de la Constitución de 1936 con las reformas de 1945, sin perjuicio de disposiciones progresistas de la Constitución de 1947, genéricamente aludidas[37].

En todo caso, resulta creíble que en esa madrugada no surgió un debate específico sobre aquel dilema constitucional. Ello no excluye que hubiera podido surgir después, dados los poderes con que la Junta estaba investida. De hecho, se admite que la Junta hubiera podido "proceder *posteriormente* al estudio de un estatuto constitucional provisorio, o disponer la vigencia de otro texto constitucional como

---

[36] *Ibídem*, p. 112.

[37] Casal, *op. cit.*, p. 222.

el de 1947...".[38] Más aún, se llegó a plantear por algunos la iniciativa de adoptar un "programa orgánico de sucesivas modificaciones constitucionales para una integración progresiva del nuevo Estado democrático", comenzando con la redemocratización a nivel municipal, hasta culminar con las elecciones generales de los poderes nacionales[39]. Pero "en el seno de la Junta y del Gabinete Ejecutivo predominó posteriormente un criterio distinto, a tenor del cual debía evitarse hasta el extremo el ejercicio de las facultades legislativas de la propia Junta, las cuales se prefirió conservar para el uso de los Poderes emanados de la voluntad popular"[40]. En otras palabras, la cuestión de la reforma o cambio constitucional, incluyendo el del eventual restablecimiento de la vigencia de la Constitución de 1947, fue desplazada al campo de las instancias democráticas que debían ser electas, lo cual estaba en consonancia con la determinación existencial de la Junta de proceder cuanto antes a la celebración de elecciones presidenciales y parlamentarias. La "obsesión"[41] de no retardar las elecciones que distinguió al Gobierno provisional pesó por tanto en su itinerario redemocratizador.

La Junta de Gobierno, rápidamente reconstituida con civiles, daría pronto señales de que la Constitución de 1953 era parte de ese ordenamiento jurídico mencionado en el artículo 3° del Acta Constitutiva. Ya en febrero comenzaron a dictarse decretos que invocaban como fundamento normativo, junto al Acta Constitutiva, atribuciones presidenciales previstas en la Constitución de 1953[42]. La alusión a esta Constitución sería aún más reveladora en el Decreto que creó una Comisión especial encargada de redactar un proyecto de Ley Electoral "de acuerdo con las pautas de la Constitución en vigor". La Junta de Gobierno afirmó que, al instaurar esta Comisión, estaba dando cumplimiento al compromiso contraído con la Nación de

---

38 Ugarte Pelayo, "La situación jurídica creada el 23 de enero de 1958", *op. cit.*, p. 113.
39 *Ídem.*
40 *Ídem.*
41 Quevedo, *op. cit.*, Preámbulo; el Gobierno provisional tenía como consigna indeclinable celebrar ese mismo año el proceso electoral.
42 *Gaceta Oficial de la República de Venezuela* N° 25.590 del 19 de febrero de 1958.

"restituirle un régimen constitucional y democrático, a cuyo efecto es indispensable que la voluntad soberana del pueblo se manifieste por medio del sufragio", tal como rezaba el primer Considerando del referido Decreto. El tercero de sus Considerandos observaba que: "La aplicación de las normas de la Constitución vigente, cuyos defectos y lagunas pueden ser corregidos y subsanados por las vías que el derecho establece, es la forma más adecuada y breve para que la nación escoja sus representantes en los poderes públicos"[43].

Nótese que se hace referencia claramente a la Constitución "vigente", que a falta de declaratoria en sentido contrario no podía ser otra que la de 1953. Pero es interesante también observar que, como se desprende de la misma Acta Constitutiva, tal Constitución solo regiría en la medida en que no contrariara decretos dictados por la Junta de Gobierno, que podían incluso adoptar normas relativas a una "nueva organización de las ramas del Poder Público".

2. *Las primeras medidas de la transformación institucional*

De modo que la Constitución de 1953 era aplicable a título precario o supletorio respecto de las decisiones de la Junta enmarcadas en los fines del Gobierno provisorio. De hecho, desde el inicio de este gobierno esa Constitución fue dejada de lado en ámbitos diversos. En menos de dos semanas desde su instalación la Junta de Gobierno designó un nuevo titular del Poder Ejecutivo; disolvió el Congreso de la dictadura cuyo periodo vencía en abril de 1958, porque sus miembros habían sido designados por una Asamblea Nacional Constituyente integrada después de haber sido adulterados en diciembre de 1952 los verdaderos resultados electorales; declaró la inexistencia del plebiscito del 15 de diciembre de 1957, lo que llevaba consigo la inexistencia de la pretendida ratificación de Marcos Pérez Jiménez en la Presidencia y de la designación en plancha de los miembros de la Cámara de Diputados; disolvió las Asambleas Legislativas y Concejos Municipales cuyo periodo vencería en abril de 1958, que también habían sido nombrados por la espuria asamblea constituyente; declaró la inexistencia de las Asambleas Legislativas y Concejos Municipales cuyos integrantes debían ser designados por el

---

[43] *Gaceta Oficial de la República de Venezuela* N° 25.593, del 22 de febrero de 1958.

Congreso para el periodo que se iniciaría en abril de 1958, así como la del Senado que debía comenzar funciones en ese periodo, cuyos miembros, según la Constitución de 1953, eran elegidos por las Asambleas Legislativas o el Concejo Municipal del Distrito Federal, en lo que respecta a esta entidad[44].

En esas dos semanas la Junta de Gobierno designó nuevos magistrados en la Corte Federal y en la Corte de Casación, y dictó un decreto que facultaba a la Junta, a través del Ministerio de Justicia, para realizar nombramientos en otros tribunales de la República; nombró al Procurador y al Contralor de la Nación, cuya designación correspondía al Congreso según la Constitución de 1953; nombró nuevos Gobernadores, y estos a su vez a los integrantes de los Concejos Municipales, pues entendía que no debía interrumpirse el funcionamiento del Municipio[45]. Por tanto, quedó poco de la Constitución de 1953 después de estas medidas de la Junta, la cual debió ejercer potestades legislativas, que le permitieron dictar la Ley Electoral. Esta Ley, por otro lado, se apartaba en algunos aspectos de esa Constitución, cuyos "defectos" habían sido ya advertidos por la Junta al crear la Comisión redactora del Proyecto respectivo. Se contempló en esa Ley la elección por sufragio directo de los Senadores e incluso la escogencia de Senadores adicionales para favorecer la representación proporcional, todo lo cual era extraño al texto de 1953. En virtud de esa Ley, las fechas de instalación del nuevo Congreso y de toma de posesión del Presidente de la República que iba a ser electo fueron también distintas a las fijadas en tal Constitución.

Importa subrayar que el Gobierno provisorio no se consideró especialmente vinculado por la Constitución de 1953. Su pervivencia formal era un mal aceptable por las razones antes comentadas, pero nunca representó un obstáculo para adoptar las decisiones que fueran convenientes a fin de lograr la reinstitucionalización democrática. Aquí hay que tener en cuenta, en primer lugar, lo dispuesto en el Acta Constitutiva de la Junta Militar de Gobierno, cuyos artículos 2° y 3° aludían a la asunción por la Junta de "todos los poderes del Estado" y a su facultad para dictar decretos con carácter normativo que podían

---

[44]   Casal, *op. cit.*, pp. 249 y ss.
[45]   *Ídem.*

referirse incluso a una "nueva organización de las ramas del Poder Público". El ordenamiento jurídico nacional se mantenía en vigencia siempre que no colidiera con el Acta Constitutiva y "los fines del nuevo Gobierno". Por tanto, la Junta ostentaba provisionalmente un poder de producción jurídica suprema, que permitía desplazar a las normas constitucionales en vigor. En segundo lugar, el escaso valor jurídico-político atribuido a la Constitución de 1953 hacía que la Junta estuviera fácilmente inclinada a zafarse de ella cada vez que así lo aconsejara el "interés de la República", al que remitía también el citado artículo 3°.

La Junta estimaba que estaba investida de "las facultades constitucionales, legislativas y reglamentarias que son indispensables a la modificación y sustitución de cuantas normas puedan obstaculizar el cumplimiento de los fines que explican o justifican el proceso histórico que así cristaliza"[46], y que tenía el "carácter de constituyente de hecho en virtud del cual dictó importantes Decretos derogatorios del orden formal y precariamente sancionado…"[47].

Es interesante hacer mención de la postura fijada por la Corte Federal al conocer de un recurso de nulidad interpuesto contra la elección de Senadores el 7 de diciembre de 1958. En concreto, se denunciaba la violación del artículo 70 de la Constitución de 1953, según el cual aquellos debían ser elegidos en un número de dos por cada entidad federal, por la respectiva Asamblea Legislativa, o por el Concejo Municipal en el Distrito Federal. En consecuencia, el recurrente consideraba inconstitucional la elección por sufragio ciudadano directo de los Senadores y la escogencia por cociente electoral nacional de algunos Senadores adicionales. El planteamiento fue desechado por la Corte, con el argumento central de que, de acuerdo con el Acta Constitutiva, la Junta de Gobierno asumió todos los poderes del Estado "inclusive el Constituyente…con la finalidad…de establecer en el país un Estado democrática de Derecho". Declaró la Corte que la Ley Electoral dictada por la Junta había "derogado" el sistema de elección de Senadores previsto en el artículo 70 de la Constitución, sustituyéndolo por el de votación

---

[46]   Ugarte Pelayo, "La situación jurídica creada el 23 de enero de 1958", *op. cit.*, p. 110.

[47]   *Ibídem*, p. 112.

directa de los electores, junto a la introducción del sistema de elección por cociente electoral, "por considerarlo más equitativo y democrático, todo en ejercicio del poder constituyente que asumió"[48].

Se admitió, pues, que la Junta de Gobierno estaba facultada para modificar lo dispuesto en normas de la Constitución en vigor, según lo establecido en el Acta Constitutiva. También podía por supuesto desplazar o dejar de lado lo allí ordenado. Para fundamentar estas potestades de la Junta no era necesario, sin embargo, sostener que esta ostentaba el poder constituyente. Tras el 23 de enero y dadas sus premisas axiológicas, como la pronta instauración de un Estado democrático de Derecho, el poder constituyente pertenecía exclusivamente al pueblo, quien podía ejercerlo por medio de representantes electos. Pero en la fase de transición hacia la recuperación de la institucionalidad democrática la Junta podía gozar provisionalmente, en la medida en que lo exigiera la consecución de este fin, de facultades especiales de producción normativa de rango constitucional, como las comentadas.

En virtud de todo lo expuesto, cabe reiterar que la Constitución de 1953 subsistió como fósil útil para simbolizar la continuidad jurídica y el orden institucional, pese a que desde el comienzo se produjo una ruptura de principio, también a causa de otros actos emanados de la Junta. Las disposiciones de esa Constitución fueron odres viejos en los que iba siendo vertido el vino nuevo de la libertad y la democracia[49].

IV. LA FORMACIÓN DE LA NUEVA CONSTITUCIONALIDAD

1. La normatividad provisoria y el Congreso con funciones constituyentes

De lo dicho se desprenden algunas conclusiones fundamentales. La Constitución de 1953 fue tolerada como parte del ordenamiento jurídico en vigor cuya continuidad se declaraba, pero no porque se

---

[48] Sentencia de la Corte Federal del 9 de abril de 1959, *Gaceta Forense*, Segunda Etapa, 1959, vol. 24, pp. 34-35.
[49] Casal, *op. cit.*, pp. 251 y 263.

estimará valiosa ni porque hubiera una voluntad de someterse estrictamente a sus preceptos. No quedaba descartado *ab initio* que la Junta de Gobierno adoptara una decisión de implicaciones constitucionales, que pudiera traducirse en la vigencia de otra Constitución o de las bases para la activación de un proceso constituyente, pero todo fue apuntando en la dirección de cargar con (los restos de) esa Constitución para ejercer el poder interinamente, dictar la Ley Electoral, designar a los integrantes del Consejo Supremo Electoral, promover la inscripción de electores en el registro electoral y respaldar imparcialmente la organización de elecciones generales, dejando en manos del nuevo Congreso la resolución del tema de la revisión o cambio constitucional.

Todo esto supuso abandonar cualquier pretensión de supeditar la reinstitucionalización democrática a la previa convocatoria de una Asamblea Nacional Constituyente, dándose preferencia a la vía que propiciaba la celebración de elecciones presidenciales y parlamentarias, a la mayor brevedad posible. Al parecer, en el Gobierno provisorio llegaron a examinarse propuestas diferentes a esta última, pero en la Junta y en el Gabinete Ejecutivo privó la postura ya esbozada. Lo anterior sería apuntalado por las conversaciones entre partidos y líderes políticos que cristalizaron en el Pacto de Punto Fijo. El Programa Mínimo Común, suscrito ante el Consejo Supremo Electoral el 6 de diciembre de 1958 en desarrollo de este Pacto y que representaba un anexo de este, diría expresamente que debía elaborarse "una Constitución democrática que reafirme los principios del régimen representativo e incluya una Carta de Derechos Económicos y Sociales de los ciudadanos"[50].

Simultáneamente, desde el 23 de enero de 1958 la Junta de Gobierno fue tomando decisiones que marcaron un quiebre con el régimen dictatorial, tales como la liberación de presos políticos, el retorno de exiliados, el reconocimiento de la libertad de acción de los partidos políticos, la eliminación de la Dirección de Seguridad Nacional y la orden dirigida a la Procuraduría de la Nación de formar expediente para presentar acusación contra los funcionarios responsables de "muertes, torturas, vejaciones, atropellos y demás

---

[50]   Programa Mínimo Común, en Suárez, *op. cit.*, pp. 83 y ss.

atentados contra la dignidad humana"[51]; así como la supresión de las Juntas de Censura (Comisiones de Examen) establecidas por el Gobierno Provisorio dictatorial en 1950, ya que: "la libertad de pensamiento, ejercida en forma amplia, pero en un tono elevado y sereno, es la mejor garantía para los gobiernos e instituciones democráticas"[52]. Aprobó una Ley Electoral[53] mediante la cual el Gobierno provisional hacía patente su propósito de "asentar la República sobre las bases inconmovibles de un estado de derecho, representativo y democrático", cuya promulgación constituía la "primera etapa cumplida de nuestro proceso constitucional"[54]. Más adelante dictaría la Ley de Universidades, que consagró plenamente la autonomía universitaria y cuya adopción tenía un hondo significado para la lucha democrática[55].

De esta forma se fijaron desde entonces los cimientos de la nueva juridicidad, con fundamento en los principios superiores o de raigambre histórica antes mencionados. No debe restarse importancia a este marco jurídico de la construcción democrática preconstitucional o preconstituyente, pues con base en él se ejerció el poder hasta las elecciones del 7 de diciembre de 1958 y la posterior instalación, a comienzos de 1959, de las autoridades democráticas. Más aún, al tomar esta posesión de sus cargos en el poder ejecutivo o en el legislativo continuó formalmente en vigor el texto constitucional de 1953, junto a decretos de alcance constitucional dictados por la Junta de Gobierno, pues habría que esperar a la promulgación de la Constitución de 1961 para su completa derogación. De allí que Oropeza haya aseverado que: "una extraña situación se presenta cuando el 13 de febrero de 1959 inicia su mandato el nuevo Presidente. Y es que no existe, en rigor, ningún ordenamiento

[51] Decreto N° 3 del 24 de enero de 1958, publicado en *Gaceta Oficial de la República de Venezuela* N° 25.568 de la misma fecha.

[52] Decreto N° 13 del 31 de enero de 1958, publicado en *Gaceta Oficial de la República de Venezuela* N° 25.574, de la misma fecha.

[53] *Gaceta Oficial de la República de Venezuela* N° 652 Extraordinario, del 24 de mayo de 1958.

[54] Quevedo, *op. cit.*, p. 39.

[55] Gaceta Oficial N° 576 Extraordinario del 6 de diciembre de 1958.

constitucional que rija la vida del Estado"[56]. No es exacto, sin embargo, afirmar que entonces no había ningún ordenamiento constitucional. La hipérbole obedece al interés del autor en subrayar la perplejidad de que un gobierno democráticamente electo, absolutamente legítimo, deba someterse a una Constitución espuria. Como él mismo lo apunta seguidamente, se produjo: "el extraño resultado de que un gobierno de derecho ajuste sus actividades y funciones a un vicioso ordenamiento constitucional"; en otras palabras, "la paradoja de un gobierno de jure que disciplina sus actos en conformidad a normas de origen dictatorial, pero que la necesidad obliga a convalidar"[57].

Esto es consecuencia de la decisión de la Junta de mantener en vigencia el ordenamiento jurídico nacional, incluyendo la Constitución de 1953, con las salvedades antes formuladas y, en parte, de la opinión de la cual se hicieron eco algunos parlamentarios, tras la elección del Congreso de la República, según la cual al haber resuelto la Junta el asunto en tal sentido no correspondía al Congreso adoptar, al instalarse, una determinación diferente al respecto, sin perjuicio de la tarea que debía cumplir de elaborar una nueva Constitución[58].

Se ha sostenido que, durante 1958, el camino hacia la recuperación de la constitucionalidad y la democracia trazado por la Junta de Gobierno fue aceptado pacíficamente por las principales organizaciones políticas[59]. Fue después, al instalarse, en enero de 1959, el Congreso democráticamente electo el 7 de diciembre de 1958 que se planteó, en términos bastante polémicos y con acento crítico, la discusión pública sobre la decisión de la Junta de Gobierno de haber

---

[56]   Oropeza, *op. cit.*, p. 55.

[57]   *Ibídem*, p. 56.

[58]   Intervención del Senador Lorenzo Fernández, en sesión del Senado del 28 de enero de 1959. ver esta y otras intervenciones parlamentarias de las primeras sesiones del Congreso electo el 7 de diciembre de 1958 en la parte introductoria del estudio de Gonzalo Parra Aranguren sobre "La nacionalidad venezolana originaria en la Constitución del 23 de enero de 1961", separata del *Boletín de la Biblioteca de los Tribunales del Distrito Federal,* N° 13, 1963, pp. 16 y ss.

[59]   Ugarte Pelayo, "La situación jurídica creada el 23 de enero de 1958", *op. cit.*, p. 113.

declarado la vigencia de la Constitución de 1953[60]. Lo que interesa subrayar es que, en el seno del nuevo Congreso, nacido precisamente de la aplicación de la rápida ruta redemocratizadora fijada por el Gobierno provisorio, surgieron distintas posiciones acerca de los pasos que debían darse para definir el marco constitucional democrático.

Había consenso en la necesidad de que el Congreso acometiera una tarea de revisión constitucional o una operación constituyente, bajos unos u otros procedimientos, y en que se creara una Comisión parlamentaria a estos efectos, pero había diferencias de concepto, alcance y trámite. Se sostuvieron básicamente tres posiciones: 1.- Algunos congresistas plantearon que debía aprobarse a la brevedad, ese mismo año, la vigencia de la Constitución de 1947, introduciendo en ella las modificaciones indispensables a fin de adaptarla a la evolución política y social[61]. La elaboración de una nueva Constitución sería en cambio una tarea de mayor calado, que sería más exigente en términos de acuerdo político y demandaría más tiempo. Esto equivalía a la adopción de una "reforma provisoria", como se dijo entonces[62]. 2.- Otros se pronunciaron francamente por la elaboración y adopción de una amplia reforma constitucional, que para algunos habría de ser sin ninguna duda una "reforma total" de la Constitución, que daría lugar a una "nueva Carta Fundamental", ya que el Congreso ostentaba "funciones constituyentes"[63]. Se seguiría el procedimiento de reforma previsto en la Constitución de 1953. 3.- Minoritariamente se señaló que podía haber cuestionamientos sobre las facultades constituyentes del Congreso, por su naturaleza de Congreso ordinario, y que para superarlas podía seguirse el antecedente de 1904, cuando el Congreso ordinario asumió funciones

---

[60] Casal, *op. cit.*, pp. 256 y ss.

[61] *Vid.* intervenciones del Senador Ramón Escovar Salom en sesión del Senado del 28 de enero de 1959 y del Diputado Jóvito Villalba en sesión de la Cámara de Diputados del 28 de enero de 1959, en Parra, *op. cit.*, pp. 16 y 19-20, respectivamente.

[62] *La Constitución de 1961 y la Evolución Constitucional de Venezuela. Actas de la Comisión redactora del Proyecto*, Congreso de la República, T. I, Caracas, 1971, Vol. I, p. 3.

[63] *Vid.* Intervención del Presidente de la Cámara de Diputados, Rafael Caldera, en sesión del 28 de enero de 1959, en Parra, *op. cit.*, p. 22.

constituyentes a solicitud de los Concejos Municipales, lo que le permitió adoptar una nueva Constitución[64]. También se trajeron a colación en las Cámaras algunas opiniones aisladas sobre las limitadas facultades que podía ejercer el Congreso en esta materia.

La moción central de crear una Comisión especial de reforma constitucional, que sería aprobada en el Senado y en la Cámara de Diputados y que desembocaría en el funcionamiento conjunto de ambas Comisiones, permitió canalizar las propuestas y encaminar los procedimientos hacia la segunda posición, ya en la Comisión bicameral. En defensa de esta postura se invocó el Programa Mínimo Común, aprobado el 6 de diciembre de 1958 por los candidatos presidenciales y los partidos que respaldaban el Pacto de Punto Fijo, pues en este Programa se contemplaba la elaboración de una Constitución democrática[65]. Esto coincidía con el reclamo de muchos sectores, que esperaban la aprobación por el Congreso de una nueva Constitución, con participación de las Asambleas Legislativas[66].

En esas primeras intervenciones parlamentarias sobre el tema constitucional se hizo mención de la posibilidad, ya descartada en los hechos, de que después del 23 de enero se hubiera convocado a una Asamblea Nacional Constituyente. Al respecto se aseveró que: "En el deseo de evitar todo conflicto, todo elemento de agitación, los representantes de todos los grupos políticos aceptamos ante la Junta de Gobierno la conveniencia de que no se convocara a una Constituyente"[67]. Esta afirmación del Senador Lorenzo Fernández confirma el modo en que se plantearon, al menos inicialmente, las relaciones entre la Junta y los partidos políticos: los representantes de estas organizaciones *aceptaron* que no era conveniente convocar una Asamblea Constituyente. Pero más allá de esta constatación, lo relevante es destacar que la Junta de Gobierno y los actores políticos

---

[64]   *Vid*. Intervención del Diputado Gustavo Machado en sesión de la Cámara de Diputados del 28 de enero de 1959, en Parra, *op. cit.*, pp. 21-22.

[65]   *Vid*. Intervención del Senador Ambrosio Oropeza en sesión del 28 de enero de 1959, en Parra, *op. cit.*, p. 17.

[66]   Ugarte Pelayo, "Hacia una constitucionalidad de nuevo tipo", *El Nacional*, 9 de enero de 1959, en Ugarte Pelayo, *op. cit.,* p. 86.

[67]   *Vid*. Intervención del Senador Lorenzo Fernández en sesión del Senado del 28 de enero de 1959, en Parra, *op. cit.*, p. 16.

y sociales en general estimaron mayoritariamente que, ante el cambio de sistema que representaba el 23 de enero, no era aconsejable acudir a la convocatoria de una Asamblea Nacional Constituyente. Con razón se aseveró que esta decisión fue un acierto, pues "se evitaba así al país una doble conmoción electoral: la encaminada a la elección de una Convención constituyente con la misión específica de redactar y sancionar la nueva Constitución, y luego un nuevo proceso dirigido a la conformación de los poderes ordinarios en conformidad a los preceptos de aquella Constitución"[68]. Efectivamente, hubiera sido un error prolongar tanto la reinstitucionalización democrática y propiciar la incertidumbre en momentos en que se requería estabilidad democrática y gubernamental. Los hechos posteriores ligados a intentonas golpistas reafirmaron la importancia de la pronta celebración de elecciones para la presidencia y demás instancias nacidas de la elección popular.

El Congreso electo el 7 de diciembre de 1958 estaba llamado, por tanto, a encargarse de la tarea del cambio constitucional. En las formas, este Congreso habría de ejercer una función de revisión constitucional, pero en realidad asumió una función de poder constituyente[69], pues se sirvió del ropaje vetusto de la Constitución de 1953 para generar con legitimación democrática, desmontando disposiciones restrictivas del sufragio directo de esa Constitución, y con finalidad transformadora del régimen político, una nueva Constitución. Se siguió en principio el procedimiento de reforma constitucional de la Constitución de 1953, pero el Senado que participó en esa labor no era el diseñado en ese texto constitucional, y la ambición del proceso fue siempre de la mayor amplitud y las correspondientes deliberaciones estuvieron desligadas de aquella Constitución: en la sesión de instalación del Senado, Raúl Leoni, quien sería elegido como su Presidente, sostuvo que habría de elaborase la "Carta Fundamental que ha de organizar el Estado

---

[68] Oropeza, *op. cit.*, p. 134. Lo que sí objetaba Oropeza es que no se hubiera restablecido la vigencia de la Constitución de 1947.

[69] Oropeza lo calificó de poder constituyente derivado, en las formas; Oropeza, *op. cit.*, pp. 129 y 137. Pero en realidad no fue una manifestación clásica de esta categoría, sino más bien un poder constituyente *sui generis*.

Democrático"[70], y en la de la Cámara de Diputado Rafael Caldera, electo como su Presidente, afirmó que debía procederse a una "reforma total de la Constitución Nacional" y que "realizar esa Constitución es el punto primero del programa mínimo que el día 6 de diciembre, en vísperas de la jornada electoral, tuvimos la honra de suscribir los candidatos que habíamos sido postulados por las distintas fuerzas políticas para la Presidencia de la República. Esta Constitución habrá de ser rápidamente elaborada"[71]; además, las Comisiones creadas en cada Cámara para trabajar en el texto constitucional fueron designadas con el objeto de "redactar un Proyecto de Constitución de la República para sustituir el ordenamiento constitucional existente"[72], y la Comisión Bicameral de Reforma Constitucional, surgida de la reunión de las respectivas comisiones de cada Cámara, que mantenía la ambigüedad en la denominación, adoptó la Constitución de 1947 como anteproyecto constitucional para las discusiones[73]. La tesis minoritaria de introducir algunas reformas en la Constitución de 1953 fue rápidamente dejada de lado.

2. *Una nueva Constitución*

En suma, todo se decantó en la dirección de elaborar una nueva Constitución, incluso distinta en muchos aspectos de la de 1947. La Comisión Bicameral, que se instaló el 2 de febrero de 1959, entregó a las Cámaras el "Proyecto de Constitución" en junio de 1960, y en las Cámaras el debate prosiguió, con frecuentes remisiones a la Comisión Bicameral, siempre bajo la premisa de la formación de una nueva Constitución. En el acto solemne de promulgación de la

---

[70]   *Vid.* intervención del Senador Raúl Leoni en sesión de instalación del Senado del 19 de enero de 1959, en Parra, *op. cit.*, p. 15.

[71]   *Vid.* intervención del Diputado Rafael Caldera en sesión de instalación de la Cámara de Diputados del 19 de enero de 1959, en Parra, *op. cit.*, p. 15.

[72]   *Vid.* intervención del Senador Elbano Provenzali Heredia en sesión del Senado del 28 de enero de 1959, en Parra, *op. cit.,* p. 16.

[73]   *La Constitución de 1961 y la Evolución Constitucional de Venezuela. Actas de la Comisión redactora del Proyecto*, Congreso de la República, T. I, Caracas, 1971, Vol. I, p. 3.

Constitución se aludió claramente a "la nueva Carta Fundamental"[74]. Se había sometido el texto constitucional, ciertamente, a la ratificación de las Asambleas Legislativas, tal como pautaba la Constitución de 1953; la Constitución dejó constancia, en su encabezamiento, del resultado favorable del escrutinio correspondiente. Pero ni allí ni en ningún otro precepto constitucional hizo mención de la Constitución de 1953. Podría incluso sostenerse que la participación de las Asambleas Legislativas en el proceso de aprobación de la nueva Constitución era una forma de rescatar la Constitución histórica federal, a la que se refirió Oropeza, ya que la Carta de 1864 disponía que el cambio constitucional se haría siempre con intervención de las Asambleas Legislativas[75]. Nótese, por otro lado, que al sancionar la Constitución de 1961 se omitió toda referencia expresa a la de 1953. Desde el Preámbulo se hacía patente, en las formas y en el fondo, la novedad de la Constitución: inspirándose en la de 1947, se incorporó en la Constitución, antes del articulado, una Declaración Preliminar o Preámbulo en la cual se enunciaron valores o principios fundamentales democráticos que debían orientar la acción estatal y habían de reflejarse en el ordenamiento jurídico.

La discusión en Comisión y en Cámara sobre la disposición derogatoria de la Constitución refuerza lo hasta ahora afirmado. En la Exposición de Motivos del Proyecto de Constitución se alude a la deliberación sostenida en relación con esta disposición derogatoria y se señala que, dado que las elecciones del 7 de diciembre de 1958 se celebraron "por dicha Constitución" (la de 1953) "es necesaria su derogatoria, a la vez que la de aquellas disposiciones de rango

---

[74] *Vid.* Discursos pronunciados por el Presidente del Congreso y por el de la Cámara de Diputados, Raúl Leoni y Rafael Caldera, respectivamente, en el acto de firma y promulgación de la Constitución, celebrado el 23 de enero de 1961, en Arcaya, Mariano, *Constitución de la República de Venezuela,* T. I, El Cojo, Caracas, 1971, pp. 15 y ss.

[75] Oropeza, *op. cit.*, p. 161. Según la Constitución de 1864 (art. 122), las Legislaturas de los Estados no solo debían concurrir en el procedimiento de reforma constitucional, sino que, yendo más allá de la experiencia de 1959-1961, tenían iniciativa reservada al respecto, la cual definía el alcance material de las reformas. Pero lo esencial en el esquema federal de 1864 era que los Estados, por medio de las Legislaturas correspondientes, tenían asegurada una participación decisiva en el proceso, que fue lo apuntado por Oropeza.

constitucional dictadas por el Gobierno Provisional a partir del 23 de enero de 1958". De allí que la norma propuesta por la Comisión fuera del tenor siguiente: "Se deroga la Constitución del 15 de abril de 1953 y las demás disposiciones de contenido constitucional dictadas conforme al Acta Constitutiva del 23 de enero de 1958". Sin embargo, intervenciones en plenaria como la del Diputado Orlando Tovar Tamayo pusieron de manifiesto lo erróneo de "dejar señales de existencia" de ese "adefesio jurídico que nos impuso la dictadura derogada"; bastaba con promulgar la Constitución, pues "al nacer una nueva Constitución todas las demás disposiciones constitucionales quedan automáticamente derogadas"[76]. Se mantuvo no obstante una cláusula derogatoria, prevista en el artículo 252, pero sin hacer mención de la Constitución de 1953. Todo esto confirma el carácter creativo y no solo reformador de la obra que cristalizó en la Constitución de 1961.

V.   EL PACTO DE PUNTO FIJO, EL PROGRAMA MÍNIMO COMÚN Y LA GÉNESIS CONSTITUCIONAL DE 1959-1961

El Pacto de Punto Fijo es un hito y cimiento fundamental de la recuperación democrática iniciada el 23 de enero. Esta fecha representa esa gran empresa nacional[77] que había concitado voluntades diversas con miras a la instauración de la democracia en Venezuela. La tregua política; los acuerdos alcanzados en las relaciones obrero-patronales; la determinación de las fuerzas democráticas, políticas y sociales, de defender el orden naciente frente a las amenazas o atentados dirigidos contra el proceso democratizador, todo esto formaba parte del espíritu del 23 de enero. A lo largo de 1958 se tomaron iniciativas destinadas a mantener vivo ese vínculo con un objetivo común superior, a preservar el frente unitario que era indispensable para establecer sobre bases sólidas el sistema por tantos anhelado. Las lecciones de la historia reciente pesaban sin duda en la conciencia de los actores involucrados. Se intentó acordar una candidatura presidencial unitaria y planchas comunes a cuerpos deliberantes, lo cual no fue posible, pero sí se

---

[76]   Arcaya, *op. cit.*, T. III, pp. 265-266.

[77]   Caballero, *op. cit.*, p. 181.

avanzó en la dirección de concertar bases programáticas para la gobernabilidad y la defensa de la institucionalidad democrática. Se propugnó el compromiso de formar, tras las elecciones, un gobierno de Unidad Nacional, con participación de las principales organizaciones políticas y de sectores independientes. Bajo diversas fórmulas se planteó que era necesario prepararse para un gobierno unitario, de coalición o de integración. Se rechazaba la posibilidad de un gobierno monopartidista[78]. La protección de la incipiente recuperación democrática, frente a las amenazas o tentativas desestabilizadoras que la acechaban, lo exigía.

El mencionado Pacto se inscribe justamente en esa orientación favorable a la unidad y a la cooperación entre los factores políticos y sociales comprometidos con el régimen democrático en gestación[79]. Dicho Pacto "fue la expresión más visible"[80] de la gran alianza nacional forjada entre partidos, empresarios, sindicatos, gremios, Iglesia y Fuerzas Armadas con el fin de estabilizar la democracia representativa[81]. No es objeto de este trabajo examinar las distintas vertientes de la significación política y las diversas dimensiones de ese Pacto, pero sí interesa poner de relieve que apuntaló una tendencia armonizadora, transaccional o consensual que se vio reflejada luego en la elaboración de la nueva Constitución. La convicción de que era imperioso poner todos los esfuerzos en la instauración de una democracia estable, con unas Fuerzas Armadas respetuosas de esta institucionalidad y por lo tanto subordinadas al poder civil y la conciencia de los fracasos a que puede conducir el sectarismo político y el quiebre del entendimiento básico requerido entre los partido democráticos fueron dibujando las líneas que después se enlazarían coherentemente en el citado documento, suscrito por representantes de los partidos Acción Democrática (AD), el *Comité de Organización Política Electoral Independiente (COPEI)* y la Unión Republicana Democrática (URD).

---

[78] *Vid.* Betancourt, *op. cit.*, p. 269; Brewer-Carías, Allan, *Historia Constitucional de Venezuela*, T. II, Caracas, Alfa, 2008, p. 26.

[79] Brewer-Carías, *op. cit.*, pp. 26 y ss.

[80] Aveledo, Ramón Guillermo, "Valoración histórica y actual del Pacto de Puntofijo", *SIC, Dossier Pacto de Puntofijo,* p. 12, siguiendo a Andrés Stambouli.

[81] *Ídem.*

Ello repercutió en la gestación de la Constitución de 1961. Como ha sostenido Naudy Suárez, esta se apoyó en "logros sin precedentes históricos nacionales: "primero, el *avenimiento obrero-patronal* de abril de 1958...; segundo, el *Pacto de Punto Fijo...; y,* tercero, *el Programa mínimo conjunto* de gobierno... "[82]. El Programa Mínimo Común formaba parte del Pacto, como un anexo, y fue suscrito por los candidatos presidenciales de los partidos mencionados el día previo al de las elecciones del 7 de diciembre de 1958, cuando había concluido la campaña electoral y como reiteración de que esta no había menoscabado la voluntad unitaria que el Pacto consagró. El Pacto no hacía mención expresa a la elaboración de una nueva Constitución, sino a la "defensa de la constitucionalidad" y al "desarrollo de una constitucionalidad estable"[83]. Pero el Programa Mínimo sí aludió, como primer propósito concertado de acción política, a la "elaboración de una Constitución democrática que reafirme los principios del régimen representativo e incluya una Carta de Derechos Económicos y Sociales de los ciudadanos".

La firma de este Programa Mínimo, en la víspera de las elecciones, y su vinculación con el Pacto de Punto Fijo, abonó el terreno para que el Congreso acometiera la tarea del cambio constitucional. Durante la campaña electoral los candidatos presidenciales se habían referido también a este asunto[84], y la opinión pública se hacía eco de algunas propuestas para la nueva Constitución[85]. Lo más importante es que el debate constitucional estuviera enmarcado, ensillado si se prefiere, por el espíritu de reconciliación democrática, de unidad y cooperación que marcó la transformación política iniciada el 23 de enero de 1958.

Recuérdese que circunstancias como las de 1958, al haberse producido una ruptura categórica con el orden dictatorial impuesto por Pérez Jiménez y al abrirse oportunidades para una contienda democrática libre, eran propicias para que se desataran las pasiones políticas, el revanchismo o el radicalismo político. Y justamente en

---

[82]   Suárez, *op. cit.*, p. 72.

[83]   *Vid.* el Pacto y el Programa Mínimo en Suárez, *op. cit.*, pp. 75 y ss.

[84]   Suárez, *op. cit.*, pp. 63-64.

[85]   Ugarte Pelayo, "Elección popular de los Gobernadores", *El Nacional,* 4 de septiembre de 1958, en Ugarte Pelayo, *op. cit.,* pp. 45 y ss.

esos contextos los procesos constituyentes pueden emerger como mecanismo catártico, como manifestación luminosa de un nuevo comienzo acicateado por el triunfo. Mientras que el espíritu del 23 de enero invitaba a la moderación, a evitar los extremismos ideológicos y a dejar atrás rencillas no resueltas. Bien diría uno de los protagonistas de esa hora, como lección extraída del 24 de noviembre de 1948, que: "las naturales diferencias ideológicas entre las colectividades políticas deben dirimirse en planos de serenidad y que cualesquiera que sean los criterios contrapuestos que se profesen...el enguerrillamiento interpartidario, el canibalismo político, ya no deben reaparecer en Venezuela"[86]. Se propició la tregua política[87], se exhortó a "civilizar la controversia doctrinaria"[88]. Pudo temerse "un desbordamiento tumultuario de los rencores acumulados", pero "Venezuela dio a América el espectáculo ejemplarizante de una sociedad profundamente agraviada que se empeñaba en enmendar los rumbos ominosos y en cicatrizar sus heridas sin entregarse a una orgía de retaliaciones y de venganza"[89].

La campaña electoral se caracterizó por el tono elevado y de respeto, por la apelación frecuente a los propósitos unitarios que demandaba el momento histórico para instaurar una democracia estable, capaz de resistir tentaciones reaccionarias de signo militarista o de algún modo sectarias. Por eso aquella fue comparada con un "caballeresco torneo"[90], desprovisto de insultos o descalificaciones, que evitó abrir: "zanjas de odio entre las distintas parcialidades y entre los distintos candidatos"[91]. Los competidores políticos no eran considerados adversarios permanentes sino "transitorios contrincantes", como sostuvo Betancourt[92]. Igualmente, en el curso de la campaña Larrazábal expresó: "Conmigo andan por todos los caminos de Venezuela dos ilustres ciudadanos que son Rafael Caldera y Rómulo Betancourt. Ellos andan como yo en esta fiesta política

---

[86] Betancourt, *op. cit.*, p. 168.

[87] Ibídem, p. 183.

[88] Ibídem, p. 246.

[89] Ibídem, p. 247.

[90] Ibídem, p. 269.

[91] Ibídem, p. 269.

[92] Ibídem, p. 260.

sembrando democracia. Cualquiera que gane será un triunfo de Venezuela"[93]. Y Caldera había afirmado, al presentar su candidatura, que asumía el compromiso "de llevar una campaña electoral de altura y de servir, mediante ella, al fortalecimiento de la democracia y a la consolidación de la unidad"[94]. La unidad atravesaba la política de 1958.

El Pacto de Punto Fijo se refirió también al objetivo no solo de impedir que el proceso electoral produjera la "ruptura del frente unitario" sino de que "lo fortalezca mediante la prolongación de la tregua política…". La adopción de un Programa Mínimo Común respondía asimismo a la idea de facilitar la cooperación durante el proceso electoral y luego en la gestión de gobierno. Quedaba abierto el debate sobre los lineamientos no comunes, pero en relación con estos se esperaba que la discusión pública "se mantenga dentro de los límites de la tolerancia y del respeto mutuo a que obligan los intereses superiores de la unidad popular y de la tregua política". Se asumía el compromiso de desarrollar "una campaña positiva", que debía evitar "divisiones profundas"[95]. Las partes se obligaban a reconocer los resultados electorales y a respaldar al gobierno de Unidad Nacional.

Todo esto generó el clima político en el cual se gestó la Constitución de 1961[96]. Betancourt gana las elecciones del 7 de diciembre de 1958 y cumple con lo acordado. Se conforma un gobierno de unidad nacional, con apoyo de los partidos firmantes del Pacto y de factores independientes de la vida nacional. El Partido Comunista de Venezuela (PCV) no había suscrito el Pacto, y alegaría haber sido excluido del mismo, especialmente por la animadversión de Rómulo Betancourt. Esto presagiaba conflictos que se agravarían después, merced a la influencia castrista, la división de AD con la creación del Movimiento de Izquierda Revolucionaria (MIR), y

---

[93] Ugarte Pelayo, "Almirante, ¡Salud¡", *op. cit.*, p. 74.

[94]   Caldera, Rafael, *Discurso pronunciado, el 4 de octubre de 1958, en el Nuevo Circo de Caracas con motivo de su postulación como candidato a la Presidencia de la República para las elecciones del 7 de diciembre,* en https://rafaelcaldera.com/desde-la-arena-de-la-lucha/.

[95]   Pacto de Punto Fijo, *vid.* texto en Suárez, *op. cit.*, pp. 75 y ss.

[96]   Brewer-Carías, *op. cit.*, pp. 30 y ss.

luego, la agitación callejera y la lucha armada[97]. Pero el espíritu del 23 de enero perduró en la elaboración de la nueva Constitución. Pese a los desencuentros iniciales sobre la ruta que debía seguirse para la génesis constitucional, en la que las fracciones parlamentarias del PCV y de URD se inclinaban por una reforma constitucional provisoria, los Presidentes del Senado y de la Cámara de Diputados, junto a otros parlamentarios, supieron canalizar las distintas visiones hacia la Comisión Bicameral de Reforma Constitucional, donde el esfuerzo colectivo convergió en la preparación de "un nuevo proyecto de Constitución", como ya se dijo; se distribuyeron los temas constitucionales y se recibieron aportes plurales. Integrantes del PCV habían advertido que estaban dispuestos a respaldar sin tantos reparos una reforma constitucional provisoria, que muchos estimaban ligada a la introducción de algunos ajustes en la Constitución de 1947, mientas que si se pensaba ir a una obra más ambiciosa o profunda de producción constitucional entrarían en un debate más a fondo. Sin embargo, terminó prevaleciendo la tendencia a hacer una nueva Constitución, con la de 1947 como anteproyecto, sin que ello llevara a exacerbar las pasiones. Las diatribas ideológicas eran precisamente las que querían ser evitadas por AD y COPEI, en parte por URD, ya que podían generar un ambiente de enfrentamiento, división o conflictividad política que se consideraba contrario al camino unitario y al desarrollo del proceso de gestación constitucional. De allí la exhortación frecuente de ambos Presidentes a alejarse de la polémica encendida de inspiración filosófica o ideológica[98].

La nueva Constitución se originó en un proceso de deliberación plural y consensual, respetuoso de las opiniones discrepantes y que procuraba incorporar en la medida que fuera posible las posiciones de las distintas bancadas. En la primera etapa de la gestación constitucional, destinada a la elaboración del Proyecto de Constitución en la Comisión Bicameral, se impuso un ambiente de cordialidad, con trabajo frecuente en subcomisiones, todo lo cual procuraba prestar la debida consideración a las distintas propuestas. Como escribió uno de los integrantes de esta Comisión, el trabajo que allí se desarrolló no se distinguió: "por encendidos debates entre los

[97] Plaza, *op. cit.*, pp. 145 y ss.
[98] Casal, *op. cit.*, pp. 256 y ss.

grupos parlamentarios…no obstante que fueron los mismos que se entregaron a una lucha apasionada y violenta en las sesiones de la Constituyente de 1946"; ello porque se mantenía "el propósito de sostener a toda costa un frente unificado que impida el triunfo de las repetidas tentativas de los grupos dictatoriales y el retorno a los regímenes de fuerza"[99]. La determinación "unánime" de los partidos representados en el Congreso y en la Comisión era "consolidar una democracia pluralista"[100]. La propia Exposición de Motivos del Proyecto de Constitución señala que muchas veces las deliberaciones desembocaban en "conversaciones sinceras e informales, tras de las cuales hemos logrado en la mayoría de los casos una decisión unánime"[101].

En la segunda etapa, presentado el Proyecto al Congreso e iniciada su discusión en el Senado, las discrepancias no se resolvían simplemente sometiendo a votación el texto del Proyecto para lograr su aprobación, sino que habitualmente se remitía el asunto a la Comisión Bicameral para su resolución mediante acuerdos. Esto implicaba un proceder doblemente garantista de la ponderación de las distintas orientaciones sobre los diversos temas constitucionales: al empeño consensual en la preparación del Proyecto se sumaba el modo de tratar las diferencias en la plenaria. Esta dinámica incluyente y constructiva se vio reflejada en la aprobación de la Constitución con el voto favorable de todos los partidos políticos, sin perjuicio de los votos razonados presentados por el PCV, el MIR y URD[102], de sumo interés para apreciar los tópicos principales objeto de discrepancias, pese al consenso general alcanzado.

VI. VALORACIÓN FINAL

Con razón se ha sostenido que "1958 se convirtió en el año por excelencia de la concertación en Venezuela"[103]. Esa concertación se fue fraguando previamente, antes incluso que el 23 de enero. Esta

---

[99] Oropeza, *op. cit.*, p. 136.

[100] *Ídem.*

[101] *Vid.* la Exposición de Motivos de la Constitución en Arcaya, *op. cit.*, p. 31.

[102] Casal, *op. cit.*, pp. 266 y ss.

[103] Suárez, *op. cit.*, p. 7.

fecha histórica representó en buena medida la confluencia de los esfuerzos, acciones o manifiestos de sectores diversos del mundo civil dirigidos a poner fin a la dictadura y enrumbar al país hacia la democracia, que coincidieron con el descontento militar y a la vez acicatearon sus pronunciamientos. Logrado el objetivo del derrocamiento de Pérez Jiménez, el espíritu del 23 de enero impregnó la actuación de los distintos actores y se consolidó la convergencia entre los sindicatos, el empresariado, los estudiantes, los profesionales e intelectuales, las Fuerzas Armadas, la Iglesia y las organizaciones políticas[104].

Las Fuerzas Armadas Nacionales asumieron el mando, para "poner término a la angustiosa situación política porque atravesaba el país a fin de enrumbarlo hacia un Estado democrático de Derecho"[105]. La Junta Militar de Gobierno, rápidamente reconformada y depurada, con participación civil, junto a un Gabinete ejecutivo mayoritariamente civil, avanzó en la construcción de las bases de la senda democratizadora. La integración de este Gobierno provisorio reflejaba además el peso de sectores económicos y personalidades independientes que respaldaban la nueva institucionalidad.

Se abrían grandes incógnitas, algunas de índole político-constitucional, que fueron arrostradas con acierto. Como ya se explicó, se mantuvo en vigor el ordenamiento jurídico vigente, lo cual comprendió, como luego se haría explícito, a la Constitución de 1953. Se descartó la posibilidad de convocar una Asamblea Nacional Constituyente, lo que seguramente hubiera dado lugar a la apertura de un paréntesis de incertidumbre y de diatribas políticas altamente inconveniente en aquellas circunstancias. Prevaleció con buen tino una orientación pragmática, nutrida de la experiencia de 1946-1947, aunada a la finalidad de conducir al país prontamente a la estabilidad democrática. La observancia del compromiso adquirido por la Junta sobre la temprana celebración de elecciones fue capital para el éxito de la transición iniciada el 23 de enero. Teniendo en cuenta el pasado, se sabía que lo que parecía inconmovible, por corresponderse con la voluntad indiscutible de las mayorías, podía sucumbir con facilidad

---

[104] *Ídem.*

[105] Gaceta Oficial de la República de Venezuela N° 25.567 del 23 de enero de 1958.

ante conspiraciones y embestidas desestabilizadoras, a lo cual se sumaban señales sobre la disconformidad de algunos con el orden democrático en formación. No era posible vislumbrar con nitidez, en esa etapa democrática germinal, todas las asonadas militares, las acciones subversivas, la agitación y la violencia que afectarían a la República del 23 de enero en sus primeros años, pero la historia había sembrado afortunadamente conciencia sobre la perentoriedad del afianzamiento del sistema democrático.

La Junta de Gobierno impulsó con empeño el proceso democratizador. En poco tiempo, como ya se demostró, se desmontaron formalmente las instancias ilegítimas de la dictadura y se avanzó en la preparación de las elecciones. La Constitución de 1953 fue dejada de lado en todo lo que dificultara la realización de comicios plenamente democráticos. El Gobierno provisorio actuó imparcialmente a lo largo del proceso y el Presidente de la Junta renunció a su cargo a causa de su candidatura a la Presidencia de la República. Después de una campaña electoral intensa, pero de altura, tuvieron lugar las elecciones el 7 de diciembre de 1958, sin contratiempos y con amplísima participación.

En este recorrido de casi un año fue posible preservar el espíritu de concordia bajo objetivos comunes de la alborada democrática. La elaboración del proyecto de Ley Electoral por una comisión plural, la búsqueda de una candidatura única, la concurrencia de las fuerzas partidistas y otros actores en mesas redondas, las discusiones programáticas, fueron expresión del ambiente que propició la adopción del Pacto de Punto Fijo. Tal como lo resumió un calificado observador: "en solo once meses..., después de una Revolución, después de dos tentativas de golpe y de una intensa campaña electoral, el país ha dado, de la dictadura a la democracia, un viraje político de 180 grados"[106].

El Pacto de Punto Fijo y su Programa Mínimo Común reafirmaron el proyecto unitario y allanaron el camino para la elaboración de una Constitución consensuada. Si había conciencia

---

[106] Apuleyo Mendoza, Plinio; *vid.* las-elecciones-venezolanas-de-1958-en-21-columnas-de-plinio-apuleyo-mendoza en https://www.elnacional.com/papel-literario/las-elecciones-venezolanas-de-1958-en-21-columnas-de-plinio-apuleyo-mendoza/

sobre la necesidad de converger en la defensa común de la constitucionalidad democrática y de formar un Gobierno de Unidad Nacional basado en un Programa Mínimo Común, con más razón debía haberla para preparar y sancionar una Constitución como pacto perdurable de convivencia política y marco jurídico supremo de la alternancia en el poder y de la acción del Estado. El compromiso asumido para resguardar entre todos la democracia y enfrentar juntos cualquier intento desestabilizador debía tener natural reflejo en la etapa de la gestación constitucional. Propósito fundamental de los sectores políticos, económicos y sociales promotores de la democratización era lograr la estabilidad política en democracia y una Constitución aceptada por todos era primordial para alcanzarla.

Punto Fijo coadyuvó, como hito en el sendero unitario de la democratización, a la formación de la Constitución de 1961, pero el alma y el proceso de gestación de esta Carta Magna lo sobrepasaron. Cabría decir que el espíritu del 23 de enero sobrevivió en los cauces de la deliberación constitucional llevada a cabo entre inicios de 1959 y finales de 1960, mientras que en el Pacto de Punto Fijo lo hizo solo parcialmente, pues este no abarcó al PCV y una de las organizaciones firmantes, AD, sufriría en abril de 1960 la escisión del MIR. La agitación política acompañaría este pórtico de la recuperación democrática, como anticipo de acciones desestabilizadoras de mayor calado. URD abandonaría el gobierno de Unidad Nacional en noviembre de 1960, aunque sin desligarse formalmente del Pacto. Ese mismo mes el Presidente Betancourt decretó la suspensión de ciertas garantías constitucionales, con base en la Constitución de 1953, frente a "desórdenes, actos de violencia y atentados contra las personas y las propiedades"[107].

Lo dicho no resta significación al Pacto de Punto Fijo, pues este fue más bien un asidero clave para la preservación de la democracia ante las amenazas incesantes de esos años. Pero la tarea de gestación constitucional pudo conservar mejor la ambición unitaria del 23 de enero. Tal como señaló Caldera con ocasión de la firma de la Constitución de 1961:

---

[107] Decreto N° 403, publicado en Gaceta Oficial N° 26.418, del 28 de noviembre de 1960.

"¡En cuántas ocasiones se deliberaba sobre la redacción de un artículo o se analizaban las consecuencias de determinadas modificaciones…mientras rumores e intentonas, conciliábulos y atentados, conato y vehículos de sobresalto tendían velos de escepticismo sobre las conciencias, esparcían consignas derrotistas y sembraban semillas de desmoralización y de fracaso¡ ¡Cuántas tardes, y cuántas mañanas, mantenía el debate proyectado al futuro de la vida constitucional del país mientras a los propios boulevares del Capitolio llegaban oleadas de violencia!"[108].

Pese a ello persistió la voluntad de hallar acuerdos y de honrar el compromiso constitucional; se logró "animar el espíritu de unidad nacional que caracterizó el movimiento del 23 de enero". Se consideró "indispensable guardar el terreno dentro del cual se confrontarán los diferentes criterios y se sumaran las aportaciones positivas", y predominó en su elaboración un "amplio espíritu venezolano"[109].

Prueba de ese espíritu fue la votación favorable a la nueva Constitución emitida por todas las fracciones parlamentarias. Baste mencionar que el PCV formuló variadas reservas a lo largo de las discusiones sobre el Proyecto de Constitución, que resumió luego en una Declaración presentada al aprobarse la Constitución en la Cámara de Diputados, también en noviembre de 1960. En esa oportunidad reconocieron, después de reiterar sus objeciones, que la Constitución de 1961 "desplaza el engendro monstruoso de la Constitución Perezjimenista" y que consagra "formalmente las libertades y derechos democráticos del pueblo", lo cual llevó a "dejar constancia definitiva…del voto aprobatorio de los comunistas a la nueva Constitución"[110].

---

[108] Arcaya, *op. cit.*, T. I, pp. 22-23.

[109] *Ibídem*, p. 23.

[110] *Declaración de los Diputados Comunistas en torno al Proyecto de Constitución Nacional,* que se halla en el Tomo 6 del Expediente sobre la Constitución de 1961 del Archivo Histórico de la Asamblea Nacional.

La experiencia de la gestación constitucional de 1961 deja así la lección de que una vía idónea para forjar buenas Constituciones es insertarlas en acuerdos políticos y sociales de amplio alcance; elevar el espíritu nacional o de propósitos compartidos; procurar fórmulas transaccionales allí donde la simple adopción de la decisión de la mayoría abriría o conservaría heridas profundas; buscar ambientes distendidos en los cuales sea posible limar divergencias sobre la redacción de disposiciones constitucionales, como el trabajo en comisiones; tratar, en fin, que la Constitución sea un hogar común, un marco de principios y reglas de juego, orientados por el pluralismo democrático, que canalice el conflicto político, no un instrumento partidista que pretendiendo acallarlo lo exacerbe.

EL PACTO DE PUNTO FIJO Y MÁS ALLÁ: LÍMITES Y ACTUALIDAD

Marta DE LA VEGA VISBAL[*]

PREÁMBULO: UN PACTO PARA LA GOBERNABILIDAD

De manera semejante al origen del Pacto del Frente Nacional en Colombia, que se produce para apaciguar la violencia política y asegurar la gobernabilidad y alternabilidad de los gobiernos a partir de 1958 bajo el liderazgo de los dos partidos políticos hegemónicos,

[*] Actualmente, Profesora de Cátedra, Departamento de Ciencia Política, Decanato de Ciencias Políticas y Relaciones Internacionales, Pontificia Universidad Javeriana, Bogotá. Hasta 2019, Profesora Invitada Facultad de Filosofía, Pontificia Universidad Javeriana, Bogotá. Profesora Visitante, Universidad Sergio Arboleda, Bogotá. "Senior Research Fellowship", *Fulbright Visiting Scholar* y Postdoctorado en Estudios Latinoamericanos. Universidad de Harvard, Cambridge, E.E.U.U. *Gastprofessorin*, Freie Universität, Berlín, Alemania Federal. Diplomado en Historia de Venezuela, UPEL/UCAB/Fundación Rómulo Betancourt, Caracas. Abogada, Facultad de Ciencias Jurídicas, Universidad Católica Andrés Bello, Caracas. Postgrado en Gerencia Empresarial, Universidad Simón Bolívar, Caracas. Doctorado de 3er ciclo en Filosofía, Universidad de París I – Sorbona, tesis con la mención más alta por unanimidad del jurado, *Très Bien*. Maestría en Filosofía, Mención *Bien*, Universidad de Tours, Francia. Licenciatura en Filosofía y Letras, Mención *Summa cum Laude*, Universidad de los Andes, Bogotá, Colombia. Premio Andrés Bello a la investigación en Ciencias Sociales y Humanidades (dic. 1990). Primera finalista del Premio Extraordinario "Nuestra América" de Casa de las Américas en homenaje a José Martí (1991). Premio Municipal de Literatura Mención de Honor en el área de investigaciones políticas y sociales (jul. 1999). Premio Simón Rodríguez a la calidad, trayectoria y aportes a la docencia (dic. 2003).

el liberal y el conservador, al producirse el derrocamiento de la dictadura del General Gustavo Rojas Pinilla en 1957, el Pacto de Punto Fijo es el resultado de un acuerdo firmado el 31 de octubre de 1958 para asegurar la estabilización y alternabilidad democráticas después de la huida del dictador militar General Marcos Pérez Jiménez el 23 de enero de 1958. Los tres líderes fundamentales de los partidos políticos que encabezaron y que jugaron papeles decisivos en la construcción de la democracia contemporánea en Venezuela fueron Rómulo Betancourt, del partido Acción Democrática (AD), fundado el 13 de septiembre de 1941; Jóvito Villalba, del Partido Unión Republicana Democrática (URD), fundado el 18 de diciembre de 1945; y Rafael Caldera, del Partido Social-Cristiano denominado Comité de Organización Política Electoral Independiente (COPEI), fundado el 13 de enero de 1946.

El antecedente más inmediato de este pacto "populista de conciliación de élites", según la expresión acuñada por Juan Carlos Rey (1976)[1] fue la reunión en Nueva York en 1957 entre los tres dirigentes en el exilio, en la que se trazaron las grandes líneas programáticas que caracterizaron el Pacto de Punto Fijo. Un precedente anterior de esta negociación exitosa, que sentaría las bases de la también llamada "democracia puntofijista" que se extendió y consolidó durante los siguientes cuarenta años de estabilidad democrática en Venezuela, fue el conjunto de debates, muy duros, entre sectores conservadores y oligarquías tradicionales enfrentados a los sectores progresistas, que tuvieron lugar en la Asamblea Nacional Constituyente de 1946 y 1947. En este año es proclamada una nueva Constitución.

El proceso de apertura hacia una naciente democracia y su ampliación comenzó durante el llamado "Trienio Adeco", desde la llamada revolución del 18 de octubre de 1945 que algunos historiadores como Leonardo Bracamonte, por ejemplo, consideraron un golpe militar civil ilegítimo contra el presidente, general Isaías Medina Angarita, depuesto sin oponer resistencia, para no asesinar a

---

[1]   *Cfr.* Juan Carlos Rey, "Ideología y cultura política: el caso del populismo latinoamericano". Revista *Politeia.* Anuario del Instituto de Estudios Políticos, Facultad de Derecho, Universidad Central de Venezuela, Caracas, N° 5, 1976, pp. 123-150.

cadetes y a fin de evitar un derramamiento de sangre, como sostuvo en su propio testimonio, hasta la ruptura del intento inicial de democracia con el derrocamiento, en noviembre de 1948, del presidente Rómulo Gallegos, algunos meses después de haber sido electo. Este lapso estuvo marcado por la hegemonía de la dirigencia de Acción Democrática, la exclusión de otros partidos en el gobierno y el subsiguiente sectarismo de esta organización como partido mayoritario, sin respeto de los derechos de las minorías.

Con el liderazgo de Rómulo Betancourt se aspiraba a impulsar un partido de masas e incluir a los sectores populares a una creciente democratización del país. La Junta Revolucionaria de Gobierno presidida por Betancourt inició el desmontaje del modelo oligárquico-militarista impuesto durante la dictadura de veintisiete años del general Juan Vicente Gómez hasta su muerte, en diciembre de 1935. Elecciones libres, universales y secretas y lucha contra la corrupción se convirtieron en banderas principales para legitimar la toma del poder de los "octubristas" y ganar el apoyo de la población. Comenzaron a surgir nuevas instituciones, como la Corporación Venezolana de Fomento, fundadas con el propósito de fortalecer las bases económicas de un Estado social democrático de derecho. La asfixia que pesó en varios sectores que no se sentían representados y consideraban que el golpe de 1945 había sido el asalto al poder por una "oclocracia", propició el quiebre del naciente proceso democrático.

A pesar de que esta experiencia quedó trunca y abrió paso a una dictadura militar de más de nueve años por el golpe de estado, en el cual participaron todas las fuerzas vivas (incluyendo la Iglesia) y los principales partidos de oposición (COPEI y URD), como precisó Juan Carlos Rey[2], los avances logrados fijaron los cimientos para nuevas reglas de juego políticas. Estas garantizarían no solo una participación electoral sin restricciones con la instauración del sufragio universal y la elección directa del presidente y del senado de la República, tal como quedó establecido en la Constitución de 1947, sino la

---

[2]   *Cfr.* Juan Carlos Rey, "La revolución de octubre: el fracaso de un partido de masas en una democracia de masas", en Caballero, Manuel y otros, *La Revolución de Octubre*. Caracas, Fundación Centro de Estudios Latinoamericanos Rómulo Gallegos, 1998.

movilización de masas hasta entonces excluidas de la política, los derechos sociales de obreros y empleados, el acceso a la educación de los sectores populares, la reforma agraria y la organización de poblaciones campesinas, que produjeron la ruptura del poder tradicional en el campo.

El mayor aprendizaje bajo el sufrimiento de quienes se enfrentaron a la dictadura del general Marcos Pérez Jiménez y de quienes soportaron los rigores de un país dominado por una autocracia militarista fue la convicción compartida por sectores políticos antagónicos de que la lucha y reivindicaciones legítimas no podían ser excluyentes.

Era necesaria la colaboración de todos, tanto de los que cooperaron para organizar y facilitar la resistencia como de los que expusieron sus vidas y las de sus familias a favor de los ideales de libertad, democracia y progreso social. Estos intereses comunes y propósitos compartidos, así como la necesidad de que primara un bien superior por encima de intereses particulares, hicieron posible la unidad de actores políticos con visiones divergentes e incluso enfrentadas. Acción Democrática, URD, Copei y el Partido Comunista venezolano, junto con integrantes de las Fuerzas Armadas lograron el fin de la dictadura de Pérez Jiménez en 1958, con su huida en el avión "La vaca sagrada".

LOGROS DEL PACTO DE PUNTO FIJO

El 23 de enero de 1958, mediante la consolidación de la unión cívico-militar que se había forjado en la clandestinidad con la Junta Patriótica de resistencia a la dictadura, se afirma un hito en la historia contemporánea venezolana. Integraron principalmente esta Junta Patriótica, fundada en junio de 1957, Guillermo García Ponce por el Partido Comunista, Fabricio Ojeda, por URD, Silvestre Ortiz Bucarán por Acción Democrática y Enrique Aristeguieta Gramcko por Copei. La necesidad de legitimar la democracia y garantizar la estabilidad del nuevo régimen político fue el catalizador decisivo del Pacto de Punto Fijo, a fin de no repetir la frustrante experiencia sectaria en la conducción del trienio adeco y afrontar con éxito, por una parte, las fuerzas conservadoras en pugna y, por otra parte, la irrupción de la revolución cubana, cuyo influjo ejerció fascinación sobre el partido comunista y movimientos políticos afines, lanzados a la insurrección armada. Esta situación influyó en la no participación de representantes del Partido Comunista entre los signatarios del Pacto.

Hubo nueve signatarios, tres por cada uno de los partidos protagonistas: Por AD firmaron Rómulo Betancourt, Gonzalo Barrios y Raúl Leoni. Por Copei, Rafael Caldera, Pedro del Corral y Lorenzo Fernández. Por URD Jóvito Villalba, Ignacio Luis Arcaya y Manuel López Rivas. Este acuerdo nacional significó el punto de partida de una democracia sostenible y basada en la concertación de los actores políticos que buscaron instaurar un sistema político republicano, civilista, liberal y representativo apoyado en un Estado Constitucional de Derecho. Se buscaba superar las tendencias militaristas que caracterizaron el desenvolvimiento de Venezuela desde su independencia en el siglo XIX y la incorporación incluyente de las grandes masas de origen rural a los beneficios de la urbanización y del progreso económico. En 1962, por un desencuentro con el presidente Betancourt respecto de Cuba, URD se retira del Pacto. Sin embargo, URD no se va -dice Cipriano Heredia- a una oposición desleal ni a la lucha armada, sino que permanece fiel a la democracia recién constituida[3]. Comienza a perfilarse el bipartidismo que termina por quebrantar el sistema democrático instaurado en 1958.

Tres objetivos fueron definidos en el Pacto de Punto Fijo. De acuerdo con el primer objetivo, en vista de que no hubo la posibilidad de un candidato unitario, los firmantes se comprometieron a respetar el resultado electoral y a asegurar la gobernabilidad al ganador. A tal punto fue incorporado este compromiso del Pacto a la necesidad de mantener el sistema democrático y de internalizarlo en la gente que, en las elecciones generales del 7 de diciembre de 1958, más del 92% de los votos fueron para los tres partidos firmantes de los acuerdos. En segundo lugar, se establecería un gobierno de unidad nacional o de coalición. Desde que Rómulo Betancourt se posesionó en el cargo, elegido entonces como presidente de la república, quedó firme tal propósito al nombrar en su gobierno a dos ministros de Acción Democrática, a tres ministros de Copei y a tres de URD. Además,

---

[3]   Cipriano Heredia, "El pacto de Punto Fijo". *Hablemos de historia*. Programa audiovisual por YouTube, capítulo 30.

como apunta A. R. Brewer-Carías[4], quedó establecido el principio de la representación proporcional de las minorías. Con ello, todas las fuerzas interesadas en la estabilidad republicana fueron incorporadas al juego político. No así, ni los conspiradores militares ni los sectores perezjimenistas ni los movimientos subversivos liderados principalmente por el partido comunista ni ningún actor que no estuviera dispuesto a participar "en una oposición legal y democrática al gobierno". El tercer objetivo fue acordar un programa mínimo común de gobierno y un avenimiento obrero-patronal. Como destaca Naudy Suárez[5], el instrumento de respaldo para la concreción de esta nueva etapa en la vida nacional y piedra angular del acuerdo va a ser el "Programa Mínimo de Gobierno".

Este previó en sus aspectos sociales el mejoramiento de las condiciones educativas y sanitarias de la población a través del apoyo financiero del Estado, con miras a establecer un mínimo de condiciones igualitarias entre la población. En particular, la reseña del libro por Miguel Prepo[6], pone de relieve en la segunda parte del texto de Suárez el inicio de un proceso de movilidad y ascenso social por las características de este programa: protección a la madre y el niño; política de vivienda para las poblaciones urbanas y rurales, campaña contra el rancho, lucha contra el desempleo, reforma de la Ley del Trabajo, análisis de la posibilidad de implementar un salario familiar, reorganización del Instituto Venezolano de los Seguros Sociales, fomento de la educación popular, erradicación del analfabetismo y dignificación del magisterio.

Al instaurar un nuevo régimen político democrático surgió la exigencia de preservarlo mediante un nuevo orden jurídico plasmado en la Constitución de 1961[7]. Uno de los rasgos más importantes en su

---

4   Allan Brewer-Carías, "El Pacto de Punto Fijo de 1958 como punto de partida para el establecimiento y consolidación del sistema democrático y del Estado Constitucional de Derecho en Venezuela", en el *Libro Homenaje a Humberto Romero Muci*, Academia de Ciencias Políticas y Sociales, Caracas, 2022, p. 3.

5   *Cfr.* Naudy Suárez, *Punto Fijo y otros puntos. Los grandes acuerdos políticos de 1958.* Caracas, Fundación Rómulo Betancourt, 2006.

6   Miguel Prepo, "Reseña del libro de Naudy Suárez", *Montalbán*, Caracas, UCAB, vol. 40, julio de 2007, pp. 200-204.

7   *Cfr.* Allan Brewer-Carías, *Op. Cit.*, p. 4.

contenido legal fue la eliminación de aspectos residuales de la dictadura perezjimenista y de la Constitución de 1953[8]. Se retomaron lineamientos propios del Estado Social de Derecho presentes en la Constitución de 1947. Se buscó el consenso a través de una democracia de partidos, una red organizacional de militantes y seguidores de estos y una dinámica política de conciliación entre el Estado, las fuerzas activas del país y una emergente, aunque frágil sociedad civil. En palabras de Juan Carlos Rey, el Pacto firmado en la casa de Rafael Caldera con el mismo nombre de su residencia fue "uno de los más notables ejemplos que cabe encontrar en sistema político alguno, de formalización e institucionalización de unas comunes reglas de juego, al propio tiempo que muestra la lucidez de la élite de los partidos políticos venezolanos."[9] Uno de los aspectos más exitosos de este proyecto de pacificación política pluralista fue entender la democracia como sistema procedimental y deliberativo para encontrar consensos desde las diferencias, mediante el debate público que enfatizara el esfuerzo unitario y cuya fuente de legitimidad residiera principalmente en la participación ciudadana a través de los procesos electorales que garantizaban que el voto podía elegir.

En este sentido, como destaca A. R. Brewer-Carías[10], para asegurar el cumplimiento de los acuerdos, la tregua política y la convivencia democrática, se establecieron tres compromisos: principios unitarios como el mutuo respeto, la tolerancia y un sentimiento de interés patriótico común por encima de preferencias

---

[8]   Acerca de su elaboración por el Congreso electo en diciembre de 1958, véase A. R. Brewer-Carías, *Ibid.*, pp. 9-12.

[9]   *Cfr.* Juan Carlos Rey, "El sistema de Partidos Venezolanos", *Politeia*, N° 1, Instituto de Estudios Políticos. Caracas, 1972, p. 214; y en Juan Carlos Rey, *Problemas Socio-Político de América Latina*, Caracas, 1980, p. 315. *Apud.*, Allan Brewer-Carías, "El Pacto de Punto Fijo de 1958 como punto de partida para el establecimiento y consolidación del sistema democrático y del Estado Constitucional de Derecho en Venezuela", en el *Libro Homenaje a Humberto Romero Muci*, Academia de Ciencias Políticas y Sociales, Caracas, 2022, pp. 1 y 2. A. R. Brewer-Carías agrega: "Esto lo escribió el profesor Rey en 1972, seis años antes de 1978, cuando otro pacto político de enorme importancia, como fueron los Pactos de la Moncloa, condujeron a establecer el régimen democrático en España en la época post-franquista". *Ibid.*

[10]   *Ibid.*, p. 6.

ideológicas para regular la participación de los contendientes en el proceso; mecanismos para asegurar el cumplimiento de los acuerdos políticos mediante la conformación de una Comisión Interpartidista de Unidad que aseguraría que las discusiones y planteamientos y la puesta en marcha del Pacto se darían en una convivencia interpartidista pacífica y que estaría atenta a impedir desviaciones personalistas o sectarias o hegemonías partidistas. Y el tercer compromiso no apuntaba solo a la manera de participar los candidatos en la contienda electoral sino al modo unitario como organizarse para la formación del gobierno de unidad nacional.

UN ACERCAMIENTO COMPARADO DEL PACTO DE PUNTO FIJO EN VENEZUELA Y EL FRENTE NACIONAL EN COLOMBIA

En ambos fenómenos políticos el punto de partida fue la necesidad de una tregua y de un acuerdo nacional que favoreciera la estabilidad y preservación del sistema democrático. En ambos casos, se trató de un gobierno de coalición. La necesidad del pacto político en los dos países fue, de manera inmediata, aunque ya había antecedentes, consecuencia del derrocamiento de un dictador militar, a fin de restablecer la prevalencia del mundo civil sobre el militarismo autocrático. Hay que agregar que, además, en Colombia se buscaba hacer cesar la extrema y sangrienta violencia que se desató entre los partidarios del partido liberal y el conservador. Esta brutal polarización bipartidista que ya ocurría desde la década de 1930, cuando la elección presidencial de 1930 marcó el fin de la llamada "hegemonía conservadora"[11] significó una guerra interna no declarada, en especial en los sectores rurales y pequeñas poblaciones alejadas de las capitales y centros de poder, agudizada con el surgimiento de las guerrillas liberales en alianza con grupos comunistas y de autodefensa campesina después del asesinato del líder populista liberal Jorge Eliécer Gaitán el 9 de abril de 1948.

---

[11]   Edna Carolina Sastoque Ramírez y Mauricio Pérez Salazar, *De la dictadura a la democracia limitada del Frente Nacional: un caso exitoso de negociación*. Bogotá, Universidad Externado de Colombia, 2020, p. 27.

Enfrentados los grupos paramilitares liberales contra el Ejército Nacional, la Policía Nacional y las llamadas guerrillas de paz conservadoras, "Chulavitas" y Pájaros", el general Rojas Pinilla les ofreció amnistía y muchos fueron desmovilizados mediante los buenos oficios de su ministro de defensa, el general Alfredo Duarte Blum durante el proceso de "pacificación".[12] Este horror fue continuado, pues muchos de ellos fueron asesinados después, como el famoso guerrillero liberal Guadalupe Salcedo. Este inspiró una célebre obra de teatro escrita por el dramaturgo Santiago García Pinzón, *Guadalupe, años sin cuenta*, quien, a la vez que hace un homenaje al héroe, describe esta trágica y turbulenta época de la historia sociopolítica de Colombia. Otros formaron grupos de "bandoleros" que atacaban las fuerzas del orden y a la población civil, azuzados por el sectarismo fanático de lado y lado, incluso desde los púlpitos de las iglesias. Tal situación fue una razón de peso para que los dirigentes de los dos partidos tradicionales se unieran en busca de una solución común. Lamentablemente el conflicto armado interno en Colombia no ha cesado al día de hoy. Después del asesinato del jefe guerrillero comunista Jacobo Prías Álape, en enero de 1960, surgieron nuevos grupos de ideología comunista que finalmente desembocaron en la conformación de las FARC-EP en 1964 bajo el liderazgo de Manuel Marulanda, alias "Tirofijo", Jacobo Arenas y Ciro Trujillo.

En Colombia, el general Gustavo Rojas Pinilla, luego del golpe de Estado en 1953, pretendió mantenerse indefinidamente en el poder, como intentó el general Marcos Pérez Jiménez en Venezuela. Ambos se destacaron por el empuje a obras públicas, de infraestructura e industrialización y proyectos desarrollistas modernizantes. En 1957 hubo una reunión preparatoria en Nueva York de los líderes venezolanos en el exilio, jefes de los partidos que impulsaron el cambio político. En 1958, una Junta Patriótica de unidad cívica militar preparó el camino que culminó con las elecciones de diciembre de ese mismo año y la toma de posesión del nuevo presidente de la república, Rómulo Betancourt, en enero de 1959. En 1956, el 24 de julio, los dirigentes colombianos Alberto Lleras Camargo, del partido Liberal, y Laureano Gómez, del partido Conservador, firmaron el "Pacto de

---

[12] Las cifras de muertos y desplazados por la violencia son escalofriantes. *Cfr.* Edna Carolina Sastoque Ramírez y Mauricio Pérez Salazar, *Ibid.*, pp. 41-43.

Benidorm" en la ciudad española de ese nombre. Una palabra sintetiza su alcance: patriotismo. Por encima de facciones e intereses partidistas, predominó en los líderes la responsabilidad ética y el sentido político de la unidad.

Tres objetivos lo definieron: El primero, "crear una sucesión de gobiernos de coalición de los dos partidos, hasta tanto que recreadas las instituciones y afianzadas por el decidido respaldo de los ciudadanos tengan fortaleza bastante para que la lucha cívica se ejercite sin temor a los golpes de Estado, o de la intervención de factores extraños a ella..."[13]. El segundo, "el rechazo del fraude electoral...por medio de un incorruptible sufragio, cuyas decisiones sean definitivas e incontestablemente respetadas"[14]. Y el tercero, la renuncia a la violencia política y a la impunidad que la ha cubierto: "la execración y repudio de la violencia ejercitada por armas y elementos oficiales. Sucesos inolvidables requieren insistente protesta contra la impunidad que los ha cobijado"[15]. Y, después de la caída de Rojas Pinilla, el "Pacto de Sitges", el 20 de julio de 1957, firmado también por los dos expresidentes colombianos, implicó un avance porque dejó claras las bases para el inicio del retorno a la institucionalidad, el restablecimiento del derecho y el fin de la dictadura. Fue así como surgió el Frente Nacional a fin de restaurar el sistema democrático y superar la grave crisis política que se vivía en su país. Se acordó que se alternarían el poder presidencial y se distribuirían los cargos de la burocracia estatal durante cuatro periodos presidenciales, dos para el partido liberal y dos para el conservador. Mediante un plebiscito, el 1 de diciembre de 1957, en el cual por primera vez las mujeres pudieron votar, se refrendó el acuerdo.

El Frente Nacional tomó forma después de que una Junta Militar depusiera al general Rojas Pinilla, quien fue forzado a renunciar el 10 de mayo de 1957, y asumiera el poder de 1957 a 1958. Un comité paritario de dirigentes políticos fue convocado por dicha Junta para restablecer la democracia. Entre ellos, fue invitado Alfonso López Michelsen, escéptico con la paridad en los poderes públicos, quien se

---

[13]   *Ibid.*, p. 62.
[14]   *Ibid.*, pp. 62 y 63.
[15]   *Ibid.*, p. 63.

opuso al Pacto convenido por considerarlo antidemocrático y excluyente. Fue un proceso democratizador parcial. Se le ha denominado como una "democracia pactada" o una "democracia limitada". En efecto, solo participaron del gobierno los dos partidos mencionados. El acuerdo entre los partidos Liberal y Conservador logró acabar con la violencia entre los partidos. Se hizo entre las élites dominantes, lo cual exacerbó la violencia al dejar por fuera a muchos sectores y fuerzas políticas no alineadas con el bipartidismo tradicional. Este acuerdo duró oficialmente de 1958 a 1974. Fueron 16 años seguidos de alternancia entre los dos partidos hegemónicos, que se prolongó en la práctica hasta 1978, cuando asume el gobierno el fundador del partido Movimiento Revolucionario Liberal (MRL), Alfonso López Michelsen.

A partir de 1970 la penetración del narcotráfico, el fortaleci-miento de las mafias de la droga y la conformación de los carteles, el más poderoso, el de Medellín con Pablo Escobar a la cabeza, hasta su muerte en 1993, puso en jaque a la sociedad colombiana y desató una sangrienta guerra contra el Estado, en la que hubo asesinatos de líderes sociales y sindicales como el de José Raquel Mercado, presidente de la Confederación de Trabajadores de Colombia, muerto el 19 de abril en 1976 con su secuestro perpetrado por el M-19; hubo magnicidios, atentados, asesinatos en masa como el ocurrido con la toma e incendio del Palacio de Justicia en 1985 también por el M-19, donde murieron ilustres magistrados y empleados de esta institución junto con los asaltantes. Durante este período, Colombia sufrió la pérdida de muchas vidas inocentes y atentados mortales contra periodistas, abogados, jueces y autoridades que no se doblegaron ante la "narcocracia" emergente.

Algunos historiadores[16] consideran que este pacto de apacigua-miento de la violencia política, que se mantuvo en un contexto de subversión y crisis social, económica, política y religiosa ante la intransigencia de las élites para propiciar reformas y un proceso creciente de corrupción que está amenazando las bases de la democracia, se prolongó hasta la promulgación de la Constitución de

---

[16]   *Cfr.* Antonio Caballero, "El interminable Frente Nacional", tomado de *Historia de Colombia y sus oligarquías (1497-2017)*. Cap. N° 12. Dibujos y textos de Antonio Caballero. Bogotá, Biblioteca Nacional de Colombia.

1991, que está vigente. Fue durante la presidencia de César Gaviria, quien obtuvo la victoria después del asesinato del candidato presidencial Luis Carlos Galán, cuando se instaló la Asamblea Nacional Constituyente con la participación de amplios sectores, que dio lugar a la nueva Carta Política, en la que se define la república de Colombia como un Estado Social de Derecho. A partir de entonces, finalizado el Frente Nacional, se amplió el espectro político con nuevos partidos y nuevos movimientos sociales. Se abrió el espacio para diferentes formas de participación política. El problema crucial es que los grupos antaño motivados por la búsqueda de justicia social y redención colectiva se han vuelto hoy estructuras criminales alimentadas por economías ilícitas, especialmente del narcotráfico. Pese a los esfuerzos del actual presidente y su gobierno por alcanzar una "paz total", los clanes o carteles de la droga y grupos irregulares como el ELN, las disidencias de las FARC, la "Nueva Marquetalia" y bandas de delincuentes comunes han tomado el control de varios territorios a los que no puede acceder la autoridad del Estado y se han recrudecido la violencia y la inseguridad contra los civiles y las fuerzas del orden público.

La crisis no ha cedido con el acceso al poder de un representante político que no pertenece a las élites tradicionales y se declaró "presidente para el cambio", Gustavo Petro[17], quien, pese a sus proclamas, forma parte del *statu quo* con más de treinta años de ejercicio político. Pretende "refundar" la república, inspirado en el carisma y proyecto de Hugo Chávez, con el ímpetu de un autócrata en potencia. En Colombia, las instituciones son sólidas, a pesar de sus fallas. Funcionan y mantienen su independencia. Gracias a estas, Petro no va a poder imponer unilateralmente sus mandatos persona-listas a diferencia de las instituciones venezolanas, que se derrumbaron ante la avasallante furia de Chávez. Ha habido cambios sustantivos y avances sociales importantes con la mejora y ampliación del acceso a la educación y a la salud; con el crecimiento significativo de las clases medias, con un desarrollo económico y manufacturero diversificado e innovador.

---

[17]   *Cfr*. Marta de la Vega, "El nuevo gobierno de Colombia y América Latina: un catálogo de buenas intenciones". *Letras Libres*, México, 2 de febrero de 2023.

El Estado colombiano no es todopoderoso, como lo fue en Venezuela. Gracias a una ciudadanía multiforme y activa, que engloba empresariado, grupos de presión, gremios, sectores sindicales, profesionales, obreros y ciudadanos comunes, con civilidad y firmeza, hay una resistencia sostenida contra la tendencia estatista de las reformas; gracias a partidos políticos de oposición al gobierno, cuya dirigencia debate públicamente y ejerce contraloría en el congreso, y gracias a un poder judicial que se mantiene autónomo pese a las presiones y descalificaciones del ejecutivo, el estilo confrontativo del presidente Petro no es suficiente para convertir el revanchismo y el resentimiento en motores de cambio social; para sembrar más odio y rencor del que durante más de cincuenta años ha sufrido el país, que anhela paz sin impunidad.

LÍMITES DEL PACTO DE PUNTO FIJO

Aunque hasta la década de 1980 Venezuela mantuvo un clima de estabilidad política, alternabilidad democrática e integración pluralista de la población en los beneficios socioeconómicos del modelo de desarrollo instaurado desde el gobierno de Betancourt a principios de 1959, bajo la llamada democracia puntofijista, la hegemonía bipartidista de AD y Copei, mas un aparato burocrático vertical e hipertrofiado que se había ensanchado desde los años de 1970, el incremento del populismo propio de un Estado dirigista, paternalista, asistencialista, proteccionista e interventor, con prácticas clientelares y fiscalizadoras a la vez que con un sistema de adhesiones acomodaticias típicas del amiguismo corruptor como mecanismo generalizado de participación en una democracia frágil y complaciente, ahondó una crisis incipiente, socioeconómica e institucional. Humberto Njaim lo llamó un "populismo de la abundancia"[18]. El consumismo desaforado, la corrupción como instrumento de apaciguamiento o eliminación de las tensiones sociales y el papel del Estado como superárbitro social para complacer, incluso de manera

---

[18]   Humberto Njaim, "Ruptura, transición y desafíos actuales de la democracia en Venezuela", en *Agenda para la consolidación de la democracia*. San José de Costa Rica, Instituto Interamericano de Derechos Humanos/Centro de Asesoría y Promoción Electoral (CAPEL)/Friedrich Naumann Stiftung, 1990, pp. 324 y 325.

efectista y demagógica, las demandas sociales, han carcomido las bases de la democracia y han sido factores graves de la crisis y agotamiento del rentismo estatal y del modelo político.

Sin instituciones sólidas que contrarrestaran las tendencias personalistas, caudillescas y adscriptivas de los dirigentes de la clase política tradicional, perdieron prestigio y credibilidad los partidos políticos, una de cuyas funciones es transformar demandas sociales en acción política; abandonaron su carácter programático y su fundamentación filosófica e ideológica en aras de un pragmatismo que abrió la ruta al "vale todo" y a la anomia moral. Los partidos se convirtieron en "agencias de empleo" y maquinarias electorales. Simultáneamente se alejaron de los sectores populares, fuentes inspiradoras del proyecto puntofijista. Con una deuda social acumulada y creciente que había sido postergada, la gente perdió la confianza en las instituciones y fue así como se instaló un clima de descontento, tensiones, inestabilidad política y cambios. En 1983, el 13 de febrero, se produce el "viernes negro" cuando, con la crisis de pagos mexicana, se cerraron las posibilidades de nuevos créditos internacionales, se planteó el problema de la deuda externa y se puso en evidencia la insuficiencia de divisas. La conmoción fue impactante. Se disparó la inflación, que llegó al 80%; se redujo la capacidad de consumo de la gente a 35% y ya habían bajado los ingresos petroleros en 40%[19].

Hacia fines de la década de 1980 en Venezuela se agudiza el efecto de la crisis, que buscó ser contrarrestada con reformas institucionales importantes como la del Estado. Impulsadas por la Comisión para la Reforma del Estado, creada en 1984 bajo la presidencia de Jaime Lusinchi, sus iniciativas fueron rechazadas públicamente en 1986 por el propio presidente Lusinchi y su partido gobernante, Acción Democrática, como demasiado radicales, cuando fue publicado el libro *Propuestas para Reforma Política Inmediata*. Solo en 1988 durante la campaña para las siguientes elecciones presidenciales la COPRE fue tomada en cuenta para acelerar el proyecto de descentralización político-administrativa y, en el plano electoral, la elección directa y secreta de mandatarios regionales, gobernadores y alcaldes y la personalización del sufragio con la inclusión del voto nominal y las listas abiertas.

---

[19]   *Ibid.*

Compartimos la hipótesis de Miriam Kornblith según la cual, con "un ajuste apropiado entre las preferencias colectivas y las autoridades electas y sus decisiones se produce una mayor satisfacción con el sistema político y sus productos"[20]. Ahora bien, si la gente ha alimentado, en lugar del sentido del logro y las corresponsabilidades compartidas en la cooperación entre el Estado y la sociedad, una mentalidad facilista, inclinada a la pasividad por el asistencialismo de un Estado proveedor dirigista y proteccionista, con las dádivas que utiliza este como mecanismos de adhesión utilitarias y acomodaticias, puede ocurrir, como agrega Kornblith que, "por el contrario, si dicha relación se distorsiona o los esquemas de representación no son capaces de recoger con fidelidad las preferencias y expectativas colectivas, se produce una desafección respecto del sistema político y el rechazo a su liderazgo"[21]. Fue lo que sucedió con el recién electo presidente de la república Carlos Andrés Pérez en febrero de 1989, cuando anunció un programa de ajuste económico severo y de choque.

Pocos días más tarde se produjo, el 27 y 28 de febrero, en medio de escasez de alimentos y acaparamiento, un estallido social anárquico conocido como el "Caracazo". El saldo fue muy trágico: más de 300 muertos, muchísimos heridos, negocios saqueados y la salida a la calle del ejército y las fuerzas armadas para restaurar el orden público una vez declarado el estado de excepción, que trajo consigo lamentables e indiscriminadas pérdidas de vida para atajar los desórdenes. Como destaca Kornblith, el "Caracazo" y sus secuelas constituyeron un severo golpe a la legitimidad del recién electo presidente y de su equipo de gobierno"[22]. En 1992, otro resquebrajamiento al orden vigente nacido del Pacto de Punto Fijo fue el golpe de Estado militar el 4 de febrero contra el gobierno constitucional legítimo del presidente Pérez, bajo el liderazgo de los tenientes coroneles Francisco Arias Cárdenas, Hugo Chávez Frías y los capitanes Joel Acosta Chirinos y Jesús Ernesto Urdaneta

---

[20] Miriam Kornblith, "Del Puntofijismo a la Quinta República: elecciones y democracia en Venezuela". *Colombia Internacional*. Bogotá, D.C., Bogotá, D.C., Universidad de los Andes, núm. 58, julio-diciembre, 2003, p. 161.

[21] *Ibid.*

[22] *Ibid.*

Hernández. Aunque fue un fracaso militar, esta tentativa cosechó éxitos políticos, la simpatía de muchos sectores hastiados de la corrupción generalizada, de la ineficiencia del aparato del Estado, del agravamiento de la crisis del aparato productivo, ineficiente y distorsionado, de una crisis social y de una economía que no había logrado consolidar un proceso de "reconversión industrial" ni escuchado las voces de alerta para un verdadero "viraje" estructural, incluso dentro del gabinete de gobierno de Pérez[23], quien había perdido el apoyo de su propio partido.

El 27 de noviembre de ese mismo año, otro conato de golpe militar, nada exitoso, ni castrense ni políticamente, dirigido por el contraalmirante Hernán Evencio Grüber Odreman, Luis Enrique Cabrera y Francisco Visconti, entre otros, marcó el desmoronamiento de la democracia puntofijista, consumado con la destitución del presidente Carlos Andrés Pérez en 1993, la victoria electoral de Rafael Caldera, fundador del partido "Convergencia", junto con el apoyo de una coalición de 14 partidos conocidos como "el chiripero". Consideramos, con Miriam Kornblith, que este segundo gobierno de uno de los forjadores del Pacto de Punto Fijo fue "como el último intento por mantener las reglas del juego político inaugurado en 1958 y como la postrera oportunidad que el electorado le otorgó a la dirigencia tradicional para conducir el país"[24]; y, finalmente, el triunfo electoral de Hugo Chávez en diciembre de 1998. De ahí en adelante, hasta hoy, se ha acrecentado un conjunto de características que hacen inviable el proyecto, convertido en farsa siniestra, de la "revolución bolivariana" del "socialismo del siglo XXI". Entre estos rasgos que definen la naturaleza del régimen, podemos destacar la vocación hegemónica de la nueva dirigencia y la imposición de un

---

[23]   *Cfr.* V.V.A.A., coordinadores, Moisés Naím y Ramón Piñango, *El caso Venezuela: una ilusión de armonía.* Caracas, IESA ediciones, 1984. También el libro de V.V.A.A., reseñado por Pedro Perdomo, "Jennifer Mc Coy y David Myers: Del Pacto de Punto Fijo al chavismo". *Montalbán*, Caracas, UCAB, vol. 41, julio de 2008, pp. 178-183, revela las distorsiones y extravío de la "democracia pactada" en 1958 a causa de una política corrupta, populista, excluyente y centralizada que abre la puerta al teniente coronel Chávez, líder carismático y mesiánico, caudillo seductor que, aunque no cumpla, ofrece una "democracia participativa" y la "dignificación los pobres".

[24]   M. Kornblith, *Op. Cit.*, p. 169.

pensamiento monolítico; la politización de las Fuerzas Armadas y su destrucción institucional pues su "espíritu de cuerpo" está fracturado; la militarización del poder con la incorporación de militares activos a la burocracia de la administración pública en responsabilidades claves, el afianzamiento de una camarilla militar civil mafiosa vinculada al crimen organizado transnacional, un régimen de terrorismo de Estado que aplica sistemáticamente la persecución y la represión despiadadas contra quienes disienten.

Hoy presenciamos, con el personalismo que instauró Chávez, la erosión y quiebre de la democracia liberal y el derrumbe de sus valores fundamentales. Con la disolución de los pesos y contrapesos, se produjo la pérdida del Estado de derecho y del imperio de la ley, la ruptura del principio de la división y autonomía de poderes; el manejo arbitrario y discrecional de los poderes públicos legislativo, judicial, ciudadano y electoral, subordinados al ejecutivo, que interpretan libremente y de manera acomodaticia la Constitución vigente. Vemos un Estado ausente, sustituido por estructuras paralelas que dominan todas las instituciones, cuyas instancias de poder han sido usurpadas de manera ilegítima por una "kakistocracia" cleptocrática que, en esta medida, desertó de sus obligaciones. Impunidad e incompetencia han conducido al colapso de los servicios públicos y han arrinconado a los sectores productivos. Los funcionarios y el alto gobierno han logrado destruir las estructuras de una democracia frágil e insuficiente, ya que, civilista e incluyente, ha sido complaciente y populista. Sin embargo, este régimen, excluyente e irresponsable con las funciones que competen al Estado, no ha podido vencer la resistencia, luchas y aspiración de una mayoría de ciudadanos a recuperar, con la decencia, la dignidad y las libertades, el Estado constitucional de derecho y una democracia madura y exigente.

MÁS ALLÁ DE PUNTO FIJO: VIGENCIA Y ACTUA-LIDAD DE UN PACTO EXITOSO

La reconciliación que tuvo lugar entre las corrientes más conservadoras, que amenazaban impedir la concreción de este pacto nacional y las más progresistas, impulsoras de un cambio político, para hacer posible la convivencia en democracia mediante este acuerdo social entre los partidos firmantes, de carácter no

189

exclusivista, es decir, pluralista, policlasista, con arraigo en las clases medias y respetuoso de las diferencias ideológicas y políticas, logró que se afianzara en el país un nuevo horizonte. Se planteó un proyecto de país específico, modernizador, integrador de los diversos sectores sociales, impulsor de una democracia liberal civilista y a la vez con una economía mixta, con justicia social, equidad y libertades. La democracia floreció con vocación igualitaria. Se crearon instituciones que favorecieran la adopción de reglas de juego para el desarrollo económico, la participación política y las interacciones referidas al reparto del poder[25] (cargas y beneficios) a escala de toda la sociedad.

Se le dio preeminencia a la honestidad administrativa, la probidad de los funcionarios y al manejo transparente de los recursos públicos. No solo se trataba de ampliar bienestar, calidad de vida, material y existencial, en educación, cultura y salud, sino sembrar valores de logro, superación y ética pública, así como la inclusión y movilidad social ascendente de los sectores hasta entonces marginados de la sociedad. El sistema educativo y el sistema nacional de salud pública lograron consolidar el progreso de una población formada con calidad en un porcentaje muy alto hasta en el nivel superior universitario y ciudadanos sanos, sin las enfermedades endémicas tropicales que fueron erradicadas sistemáticamente y que diezmaban a la gente en la Venezuela rural de la dictadura de Juan Vicente Gómez y aún durante la dictadura de Pérez Jiménez. Estas son unas de las lecciones más valiosas de cara al presente y futuro de Venezuela.

Otro aspecto interesante es que se evitó convocar de inmediato después de la victoria de Rómulo Betancourt a la presidencia, una asamblea nacional constituyente. Con ello, se buscó enfatizar en la formación de un nuevo gobierno de unidad que despejara el camino a la democracia los aspectos éticos y patrióticos que unieran la diversidad de tendencias presentes en el juego político en lugar de darle preeminencia a la dimensión ideológica y a las diferencias marcadas entre los distintos grupos partidistas, organizaciones y sectores independientes. Una plataforma programática común a los tres partidos garantes, como señala H. Njaim, aseguraba la estabilidad

---

[25] *Cfr.* Gianfranco Pasquino, *Nuevo curso de ciencia política.* Cap. III "La participación política", trad. Clara Ferri. México, Fondo de Cultura Económica, 2011, p. 71 y ss.

del sistema con una coincidencia básica más allá de las especificidades de los partidos[26]. El consenso necesario para construir un sistema democrático perdurable se logró en el trabajo bicameral del Congreso recién electo en diciembre de 1958 para la elaboración de la nueva Constitución, la de 1961, vigente hasta 1999.

Uno de los aspectos medulares de esta Carta Magna es, como establecen los artículos 131, 132 y 133, la subordinación del poder militar al poder civil, la consolidación de las Fuerzas Armadas como una institución profesional y de carácter apolítico, cuyos integrantes son custodios de la democracia, de la Constitución Nacional y de la nación y no de parcialidad política alguna. Así también lo contempla el artículo 328 de la Constitución actual, que no se cumple, porque no hay Estado de Derecho. Igualmente, el artículo 330 de la Constitución de 1999 reconoce el derecho al voto de los militares, es decir, elimina su condición apolítica, aunque sin optar a cargos políticos ni participar en actos de propaganda y proselitismo político. Sin embargo, lo contrario se impone desde los más altos niveles de gobierno, como lo evidencian las desafiantes arengas del ministro del poder popular para la defensa desde 2014, general en jefe Vladimir Padrino López.

Otra lección clave en el presente, heredada de esta negociación exitosa del Pacto de Punto Fijo es, por un lado, la madurez política; por otro lado, la unidad de los actores. Esta fue la consigna que defendieron los líderes de los partidos políticos conductores del proceso de instauración del sistema democrático en 1958 entendido como una "democracia de partidos" y que hoy recoge, como legado, un comunicado del 12 de marzo de 2024, respaldado por diez organizaciones de la sociedad civil: "La Unidad, por ninguna razón, se debe fracturar y es nuestro deber preservarla por encima de todo"[27]. Ahora bien, a diferencia del modo como, para concretar el Pacto de Punto Fijo, se da la "conciliación de élites", fundamentalmente entre los partidos políticos protagonistas, con el apoyo de otros sectores activos de la vida nacional, como la Iglesia Católica, gremios y otros grupos de presión, incluida la sociedad civil, en este año electoral de

---

[26]   Humberto Njaim, *Op. Cit.*, p. 307.

[27]   V.V.O.O., "¡Es urgente la más amplia unidad posible, votar y defender el voto el 28 de julio de 2024!". Caracas, 12 de marzo de 2024.

2024 para escoger en Venezuela al presidente de la república, son las Organizaciones Civiles las que impulsan el espíritu unitario desde una "democracia ciudadana", con la cooperación de los partidos políticos, para que se consolide esta meta común, más allá de los intereses partidistas. Se trata de una colaboración entre ambas esferas de la sociedad.

Estas ONGs (Organizaciones No Gubernamentales) cuentan con el apoyo de los partidos políticos y exigen a la dirigencia política actuar de manera consecuente con la expresión mayoritaria de los ciudadanos, que fue plasmada en la elección primaria para escoger al candidato o candidata presidencial de las fuerzas democráticas el 22 de octubre de 2023. Se amplía el acuerdo social, más allá de una "conciliación de élites": "…exigimos a toda la dirigencia política democrática reforzar esta Unidad y ratificar el espíritu unitario de la elección primaria, creando un mecanismo de toma de decisiones encabezado por María Corina Machado, para llegar a las elecciones del 28 de julio con una candidatura unitaria".[28] La concertación indispensable para rescatar la democracia se ha logrado en 2024 no solo con los partidos políticos y sus dirigentes sino con la proactiva contribución de la sociedad civil organizada.

BIBLIOGRAFÍA

ARROYO TALAVERA, E., *Elecciones y negociaciones. Los límites de la democracia en Venezuela.* Fondo Editorial Conicit-Pomaire, Caracas, 1988.

ATEHORTÚA CRUZ, Adolfo León y ROJAS RIVERA, Diana Marcela, "Venezuela antes de Chávez. Auge y derrumbe del sistema de 'Punto Fijo'". *Anuario Colombiano de Historia Social y de la Cultura.* Bogotá, N° 32, 2005, pp. 255-274.

BRACAMONTE, Leonardo, "La incorporación del pueblo a la nación venezolana 1945-1948", *Memorias. Revista digital de Historia y Arqueología desde el Caribe.* Barranquilla, N° XI, julio-diciembre de 2009, Enlace por internet: https://rcientificas.uninorte.edu.co/index.php/memorias/article/view/518/5111.

---

[28] *Ibid.*

BREWER-CARÍAS, Allan R., "El 'pacto de punto fijo' de 1958 como punto de partida para el establecimiento y consolidación del sistema democrático y del estado constitucional de derecho en Venezuela", en *Libro Homenaje a Humberto Romero Muci*. Academia de Ciencias Políticas y Sociales, Caracas, 2022.

CABALLERO, Antonio, "El interminable Frente Nacional", *Historia de Colombia y sus oligarquías (1497-2017)*. Cap. N° 12. Dibujos y textos de Antonio Caballero. Bogotá, Biblioteca Nacional de Colombia, s/f.

CHÁVEZ FALCÓN, Jocelyn, "Sistema político venezolano: del Pacto de Punto Fijo al ascenso del chavismo (1958-1998)". *Humanidades, Ciencias, Tecnología e Innovación en Puebla.* Ediciones Benemérita Universidad Autónoma de Puebla, México, vol. 4 issue 1, 2022, pp. 1-106.

DE LA VEGA, Marta, "El nuevo gobierno de Colombia y América Latina: un catálogo de buenas intenciones". *Letras Libres*, México, 2 de febrero de 2023.

FALS Borda, Orlando, Umaña Luna, Eduardo, Guzmán Campos, Germán, *La violencia en Colombia*. Bogotá, ediciones Tercer Mundo, 1962.

HEREDIA, Cipriano, "El pacto de Punto Fijo". Hablemos de historia. Programa audiovisual por YouTube, capítulo 30.

KORNBLITH, Miriam, "Crisis y transformación del sistema político venezolano: nuevas y viejas reglas de juego". En *V.V.A.A.,* Coord. Álvarez, A., *El sistema político venezolano: Crisis y transformaciones*, Caracas, IEP-UCV, 1996, pp. 1-31.

_____. "Del Puntofijismo a la Quinta República: elecciones y democracia en Venezuela". *Colombia Internacional.* Bogotá, D.C., Bogotá, D.C., Universidad de los Andes, núm. 58, julio-diciembre, 2003, pp. 160-194.

NAÍM, Moisés y PIÑANGO, Ramón, coordinadores, V.V.A.A., *El caso Venezuela: una ilusión de armonía.* Caracas, IESA ediciones, 1984.

NJAIM, Humberto, "Ruptura, transición y desafíos actuales de la democracia en Venezuela", en *V.V.A.A., Agenda para la consolidación de la democracia*. San José de Costa Rica, Instituto Interamericano de Derechos Humanos/Centro de Asesoría y Promoción Electoral (CAPEL)/Friedrich Naumann Stiftung, 1990, pp. 295-334.

PASQUINO, Gianfranco, *Nuevo curso de ciencia política*. Trad. Clara Ferri. México, Fondo de Cultura Económica, 2011.

PERDOMO, Pedro, "Reseña sobre libro de Jennifer Mc Coy y David Myers: Del Pacto de Punto Fijo al chavismo". Montalbán, Caracas, UCAB, vol. 41, julio de 2008, pp. 178-183.

PREPO, Miguel, "Reseña sobre libro de Naudy Suárez: Punto Fijo y otros puntos". Montalbán, Caracas, UCAB, vol. 40, julio de 2007, pp. 200-204.

REY, Juan Carlos, "Ideología y cultura política: el caso del populismo latinoamericano". *Revista Politeia*. Anuario del Instituto de Estudios Políticos, Facultad de Derecho, Universidad Central de Venezuela, Caracas, N° 5, 1976, pp. 123-150.

_____. "El sistema de partidos venezolano". *Revista Politeia*. Anuario del Instituto de Estudios Políticos, Facultad de Derecho, Universidad Central de Venezuela, Caracas, N° 1, 1972.

_____. "La revolución de octubre: el fracaso de un partido de masas en una democracia de masas", en Caballero, Manuel y otros, *La Revolución de Octubre*. Fundación Centro de Estudios Latinoamericanos Rómulo Gallegos, Caracas, 1998, pp. 71-88.

SASTOQUE RAMÍREZ, Edna Carolina y PÉREZ SALAZAR, Mauricio, *De la dictadura a la democracia limitada del Frente Nacional: un caso exitoso de negociación*. Universidad Externado de Colombia, Bogotá, 2020.

STAMBOULI, Andrés. *Crisis Política. Venezuela 1945-1958*. Ateneo de Caracas, Caracas, 1980, pp. 68-69.

STRAKA, Tomás y COELLO, Francisco, "Sobre el 23 de enero: enseñanzas vigentes." *Reporte Católico Laico*. Directora: Macky Arenas. Caracas, enero 23 de 2024.

SUÁREZ FIGUEROA, N., *Punto Fijo y otros puntos. Los grandes acuerdos políticos de 1958*. Fundación Rómulo Betancourt. Serie Cuadernos de Ideas Políticas N.º 1, Caracas, 2006, pp. 91.

TIRADO MEJÍA, Álvaro, editor, *V.V.A.A., Nueva Historia de Colombia (1810-1990)*. Editorial Planeta de Colombia, Bogotá, 1989.

URIBE LÓPEZ, Mauricio, "Colombia y Venezuela: ¿democracias delegativas o autoritarismos competitivos?" *Nueva Sociedad*, N° 227, Buenos Aires, mayo-junio de 2010, pp. 20-30.

V.V.O.O., "¡Es urgente la más amplia unidad posible, votar y defender el voto el 28 de julio de 2024!". Comunicado respaldado por Aragua en Red, Ciudadanía Activa, Fundación Espacio Abierto, Gente del Petróleo, Grupo La Colina, La Tertulia de los Martes, Manifiesta, Médicos Unidos de Venezuela, Red Org. Vecinales de Baruta. Caracas, 12 de marzo de 2024.

EL PACTO DE PUNTOFIJO

Ramón Escovar León*

*Individuo de Número de la
Academia de Ciencias Políticas y Sociales*

INTRODUCCIÓN

El Pacto de *Puntofijo* es el acuerdo que permitió estabilización de la democracia en los años iniciales. Este acuerdo fue, considerado como un "verdadero tratado de regularización de la vida política nacional[1]. También ha sido visto como el "documento más importante en la historia de la República de Venezuela después de 1830"[2]. Hay consenso sobre la importancia de este pacto político en la historia contemporánea de Venezuela.

Y la tregua política que significó el Pacto de Puntofijo es un hecho inédito en un país que ha vivido a lo largo de su historia bajo el signo de la confrontación. Esta situación de conflicto permanente ha generado gobiernos dictatoriales, persecución y atraso. Distinta

---

* Profesor Emérito de la Universidad Central de Venezuela. Abogado, Licenciado en Letras, Magister en Administración de Empresas, Doctor en Derecho.

[1] Ramón J. Velásquez, "Aspectos de la evolución política de Venezuela en el último medio siglo". En: *Venezuela Moderna*, Fundación Eugenio Mendoza, 1976, p. 178.

[2] Manuel Caballero: *La Peste Militar*. Caracas, Ediciones Alfa, 2007, p. 20.

habría sido la situación, si en el juego político del pasado se hubiese impuesto el acuerdo, el dialogo y el consenso. De ahí la importancia ejemplificante de Puntofijo[3].

Pese a la claridad de lo señalado por nuestros historiadores más autorizados, los voceros de la revolución bolivariana pretenden descalificar las bondades de Puntofijo con opiniones radicales y sin fundamento. Y es que, gracias a este pacto, se pudo derrotar al castrismo y a la extrema izquierda en sus intentos por asaltar el poder por la vía de la violencia en la década de los sesenta. Si bien el acuerdo fue para el quinquenio 1959-1964, se proyectó en la práctica más allá de ese periodo. En efecto, el pacto perdió nominalmente a uno de sus integrantes, con la salida de Unión Republicana Democrática del gobierno de Betancourt, debido a la exclusión (en 1962) de Cuba de la Organización de Estados Americanos, pero los acuerdos se respetaron en la práctica más allá de 1964.

La experiencia vivida por los líderes del país durante la Revolución de Octubre y los años de la década militar (1948-1958), los enseñaron a entender la necesidad de los acuerdos basados en planes de gobierno producto del consenso.

La inestabilidad que representó la agitación política existente luego de la caída de la dictadura se pudo vencer debido al piso político que daba el acuerdo de gobernabilidad suscrito por Rómulo Betancourt, Rafael Caldera y Jóvito Villalba el 31 de octubre de 1958, en la quinta *Puntofijo,* residencia del penúltimo de los nombrados. Este acuerdo fue una "alianza nacional"[4] que giró en torno a tres ideas: "a) Defensa de la constitucionalidad conforme al resultado electoral"; "b) Gobierno de Unidad Nacional" y "c) "Programa mínimo común". Estos tres principios se respetaron sin vacilar, es decir, preservar la unidad que sirvió de fundamento a los hechos que desembocaron en el 23 de enero. Este acuerdo fue, en verdad, una alianza para sacar adelante la democracia.

---

[3] Véase, Naudy Suárez Figueroa, *Punto Fijo y otros puntos. Los grandes acuerdos políticos de 1958,* Fundación Rómulo Betancourt, serie cuadernos de ideas políticas, N° 1, 2006, pp. 5-6.

[4] Andrés Stambouli, *La política extraviada. Una historia de Mediana a Chávez,* Fundación para la cultura urbana, Caracas, 2005, p. 125.

Antes de la celebración de las elecciones, el 6 de diciembre de 1958, se suscribió la Declaración de Principios y el Programa Mínimo, que constituyeron el complemento del Pacto de Puntofijo. En este programa mínimo se acordó que "ningún partido unitario incluirá en su programa particular puntos contrarios a los comunes del programa mínimo"[5]. Los principios plasmados en el Pacto de Puntofijo y en el programa mínimo tuvieron un producto político claro: el triunfo de la democracia sobre las amenazas de izquierda y derecha que la acechaban. Los lideres políticos de la época eran conscientes de que la unidad y el respeto a los principios acordados era fundamental para sacar adelante el proyecto político que tenían por delante. Apertrechados de estos acuerdos, la dirigencia política que inició el proceso democrático se ocupó, al amparo de la unidad lograda, elaborar y promulgar la Constitución de 1961. En esta faena de producción constitucional participó, incluso, el Partido Comunista, que no era parte de Puntofijo[6].

El respeto a los resultados electorales fue determinante en el acuerdo celebrado. Los partidos políticos hasta 1958 habían sido perseguidos y acorralados por la represión de la dictadura, pero adquirieron la madurez necesaria para entender la importancia de la unidad, a pesar de las diferencias ideológicas, para establecer un sistema de partidos y de división de poderes.

Según Rafael Caldera, el gran mérito de este acuerdo fue que se cumplió[7]. Gracias al Pacto de Puntofijo se sucedieron elecciones democráticas, con un órgano electoral imparcial que garantizaba el principio de la alternancia en el poder. La cultura política de los líderes impulsores del pacto político de 1958 fue determinante para darle respaldo a la democracia, al tiempo que atemperó la agresiva lucha política sufrida por Venezuela entre 1945 y 1948.

---

[5]   Rafael Caldera: *De Carabobo a Puntofijo*. Caracas, Editorial Libros Marcados, 2008, p. 124.

[6]   Sobre la exclusión del Partido Comunista del Pacto de Puntofijo volveré más adelante en el texto.

[7]   Caldera: *Ibíd,*, p. 128.

De ahí, la importancia de estudiar lo que significó el Pacto de Puntofijo, para que las nuevas generaciones de políticos venezolanos pueden tener presente la importancia de los acuerdos y alianzas para dar sustento a la democracia[8].

I.   ANTECEDENTES

El Pacto de Puntofijo tiene un antecedente remoto en el Tratado de Coche, suscrito el 23 de abril de 1863 por Antonio Guzmán Blanco y Pedro José Rojas, secretario del general José Antonio Páez, con el objetivo de poner fin a la Guerra Federal. Sin embargo, tanto Rojas como Guzmán Blanco tenían en común la falta de escrúpulos para los negocios y la búsqueda del poder como sea, sin limitaciones y atropellando la dignidad humana. Guzmán Blanco aprendió de Rojas las habilidades para construir una fortuna personal a partir de la contratación pública. En cambio, el acuerdo suscrito por Rómulo Betancourt, Raúl Leoni, Gonzalo Barrios, Jóvito Villalba, Manuel López Rivas, Ignacio Luis Arcaya, Rafael Caldera, Lorenzo Fernández y Pedro Del Corral llevó la impronta de la probidad de estos líderes de la joven democracia.

Un antecedente más reciente de Puntofijo fue el Programa de Febrero de 1936 que es el puente entre la dictadura gomecista y la democracia. Este plan fue la respuesta a la multitudinaria marcha del 14 de febrero de 1936, encabezada por el rector de la Universidad Central de Venezuela, Francisco Antonio Rísquez y por Jóvito Villalba, quien hizo lucir sus dotes de gran tribuno popular. Los pedimentos de los manifestantes fueron atendidos y el presidente Eleazar López Contreras dio un paso adelante al sustituir en el gobierno a los gomecistas que entorpecían el proceso de apertura política.

Pero todo lo anterior, hay que conectarlo con el "Trienio adeco" (1945-1948) de cuyos errores aprendió el Betancourt[9]. El estadista adeco entiendo que solo los espacios de consenso que permitieran acuerdos de gran calado era lo que podía estabilizar la democracia.

---

[8]   Véase. Ramón Guillermo Aveledo, "Valoración histórica y actual del Pacto de Puntofjio", en *Revista Sic,* Centro Gumilla, enero 2024, pp. 5-24.

[9]   Diego Bautista Urbaneja, *La renta y el reclamo. Ensayo sobre el petróleo y economía política en Venezuela*, Editorial Alfa, 2013, p. 192 y ss.

Un almuerzo que no puede pasar inadvertido fue el que tuvo lugar el 20 de enero en el New York Athletic Club en Central Park South de la ciudad de Nueva York. El encuentro fue convocado por Ignacio Luis Arcaya y asistieron Rómulo Betancourt, Jóvito Villalba y Rafael Caldera[10]. En esta reunión se llegaron a algunos acuerdos que luego cristalizaron el Pacto de Puntofijo.[11] En esta reunión Rafael Caldera le expresó a Betancourt que no podía aspirar a la presidencia de la República en vista de la hostilidad que el líder adeco generaba en Venezuela. Pero luego, Betancourt visitó a Caldera en el Hotel Lombardy en la ciudad de Nueva York se plasmó un acuerdo que duró por décadas que formó parte de los fundamentos de la democracia venezolana. Estos dos lideras políticos ideológicamente antagónicos se trataron con respeto y nunca se atacaron en términos personales, tal como lo destaca Robert J. Alexander[12]. Estas conversaciones en Nueva York constituyeron una contribución determinante en el pacto que luego se suscribió el 31 de octubre de 1958 en Caracas entre los mismos actores.

Otro suceso relevante fue el "avenimiento obrero patronal" del 24 de abril de 1958, en el cual Fedecámaras y el Comité Sindical Unificado pactaron las bases de la paz laboral[13]. El movimiento obrero había sido duramente desarticulado durante la década militar (1948-1958), pero luego de la caída de la dictadura el movimiento sindical se organiza inspirado en la necesidad de buscar acuerdos duraderos. El presidente de Fedecámaras, Alejandro Hernández afirmó: "Mi opinión persona es que cualquier acuerdo unitario entre los partidos, que ayude a la salida constitucional y democrática es buena"[14]. Trabajadores y empresarios mostraron compromiso político y sentido de responsabilidad histórica.

---

[10] También en Gonzalo Barrios y el copeyano Valmore Acevedo.

[11] Robert J. Alexander, *Rómulo Betancourt and the Transformation of Venezuela*, Transaction Books, New Brunswick, 1982, p. 396. Suarez Figueroa, *ob. cit.*, pp. 12-13.

[12] Alexander, *ob. cit*, p. 397.

[13] Suarez Figueroa, *ob. cit*, pp. 7-8.

[14] *Ibid*, p. 21-22.

Por su parte, la Junta de Gobierno estimuló este entendimiento que cristalizó en el mencionado avenimiento. La tregua política y la búsqueda de consensos se había impueste en ese importante agitado año de 1958[15].

II. HECHOS RELEVANTES QUE PRECEDIERON EL PACTO DE PUNTOFIJO

El régimen militar sucumbió después de su último intento por legitimarse a través del plebiscito de 1957. Su error estuvo en no reconocer el descontento popular que generaba su gobierno y la incesante represión. El general Marcos Pérez Jiménez afirmó en una entrevista: "Yo no percibí ese descontento"[16]. Y es que las dictaduras militares de América Latina siempre se han empeñado en darle la espalda a la realidad. La ficción en que viven es alimentada por los aduladores, la mentira y el deseo de perpetuarse en el poder apoyándose en propaganda *goebbeliana*, utilizada para manipular la verdad e inyectar odio a sus seguidores.

Como consecuencia de la Guerra Fría, Fidel Castro buscó apoyo en la Unión Soviética y de esa manera la revolución cubana se consolidó como una dictadura marxista-leninista. La contaminación ideológica y el deseo de imitar al revolucionario cubano impulsó las guerrillas en América Latina, con su secuela de violencia, muerte y frustración. Venezuela no escapó a esta influencia, pero el movimiento castrista fue derrotado gracias a la estabilidad adquirida por el Pacto de Punto Fijo y por el sólido liderazgo y autoridad de los promotores del acuerdo. Así, por ejemplo, el incidente de Machurucuto, que fue una intervención militar abierta de Fidel Castro, no pasó de ser solo un intento de invasión. Esto queda para la memoria histórica del país.

---

[15] "A los acuerdos y declaraciones señaladas hay que agregar dos adicionales. La Declaración de los Profesionales Universitarios y Profesores del 21 de agosto de 1958 y el Pacto de Unidad Estudiantil del 21 de noviembre". (Suarez Figueroa, *ob. cit*, p. 8)

[16] Agustín Blanco Muñoz, *Habla el General*, Centro de estudios de historia actual, Consejo de Desarrollo Científico y humanístico UCV, Editorial José Martí, Caracas, 1983, p. 297.

Más allá de que este pacto fue el soporte de lo que se tradujo en un sistema bipartidista, con la alternancia de Acción Democrática y Copei en el poder, el mismo dio fuerza al sistema democrático que lo inspiraba. Posteriormente, vinieron los errores que fueron minando las bases del acuerdo. La repartición del poder, el sectarismo y la exclusión socavaron lo que se había conquistado y agitó de nuevo los "demonios" del militarismo que no tardaría en regresar. La democracia se fue demoliendo poco a poco, en un proceso indetenible hasta la llegada de gobiernos autoritarios amparados en la ficción electoral, como ocurre en Venezuela. [17]

Hay un hecho que no puede pasar inadvertido: la exclusión del Partido Comunista del Pacto de Puntofijo, pese a que tuvo una participación muy vigorosa en la lucha contra la dictadura de Marcos Pérez Jiménez. La izquierda se había fortalecido por la popularidad que tenían Fidel Castro y la Revolución cubana, lo que se sentía dentro de AD y de URD, con destacados lideres como Américo Martín y Fabricio Ojeda, entre otros. Lo que habría sucedido si Gustavo Machado hubiese suscrito el acuerdo cae en el terreno de la especulación. Y los hechos históricos ocurren de una manera determinada y no se pueden cambiar con especulaciones y abstracciones. Ante esta realidad, Rómulo Betancourt ofrece una explicación en su discurso de toma de posesión del 13 de febrero de 1959, al proclamar que la filosofía política comunista es incompatible con la estructura y métodos de la democracia. [18]

---

[17] Para un interesante trabajo sobre la manera cómo caen las democracias, véase Steven Levitsky & Daniel Ziblatt, *How Democracies Die*, Broadway Books, New York, 2019.

[18] Así lo expresó Betancourt en el mencionado discurso de toma de posesión: "En el transcurso de mi campaña electoral fui explícito en el sentido de que no consultaría al Partido Comunista para la integración del gobierno y en el de que, respetando el derecho de ese partido a actuar como colectividad organizada en el país, miembros suyos no serían llamados por mí para desempeñar cargos administrativos en los cuales se influyera sobre los rumbos de la política nacional e internacional de Venezuela. Esta posición es bien conocida de los venezolanos; y la fundamentaron los tres grandes partidos nacionales en el hecho de que la filosofía política comunista no se compagina con la estructura democrática del Estado venezolano, ni el enjuiciamiento por ese partido de la política internacional que deba seguir Venezuela con los mejores intereses del país".

Adicionalmente, el estadista adeco quería deslastrarse de las acusaciones de comunista que le endilgaban sus adversarios. Los hechos ocurrían en el ambiente de la guerra fría y Rómulo quería dejar bien claro que estaba alineado: con los valores de las democracias occidentales. También aprovechó para enviarle un mensaje al gobierno de los Estados Unidos de que él sería un aliado confiable y que no eran ciertas las acusaciones que se le hacían desde Venezuela

III. LA VISITA DE RICHARD NIXON

Un hecho que no puede pasar inadvertido fue la violencia con la cual fue recibido Richard Nixon, en su visita a Venezuela en mayo de 1958. Nixon visita nuestro país en su carácter de vicepresidente de Estados Unidos en el gobierno de Dwigh Eisenhower. Había un ambiente muy tenso en vista de que el gobierno de Estados Unidos había apoyado a Marcos Pérez Jiménez durante su dictadura y luego le dio asiló.

En los sucesos de violencia perpetrados contra la caravana en la que viajaba Nixon jugó un papel relevante la juventud comunista. El propio Nixon da cuenta de estos hechos, relata lo que ocurría en su vehículo, en el cual se encontraba junto al coronel Walter, el doctor Oscar García Velutini, canciller venezolano[19]. También interpreta lo ocurrido a la luz de la política internacional del momento.[20]

Sea como fuere, la participación de los comunistas en las agresiones contra Richard Nixon fue un hecho inapelable. Estos acontecimientos terminaron de convencer a Rómulo Betancourt de marcar distancia con los comunistas.

IV. EL ESPÍRITU DEL 23 DE ENERO DE 1958

El 24 de enero de 1958, luego de la caída del dictador Pérez Jiménez, nació la expresión "el espíritu del 23 de enero" porque vino la conciliación nacional, el diálogo y la ponderación de intereses. Esto se cristalizo, como sabemos, en el Pacto de Puntofijo.

---

[19] Richard Nixon, *Six Crisis*, Doubleday, New York, 1962, p. 218
[20] *Ibíd.*

Para llegar a ese ambiente de conciliación ocurrieron algunos hechos que prepararon el ambiente político para generar los acuerdos y los consensos. Uno de ellos es la carta que le dirige el 25 de marzo de 1956 Jóvito Villalba a Rómulo Betancourt, en la que señala: "La firma del documento común, que propones, la juzgamos nosotros como iniciativa importante, pero no la única que queda por tomar ni tampoco el paso por el cual debe comenzarse la necesaria y urgente actuación conjunta de todas las fuerzas de oposición a la dictadura venezolana",[21].Este texto es importante recordarlo porque se escribe en momentos en que la dictadura de Marcos Pérez Jiménez ejercía el control total del país y lucía sólida. Mientras eso ocurría, la dirigencia opositora realizaba un trabajo político basado en la búsqueda de la unidad.

El régimen desarrollaba a hierro y fuego una cruel represión contra la disidencia a través de la Seguridad Nacional, dirigida desde 1951 por el inefable Pedro Estrada. Lo curioso es que esta persecución contra los enemigos políticos la ejecutaba el sector civil del régimen, pese a tratarse de un gobierno militar de estirpe corporativa. Los responsables de esta represión eran el ministro del interior e ideólogo del régimen, Laureano Vallenilla Planchart, y el jefe de la policía política, el mencionado Pedro Estrada, quienes no dejaban títere con cabeza al momento de ejercer la crueldad y la persecución para someter a la disidencia. El asesinato de Leonardo Ruiz Pineda, Antonio Pinto Salinas, Alberto Carnevalli, León Droz Blanco, entre otros, la tortura y la censura estaban a la orden del día. Esto fue narrado literariamente en la novela testimonial de José Vicente Abreu, titulada *Se llamaba SN*.

La Seguridad Nacional se había convertido en una instancia de terror. Dicho organismo represivo era policía política, inteligencia militar, centro de torturas y, al mismo tiempo, una instancia con potestad para decidir sobre la vida de cada cual. Pedro Estrada tomada decisiones que correspondían al Poder Judicial, es decir, que además de policía, era juez.

---

[21]   En: Eduardo Mayobre, Venezuela 1948-1958. *La dictadura militar. Fundación Rómulo Betancourt*, Caracas, 2013, p. 155.

En este contexto ocurre un hecho relevante y de influencia sobre los acontecimientos futuros: el día 29 de abril de 1957, la Pastoral del arzobispo de Caracas Rafael Arias Blanco con ocasión del 1 de mayo de ese año. Sobre esta Pastoral afirmó Gabriel García Márquez, quien era reportero de la revista Momento, que "Fue necesaria una actividad extraordinaria para que la Pastoral estuviera en todas las parroquias de Venezuela. El 1 de mayo fue leída en las parroquias de Caracas. A fines de la semana le había dado la vuelta al país, y trascendido al exterior, donde se consideró como una brecha en el cinturón de acero creado por la censura a la Prensa".[22] En ese momento se desarrollaba una campaña opositora en las iglesias y en los liceos, como lo afirmó Laureano Vallenilla Lanz[23] (*rectius:* Laureano Vallenilla Planchart). Y esta oposición se expande al sector empresarial, otra de las patas que servía de sostén al régimen.

La represión desmedida y la corrupción en comisiones y contratos fue motivo adicional para la caída del régimen. El 1 de mayo de 1957 fue, entonces, una fecha de gran influencia sobre el posterior quiebre de las Fuerzas Armadas que sostenían al dictador. Ese mismo año se crea la Junta Patriótica, integrada por URD, Copei, AD y el Partido Comunista, dentro del espíritu de unidad estratégica que inspiró a la dirigencia política, decidida a derrotar la dictadura. A ello se suma la cada vez más vigorosa presencia estudiantil en la lucha política contra el deseo del dictador de permanecer en el poder a través de un plebiscito, violando su propia legalidad creada en la Constitución de 1953. Esto adquiría ya un perfil de triunfo, cuando la clase empresarial le quitó el apoyo al régimen.

Así las cosas, y ante la imposibilidad de realizar elecciones libres, el régimen montó la farsa del plebiscito del 15 de diciembre de 1957. El dictador encomendó al ministro Vallenilla Planchart y a Rafael Pinzón la redacción del decreto para convocar el "plebiscito", el cual contaría con el apoyo de las Fuerzas Armadas, como lo señala

---

[22] Véase, José Virtuoso, s.j. "La Carta Pastoral del 1 de mayo de 1957", en Revista Sic, digital. Disponible en: https://biblioteca.gumilla.org/bases/biblo /texto /SIC2007694-_166-168.pdf

[23] Laureano Vallenilla Lanz: *Escrito de memoria*. Versalles, Lang Grandemange, 1961, p.453. Se trata de Laureano Vallenilla Planchart, pero en su libro firma con el nombre de su padre, Laureano Vallenilla Lanz.

Vallenilla Planchart[24]. El Congreso aprueba sumisamente la ley electoral, al tiempo que la oposición desarrolla una vigorosa campaña en contra del fraude. La unidad del país frente a este esperpento estaba blindada.

Lo que ocurre después es una sucesión de hechos que van sellando el desplome de la dictadura. El 1 de enero ocurre el alzamiento de Hugo Trejo (Ejército) y Martín Parada (Aviación), el cual "fue derrotado", según afirmó con jactancia Pérez Jiménez. El 10 de enero, por presión del Alto Mando militar, salen del país Laureano Vallenilla Planchart y Pedro Estrada. La acción opositora está en su esplendor y su actuación no se sale del libreto nuclear: la unidad. El 21 de enero se convoca una huelga general y a los dos días, el 23 de enero, se produce el quiebre definitivo, pues las Fuerzas Armadas exigen la salida del dictador. No hubo necesidad de disparar un tiro por la decidida acción de la mayor parte de la sociedad contra el régimen opresor. El poder militar aparece nuevamente como el árbitro del juego político nacional.

Al 23 de enero lo sucedieron tres intentos de golpes de Estado. El primero fue el de Castro León, el 20 de abril de 1960 en San Cristóbal; luego siguieron los golpes de Carúpano y Puerto Cabello organizados por el Partido Comunista. A esto se suma el atentado contra Betancourt por Trujillo desde República Dominicana, en junio de 1960, poco después del alzamiento de derecha de Castro León. Todos estos ataques perpetrados contra el gobierno democrático que se eligió el 7 de diciembre de 1958[25] fueron derrotados por las habilidades de Rómulo Betancourt y por el apoyo que significó el Pacto de Puntofijo.

El 24 de enero de 1958, luego de la caída del dictador Pérez Jiménez, nació la expresión "el espíritu del 23 de enero" porque vino la conciliación nacional, el diálogo y la ponderación de intereses. Esto se cristalizó en la idea de que era necesario la búsqueda de consenso y espacios de coincidencia para sacar el país adelante. El ambiente era firme para Puntofijo. Esa enseñanza es fundamental para entender el presente: Venezuela necesita paz, tolerancia, convivencia y armonía.

---

[24] *Ibíd.*

[25] Betancourt ganó con el 49,18 % de los votos emitidos. Fue una victoria inapelable.

Por consiguiente, hay que buscar espacios de acuerdos, de compromiso y de entendimiento. Si se rompen esos esquemas, el fracaso está garantizado.

V. BREVE REFERENCIA A LAS CONSTITUCIONES DE 1947 Y DE 1953[26]

"La influencia más poderosa que recibe [la Constitución de 1947] es la de la Constitución cubana de 1940, tan imitada en el constitucionalismo hispanoamericano"[27]. Este texto desarrolla la regulación constitucional de la justicia social y del gobierno democrático. Divide, en la parte dogmática, los derechos individuales y ratifica los que han sido tradicionales en las constituciones venezolanas[28]. Fue una Constitución de vida efímera que en el fondo y en la forma cambió "la tradición constitucional precedente, incluso en el número de los artículos que la conformaron que doblaron a los de los textos anteriores"[29]. Proclamó la democracia como "único e irrenunciable" sistema de gobierno y reguló extensamente los "deberes y derechos individuales y sociales"[30].

La Constitución de 1953, en cambio, nació de un gobierno militar y "es una de las menos estudiadas y comentadas de nuestras historias constitucionales". Ello se debe, tal vez, a que es producto del golpe de Estado del 2 de diciembre de 1952 y debió cargar con ese pesado fardo.

El texto constitucional de 1953 es "minimalista, que reduce a un mínimo las tareas del Estado, en cuanto a la garantía de los derechos

---

[26] Esta sección y las 7, 8 y 12 están tomadas, con cambios y añadidos, de mi trabajo "Evolución histórica del militarismo en Venezuela, con especial referencia al Golpe de estado del 18 de octubre de 1945; en *El Falseamiento del Estado de Derecho*, Academia de Ciencias Políticas y Sociales, Editorial Jurídica Venezolana, Worl Law Foundation, Caracas, 2021, p- 262 y ss.

[27] Luis Mariñas Otero, *Las constituciones de Venezuela*. Madrid, Ediciones cultura hispánica, 1965, p. 92.

[28] *Ibíd*, p. 93.

[29] Allan R. Brewer-Carias, *Las constituciones de Venezuela*. Caracas, Academia de Ciencias Políticas y Sociales, Serie Estudios, N° 71, 2008, T. I, p. 220.

[30] Artículos 20 a 78. Véase Brewer-Carias, *Ibíd,* p. 221.

económicos y sociales del ciudadano"[31]. En esto marca una notable diferencia con la Constitución de 1947. El derecho al trabajo, a la salud, a la educación o la vivienda no son mencionados por la Carta Magna de 1953[32]; solo se limita a regular "los derechos individuales relacionados con la libertad personal en los diversos ámbitos, así como lo relativo a la inviolabilidad de la correspondencia, del hogar, la garantía de lo que hoy llamamos debido proceso, y cosas de esa índole"[33]. Sin embargo, la disposición transitoria tercera de la Constitución de 1953 echaba por tierra toda la declaración de derechos anteriores, al establecer que mientras se "completa la legislación" sobre las garantías individuales "se autoriza al presidente de la República para que tome las medidas que juzgue convenientes a la preservación en toda forma de la seguridad de la Nación, la conservación de la paz social y el mantenimiento del orden público". Con ello se facultaba al dictador a hacer cuanto quisiera en esta materia. Los hechos ocurridos demuestran que todas esas normas quedaron en letra muerta y que esta Constitución terminó siendo una fachada para que la dictadura gobernara a su antojo.

Tras el golpe de Estado del 23 de enero de 1958 se mantuvo vigente la Constitución de 1953 –y no la de 1947– hasta la entrada en vigor del nuevo Texto Constitucional del 23 de enero de 1961, el cual fue aprobado el 16 de enero de ese año. Según Jesús María Casal las razones de ello se deben, en primer lugar, a que las Fuerzas Armadas no admitían revivir la Constitución de 1947, porque había nacido en una época de alta conflictividad política, y marcada con una "carga social excesiva respecto del pensamiento de una parte de las Fuerzas Armadas"[34]. Y, en segundo lugar, a que las Fuerzas Armadas reconocían que la ruptura política ocurrió en las elecciones de 1952, y no antes[35].

---

[31]   Diego Bautista Urbaneja: Urbaneja, *Historia portátil*. Caracas, Fundación Bancaribe, 2016, p. 283.

[32]   *Ibíd.*

[33]   *Ibíd,* p. 284.

[34]   Jesús María Casal, *Apuntes para una historia del Derecho Constitucional de Venezuela.* Caracas, Editorial Jurídica venezolana, 2019, p. 189.

[35]   *Ibíd.*

Y esto debido a que de haber restablecido la Constitución de 1947 se habría interpretado –añade Casal– "como la admisión de que todo lo hecho antes por las Fuerzas Armadas era ilegitimo"[36].

Según Allan R. Brewer-Carías tiene una mirada distinta, porque sostiene que mantener la Constitución de 1953 no fue una imposición del sector militar, sino una necesidad de orden político: evitar romper la unidad y la tregua política que sirvieron de fundamento a la caída de la dictadura[37]. Tal vez la situación se debe a ambos criterios: la recomendación de los jefes militares y la decisión del liderazgo civil de preservar la unidad.

V. EL JUICIO A MARCOS PÉREZ JIMÉNEZ

Marcos Pérez Jiménez fue sentenciado por la Corte Suprema de Justicia el 1 de agosto de 1968, cuando recibió una condena de 4 años, un mes y 15 días de prisión. La pena recibida la había cumplido para la fecha de la sentencia, razón por la cual fue liberado.

Posteriormente, las elecciones del 1 de diciembre de 1968 significaron un importante triunfo político para Marcos Pérez Jiménez a través de la Cruzada Cívica Nacionalista. En dicho proceso electoral el perezjimenismo, con muy poco esfuerzo, obtuvo el 10.9 % de los votos, sobre todo en el centro del país. El exdictador resultó electo senador, pero su clara elección fue anulada por la Corte Suprema de Justicia, basada en el formalismo de que no podía ser electo como parlamentario porque no estaba inscrito en el registro electoral[38]. Esto constituyó una manera de burlar la voluntad popular. Pienso que la decisión del electorado, buena o mala, ha debido respetarse.

---

[36] *Ibíd.*

[37] Allan R. Brewer-Carías, *Sobre la militarización de la política. Un mal que nos acecha desde la Independencia. Algunos escritos,* Editorial Jurídica Venezolana. Colección de crónicas constitucionales para la memoria histórica, N° 3, Caracas, 2023, *cit,* p. 193.

[38] *Diccionario de Historia de Venezuela*, voz Marcos Pérez Jiménez, Fundación Empresas Polar, Ex Libris, segunda edición, 2010, Vol. 3, pp. 574-575. Igualmente, disponible en: https://bibliofep.fundacionempresaspolar.org/dhv/entradas/p/perez-jimenez-marcos/

Pero el asunto no se detiene ahí. La amplia votación obtenida por Pérez Jiménez demostró que podría ser un poderoso candidato presidencial. La respuesta ante esto fue su inhabilitación, para lo cual los partidos mayoritarios aprobaron una enmienda constitucional para excluir la posibilidad de candidaturas de quienes hubiesen recibido una pena superior a 3 años "por delitos cometidos en el ejercicio de funciones públicas"[39]. Se dejó de esta manera la mesa servida para quienes vieron en los procesos judiciales una modalidad para sacar del camino a adversarios políticos. La historia reciente está colmada de ejemplos.

No es posible especular cuando se examinan los hechos históricos. No cabe la conjugación verbal ni en condicional ni en subjuntivo: ¿qué habría ocurrido si la decisión hubiese sido otra? Los acontecimientos ocurrieron de una determinada manera que no puede ser cambiada por el intérprete. No es posible entonces formularse las interrogantes sobre lo que hubiese ocurrido electoralmente en Venezuela si se hubiese permitido la participación de Pérez Jiménez en las elecciones de 1973. Pero no fue así y no es posible especular.

Sea como fuere, la vocación militarista que ha estado siempre latente en el venezolano salió nuevamente a flote cuando apareció Hugo Chávez. Por eso es posible afirmar, sin pretender cambiar los hechos históricos, que el juicio político contra Marcos Pérez Jiménez y su inhabilitación fueron dos errores cometidos durante la época del puntofijismo. Es necesario destacar las bondades de este acuerdo, sin dejar de lado lo que fueron las equivocaciones.

VI. LA POLÍTICA MILITAR DE RÓMULO BETANCOURT

La posición de Betancourt en relación con los militares puede dividirse en dos etapas. La primera corresponde al trienio (1945-1948); y la segunda comienza en 1958, después del derrocamiento de Pérez Jiménez.

La primera etapa está caracterizada por una relación de desconfianza mutua entre Betancourt y los militares, puesto que todavía el líder adeco no había afinado su instinto para este asunto.

---

[39] *Ibid.*

La desconfianza que generaba Betancourt en el sector militar queda evidenciada en la opinión de Marcos Pérez Jiménez, quien le expresó a Agustín Blanco Muñoz que él desconfiaba de Betancourt porque carecía de "ideales nobles"; sin embargo, cuando el sector militar advirtió que su presencia en el golpe (de 1945) era inconveniente, resultaba difícil abortar la conspiración[40].

En esta primera etapa de su carrera política, el manejo del asunto militar por parte de Rómulo Betancourt no estuvo exenta de errores. Pérez Jiménez lo afirma cuando sostiene que el líder adeco pensaba que a los militares se les podía llevar a cualquier parte con "un bisteck y con una prostituta [...] Pero el hecho de que él tuviera que asociarse con esos militares y que ellos estuvieran marcando la pauta, estaba dando [Betancourt] el tremendo desmentido ante la opinión pública"[41]. Es decir, el jefe de la década militar afirma que Betancourt, por una parte, despreciaba a los militares; pero, al mismo tiempo, tenía que asociarse con ellos. Más allá de esta mala opinión hay un hecho indiscutible: Betancourt aprendió a manejarse con el sector castrense, al extremo de vencer las intentonas golpistas, de distintas ideologías que amenazaron su gobierno, el primero de la era civil.

Las dificultades militares que caracterizaron al comienzo del gobierno de Betancourt se evidencian con los sucesivos intentos de golpes de Estado. El primero fue el de Castro León, el 20 de abril de 1960 en San Cristóbal; luego siguieron los golpes de Carúpano (*Carupanazo*: 4 de mayo de 1962) y Puerto Cabello (*Porteñazo*: 2 de junio de 1962) organizados por el Partido Comunista. A esto se suma el atentado contra el presidente Rómulo Betancourt por parte de Rafael Leónidas Trujillo, dictador de República Dominicana, en junio de 1960, poco después del alzamiento de derecha de Castro León. Todo esto demuestra el tamaño de la amenaza contra la naciente democracia. La extrema derecha y, sobre todo, la extrema izquierda no cesaba en sus intentos para derrocar a Betancourt.

---

[40] Agustín Blanco Muñoz, *Habla el general*. Caracas, Centro de Estudios de Historia Actual Faces-UCV, tercera edición, 1983, p. 52.

[41] *Ibid, cit*, p. 53.

La reunión constante con los militares fue una práctica de Betancourt, que luego hicieron suyas los demás presidentes civiles[42]. Por otra parte, el líder adeco patrocinó la reinserción de los militares expulsados durante el régimen de Pérez Jiménez y que simpatizaban con AD[43]. También se ocupó del mejoramiento de las condiciones técnico-profesionales y de su nivel de vida[44].

Betancourt manejaba directamente la cuestión militar sin ceder mayor espacio al Congreso. Hernán Castillo lo cuestiona, porque las mayores facultades del parlamento en materia militar constituyen un mecanismo complementario. Y dejar de lado al parlamento en estos asuntos fue "uno de los gérmenes de la degradación de las bases políticas de la democracia"[45].

VII. EL PREDOMINIO CIVIL EN EL MANEJO DE LA POLÍTICA

La subordinación del poder militar al civil fue establecida por la Constitución de 1811, al señalar que "el Poder Militar, en todos los casos, se conservará en una exacta subordinación a la autoridad civil y será dirigido por ella" (artículo 179, Constitución de 1811). Por consiguiente, el reto de la dirigencia es desarrollar las habilidades políticas para dar cumplimiento a ese necesario mandato republicano.

El predominio civil sobre el militar a partir de 1958 se fundamentó en el prestigio intelectual y en el conocimiento de los asuntos militares por parte de la dirigencia política de la época, la cual pudo mantener el predominio civil sobre el militar. Rómulo Betancourt, Raúl Leoni y Rafael Caldera fueron muy hábiles en el manejo de esa materia y se ocuparon personalmente de esta cuestión. El manejo presidencial de los asuntos militares no se puede delegar.

---

[42]   Gene Bigler, "La restricción política y la profesionalización militar en Venezuela". En: *Politeia*. Caracas, Instituto de Estudios Políticos, UCV, n° 10, 1981, p. 88

[43]   Alberto Müller Rojas, "Rómulo Betancourt y la política militar". En: *Rómulo Betancourt: Historia y Contemporaneidad*. Caracas, Editorial Fundación Rómulo Betancourt, 1989, p. 417

[44]   *Ibíd*, p. 418.

[45]   Hernán Castillo, *Militares, control civil y pretorianismo en Venezuela*. Caracas, s.e, 2018, p. 42.

Existen varias razones que explican por qué el poder civil pudo controlar al sector castrense en la primera etapa de la democracia [46]. Son ellas: el prestigio moral e intelectual de los líderes civiles; el acuerdo político que cristalizó en el Pacto de Puntofijo; la fortaleza de los partidos políticos; la alianza con los Estados Unidos; la amenaza del castrismo que unificó al sector militar y la convicción democrática del sector profesional de las Fuerzas Armadas. Todo esto cambió en la medida en que el modelo político nacido en el año 1958 se fue debilitando hasta invertirse la ecuación con la llegada del chavismo al poder.[47]

En este sentido, David Pion-Berlin estima que el líder civil debe poseer conocimientos en materia de seguridad y defensa, y a falta de ellos debe disponer de habilidades políticas llamada "gerencia política"[48]. Los tres líderes civiles de los inicios de la democracia (Betancourt, Leoni, Caldera) ejemplifican lo señalado por Pion-Berlin porque demostraron en sus gobiernos, no solo entender el asunto militar, sino poseer las habilidades políticas necesarias para subordinar el poder militar al civil, como lo requieren las democracias.

Bueno es advertir que la dotrina, al comentar la opinión de Pion-Berlín, define lo que debe entenderse sobre las relaciones entre civiles y militares, y al respecto se señala que: "Es la capacidad para ofrecer un proyecto de país que tengan los civiles y el liderazgo del mismo, como recurso para atenuar el pretorianismo de nuestros militares"[49].

---

[46] Véase, por todos, Bigler, *Ob.cit*, pp. 85-142. Castillo: *Ibid,* p. 55.

[47] Ricardo Sucre Heredia, El papel de la estructura militar en la configuración del nuevo sistema político. En: *Desarmando el modelo. Las transformaciones del Sistema político venezolano desde 1999*, ABC libros, Instituto de Estudios Parlamentarios Fermín Toro, Konrad Adenauer Stifung, Caracas, 2017, pp. 331-381.

[48] Véase David Pion-Berlin, "Political management of the military in Latina America". En: *Military Review*. Kansas, January-February 2005, p. 21 [Disponible en línea].

[49] Ricardo Sucre Heredia, "La concepción militar en la nueva LOFAN ¿Guerra asimétrica o movilización nacional para la dominación interna?" En: https://www.academia.edu/16961291/La_concepci%C3%B3n_militar_en_la _nueva_LOFAN_Guerra_asim%C3%A9trica_o_movilizaci%C3%B3n_nacio nal_para_la_dominaci%C3%B3n_interna Disponible 1.6.2019]

Es decir, el liderazgo que ejerce el sector civil es sobre la base de un proyecto de país, como el que rigió en Venezuela con el Pacto de Puntofijo.

A partir de 1958 sí hubo un control civil sobre el militar, basado en las razones señaladas en los párrafos que anteceden; es decir, prestigio del liderazgo civil y el sentido de unidad para enfrentar la amenaza militar. También el apoyo que le brindó el gobierno de los Estados Unidos al gobierno de Rómulo Betancourt para enfrentar los ataques de Fidel Castro en su fracasado intento de apoderarse del petróleo venezolano. El estadista adeco armó sus acuerdos internos amparado en el Pacto de Puntofijo; obtuvo el respaldo del gobierno de los Estados Unidos, con cuyo presidente, John Kennedy suscribió alianzas, y consolidó el apoyo militar que le dio base a su difícil y acosado gobierno.

Para comprender esta compleja etapa de nuestra historia republicana, se debe tener presente los aportes del profesor Gustavo Salcedo Ávila[50], quien hizo un detallado estudio, con documentación desclasificada de la *Central Intelligence Agency* (Oficina Central de Inteligencia) y el Departamento de Estado. El autor, con información abundante, narra los hechos ocurridos y los interpreta a partir de la referencia fáctica. Resulta una lectura que estimula la reflexión sobre el presente a partir de la experiencia histórica.

El gobierno de Betancourt no solo tenía el apoyo interno, amparado en el Pacto de Puntofijo, de un gobierno de coalición y del sector profesional de las Fuerzas Armadas, sino el respaldo del gobierno de los Estados Unidos. El líder adeco, sin complejos, entendió que el aliado natural de Venezuela era el país de George Washington y Tomas Jefferson. De esa manera se apertrechó del poder necesario para sostener la democracia venezolana.

John Kennedy le dijo a Betancourt, con ocasión de su visita a la Casa Blanca, en un memorable discurso del día 19 de febrero de 1963:

---

[50] Véase Gustavo Salcedo Ávila, *Venezuela, campo de batalla de la Guerra Fría. Los Estados Unidos y la era de Rómulo Betancourt (1958-1964)*. Caracas, Fundación Bancaribe, 2017, Cap. V, pp. 165-225. Esta obra obtuvo mención de Honor en el premio Rafael María Baralt que otorga la Academia Nacional de la Historia y la Fundación Bancaribe para la Ciencia y la Cultura correspondiente al bienio 2016-2017.

"Usted personifica todo lo que nosotros admiramos en un líder político". En el mismo discurso, el joven presidente del gran país del norte le reconoció al estadista venezolano que su lucha por la democracia lo había convertido en el enemigo más importante de los comunistas en América Latina; ello porque Fidel Castro se había empeñado en apoderarse de nuestro petróleo –hay que reiterar– y extender su modelo marxista-leninista a Venezuela. Igualmente, el movimiento subversivo contra Betancourt recibió apoyó del Partido Comunista y del Movimiento de Izquierda Revolucionaria, escisión del ala marxista de Acción Democrática.

Luego de la visita de Castro a Caracas, en enero de 1959, Rómulo Betancourt fue percibiendo el riesgo que representaría el dictador cubano para Venezuela. Al líder adeco le llamó la atención la negativa de Castro de llevar a cabo elecciones. El comunismo no cree en elecciones: es una ideología basada en la lucha de clases y en el aniquilamiento del "enemigo". La revolución cubana había llegado para quedarse y las elecciones no iban a impedir este proyecto de revancha y persecución.

Una vez convertida Cuba en un satélite soviético al calor de la Guerra Fría, pasó a ser una amenaza permanente para la región y especialmente para la democracia venezolana. Su injerencia fue permanente, al punto de llevar a cabo la invasión de Machurucuto en mayo de 1967 y ofrecer entrenamiento, armas y adoctrinamiento a los guerrilleros. A pesar de que Castro vivía su momento de esplendor, el demócrata venezolano –con el apoyo del sector institucional del poder militar– lo enfrentó y derrotó en los terrenos militar y político. En ese momento era impensable que años después, el dictador cubano recibiría la dadiva petrolera para imponer una pesada carga económica y de sacrificios al pueblo venezolano. Esto se debe al progresivo adoctrinamiento que la extrema izquierda fue realizando sobre sectores militares. (Sobre esto volveré *infra, N° XII*).

Es conveniente recordar también el papel relevante del ministro de la Defensa de la época, general Antonio Briceño Linares, al darle apoyo al sistema democrático. El general Briceño Linares había conquistado la simpatía de John Kennedy, como lo reporta Salcedo

216

Ávila en su exhaustivo estudio[51]. Al momento de visitar los Estados Unidos, recibió todo el soporte militar del gobierno estadounidense. Obtuvo material bélico, entrenamiento, asistencia en inteligencia. En esa época, "operaban en Venezuela las *Special Forces Mobile Training Teams*, constituidas por pequeños grupos de *Green Berets* que entrenaban a los oficiales venezolanos en la conducción de operaciones de contra-insurgencia"[52].

El general Briceño Linares tuvo una participación "decisiva en el combate a la guerrilla"[53],debe ser recordado, pues su compromiso institucional es un referente para la democracia. Por todo eso, hay que conocer y recordar, como se merece, el aporte del sector militar en el sostenimiento de los valores de la democracia y la libertad durante el inicio de la era civil de nuestra historia.

VIII. LA ENTREGA DE LA BANDA Y EL COLLAR PRESI-DENCIAL EN 1964

La transferencia de la banda y el collar presidencial de Rómulo Betancourt a Raúl Leoni Otero, el 12 de marzo de 1964, presenta la imagen de la época civil y de una democracia en el camino de consolidación. La entrega del poder en un ambiente de confianza de un presidente electo mediante el sufragio universal directo y secreto a otro electo de la misma manera le permitió a Betancourt cumplir su promesa de que no estaría en el poder "ni un día más, ni un día menos" de los previstos en la Constitución. Este simbólico hecho, hasta ese momento inédito en nuestra historia constitucional, refleja una característica esencial de todo régimen democrático: la alternancia y transmisión pacifica del poder. (Esto último está actualmente afectado por el deseo revolucionario de gobernar a perpetuidad).

A esta importante característica se le debe añadir la estabilidad política y, especialmente, el control civil sobre el militar. Raúl Leoni demostró que la democracia venezolana había logrado alcanzar ambas, pues al final de su periodo le transfirió la banda presidencial a

---

[51]   *Ibíd*, p. 218.

[52]   *Ibíd,* p. 219. El número de las boinas verdes no pasaba de una docena.

[53]   Carlos Andrés Pérez: *Memorias proscritas. Entrevista de Ramón Hernández y Roberto Giusti*. Los libros de El Nacional, Caracas, 2006, p. 149.

Rafael Caldera, candidato del partido contrincante al suyo. Y para esto fue determinante el Pacto de Puntofijo.

El presidente Raúl Leoni ejerció la política con amplitud y respeto por los valores constitucionales. La sucesión del poder de Betancourt a Leoni tiene importancia capital, además –hay que insistir– de lo mucho que significó la entrega del mando presidencial entre dos presidentes demócratas elegidos mediante el sufragio, porque gracias a la Constitución de 1961 no había sucesión presidencial inmediata, sino que se debía esperar dos períodos.

Posteriormente la historia demostró que habría sido más sano permitir la sucesión por una sola vez y limitar el período presidencial a cuatro años para evitar que los expresidentes, al pretender regresar al poder, les cerraran el paso a las nuevas generaciones de políticos. Betancourt, luego de su elección en 1958, gobernó durante un periodo y renunció a la posibilidad a optar nuevamente a la candidatura presidencial cuando la Constitución se lo permitiera. La espera de dos periodos durante los cuales el expresidente permaneciera concentrado en un nuevo mandato fue más bien factor de perturbación y de conflictos para sus partidos[54].

Hasta su llegada al poder, Raúl Leoni había vivido a la sombra de Betancourt, pero como presidente se elevó sobre los intereses partidistas para alcanzar el talante de estadista. En efecto, en los cinco años de su gobierno, Venezuela desarrolló una política exterior de logros importantes, como la firma del Acuerdo de Ginebra entre Venezuela, el Reino Unido y la Guayana Británica (17.2.1966); hubo crecimiento económico y demográfico y estabilidad política, amén de una política petrolera acertada.

---

[54] Aunque podría pensarse que Betancourt no apoyaba a Leoni para su sucesión, sino más bien a Luis Augusto Dubuc, los hechos apuntan en otra dirección por el respeto que le tenía Betancourt a Leoni, y por el sólido apoyo que le brindaban Luis Beltrán Prieto Figueroa y el dirigente sindical Augusto Malavé Villalba. Esto no es de extrañar porque Leoni entendió la trascendencia del sindicalismo dentro de AD, al punto de haber sido funcionario de la Organización Internacional del Trabajo (OIT). Por otra parte, importa destacar que Betancourt se marcha a vivir a Europa para evitar a Leoni la presión que podría significar su presencia en Venezuela.

Cuando Leoni asciende al poder, la democracia venezolana no había dejado de recibir las agresiones de Fidel Castro. Esto quedó evidenciado con "el desembarco de Machurucuto", operación dirigida por el propio Castro y que incluía guerrilleros venezolanos y militares cubanos, y, por fortuna, derrotada por el ejército venezolano. Al presidente Leoni, apoyado sin vacilar por el poder militar, le tocó vencer definitivamente a la guerrilla y abrir las puertas de la pacificación. En esto último no pudo hacer más, debido a que las Fuerzas Armadas volcaban sus energías en la lucha contra la insurgencia comunista. No era posible tomar este tipo de decisiones sin la aprobación del sector militar, que libraba una lucha incansable contra el castrismo. Pese a estos inconvenientes, Leoni inició un proceso de pacificación que luego terminó durante el gobierno del presidente Rafael Caldera.

Durante el mandato de Raúl Leoni destacó la presencia de su esposa, Carmen Fernández ("Doña Menca"), que popularizó la expresión "primera dama" para distinguir a la cónyuge del presidente. La primera dama no se inmiscuía en los asuntos de gobierno. Esta pareja fue un homenaje al matrimonio ideal, basado en la solidaridad y en el compromiso con los elevados valores de la familia venezolana. La discreción y la sobriedad fue rasgo distintivo en esta pareja presidencial.

Leoni creía en los acuerdos políticos y en la idea de compartir el poder, lo que fue la esencia del Pacto de Puntofijo. El presidente se formó al calor del mejor sindicalismo posible, lo que le dio los instrumentos necesarios para la negociación y el compromiso, que fue lo que caracterizó a su gobierno. Además de las razones políticas, era necesario repartir la renta petrolera en búsqueda de la estabilidad institucional. Los adecos aprendieron de los errores cometidos durante el trienio (1945-1948), caracterizado por la hegemonía de AD y el sectarismo.

En vista de que Copei pasa a la oposición y AD pierde en 1964 el control de la Cámara de Diputados, bajo el impulso del ministro de relaciones interiores, Gonzalo Barrios, el gobierno busca una alianza, lo que cristaliza el 5 de noviembre de 1964 en lo que se llamó "Ancha Base", con la que entran al gobierno Unión Republicana Democrática (URD) y el Frente Nacional Democrático (FND), partido surgido de los distintos grupos que apoyaron a Arturo Uslar Pietri en las elecciones de 1963. Esta alianza tuvo una vida corta en vista de que el FND, constituido por una amalgama de propuestas políticas incompatibles entre sí, decidió salir del gobierno en marzo de 1966. Pero siempre la marca de las alianzas y los acuerdos que se cumplen es lo que marca ese período de consolidación de la democracia.

Leoni concluye su gobierno con la entrega de los símbolos del poder al candidato del partido opositor: Rafael Cadera. Y ello a pesar de la escasa diferencia de votos; inferior a treinta mil. Así el cambio del mando es entre dos exfuncionarios de la OIT: otro hecho inédito en nuestra historia. Esta segunda imagen evidencia un sistema democrático ya consolidado y, al parecer, de larga proyección en el tiempo porque respetaba el principio democrático de la alternancia en el poder y era respetado por el sector militar.

Posteriormente, y debido a los errores cometidos, como no haber prestado suficiente atención al proceso de adoctrinamiento que se estaba produciendo en las Fuerzas Armadas, saltaron los demonios de la democracia, para derrumbar lo que se había logrado a fuerza de intuición, esfuerzo, confianza y madurez política. El sistema de partidos inició un proceso indetenible de agotamiento hasta que las garras del militarismo hicieron renacer nuestra eterna dolencia: el predominio del sector militar sobre el civil.

En la hora presente, conviene que la cultura política venezolana conozca y reconozca a una figura sobresaliente de la democracia, como lo fue Raúl Leoni, uno de los promotores del Pacto de Puntofijo.

IX. EL QUIEBRE DEL MODELO POLÍTICO (1958-1998)

Mientras se respetaron los principios recogidos en el Pacto de Puntofijo, la democracia pudo vencer las amenazas que la acechaba. El momento del quiebre comienza cuando la clase política se aparte de los acuerdos, sustituye el debate ideológico por el pragmatismo, se sustituye la figura del estadista por el pragmático que busca el control de la maquinaria partidista para alimentar el populismo.

Aquí cabe preguntar: ¿Cuáles fueron las causas del quiebre del sistema político que se inicia en 1958 y culmina en 1998? ¿Cómo se explica que una democracia prestigiosa haya sucumbido ante los demonios que siempre la acechan? Según una opinión el punto de inflexión se ubica cuando del debate ideológico y la falta de propuestas políticas derivadas de esos debates[55]. Los partidos dejaron de debatir las ideas y se convirtieron en maquinarias pragmáticas para conquistar el poder.

Las desventuras de la democracia venezolana no pueden ser cargadas íntegramente a los errores de los partidos políticos, pero no cabe duda la responsabilidad que tiene en este proceso de descomposición de un proceso político que se había estabilizado al amparo del Pacto de Puntofijo.

En la faena de la construcción del sistema de partidos que nació en 1958, el rol de la clase dirigente fue fundamental. La experiencia vivida en los años de la dictadura militar llevo a los lideres políticos a entender la necesidad de que los acuerdos y su cumplimiento eran fundamentales para consolidar la democracia.

La estabilidad del sistema político nacido en 1958, y encarnado en la Constitución de 1961, encuentra en la frivolización de la política otro elemento para su caída, lo que alimente el declive del debate de las ideas. De esa manera se pierde el sentido del partido político como eje de la democracia y se sustituye por el personalismo y por los intereses burocráticos. Los partidos no se renovaron y se privilegió la lucha por el control de la maquinaria para de esa manera controlar el Estado.

Es posible pensar que la democracia se perdió por distintos factores: falta de discusión ideológica, la corrupción, la politización creciente de la justicia, los errores en la política económica, la frivolidad para mirar el escenario que se tenía ante la vista. Se producen una cadena de acontecimientos que anunciaban la crisis que se estaba incubando. El 18 de febrero de 1983 se produce el llamado viernes negro, con el cual se derrumba el valor del bolívar y comienza su incesante deterioro. Posteriormente, vienen el 4 de febrero de 1992 y el 27 de noviembre de ese mismo año para concluir con el 6 de diciembre de 1998. Estos son los pasos del derrumbe. De esa manera concluye un período de la historia y comienza otro. Este recorrido es materia sobe la cual la lectura del libro de Velásquez estimula la reflexión.

---

[55] Gustavo Luis Velásquez Betancourt, *La quiebra del modelo político. Auge y caída de los partidos 1958-1998*, s.e, Columbia SC, 2023.

A esto se añade, como antes señalé, con los errores en el manejo de la política militar y con la aprobación del programa Andrés Bello de 1973 en la Academia Militar. Con este programa se da una vuelta de tuerca en la formación militar: ya el militar no se prepara para la guerra, como en West Point o en Saint-Cyr, sino para el control político y para la búsqueda del socialismo.

El propio Carlos Andrés Pérez admitió con coraje los errores cometidos en la delicada materia militar. Lo dice así: "Creíamos que la educación militar iba por los caminos democráticos porque supervisábamos desde afuera la Academia militar y no desde adentro (…) La educación militar no respondió a los objetivos de la democracia a pesar de todo el esfuerzo que se hizo. Se formaban nuevos generales, nuevos hombres para tomar el poder y ponerlo a su servicio (…) Claro, no se puede generalizar. La democracia venezolana tuvo y tiene extraordinarios oficiales a su servicio (…) La Fuerza Armada enfrenta un desafío ineludible: sirve a Chávez o sirve a Venezuela"[56].

Entonces, el sistema político que se consolidó con los acuerdos del Pacto de Puntofijo, plasmados en la Constitución de 1961, sucumbe cuando la clase política se separa de esos principios, se frivoliza la política, se potencian los egos, la figura del estadista es sustituida por el pragmático y se pierde la autoridad que había respaldado a los líderes de Puntofijo.

X. EL PREGÓN DE LUIS CASTRO LEIVA

Es en este contexto que Luis Castro Leiva pronuncia su discurso del 23 de enero de 1998, cuando destacó la importancia de la unidad: "Algo me dice que a pesar de las incontables veces que lo he escuchado decir es sólo ahora, tarde en mi vida, confieso, que lo puedo enseñar. Me refiero a la importancia de la unidad y al encuentro con el orgullo en la democracia de mi nación, de mi patria"[57]. Esa

---

[56] Ramón Hernández y Roberto Giusti: *Carlos Andrés Pérez: Memorias proscritas.* Caracas, Libros El Nacional, 2006, p. 418.

[57] Luis Castro Leiva: "Discurso de orden pronunciado el 23 de enero de 1998 en Congreso de Venezuela". Disponible en: https://prodavinci.com/el-discurso-de-luis-castro-leiva-sobre-el-23-de-enero-de-1958/. *Ibíd.*

reflexión es fundamental para entender que para salir del entrampamiento en que estamos se necesita la unidad y los acuerdos entre quienes creen en la democracia como la opción de vida para nuestro país.

Castro Leiva afirmó en su notable discurso que el Pacto de Puntofijo fue "la decisión política y moralmente más constructiva de toda nuestra historia: no un 'festín de Baltazar ni un pacto entre mafiosos". Y todo ello permitió construir un sistema de separación de poderes y de libertades políticas.

La reconstrucción de la democracia venezolana debe ser producto de un consenso político que busque la recuperación de la paz, la economía, la salud, la seguridad, la estabilidad institucional, la separación de poderes y que elimine los prejuicios excluyentes.

XI. LA PÉRDIDA DEL CONTROL CIVIL SOBRE EL MILITAR[58]

¿Cómo se fue rompiendo entre control civil sobre el militar? Ello ocurrió, como lo he sostenido reiteradamente, en la medida en que se debilitaba el acuerdo político que significó Puntofijo; y muy especialmente por el deterioro de los partidos políticos.

Por razones no suficientemente estudiadas, en el gobierno de Raúl Leoni se decidió que la Academia Militar debía acoger preferentemente egresados de las instituciones educativas públicas sobre los egresados de los colegios privados. Esta política que, en el fondo discrimina, desalentó a los buenos estudiantes de colegios privados a ingresar a la Academia Militar[59]. Este es un asunto que está a la espera de un amplio y sincero debate.

Por otra parte, la dirigencia política no prestó atención al sistema de estudios que se desarrollaba en la Academia Militar desde que surgió el plan educativo experimental Andrés Bello, el cual consistía

---

[58] Esta sección está tomando con cambios y añadidos de mi citado trabajo, "Evolución histórica del militarismo en Venezuela, con especial referencia al Golpe de Estado del 18 de octubre de 1945" ... *cit*, pp. 270-273

[59] Algo distinto al criterio de excelencia que debe ser la regla de ingreso para cualquier institución académica.

en una reforma educativa-militar a partir de 1971. Hugo Chávez y los demás golpistas del 4F se forman bajo el manto de esa reforma[60]. Al examinarse el programa de estudios se advierte algunas materias más apropiadas para una Escuela de Ciencias Políticas que para una Academia Militar. Parece que se estuviese formando oficiales para la política y no para la guerra. El resultado no se hizo esperar: politización de la Fuerza Armada lo que sirvió de un acicate para el desarrollo de la revolución bolivariana.

Este proceso de politización de la Fuerza Armada se fue acentuando a partir de la Constitución de 1999. En efecto, el Texto Fundamental de 1961 repitió la tradición constitucional venezolana (salvo la de 1953) según la cual las Fuerzas Armadas son "una institución apolítica, obediente y no deliberante"[61]. Al contrario, la Constitución de 1999, cambió esta tradición y en su artículo 328[62]

---

[60] Véase Santiago Giantomasi, "Profesionalización de las Fuerzas Armadas en América Latina: Hugo Chávez y la Academia Militar de Venezuela 1971-1975". En: http://www.congresso2017.fomerco.com.br/resources/anais/8/15 03 496190_ARQUIVO_Giantomasi,Santiago-HugoChavezylaAcademiaMili tar de Venezuela.pdf. [Disponible 3-06-19]

[61] Es la regla contenida en el artículo 132 de la Constitución que señala: "Las Fuerzas Armadas Nacionales forman una institución apolítica, obediente y no deliberante, organizada por el Estado para asegurar la defensa nacional, la estabilidad de las instituciones democráticas y el respeto a la Constitución y a las leyes, cuyo acatamiento estará siempre por encima de cualquier otra obligación. Las Fuerzas Armadas Nacionales estarán al servicio de la República, y en ningún caso al de una persona o parcialidad política".

[62] El artículo 328 citado, reza así: "La Fuerza Armada Nacional constituye una institución esencialmente profesional, sin militancia política, organizada por el Estado para garantizar la independencia y soberanía de la Nación y asegurar la integridad del espacio geográfico, mediante la defensa militar, la cooperación en el mantenimiento del orden interno y la participación activa en el desarrollo nacional, de acuerdo con esta Constitución y con la ley. En el cumplimiento de sus funciones, está al servicio exclusivo de la Nación y en ningún caso al de persona o parcialidad política alguna. Sus pilares fundamentales son la disciplina, la obediencia y la subordinación. La Fuerza Armada Nacional está integrada por el Ejército, la Armada, la Aviación y la Guardia Nacional, que funcionan de manera integral dentro del marco de su competencia para el cumplimiento de su misión, con un régimen de seguridad social integral propio, según lo establezca su respectiva ley orgánica".

consagra la regla inversa al convertirla en un cuerpo "político, obediente y deliberante", tal como lo subraya Ricardo Sucre[63].

La politización toca un punto muy elevado con el adoctrinamiento experimentado por la Fuerza Armada. Así lo evidencian las consignas militares y la definición que hace el cuerpo militar de ser una fuerza: "patriótica, bolivariana, revolucionaria, socialista, antiimperialista y chavista". Ante esta situación, los partidos políticos y la sociedad civil deben estudiar el asunto con serenidad para evitar aumentar la tensión que se produce cuando el sector político emite declaraciones inconvenientes contra el sector militar. Opinar sobre un asunto tan complejo no puede responder a la improvisación[64].

El adoctrinamiento progresivo de la extrema izquierda sobre la Fuerza Armada se hizo sin cesar. Así lo reporta el general Carlos Peñaloza, quien fue comandante general del ejército. Douglas Bravo como jefe del brazo militar del partido comunista, logró infiltrar oficiales básicamente en el ejército[65]. Esto fue un proceso de larga duración que marca la ideologización del poder militar[66] , como se

---

[63] Véase Ricardo Sucre Heredia: *Fuerzas Armadas y cultura política: una aproximación a partir de un estudio de opinión en Venezuela*. Ponencia preparada para el "I Coloquio de Historia y Sociedad: La cultura política del venezolano, organizado por el Departamento de Ciencias Sociales de la USB y el Instituto de Investigaciones Históricas de la UCAB. Caracas. 2004, p. 31. En: https://www.academia.edu/18300417/Fuerzas_Armadas_y_cultura_pol%C3%ADtica_una_aproximaci%C3%B3n_a_partir_de_un_estudio_de_opini%C3%B3n_en_Venezuela

[64] Véase, Ricardo Sucre Heredia, "El papel de la estructura militar en la configuración del nuevo sistema político". En*: Desarmando el modelo. Las transformaciones del sistema político venezolano desde 1999*. Diego Bautista Urbaneja (Coord.). Caracas, Fundación Konrad Adenauer, Instituto de Estudios Parlamentarios Fermín Toro, abediciones, 2017, p. 366.

[65] Carlos Peñaloza*, El delfín de Fidel*. Miami, Alexandria Library, 2014, p. 27, *passim*.

[66] Véase, Orlando Avendaño: *Días de sumisión*. Carcas-Lima, Papeles Salvajes, 2018. Este libro es una tesis de grado presentada en la UCAB para optar al título de Licenciado en Comunicación Social. El autor narra el recorrido seguido por Fidel Castro para alimentar la lucha armada con su ojo puesto en el petróleo. Aquí vale la pena recordar una anécdota de la reunión entre Fidel Castro y Rómulo Betancourt, celebrada en Caracas en enero de 1959. Castro

evidencia de las consignas políticas que –como se dijo– actualmente acompañan el saludo militar. El éxito de Chávez en su política militar se debe a que hizo coincidir "los intereses del proyecto de la V República con los intereses de las FAN"[67].

Siendo así el asunto, vale la pena tener en cuenta la publicación de un libro que presenta y desarrolla el concepto de *militaridad*, cuyos autores son los generales Rafael José Aguana y Samir Sayegh Assal[68]. Este concepto –la militaridad– era desconocido y "forma parte de la ofensiva ideológica de lo militar sobre lo civil"[69]. Se trata de un planteamiento ideológico y político en la formación militar que marca la influencia cubana en este asunto[70], y equivale a la idea de militarizar la sociedad, lo cual es ajeno a nuestra tradición constitucional. El profesor José Alberto Olivar denuncia que a través de este proceso de adoctrinamiento se pretende convertir al militar en revolucionario, y a la Fuerza Armada en un partido político[71].

El desarrollo de este adoctrinamiento[72] ha contribuido a crear el llamado "Estado cuartel",[73] en el cual el poder militar ocupa las instituciones clave del gobierno, como el ministerio de relaciones interiores y Pdvsa, por ejemplo. A través del monopolio de la fuerza, el sector militar ha doblegado a los civiles por medio de la

---

le habría solicitado ayuda petrolera al presidente venezolano, a lo que este contestó: "si quieres petróleo debe pagarlo al precio internacional".

[67] Sucre Heredia, *Fuerzas Armadas y cultura política: loc. cit.*

[68] *La militaridad en el Estado democrático y social de derecho y de justicia.* Universidad Bolivariana de Venezuela, Caracas, 2014

[69] José Alberto Olivar: "La militaridad: prospecto ideológico del Estado cuarte en Venezuela". En: *Entre el ardid y la epopeya*. Negro sobre blanco, Caracas, 2018, p. 267.

[70] *Ibíd*, p. 264.

[71] *Ibíd*, p. 276.

[72] Merece atención la creación por parte de Hugo Chávez de la Universidad Militar Bolivariana (UMBV) mediante decreto en el año 20110.

[73] Véase, Luis Alberto Buttó, "El Estado cuartel en Venezuela: bases teóricas para su estudio": En: Luis Alberto Buttó y José Alberto olivar (Coord.), *El Estado cuartel en Venezuela. Radiografía de un proyecto autoritario.* 2da Edición, Caracas, 2018, pp. 17-33.

"intervención militar en política"[74]. Esta protuberante presencia del sector castrense en la burocracia sube de tono si se le añade el antes mencionado proceso de adoctrinamiento.

La participación de los militares en política no es ajena a otras sociedades; pero lo que ocurre en Venezuela rebasa el equilibrio, al colocar al militar en un estadio superior al civil. No en balde, Samuel Huntington examina los gobiernos pretorianos en Asia y África[75] para resaltar en ellos la vinculación entre la conquista del poder y golpe militar. En el caso venezolano, el régimen populista de estirpe militar tiene un origen electoral (1998), lo que lo asemeja, en este sentido, a lo que fue el peronismo.

En este contexto, debe revisarse otro aspecto relevante: los ascensos militares. Estos deben pasar por el control parlamentario; es decir, por las manos del poder civil, para evitar que se politice el ascenso y lograr así que este responda únicamente a méritos profesionales, tal como estaba regulado en la Constitución de 1961. La materia de los ascensos militares no puede pasar inadvertido.

El reto de los demócratas venezolanos consiste en tomar conciencia de la fuerte presencia ideológica en sectores militares, lo cual le resta imparcialidad a este cuerpo que necesariamente debe estar al servicio de la nación, y no de ninguna parcialidad política.

CONCLUSIONES

Todo lo expuesto en este trabajo permite presentar el compendio de conclusiones siguientes:

1. El Pacto de Puntofijo es el acuerdo político más importante de la democracia venezolana, porque le dio piso político y estabilidad al nuevo sistema político en sus años juveniles. Como rasgo relevante tenemos que se cumplió, que la clase política honró los compromisos asumidos y destacó la importancia del valor de la palabra empeñada.

---

[74] *Ibíd*, p. 17.

[75] Samuel Hunttington, *Political order in changing societies*. Yale University Press, New Haven, 1978, pp. 198-263

2.   Rómulo Betancourt aprendió de los errores cometidos en el "Trienio adeco" (1945-1948), en los que el sectarismo y la exclusión fue moneda de cuenta en la vida política. Ese error fue revertido por una política de inclusión, consensos y tolerancia. Desde luego, que el apoyo de Jóvito Villalba y Rafael Caldera fue determínate para sellar el pacto y darle vida.

3.   Un antecedente cercano a Puntofijo fue el Programa de Febrero de 1936, impulsado por el General Eleazar López Contreras. Este plan fue la respuesta a la multitudinaria marcha del 14 de febrero de 1936, encabezada por el rector de la Universidad Central de Venezuela, Francisco Antonio Rísquez y por Jóvito Villalba, quien hizo lucir sus dotes de gran tribuno popular. Los pedimentos de los manifestantes fueron atendidos y el presidente Eleazar López Contreras dio un paso adelante al sustituir en el gobierno a los gomecistas que entorpecían el proceso de apertura política. Marcó la transición de la dictadura gomecista a la democracia.

4.   El 24 de enero de 1958, luego de la caída del dictador Pérez Jiménez, nació la expresión "el espíritu del 23 de enero", porque vino la conciliación nacional, el diálogo y la ponderación de intereses. Esto se cristalizó en la idea de que era necesario la búsqueda de consensos y espacios de coincidencia para sacar el país adelante. El ambiente era firme para Puntofijo. Esa enseñanza es fundamental para entender el presente: Venezuela para avanzar necesita paz, tolerancia, convivencia y armonía.

5.   Tras el golpe de Estado del 23 de enero de 1958 se mantuvo vigente la Constitución de 1953 –y no la de 1947– hasta la entrada en vigor del nuevo Texto Constitucional del 23 de enero de 1961, el cual fue aprobado el 16 de enero de ese año. Esto debido a que el sector militar no permitió aplicar la Constitución de 1947 para no avalar lo ocurrido en el Trienio y no afectar la unidad que se había construido en lucha política que concluyó con el fin de la dictadura de la década militar.

6.   La imagen más poderosa que evidencia el éxito político de Puntofijo fue la entrega de la banda presidencial que le hace Rómulo Betancourt a Raúl Leoni. La transmisión del poder en un ambiente de confianza de un presidente electo mediante el

sufragio universal directo y secreto a otro electo de la misma manera le permitió a Betancourt cumplir su promesa de que no estaría en el poder "ni un día más, ni un día menos", de los previstos en la Constitución. Este simbólico hecho, hasta ese momento inédito en nuestra historia constitucional, refleja una característica esencial de todo régimen democrático: la alternancia y transmisión pacifica del poder.

7.   La entrega pacifica del poder de un presidente a otro se eleva aún más cuando Raúl Leoni le entrega, en 1969, el mando presidencial a Rafael Caldera, candidato de Copei. Este hecho es significativo si se tiene en cuenta que el triunfo de Caldera sobre Gonzalo Barrios (candidato de AD) en las elecciones de 1968 fue por un margen muy estrecho: 32.000 votos. En esa oportunidad Barrios acuñó una frase lapidaria: "La oposición puede ganar por un voto, el gobierno no".

8.   Mientras se cumplió el Pacto de Puntofijo se vivió el predominio de la dirigencia civil sobre la militar. Luego que la clase política que estabilizó la democracia es sustituida, comienza a debilitarse sin prisa, pero sin pausa el sistema de partidos. La frivolización de la política, la falta de debate ideológico, con la corrupción y con el clientelismo populista, es lo que se impone. De esa manera se pierde el sentido del partido político como eje de la democracia y se sustituye por el personalismo y por los intereses burocráticos. Los partidos no se renovaron y se privilegió la lucha por el control de la maquinaria para de esa manera controlar el Estado.

9.   El torpe manejo de la política militar fue factor determinante en el quiebre del modelo auspiciado por el Pacto de Puntofijo. Por otra parte, la dirigencia política no prestó atención al sistema de estudios que se desarrollaba en la Academia Militar desde que surgió el plan educativo experimental Andrés Bello, el cual consistía en una reforma educativa-militar a partir de 1971. En ese ambiente académico se formó Hugo Chávez y sus compañeros del 4F.

10. La conquista de la libertad es la obra de todos y en ella no hay espacio para exclusiones. Un acuerdo de largo aliento puede garantizar la derrota definitiva de los proyectos autoritarios.

11. Venezuela vive un momento político difícil y complejo. Para superarlo es muy útil conocer, como se merece, el Pacto de Puntofijo y los principios políticos que lo inspiraron. Este trabajo pretende ser una contribución en ese sentido.

Santa Rosa de Lima, 17 de febrero de 2024.

LA LIBERTAD DE EMPRESA Y
EL PACTO DE PUNTOFIJO

José Ignacio HERNÁNDEZ G.[*]

INTRODUCCIÓN

Entre 1998 y 2023, se destruyó todo el avance logrado desde 1958 en la construcción de la democracia liberal. Así, de acuerdo con el Índice de Democracia Liberal del *V-Dem Institute*, la calidad de la democracia en 2023 estaba en un nivel similar al que tenía durante la dictadura militar de Marcos Pérez Jiménez.

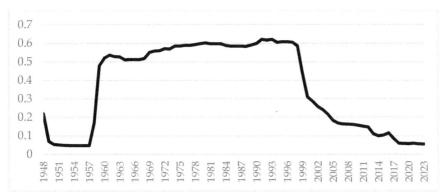

Gráfico N° 1. Índice de Democracia Liberal, Venezuela, 2948-2023
Fuente: V-Dem Institute

[*] *Profesor de Derecho Administrativo en la Universidad Central de Venezuela y la Universidad Católica Andrés Bello. Profesor invitado, Universidad Castilla-La Manchay Universidad de La Coruña (España), Universidad Pontificia Católica Madre y Maestra (República Dominicana). Asociado senior, Center for Strategical and International Studies*

Pero al observar en detalle esta data, podemos apreciar que el proceso de retroceso democrático no comenzó súbitamente en 1998. En realidad, la democratización se estancó a partir de 1974, y tuvo un ligero aumento entre 1989 y 1992. Desde entonces, Venezuela está en retroceso democrático. Lo que cambió a partir de 1998 fue la velocidad y el sentido de ese retroceso.

Precisamente, este declive, al menos en parte, permite comprender la elección de Hugo Chávez en 1998. Así, esta elección fue parte del descontento popular hacia el sistema democrático fundamentado en la Constitución de 1961 y en el Pacto de Puntofijo de 1958. En ese momento[1], Allan Brewer-Carías aludió a la crisis terminal de ese modelo, para explicar la necesidad de implementar cambios institucionales necesarios para rescatar el espíritu del Pacto de Puntofijo[2].

El interés de este artículo es analizar el Pacto de Puntofijo a través de la libertad de empresa, esto es, el derecho que permite al sector privado emprender, explotar y cesar en la actividad económica de su preferencia, con base en el ejercicio del derecho de propiedad privada, y de acuerdo con la Constitución Económica contenida en el Texto de 1961.

La libertad de empresa no ocupó lugar central en el Pacto de Puntofijo, en el sentido que el primer objetivo a lograr entonces era consolidar la democracia constitucional a través de elecciones libres

---

[1] *Cambio político y consolidación del Estado de Derecho 1958-1998. Colección Tratado de Derecho Constitucional, Tomo III*, Fundación de Derecho Público, Editorial Jurídica Venezolana, Caracas, 2015, pp. 675 y ss., así como *Asamblea Constituyente y proceso constituyente 1999. Colección Tratado de Derecho Constitucional, Tomo VI Fundación de Derecho Público*, Editorial Jurídica Venezolana Caracas, 2013, pp. 15 y ss.

[2] Este acuerdo fue firmado el 31 de octubre de 1958 por los tres partidos políticos dominantes, a saber, AD, Copei y URD, para sentar las bases de la democracia constitucional basada en el pluralismo, la tolerancia de las organizaciones políticas, la conciliación en torno a la ampliación de la soberanía del pueblo, y el reconocimiento de *la* democracia como la única regla del juego político. Su nombre responde a la casa de Rafael Caldera (Casa Puntofijo), lo que dio lugar a su nombre. Véase en general a Rey, Juan Carlos, "La democracia venezolana y la crisis del sistema populista de conciliación", Revista de Estudios Políticos N° 74, Madrid, 1991, pp., 533 y ss.

y justas que aseguraran la alternancia del poder. El régimen de Marcos Pérez Jiménez, pese a su talante no-democrático, no promovió la abolición de la libertad de empresa ni la propiedad pública sobre los medios de producción. De hecho, como también lo evidencia el régimen de Juan Vicente Gómez, Venezuela es un caso que permite apreciar, en la práctica, la escisión de las libertades políticas y económicas[3].

Pero ello no quiere decir que tal libertad estuviese ausente de las bases del Pacto. En realidad, la defensa de la democracia bajo un gobierno civil[4], solo era posible desde un sistema económico centrado en la libertad de empresa, pero sin negar el rol del Estado. Así se reconoció en el Programa Mínimo de Gobierno de 1958, integrado al Pacto, y en el cual se reconoció la *"función primordial que cumple la iniciativa privada como factor de progreso y la colaboración en este mismo sentido de las inversiones extranjeras"*. También se realzó la necesidad de contar con una Carta de Derechos Económicos y Sociales de los ciudadanos[5].

Este programa inspiró al modelo económico adoptado a partir de 1958 y a la Constitución Económica sancionada en el Texto de 1961, que consagró el sistema de economía social de mercado. La libertad de empresa fue, así, uno de los pilares de esa Constitución y del sistema democrático que ella estableció. Pero al mismo tiempo, el rol del Estado en la economía llevó a ampliar los cauces de intervención pública en un modo que consideramos era incompatible con la Constitución Económica de 1961, al punto que sus cláusulas no tuvieron vigencia efectiva. Con lo cual, el colapso económico presente hacia fines del siglo pasado, y que en realidad era parte del

---

3   González Deluca, María Elena, "La paradoja de la libertad escindida: el gremio mercantil de Caracas y las relaciones entre lo público y lo privado", en *Lo público y lo privado. Definición de los ámbitos del Estado y de la sociedad, Tomo I,* Fundación Manuel García Pelayo, Caracas, 1996, pp. 102-103.

4   Aveledo, Ramón Guillermo, *La 4ta República: lo bueno, lo malo y lo feo de los civiles en el poder, Libros* Marcados, Caracas, 2007, pp. 57 y ss.

5   En general, vid. Casal, Jesús María, "La transición constitucional de 1958-1961" en *Revista de la Facultad de Derecho de la Universidad Católica Andrés Bello N° 72,* Caracas, 2018, pp. 414 y ss., y Kornblith, Miriam, "Del Puntofijismo a la Quinta República: Elecciones y Democracia en Venezuela", en *Colombia Internacional N° 58*, Bogotá, 2003, pp. 160 y ss.

colapso del sistema político, puede explicarse en parte por las políticas que se apartaron del equilibrio entre la libertad de empresa y la intervención del Estado, sin duda, aupadas por la conformación de Venezuela como Petro-Estado.

Para estudiar el rol de la libertad de empresa desde el Pacto de Puntofijo, este artículo explica, en la *primera parte*, los rasgos centrales de la Constitución Económica de 1961, que recogió el contenido del Programa de 1958. Aquí se explica cómo la libertad de empresa no tuvo plena vigencia, al punto que más que un derecho constitucional, pasó a ser un título moldeable por el Estado, en especial, por el impulso que al modelo estatista de desarrollo produjo el Petro-Estado, reflejado en el V Pacto de la Nación.

La *segunda parte* explica el rol que la libertad de empresa debía tener bajo las ideas iniciales del Pacto de Puntofijo, y que intentaron retomarse en las políticas económicas adoptadas desde 1989, las cuales fueron interrumpidas por la falta de acuerdos políticos y, en especial, los golpes de Estado de 1992. Fue en este contexto que se sentaron las bases para la total destrucción de la libertad de empresa a partir de 1999.

I. LA CONSTITUCIÓN ECONÓMICA DE 1961 Y EL PACTO DE PUNTOFIJO

La Constitución Económica, siguiendo el concepto de Manuel García-Pelayo, puede definirse como el conjunto de normas que, en la Constitución, establecen el marco jurídico fundamental de la economía[6]. Este marco jurídico se corresponde con el concepto de instituciones, empleado en las Ciencias Económicas por Douglass North, a los fines de describir las reglas -formales e informales- que inciden en la conducta humana para reducir los costos de transacción[7].

Así, la Constitución Económica contiene a las instituciones fundamentales que inciden en el intercambio de bienes y servicios. En

---

[6] García-Pelayo, Manuel, "Consideraciones sobre las cláusulas económicas de la Constitución", en *Manuel García-Pelayo, Obras Completas,* Tomo III, Centro de Estudios Constitucionales, Madrid, 1991, pp. 2851 y ss.

[7] North Douglass, *Institutions, institutional change and economic performance,* Cambridge University Press, Cambridge, 1999, p. 36.

Estados Democráticos, estas instituciones no prejuzgan sobre los modelos que, en su ejecución, podrán implementar los Poderes Públicos. Esto es lo que se conoce como la flexibilidad de la Constitución Económica, que define un amplio espectro de políticas públicas que podrán implementarse, de acuerdo con el juego democrático[8]. De allí la distinción entre el sistema económico -el marco jurídico fundamental -y el modelo económico -las políticas que se implementan dentro de ese marco-. En Constituciones no-democráticas no existe tal flexibilidad, pues la Constitución impone un modelo económico único, al no ser necesario garantizar los cambios en los modelos económicos basados en la soberanía popular[9].

El Pacto de Puntofijo, al sentar las bases para la convivencia política, la alternancia del poder y la separación de poderes por medio de controles interorgánicos, marcó las bases para la definición de una Constitución Económica democrática y, por ello, flexible, como fue el caso de la Constitución de 1961. Pero esos objetivos entraron en tensión con las políticas económicas que realzaron el rol del Estado en la economía y que, en suma, llevaron a reducir, significativamente, las garantías jurídicas de la libertad de empresa.

1. *La libertad de empresa en la Constitución de 1961: su escasa vigencia práctica*

La Constitución de 1961, siguiendo al Programa derivado del Pacto de Puntofijo, estableció con flexibilidad el sistema de economía social de mercado[10]. La libertad de empresa, reconocida en el artículo 96, dejó a salvo las limitaciones establecidas mediante Ley *"por razones de seguridad, sanidad u otras de interés social"*, partiendo del principio según el cual el régimen económico *"se*

---

[8] Martín-Retortillo Baquer, Sebastián, "La 'Constitución económica' en el texto de la Constitución española de 1978", en *Constitución y Constitucionalismo hoy*, Fundación Manuel *García*-Pelayo, Caracas, 2000, pp. 144 y ss.

[9] Hernández G., José Ignacio, "Constitución económica y democracia. Reflexiones desde el Derecho *venezolano*", en *Sobre la Constitución económica*, Fundación Manuel García-Pelayo, Caracas, 2010, pp. 20 y ss.

[10] Brewer-Carías, Allan, "Reflexiones sobre la Constitución económica", *Revista de Derecho Público N° 43,* Caracas, 1990, p. 15

fundamentará en principios de justicia social que aseguren a todos una existencia digna y provechosa para la colectividad"[11].

En la práctica, sin embargo, estas disposiciones tuvieron poca vigencia. En efecto, el mismo día de la entrada en vigencia de la Constitución, se publicó el Decreto Presidencial N° 455, cuyo artículo 2 restringió, entre otras, la garantía constitucional del artículo 96, "*en la medida en que lo determine el Presidente de la República, en Consejo de Ministros*", de modo que "*...así, desde el momento mismo de la promulgación de la Constitución de 1961, se restringió la garantía económica, ampliándose así, las potestades legislativas del Ejecutivo para limitarlas mediante Decretos-Ley*"[12]. Esa restricción de la "garantía económica" estuvo vigente hasta el año 1991, cuando por Decreto n° 1.724 publicado en la Gaceta Oficial n° 34.752, de 10 de julio de 1991, en el marco de la llamada política del *Gran Viraje*, se restableció la "garantía económica", por considerar el Gobierno de la fecha que habían "*cesado las causas que lo motivaron*", como ampliamos en la sección siguiente. Es decir, entre 1961 y 1991, esto es, durante al menos 30 años seguidos, el artículo 96 de la Constitución de 1961, en el que se reconocían el derecho a la libre empresa y sus garantías jurídicas, estuvo "suspendido".

Frente al modelo de economía social de mercado, imperó en los hechos un modelo en el cual la libertad de empresa quedó sujeta a una diversidad de regulaciones derivadas de decretos-leyes, y que, en la práctica, enervaron la vigencia efectiva de los mecanismos de mercado[13]. La doctrina interpretó que la libertad de empresa no era un

[11] Meier, Henrique, "Fundamento constitucional de la actividad económica del Estado Venezolano. Bases constitucionales del Régimen Económico de la República de Venezuela [*Principios* Generales de Derecho Público Económico]", *en Revista de la Facultad de Derecho número 22,* Universidad Católica Andrés Bello, Caracas, 1975, pp. 160 y ss.

[12] Brewer-Carías, Allan, *Evolución del Régimen Legal de la Economía 1939-1979,* Cámara de Comercio y Editorial Jurídica Venezolana, Valencia, 1980, pp. 105 y 106.

[13] Linares Benzo, Gustavo, "Regulación y economía: juntas y bien revueltas", en *Venezuela Siglo XX: Visiones y Perspectivas, Tomo II,* Fundación Polar, Caracas, 2000, pp. 351 y ss. Desde una perspectiva general, *vid.* Suárez, Jorge Luis, "Lo público y lo privado en las actividades económicas en Venezuela",

derecho constitucional con núcleo duro, sino más bien un derecho moldeable por la intervención del Estado[14]. Así lo avaló también la jurisprudencia (sentencia de la Sala Político-Administrativa de 5 de octubre de 1970, caso *CANTV*), al indicar que:

> *"las actividades del sector público pueden aumentar en la misma medida en que disminuyen las del sector privado, o viceversa, de acuerdo con el uso que hagan las autoridades competentes de los poderes que les confiere el constituyente en las citadas disposiciones (...) Y en razón de ello, es posible que un servicio pase del sector público al sector privado, para que sea explotado como actividad comercial o industrial con fines de lucro, o que el Estado reasuma la responsabilidad de prestar el servicio directamente o por medio de un órgano contratado por él, entre otros motivos por razones de 'conveniencia nacional".*

Según esta sentencia, los Poderes Públicos y los particulares concurren indiscriminadamente en el orden económico; la amplitud

---

en *Revista de la Facultad de Ciencias Jurídicas y Políticas número 101,* Universidad Central de Venezuela, Caracas, 1996, pp. 144-183. Sobre los efectos del régimen de excepción de la libertad económica, de tradicional arraigo en Venezuela, *vid.* Jatar, Ana Julia, "Políticas de competencia en economías recientemente liberalizadas: el caso de Venezuela", en *Gaceta Jurídica de la C.E. y de la Competencia, serie D-22,* Madrid, Octubre, 1994, pp. 234-240. El estudio de sus implicaciones jurídicas, en Brewer-Carías, Allan, "Consideraciones sobre la Suspensión o Restricción de las Garantías Constitucionales", en *Revista de Derecho Público,* N° 37, Caracas, 1989, pp. 5-25 y "El caso del bono compensatorio o de cómo se ignora el régimen de los Decretos-Leyes y se desquicia el régimen de la economía", en *Revista de Derecho Público,* N° 33, Caracas, 1988, pp. 173-181, así como en De León, Ignacio, "Consideraciones acerca de los principios económicos de la Constitución venezolana", en *Revista de la Facultad de Ciencias Jurídicas y Políticas de la Universidad Central de Venezuela número 98,* Caracas, 1996, pp. 32 y ss.

14 Bajo la vigencia de la Constitución de 1961 se aceptó que no todas las cláusulas económicas resultaban vinculantes (Mayobre, José Antonio, "Derechos económicos", en *Estudios sobre la Constitución. Libro homenaje a Rafael Caldera, Tomo II,* Facultad de Ciencias Jurídicas y Políticas, Caracas, 1979, pp. 1.127 y ss.) lo que otorgaba al Estado una gran flexibilidad al intervenir en el orden económico (Carrillo Batalla, Tomás, "El sistema económico constitucional venezolano", en *Estudios sobre la Constitución, cit.,* pp. 1.056 y ss.).

del sector privado en la economía depende entonces del uso que "hagan las autoridades competentes de los poderes que les confiere el constituyente en las citadas disposiciones". Se llegó a considerar a la libertad económica, incluso, como un derecho relativizado y vulnerable[15]. Con lo cual, en la práctica, el modelo económico no honró el compromiso expresado en el Programa de reconocer la "función primordial que cumple la iniciativa privada como factor de progreso".

Aun cuando este modelo se tradujo en infinidad de regulaciones vía decreto-ley, no se tradujo sin embargo en políticas colectivistas orientadas a desconocer la propiedad privada sobre factores de producción, salvo en los sectores en los cuales se implementaron políticas de nacionalización, como el hierro y, especialmente, el petróleo, según veremos en la siguiente sección[16]. Pero al mismo tiempo, se reconoció al Estado el rol primordial en la conducción del proceso económico. Así, es al Estado a quien corresponde, de acuerdo con esa sentencia, decidir cuál es el espacio admitido de la libertad de empresa. Un espacio ciertamente reducido, de acuerdo con el V Plan de la Nación, dictado en 1976, el cual dio forma a la "Gran Venezuela" luego de la política de nacionalización de la industria y comercio de los hidrocarburos:

"A partir de la nacionalización del petróleo, Venezuela es un país diferente en lo que respecta a los deberes de sus habitantes. Asume una nueva dimensión el cuadro histórico de necesidades nacionales, abarcando igualmente el potencial de recursos para satisfacerlas y las obligaciones de la colectividad para construir una economía próspera e independiente, consolidar la sociedad democrática y asegurar el porvenir de las futuras generaciones (…)

---

[15] Véase nuestro análisis, y crítica, en Hernández G., José Ignacio, *La libertad de empresa y sus garantías jurídicas. Estudio comparado del Derecho español y venezolano*, IESA-FUNEDA, Caracas, 2004, pp. 33 y ss.

[16] Urdaneta Troconis, Gustavo, "Algunos aspectos teóricos de las nacionalizaciones", en *Régimen jurídico de las nacionalizaciones*, Archivo de Derecho Público y Ciencias de la Administración, Volumen 3, 1972-1979, Universidad Central de Venezuela, Caracas, 1981, pp. 66 y ss.

Para el logro de estos propósitos, el Estado acrecienta con la nacionalización su capacidad rectora sobre el proceso económico, hasta una dimensión sin precedentes, debiendo organizar el esfuerzo nacional de todos los sectores y procurar la optimización del uso de los recursos (…)".

Capacidad rectora del Estado sobre el proceso económico. La libertad de empresa, en ese contexto, sólo podía tener una concepción ciertamente reducida, como quedó en evidencia en la doctrina que se dedicó a su estudio en esa época. Más que derecho fundamental, la libertad de empresa no pasaba de ser un conjunto de atributos que el Estado podía permitir o tolerar precariamente en mayor o menor extensión de acuerdo con la conveniencia social del momento, y bajo el sistema de economía mixta imperante, traducido en un vasto número de decretos-leyes[17]. Las políticas de nacionalización expresaron, así, el modelo desarrollo basado en la premisa según la cual, el crecimiento económico debía apoyarse principalmente en el Estado empresario y en el Estado regulador[18].

2. El Petro-Estado y el Pacto de Puntofijo

El Programa de 1958 también resumió el consenso político en torno al mayor rol del Estado en la industria petrolera, incluso, planteando la posibilidad de crear a la Empresa Nacional de Petróleo. Este consenso llevó a la política de nacionalización petrolera de 1975, y la cual configuró a Venezuela como un Petro-Estado. Esta fue, quizás, una de las mayores contradicciones en el modelo económico, y que terminaría contribuyendo a una crisis económica que agravó la crisis política[19].

---

[17] Hernández G., José Ignacio, *Administración Pública, Desarrollo y libertad en Venezuela,* FUNEDA, Caracas, 2012, pp. 54 y ss.

[18] Hernández Delfino, Carlos, "Carlos Andrés Pérez (Primer gobierno")", en *Tierra nuestra: 1498-2009,* Fundación Venezuela Positiva, Caracas, 2009, pp. 335 y ss.

[19] Sobre los fundamentos jurídicos y organización administrativa de la nacionalización, *vid.*: Brewer-Carías, Allan, "Introducción al régimen jurídico de las nacionalizaciones en Venezuela", en *Régimen jurídico de las nacionalizaciones en Venezuela, Tomo I,* cit., pp. 39 y ss., y Duque Corredor,

En efecto, y desde el punto de vista jurídico, el concepto de Petro-Estado descansa en dos componentes. El primero, es la naturaleza económica del ingreso petrolero; el segundo, es la arquitectura jurídica de la relación entre el Estado, el petróleo y la sociedad. Desde un punto de vista económico[20], el ingreso petrolero es una renta, lo que en términos sencillos implica que el ingreso por su venta genera ganancias extraordinarias determinadas por razones de escasez. En economía se ha destacado, de esa manera, los efectos adversos que pueden devenir de la dependencia a la renta petrolera. Empero, lo que resulta en realidad nocivo son los arreglos jurídicos o institucionales por medio de los cuales el Estado captura y distribuye la renta, generando incentivos para políticas clientelares[21].

En tal sentido, el Petro-Estado es consecuencia de tres instituciones políticas por las cuales el Poder Ejecutivo Nacional *(i)* es propietario de los yacimientos; *(ii)* regula y gestiona las actividades extractivas y *(iii)* capta el ingreso petrolero para su posterior distribución. Al no depender de la riqueza generada por la sociedad, no existen incentivos para la efectiva implementación del principio de separación de poderes y de rendición de cuentas. Por lo tanto, las instituciones políticas en el Petro-Estado tienden a ser rentistas y distributivas, y por ello, clientelares y patrimoniales[22].

Román, *El Derecho de la nacionalización petrolera,* Editorial Jurídica Venezolana, Caracas, 1978, pp. 71 y ss.

[20] Sobre sus fundamentos económicos, vid. Ross, Michael, *The oil curse: How petroleum wealth shapes the development of nations*, Princeton University Press, Princeton, 2012, pp. 47-58. Seguimos lo que explicamos en Hernández G., José Ignacio, "Hacia una nueva la Ley orgánica de hidrocarburos", en *Libro homenaje al Profesor Eugenio Hernández-Bretón. Tomo III,* Academia de Ciencias Políticas y Jurídicas, Caracas, 2019, así como Hernández G., José Ignacio, "Aspectos jurídicos de la reconstrucción de la industria petrolera nacional: hacia un nuevo marco para promover la inversión privada", en Oliveros, Luis, (editor), *La industria petrolera en la era chavista. Crónica de un fracaso*, AB Ediciones, Caracas, 2019, pp. 67 y ss.

[21] Karl, Terry Lyn, *The Paradox of Plenty: Oil Booms and Petro-States,* University of California Press, 1997, pp. 6 y ss.

[22] Ross, Michael "Does Taxation Lead to Representation?", en *34 B.J.Pol.S.,* 2004, pp. 229-249.

Precisamente, luego de la nacionalización petrolera de 1975, Venezuela se organizó como un Petro-Estado, es decir, como un Estado que es propietario de los yacimientos y de las actividades del sector, a resultas de lo cual capta la práctica totalidad del ingreso petrolero, el cual constituye el ingreso determinante de las finanzas públicas. Esta nacionalización consolidó el pensamiento jurídico estatista sobre los hidrocarburos que se proyectó sobre toda la economía, como quedó en evidencia con el V Plan de la Nación[23].

Hacia fines del siglo pasado se denunciaron diversos vicios políticos en el Estado, como la centralización en torno a la Presidencia; el debilitamiento de la separación de poderes; el excesivo intervencionismo administrativo en la economía; la degeneración de la democracia un "Estado de partidos" y la corrupción y, general, frágil capacidad burocrática del Estado[24]. Todos esos vicios, de una u otra manera, reflejan el pobre desempeño institucional del Petro-Estado que, de nuevo, no es causado por el petróleo sino por los arreglos jurídicos del Petro-Estado.

El así llamado "viernes negro" de 1983 demostró el agotamiento de este modelo estatista de desarrollo, todo lo cual llevó a la Comisión Para la Reforma del Estado (COPRE), a proponer un conjunto de reformas económicas para reducir el rol del Estado en la economía y ampliar el rol del sector privado. Parte de esas reformas fueron implementadas durante a través del programa conocido como el Gran Viraje, durante la segunda presidencia de Carlos Andrés Pérez (1989-1993), pero de manera muy reducida, como resultado de la inestabilidad política, tal y como ampliamos en segunda parte[25].

Lo anterior quiere decir que, al amparo de la Constitución de 1961, el Derecho Económico en Venezuela había degenerado en torno un concepto estatista de la economía, esto es, el modelo basado en la promoción del desarrollo a través de la primacía del Estado,

---

[23] Hernández G., José Ignacio, *El pensamiento jurídico venezolano en el Derecho de los Hidrocarburos,* Academia de Ciencias Políticas y Sociales, Caracas, 2016, pp. 5 y ss.

[24] Brewer-Carías, Allan, *Política, Estado y Administración Pública*, Editorial Ateneo de Caracas-Editorial Jurídica Venezolana, Caracas, 1979, pp. 15 y ss.

[25] Naim, Moisés, *Paper tigers & minotaurs,* The Carnegie Endowment for International Peace, Washington D.C., 1993, pp. 115 y ss.

relegándose el rol del sector privado, cuyos derechos económicos fueron severamente diezmados a resultas del régimen de excepción que, como explicamos, entró en vigor junto con la Constitución de 1961, derogando en los hechos sus cláusulas económicas[26]. A ello se le debe agregar el pobre desempeño económico registrado en Venezuela a partir de la década de los setenta, todo lo cual permite explicar, al menos en parte, el declive político bajo el cual, en diciembre de 1998, Hugo Chávez fue electo presidente[27].

II. LA LIBERTAD DE EMPRESA COMO COMPONENTE ESENCIAL DE LA DEMOCRACIA: DE VUELTA A PUNTOFIJO

La precariedad institucional de la libertad de empresa fue uno de los componentes que permiten explicar el declive político y económico en evidencia hacia fines del siglo pasado. Con todo, lo cierto es que para 1998 Venezuela tenía un sistema político democrático funcional, y una economía social de mercado. En especial, las reformas institucionales adoptadas durante el segundo gobierno de Pérez restablecieron, formalmente, las garantías jurídicas de la libertad de empresa al haber puesto fin al régimen de excepción, introduciendo además novedosas legislaciones para promover la libre competencia y la protección de los consumidores y usuarios. Luego, durante el segundo gobierno de Rafael Caldera, la política de apertura petrolera implementó importantes correctivos a las instituciones del Petro-Estado.

Estas reformas no solo fortalecieron a los mecanismos de mercado, sino que, con ello, fortalecieron a la democracia. Pero estas reformas no solo fueron truncadas luego de 1998, sino que fueron ferozmente revertidas por medio de políticas que aniquilaron los mecanismos de mercado y, con ello, contribuyeron a la emergencia humanitaria compleja. Por ello, la transformación democrática de

---

[26] Hernández G., José Ignacio, *La libertad de empresa y sus garantías jurídicas. Estudio comparado del Derecho español y venezolano, cit.*

[27] *Vid.* Hausmann, Ricardo y Rodríguez, Francisco, ¿"Why did Venezuela growth collapse?", en *Venezuela before Chávez. Anatomy of an Economic Collapse,* The Pennsylvania State University Press, University Park, 2014, pp. 15 y ss

Venezuela debe retomar el espíritu del Pacto de Puntofijo, y así, recuperar el rol de la libertad de empresa como un componente esencial de la democracia.

1. *Del rescate institucional de la libertad de empresa a su destrucción de como parte del desmantelamiento de la democracia constitucional*

Durante la vigencia de la Constitución de 1961, las garantías jurídicas de la libertad de empresa solo estuvieron vigentes desde 1991, con la publicación del Decreto N° 1.724, esto es, apenas ocho años. Con lo cual, el sistema de economía social de mercado que presupone la existencia de los mecanismos de mercado no tuvo vigencia efectiva. De acuerdo con Miguel Ángel Santos[28]:

"El mecanismo de mercado permite a las sociedades organizarse de manera espontánea para satisfacer sus necesidades haciendo el mejor uso posible de los recursos disponibles. Ese mecanismo depende de una red de instituciones y regulaciones que empezaron a ser desmontadas hace dos décadas, y cuyos impactos fueron disimulados durante algún tiempo por la bonanza petrolera y el endeudamiento acelerado de la república. Entender este proceso es esencial no solo para identificar las razones por las cuales el país ha sido incapaz de producir una transición política en medio de la catástrofe, sino también para pensar en las bases de un programa orientado a producir una recuperación acelerada".

Desde el punto de vista jurídico, los mecanismos de mercado son las reglas jurídicas -o instituciones- que garantizan el libre intercambio de bienes y servicios a través del reconocimiento de derechos previstos en la Constitución Económica, lo que también puede denominarse "economía de mercado". Estas reglas se basan en derechos, tales y como la propiedad privada y, muy en especial la libertad de empresa. Los mecanismos de mercado no se oponen a la

---

[28] Santos, Miguel Ángel, "La Venezuela del día después (y del día antes)" en Fajardo, Alejandro y Vargas, Alejandra, *Comunidad Venezuela. Una agenda de investigación y acción local,* Centro de los Objetivos de Desarrollo Sostenible para América Latina y el Caribe (CODS)-International Development Research Centre (IDRC), Bogotá, 2021, p. 46.

intervención pública del Estado en la economía. En realidad, tales mecanismos presuponen la intervención del Estado, para paliar fallos de mercado y, en especial, proveer bienes y servicios que solo el Estado puede ofrecer, desde el monopolio legítimo de la violencia, como es el caso de la implementación de mecanismos de solución de controversias que permitan, mediante la coacción, la ejecución de la decisión de esas controversias.

Además, también corresponde al Estado garantizar el acceso equitativo a bienes y servicios anejos a derechos económicos y sociales, como se asumió en el Programa de 1958. Como resultado, la Constitución de 1961 sancionó el sistema de economía social de mercado que es, aclaramos, una modalidad de la economía de mercado. Los bienes y servicios anejos a los derechos económicos y sociales pueden ser proveídos por el sector privado, bajo la regulación del Estado o, de acuerdo con el principio de subsidiariedad, por el Estado empresario o de servicios sociales.

Los derechos económicos que componen los mecanismos de mercado tienen garantías jurídicas que derivan de la Constitución. Como hemos explicado en detalle en otro lugar, estas garantías comprenden tres grupos. El primero de ellos es la reserva legal, en el sentido que solo la Ley puede establecer límites al ejercicio de esos derechos. Además, las limitaciones adoptadas por el Estado deben respetar el contenido esencial de esos derechos, o sea, la autonomía empresarial privada. Finalmente, las limitaciones al ejercicio de esos derechos deben ser proporcionales, racionales y basarse en interpretaciones restrictivas inspiradas por la máxima *in dubio pro libertate*[29].

Lo cierto es que hasta 1991 estas garantías no tuvieron vigencia efectiva, debido al régimen de "excepción" que habilitó a la Presidencia a regular la economía por medio de decretos-leyes, lo que afectó sensiblemente a la autonomía empresarial privada, especial-mente, a través de controles de precio y de cambio. Además, el modelo de desarrollo se apalancó fuertemente en el Estado empresario, sin mayor adecuación al principio de subsidiariedad.

---

[29] Hernández H., José Ignacio, *La libertad de empresa y sus garantías jurídicas. Estudio comparado del Derecho español y venezolano, cit.*

Este debilitamiento de las garantías jurídicas de los mecanismos de mercado, advertimos, no llevó a un proceso de estatización de los factores de producción, más allá de los sectores afectados por las políticas de nacionalizaciones. Por el contrario, el sector privado logró sobrevivir a los controles derivados de los decretos-leyes, convirtiéndose en uno de los pilares del sistema democrático fundado en 1958[30].

Hacia fines de la década de los ochenta, como adelantamos en la primera parte, la COPRE propuso una serie de reformas al Estado que, en el ámbito económico, postularon la necesidad de rescatar la vigencia efectiva de los mecanismos de mercado, moderando el rol del Estado regulador, planificador y empresario[31]. De acuerdo con Carrillo Batalla[32]:

"En razón de la renta petrolera, la cual, por tradición histórica y derecho constitucionalmente establecido, propiedad del Estado, éste ha tenido un peso fundamental en la actividad económica venezolana, más allá del que le otorgaría la práctica estrictamente regulatoria que es consustancial a todo Estado nacional (…) considerado individualmente, el sector público es el agente económico más importante y poderoso".

Tal es la descripción del modelo estatista de desarrollo. La nueva visión del rol del Estado en la economía, para la COPRE, era la siguiente[33]:

---

[30] En general, *vid.* Arráiz Lucca, Rafael, *Empresas venezolanas: nueve historias titánicas,* Editorial Alfa, Caracas, 2016, pp. 13 y ss.

[31] Caballero, Manuel, *Las crisis de la Venezuela contemporánea (1903-1992)* Alfadil, Caracas, 2007, pp. 173 y ss.

[32] "Una estrategia económica para Venezuela: lineamientos generales", en Torres, Gerbver (ed). *El rol del Estado venezolano en una nueva estrategia económica,* COPRE, Caracas, 1989, p. 22. La conclusión, en la página 23, es reveladora: *"esta dependencia de la renta petrolera vía sector público le ha conferido a la economía venezolana un marcado carácter rentístico, que la ha alejado de las más exigentes condiciones de la actividad productiva".*

[33] "Una estrategia económica para Venezuela: lineamientos generales", *cit.*, p. 62.

"La nueva estrategia económica del país requiere, exige, una *importante* redefinición del papel del Estado en la economía (…) es preciso contar con un Estado que intervenga más selectiva y estratégicamente en la actividad económica; que revierta su tendencia a hacerlo de manera casuística, desordenada e indiferenciada (…)".

En el plano económico el restablecimiento de la libertad económica vino acompañado de la liberalización de la economía, a través de la desregulación (en materia de control de precios, por ejemplo), y la privatización de empresas públicas. Luego de 1993 esa política de liberalización continuó con altibajos, destacándose las políticas orientadas a promover la inversión privada en la industria petrolera, a través de la llamada "apertura petrolera". Tales políticas promovieron la inversión privada a través de contratos de operación o de asociación con la Administración para la realización de actividades relacionadas con la exploración y explotación del petróleo[34].

El restablecimiento de las garantías jurídicas de los mecanismos de mercado, y la racionalización del rol del Estado en la economía, fueron reformas cuyo impacto fue más allá de lo económico. Frente a la etiqueta -no exenta de sesgo- de "neoliberalismo", es preciso enfatizar que la liberalización de la economía iniciada en 1989 fue un componente clave para fortalecer el sistema democrático, pues sin libertad de empresa no hay democracia. Por otro lado, la liberalización nunca abdicó, ni habría podido hacerlo, del reconocimiento de derechos económicos y sociales, y de la intervención del Estado en la economía. Pero lo cierto es que, al amparo del régimen de excepción, esa intervención era contraria a la creación de riqueza en la sociedad, y además, concentraba funciones en la Presidencia, debilitando el principio de separación de poderes. Por ello, el Gran Viraje, al restablecer las garantías jurídicas de la libertad de empresa, contribuyó a fortalecer a la democracia constitucional, en sintonía con el espíritu del Pacto de Puntofijo.

---

[34] Para una revisión de la bibliografía y datos relevantes, vid. Hernández G., José Ignacio, *Derecho administrativo y regulación económica,* Editorial Jurídica Venezolana, 2006, pp. 459 y ss.

Todo este esfuerzo fue truncado con la elección de 1998, que dio paso a políticas autoritario-populistas que, a partir de 2004, destruyeron los mecanismos de mercado[35]. Precisamente, la estrategia implementada durante la campaña presidencial de 1998, e implementada a partir de febrero de 1999, fue apelar a la protección del pueblo para justificar la "demolición" del Estado Constitucional, lo que comenzó a lograrse a través de la asamblea nacional constituyente electa en 1999, que asumió poderes absolutos. Con ello se alcanzó el objetivo trazado con las intentonas golpistas del año 1992: deponer a las instituciones democráticas de la Constitución de 1961 y concentrar todo el poder. Como en el mito de Saturno, la asamblea nacional constituyente devoró a su primogénita, pues lo cierto es que la Constitución de 1999 fue violada al día siguiente de su promulgación por la propia asamblea, quien concentró poderes en torno a la Presidencia de la República[36].

Ahora bien, entre 1999 y 2002 el modelo económico promovido, más allá de sus defectos, fue favorable a los mecanismos de mercado. Así, se dictaron Decretos-Leyes y Leyes que liberalizaron el sector eléctrico, de telecomunicaciones y de gas natural no asociado, al tiempo que se redujo el alcance de la reserva sobre el sector de los hidrocarburos (que se concentró solo en actividades aguas arriba, abriendo el resto de las actividades a la inversión privada). De igual manera, se dictó una Ley de protección de la inversión que siguió los estándares más avanzados de protección de inversiones. La Sala Constitucional del Tribunal Supremo de Justicia, por su parte, interpretó las cláusulas económicas de la Constitución de 1999 en el mismo sentido que las cláusulas de la Constitución de 1961, concluyendo que la Constitución garantizaba la institución de la economía de mercado, bajo la modalidad de la economía social de mercado.

---

[35] Desde el punto de vista del Estado de Derecho, *Vid.* Brewer-Carías, Allan, *Dismantling Democracy in Venezuela*, Cambridge University Press, Nueva York, 2010, pp. 35 y ss. En general, *Vid.* Rachadell, Manuel, *Evolución del Estado venezolano 1958-2015. De la conciliación al populismo autoritario*, Editorial Jurídica Venezolana-FUNEDA, Caracas, 2015, pp. 20 y ss.

[36] Brewer-Carías, Allan R., *Golpe de Estado y proceso constituyente en Venezuela,* Universidad Autónoma de México, México, 2001, pp. 32 y ss.

Con lo cual, en realidad, el balance que podría hacerse del modelo económico venezolano para 2002 era favorable a los mecanismos de mercado[37].

Un ejemplo práctico permitirá comprender mejor esta conclusión. Cuando se creó la Sala Constitucional del Tribunal Supremo de Justicia en la Constitución de 1999, estaba en curso la demanda de nulidad en contra de la *Ley del Régimen Cambiario* de 1995, bajo el argumento según el cual esa Ley permitía imponer restricciones administrativas (o sea, sub-legales) a la libertad de cambio, a pesar de que esa libertad solo puede ser restringida de acuerdo con la Ley. La demanda de nulidad fue resuelta por la Sala Constitucional luego de la entrada en vigor de la Constitución de 1999, en sentencia 21 de noviembre de 2001. La Sala estimó la demanda, al considerarse que la Ley habilitaba genéricamente a la Administración para acordar restricciones a la libertad cambiaria cuya contravención daría lugar a la imposición de penas y sanciones. En pocas palabras, interpretando la Constitución de 1999, la Sala Constitucional concluyó que era inconstitucional restringir administrativamente la libertad cambiaria para imponer un control de cambios, tanto más si ello daba lugar a la imposición de penas y sanciones. Esta es, como puede observarse, una lectura favorable a la institución de la economía de mercado, y que sin embargo sería abandonada por la misma Sala Constitucional en sentencia de 17 de agosto de 2004, en el caso *Henry Pereira Gorrín*, al avalar la constitucionalidad del control de cambios adoptado en enero de 2003.

A partir de 2001 el conflicto entre el Gobierno y el sector privado comenzó a aumentar. Tras tres años de gestión, y luego de algunos cambios en sus alianzas políticas iniciales, el Gobierno enfrentó un conjunto de protestas y cuestionamientos que escalaron a propósito de la Ley Habilitante que, en 2001, llevó a dictar de manera inconsulta decenas Decretos-Leyes. La intensidad de la conflictividad no pudo mantenerse más tiempo, y en enero de 2003 era evidente que tal conflictividad estaba decayendo. Fue precisamente en ese momento

---

[37] En cuanto al análisis de las medidas de liberalización, nos remitimos a nuestro artículo Hernández G., José Ignacio, "Intervención económica y liberalización de servicios esenciales en Venezuela", en *Revista de Derecho Administrativo N° 10*, Caracas, 2000, pp. 61 y ss.

cuando el Gobierno decidió imponer el control de cambio centralizado y el control de precios, iniciando con ello una larga cadena de regulaciones que, a la postre, destruyeron los mecanismos de mercado[38].

La imposición de controles centralizados a partir de 2003, junto con arbitrarias medidas de intervención económica, generaron la reacción del sector privado, que defendió sus derechos económicos por medio de acciones judiciales. El control político de la Sala Constitucional en 2004 fue el paso decisivo para avanzar en el modelo autoritario, pues esa Sala es el último tribunal que puede decidir sobre la constitucionalidad de las Leyes y otros actos de similar rango, todo lo cual llevó a esa Sala a convertirse, *de facto*, en el máximo tribunal, incluso, por encima del propio Tribunal Supremo de Justicia[39]. Con la Sala Constitucional a su favor, y en especial, luego de su reelección en 2006, Chávez pudo adelantar su estrategia de desmantelamiento progresivo del Estado de Derecho, minando la autonomía del Poder Judicial, del Poder Ciudadano, del Banco Central de Venezuela (BCV) y de PDVSA[40].

Asimismo, el Gobierno avanzó en la imposición de controles centralizados sobre la producción, importación, exportación, distribución y comercialización, con indeterminadas potestades de supervisión, incluso, de la Fuerza Armada, lo que propendió a la "militarización" del sector económico. Además, la infracción de cualquiera de esos controles fue severamente sancionada con penas privativas de libertad, en una clara política de criminalización del sector económico privado, muy similar al llamado "Derecho Penal del enemigo", pues formalmente -en las Leyes, Decretos y demás actos dictados- el sector privado fue señalado como responsables de ilícitos económicos.

---

[38] Sobre estos conflictos, *Vid.* Corrales, Javier, y Penfold, Michael, *Dragon in the Tropics: The Legacy of Hugo Chávez*, Brookings Latin America Initiative Book, Washington, D.C., 2015, pp. 5 y ss.

[39] Brewer-Carías, Allan, *Crónica sobre la "In" Justicia Constitucional. La Sala Constitucional y el autoritarismo en Venezuela*, Editorial Jurídica Venezolana, Caracas, 2007, pp. 52 y ss.

[40] Rachadell, Manuel, *Evolución del Estado venezolano 1958-2015. De la conciliación al populismo autoritario, cit.*

Finalmente, se adelantó una política de nacionalizaciones, expropiaciones y otras arbitrarias medidas de efecto equivalente, incluso, en el sector petrolero. En su mayoría, esta política se tradujo en medidas con efecto expropiatorio, por ejemplo, medidas "temporales" de ocupación de establecimientos de empresas, que en la práctica implicaron la *expropiación de hecho* de la actividad ejercida, que era típicamente asumida por empresas del Estado, cuyo número aumentó considerablemente.

Estas políticas fueron denominadas, a partir de 2005, como "transición al socialismo" o "socialismo del siglo XXI". A tales efectos, incluso se avanzó en la creación de figuras jurídicas paralelas a los derechos económicos previstos en la Constitución, como sucedió con la "propiedad social"[41].

La destrucción de los mecanismos de mercado fue silenciada por el *boom petrolero*. Así, los ingresos petroleros administrados por el Gobierno podrían haber superado los setecientos (700) millardos de dólares, descontado los subsidios al sector energético, lo que le permitió promover un auge artificial de consumo, financiado con las importaciones y luego, con el sobreendeudamiento del Gobierno Nacional y de PDVSA. Además, esos ingresos fueron administrados por mecanismos paralelos, como la empresa del Estado "Fondo para el Desarrollo Nacional" (FONDEN), propiciando con ello la corrupción[42].

Pero lo cierto es que, tras esa ilusión de bienestar, subyacían los signos claros de la destrucción causada por las políticas autoritario-populistas. La capacidad del sector privado económico estaba muy mermada, como resultado de la destrucción de los mecanismos de mercado, todo lo cual elevó la dependencia a las importaciones (favorecidas, por lo demás, por la distorsión cambiaria).

---

[41] Hernández G., José Ignacio, *Reflexiones sobre la Constitución económica y el modelo socioeconómico*, FUNEDA, Caracas, 2008.

[42] Santos, Miguel Ángel, "Venezuela: Running on Empty", *LASAFORUM, Volume XLVIII: Issue 1*, 2017.

Por su parte, la capacidad de producción petrolera –fuente casi única de las divisas de exportación– estaba colapsando, al tiempo que el servicio de la pesada deuda pública contraída limitaba –más todavía– la disponibilidad de divisas para financiar las importaciones[43].

En 2018 este modelo centralizado, por el colapso de la capacidad estatal y la abrupta caída de la producción petrolera, forzaron al Gobierno a tolerar actividades económicas al margen del marco legal de la economía, lo que dio lugar a una suerte de liberalización *de facto*. El mayor signo es la dolarización *de facto*, que refleja la incapacidad del Estado de conducir su política monetaria. El colapso de los controles centralizados no ha estado acompañado del restablecimiento de las garantías jurídicas de los mecanismos de mercado, lo que no solo condiciona adversamente el crecimiento económico, sino que, además, genera incentivos para ilícitos económicos y financieros[44].

La destrucción de los mecanismos de mercado, a partir de 2003, no solo es una de las causas inmediatas del colapso de la economía venezolana[45]. Además, esa destrucción fue parte de la demolición del Estado de Derecho y de la capacidad estatal, de lo cual ha resultado lo que Brewer-Carías, con gran acierto, ha calificado de kakistrocracia, esto es, el Gobierno que reúne todos los vicios políticos, y que destruye la riqueza generada por la sociedad civil[46].

---

[43]   Sobre la destrucción de la producción petrolera, véase a Carmona, Juan Cristóbal, *Actividad petrolera y finanzas* públicas *en Venezuela,* Academia de Ciencias Políticas y Sociales-Asociación Venezolana de Derecho Tributario, Caracas, 2016, pp. 49 y ss., y Brewer-Carías, Allan, *Crónica de una destrucción,* Editorial Jurídica Venezolana, Caracas, 2018, pp. 251 y ss.

[44]   Véase lo que explicamos en detalle en Hernández G., José Ignacio, *Control de cambio y de precio. Auge y colapso institucional*, Editorial Jurídica Venezolana, Caracas, 2022.

[45]   Puente, José Manuel y Rodríguez, Jesús Adrián, "Venezuela: radiografía de un colapso macroeconómico (1980-2019)", en Gratius, Sussane y Puente, José Manuel (coordinadores) *Venezuela en la encrucijada. Radiografía de un colapso,* AB Ediciones-IESA-Konrad Adenauer Stiftung, Caracas, 2021, p. 123.

[46]   Brewer-Carías, Allan, *Kakistocracia depredadora e inhabilitaciones políticas: el falso Estado de Derecho en Venezuela,* Cuadernos de la Biblioteca Allan

2. Sin libertad de empresa no hay democracia: repensando a la Constitución Económica en Venezuela

Sin libertad de empresa no hay democracia, pues la libertad es una e indivisible[47]. Por ello, el desconocimiento de las garantías jurídicas de esa libertad a partir de 1961, generaron condicionantes adversos al modelo de democracia constitucional que quiso construirse a partir del Pacto de Puntofijo. De allí la importancia histórica de las políticas de reformas adoptadas desde 1989 que, al rescatar esas garantías jurídicas, contribuyeron a fortalecer a la democracia, en un proceso truncado y revertido a partir de 1999. El efecto económico de esa reversión puede medirse en términos del colapso del producto interno bruto, que al reflejar la destrucción de la economía también refleja la destrucción de la libertad de empresa[48]. Por ello, en la transformación democrática de Venezuela, inspirada en los principios del Pacto de Puntofijo, es necesario reconstruir a los mecanismos de mercado, como condición necesaria -pero no suficiente- para reconstruir a la democracia.

Debemos recordar que el Estado de Derecho es una condición necesaria para el funcionamiento de la economía de mercado, en tanto el libre intercambio de bienes y servicios requiere de instituciones que definan con claridad derechos económicos y establezcan mecanismos para resolver las controversias. Cierto sector de la doctrina económica denomina a esas reglas "instituciones económicas inclusivas", las cuales requieren de mecanismos que aseguren el control del Gobierno y su ejercicio democrático, en lo que se conoce como "instituciones políticas inclusivas"[49]. Estas instituciones son, así, reglas jurídicas

---

Brewer-Carías, Instituto de Investigaciones Jurídicas de la Universidad Católica Andrés Bello N° 20, Caracas, Editorial Jurídica Venezolana, pp. 21 y ss.

[47] Friedman, Milton, *Capitalism and Freedom,* University of Chicago Press, Chicago, 1962, pp. 7-21.

[48] Barrios, Douglas y Santos, Miguel Ángel, "¿Cuánto puede tomarle a Venezuela recuperarse del colapso económico y qué debemos hacer?", en *Fragmentos de Venezuela. 20 escritos sobre economía,* Fundación Konrad-Adenauer-Stiftung, Caracas, 2019, pp. 91 y ss.

[49] Acemoglu, Daron y Robinson, James, *Why Nations Fail,* Crown Business, New York, 2012, pp. 70 y ss.

que definen y garantizan derechos económicos que parten de la libertad económica y la propiedad privada, en lo que también se conoce como mecanismos de mercado. Estos mecanismos presuponen la existencia del Estado de Derecho, pues solo éste brinda garantías jurídicas para el libre intercambio de bienes y servicios.

Los fundamentos de la economía de mercado permiten comprender cuál es el rol del Derecho Mercantil. Así, el Derecho Mercantil reúne a las "instituciones económicas inclusivas", al fijar las reglas llamadas a facilitar el libre intercambio de bienes y servicios y, con ello, promover a la eficiencia económica. Más en concreto, el Derecho Mercantil como parte del Derecho Privado tiende a reducir los costos de transacción, en lo que suele denominarse "regulación civil"[50]. Los fundamentos económicos de la economía de mercado se traducen, jurídicamente, en la autonomía de la voluntad de las partes, que es la institución llamada a reducir los costos de transacción y así incrementar la eficiencia económica. A los fines de reducir los costos de transacción, el Derecho Mercantil fija reglas y estándares para el intercambio de bienes y servicios que, en todo caso, pueden ser modificadas por la libre autonomía[51].

La transformación democrática de Venezuela pasa por reconocer el rol central de la libertad de empresa en el Estado Social y Democrático de Derecho, lo que supone no solo rescatar sus garantías jurídicas sino, además, reconstruir, o quizás, construir, la narrativa que explique el rol fundamental que tal libertad tiene en la democracia. La destrucción de los mecanismos de mercado y las políticas de liberalización *de facto* pueden haber contribuido a cambiar la valoración social de la libertad de empresa, de un derecho secundario y maleable a uno de los pilares de la democracia.

---

[50]   Ogus, Anthony, *Regulation: Legal Form and Economic Theory*, Hart Publishing, Londres, 1994, pp. 15 y ss.

[51]   Hernández G., José Ignacio, "Código de Comercio y libertad de empresa. Un ensayo sobre las bases constitucionales de la autonomía privada", en *Bicentenario del Código de Comercio Francés* Academia de Ciencias Políticas y Sociales, Caracas, 2008.

Para lograr estos objetivos, es necesario desmontar los arreglos jurídicos que configuran a Venezuela como Petro-Estado. Ciertamente, la recuperación económica no puede depender ya del petróleo[52] que, en cierto modo, le quedó pequeño a al país[53]. Pero lo cierto es que solo desmontando esos arreglos podrán crearse condiciones favorables para la libertad de empresa. En pocas palabras: las instituciones políticas del Petro-Estado son incompatibles con el Estado Democrático y Social de Derecho, al tal punto que las críticas sobre el desenvolvimiento del Estado venezolano que comenzaron a formularse hacia fines de la década de los setenta, en buena medida, respondían a los efectos adversos del Petro-Estado. Estos efectos se exacerbaron a partir de 1999, a tal punto que las políticas predatorias implementadas desde entonces se apalancaron en el petróleo, llevando así a la paradoja del Petro-Estado devorado por el Petro-Estado.

La privatización *de facto* de PDVSA, consecuencia de los cambios introducidos desde 2018[54], no ha corregido esa situación, pues ésa es una política implementada en los hechos, que no encuentra reflejo en las instituciones formales, en especial, la Ley Orgánica de Hidrocarburos. Esta privatización *de facto* es parte de la creciente informalidad económica promovida por la fragilidad estatal, y que ha llevado a crear todo un ordenamiento jurídico paralelo, en el cual las instituciones jurídico-formales han perdido vigencia práctica[55].

---

[52]   Barrios, Douglas y Santos, Miguel Ángel, "¿Cuánto puede tomarle a Venezuela recuperarse del colapso económico y qué debemos hacer?", *cit.*

[53]   Como explican Ramón Key y Claudina Villaroel, la recuperación de la industria petrolera venezolana es insuficiente para superar el colapso económico. Vid.: "El petróleo será insuficiente: el colapso de la industria petrolera y la crisis venezolana", *Debates IESA, Volumen XXIII*, Número 2, 2018, pp. 26 y ss.

[54]   Seguimos lo expuesto en Hernández G., José Ignacio, *La privatización de facto de PDVSA y la destrucción del Petro-Estado venezolano. Del colapso de la industria petrolera a la licencia de Chevron,* Editorial Jurídica Internacional, Panamá, 2023, pp. 69 y ss.

[55]   Desde el Derecho Tributario, véase lo que hemos expuesto en Hernández G., José Ignacio, "El Estado fallido en Venezuela y la anomia del Derecho Tributario", en *Libro Homenaje al Doctor Humberto Romero-Muci. Tomo I,*

Hay cierto consenso en la necesidad de reformar la Ley Orgánica de Hidrocarburos, tanto en el régimen de Maduro como en la cuarta legislatura de la Asamblea Nacional[56]. Quizás el único punto de debate es en torno al tipo de reforma necesaria, según se trate de una reforma parcial, solo para permitir la inversión privada en las actividades reservadas al Estado, o de una nueva Ley[57]. Pero esta reforma legislativa debe insertarse en un objetivo de mayor envergadura, cual es desmontar las bases institucionales del Petro-Estado, esto es, el desmontaje de las reglas jurídicas que dan soporte al modelo estatista de desarrollo. Este desmontaje del Petro-Estado permite diversos grados, y por ello, diversas alternativas. Así, repasando los tres arreglos jurídicos que conforman a Venezuela como un Petro-Estado, podemos apreciar cuáles son los posibles grados para el desmontaje del Petro-Estado.

El *primer* arreglo jurídico en el cual se basa el Petro-Estado es la propiedad pública sobre los yacimientos, según se reconoce en el artículo 12 constitucional. Esto significa no solo que los yacimientos son propiedad pública, sino que, además, al ser bienes del dominio público, solo pueden ser objeto de derechos de uso asignados por el propio Estado, a través de la figura conocida como concesión del dominio público.

La forma de desmontar este título sería, por ende, la privatización de los yacimientos, esto es, su enajenación al sector privado, todo lo cual pasaría por la reforma del artículo 12 de la Constitución. Esta es una reforma que, en términos prácticos, es inviable. Además, hemos

---

Asociación Venezolana de Derecho Tributaria-Editorial Jurídica Venezolana-Academia de Ciencias Políticas y Sociales, Caracas, 2023, pp. 473 y ss.

[56] Véase lo que hemos expuesto en "El nuevo proyecto de la Ley Orgánica de Hidrocarburos presentado por Comisión Permanente de Energía y Minas en septiembre de 2020", en *Revista de Derecho Público N° 163-164*, Caracas, 2020, pp. 473 y ss.

[57] Como sea que el objetivo es aprovechar la ventana de oportunidades que plantea la transición, nos hemos decantado por la necesidad de dictar una nueva Ley. *Cfr.*: Hernández G., José Ignacio y Bellorín, Carlos, "The case for a new Venezuelan Hydrocarbons Law as the basis of a new Hydrocarbons Policy: unlocking the path for recovery, stabilization and growth", en *The Journal of World Energy Law & Business, Volume 12, Issue 5*, October 2019, pp. 394-407, https://doi.org/10.1093/jwelb/jwz026

de observar que, en la historia de los hidrocarburos en Venezuela, la propiedad pública sobre los yacimientos ha sido una constante, a pesar de lo cual el Petro-Estado es de reciente data, pues surgió a resultas de la nacionalización petrolera. Esto quiere decir que la propiedad pública sobre los yacimientos no es una condición determinante para la configuración de Venezuela como Petro-Estado, y que, por ello, en el nuevo Derecho de Hidrocarburos, la República seguirá siendo propietaria de los yacimientos.

El *segundo* arreglo está basado en la reserva rígida sobre las actividades primarias declarada en la Ley Orgánica de Hidrocarburos y ampliada luego a ciertas actividades aguas abajo. Esta reserva implica que solo el Estado, por medio del Estado empresario, puede asumir estas actividades, de forma tal que la inversión privada queda marginada al rol de accionista minoritario de las empresas mixtas. Para desmontar este título, se requiere derogar la reserva, reconociendo el derecho de libre iniciativa privada a emprender directamente actividades primarias. Es importante recordar que la Constitución -artículos 302 y 303- no impone ninguna resera al Estado de las actividades petroleras, pues encomienda al legislador la decisión sobre qué actividades pueden o no ser reservadas al Estado. Con lo cual, es posible reformar la Ley Orgánica de Hidrocarburos, a los fines permitir a la libre iniciativa privada emprender directamente actividades primarias-exploración y producción- sin que la participación del Estado seas obligatoria. Esto exige considerar cuál es el título jurídico habilitante necesario para que la iniciativa privada pueda prestar esas actividades.

Esta reforma no requiere privatizar PDVSA. En realidad, PDVSA no es privatizable, no solo por la Constitución de 1999 sino, además, por su total colapso, y en especial, por las contingencias derivadas de la deuda externa. En todo caso, la existencia de una empresa petrolera nacional -como se asumió en el Programa de 1958- no es incompatible con el Estado de Derecho. Lo que sí es incompatible es el monopolio de esa empresa, pues inevitablemente, ello debilita la separación de poderes.

Por lo tanto, el reconocimiento de la libre iniciativa privada para por abolir la reserva declarada desde 1975, pero ello no prejuzga sobre la conveniencia de mantener el rol del Estado empresario[58].

Esta segunda reforma supone dejar atrás la visión estatista, y basar la relación entre el Estado, el petróleo y la sociedad a partir de una figura inédita en el sector petrolero venezolano, como es la del Estado regulador. De esa manera, la producción de petróleo no puede seguir dependiendo de la capacidad del Estado empresario bajo la visión estatista, siendo necesario apalancar esa producción en la inversión privada, pero bajo el control del Estado por medio de la actividad administrativa de ordenación y limitación, o regulación. La industria petrolera -como dispone la Constitución- seguiría bajo el control del Estado, pero no del Estado empresario sino del Estado regulador y garante[59], por medio de una Administración Sectorial[60].

El *tercer* arreglo tiene que ver con la disposición del ingreso petrolero que el Estado capta a través del Poder Ejecutivo. Para desmontar este título es preciso eliminar la capacidad del Poder Ejecutivo de disponer discrecionalmente de los ingresos petroleros para sufragar gastos públicos, lo que pasa no solo por formalizar el control presupuestario (eliminando los fondos extra-presupuestarios ilegítimos), sino, además, por regular el uso que pueda darse a tales

---

[58] Espinasa Vendell, Ramón, "A setenta y cinco años de los acuerdos de 1943. Lecciones y propuestas para la reconstrucción del sector petrolero", en Pacheco, Luis (ed), *Energía, institucionalidad y desarrollo en América Latina*, Editorial Alfa, Caracas, 2024, pp. 35 y ss.

[59] Como resume Luis Pacheco, esto implica "garantizar y desarrollar grandemente la capacidad técnica del Estado y, en primer lugar, del Ministerio de Energía y Petróleo, a fin de orientar y trazar los lineamientos de la política petrolera de manera tal que redunden en el mayor beneficio colectivo". Pacheco, Luis, "Marco estratégico para el sector hidrocarburos. Algunas consideraciones", en Ugalde, Luis *et al.*, *Detrás de la pobreza: percepciones, creencias, apreciaciones,* Asociación Civil para la Promoción de Estudios Sociales-Universidad Católica Andrés Bello, Caracas, 2005, p. 401

[60] Esto es, la agencia venezolana de los hidrocarburos. Lares, Mary Elena, *et al., Un modelo de agencia reguladora independencia de hidrocarburos,* Banco Interamericano de Desarrollo. Washington D.C., 2019. Véase el estudio comparado en Espinasa, Ramón, et al., *La Ley y los hidrocarburos: comparación de marcos legales de América Latina y el Caribe,* Banco Interamericano de Desarrollo, Washington, D.C., 2016, pp. 97 y ss.

ingresos. La disposición de los ingresos petroleros por el Poder Ejecutivo es, para nosotros, el factor determinante del Petro-Estado, en tanto es el poder de disposición sobre esos ingresos lo que afecta determinante el funcionamiento del principio de separación de poderes, al propender al fortalecimiento del Poder Ejecutivo Nacional. Por ello, la Venezuela postpetrolera requiere de un fondo soberano de petróleo, que complemente a las disposiciones constitucionales sobre el Fondo de Estabilización Macroeconómica[61].

Desde el punto de vista jurídico, la reconstrucción jurídica de las garantías de la libertad de empresa, en el marco del desmontaje de las instituciones del Petro-Estado, supone dejar atrás el rapto del Derecho Mercantil por el Derecho Administrativo[62]. Tal rapto inició con el régimen de excepción que, en suma, desplazó al Derecho Mercantil a favor de la dispersa regulación de los decretos-leyes. Luego de 2004, las instituciones del Derecho Mercantil fueron desmontadas, en el marco del modelo socialista que, como hemos explicado, destruyó los mecanismos de mercado y, con ello, promovió el colapso económico[63].

---

[61] Hernández G., José Ignacio, "Aspectos jurídicos de la reconstrucción de la industria petrolera nacional: hacia un nuevo marco para promover la inversión privada", en Oliveros, Luis, (editor), *La industria petrolera en la era chavista. Crónica de un fracaso*, AB Ediciones, Caracas, 2019, pp. 67 y ss.

[62] La expresión sobre el "rapto" la hemos empleado antes en Hernández G., José Ignacio, "El Derecho de los Consumidores en Venezuela: un ejemplo del rapto del Derecho Mercantil", *Revista Foro de Derecho Mercantil N° 56*, 2017, Bogotá, pp. 51 y ss., así como en "El rapto del derecho mercantil por el derecho administrativo venezolano", en *Revista de la Facultad de Derecho de la Universidad Católica Andrés Bello N° 75*, Caracas, 2021, pp. 15 y ss. El tema ha sido tratado en Pascua Mateo, Fabio, *El rapto del Derecho Privado*, Civitas, Madrid, 2015, pp. 95 y ss.

[63] Morles Hernández, Alfredo, "El intento inacabado por establecer un modelo económico socialista", en *Anuario de Derecho Público N° 1*, Centro de Estudios de Derecho Público de la Universidad Monteávila, Caracas, 2007, pp. 319 y ss. Véanse nuestros comentarios en "La desnaturalización del derecho mercantil venezolano frente al Socialismo del siglo XXI: hacia un nuevo derecho mercantil", en *Revista Venezolana de Derecho Mercantil*. Edición Especial en homenaje a Alfredo Morles Hernández, Caracas, 2021, pp. 215 y ss.

CONCLUSIONES

La recuperación de la economía venezolana pasa, entre otros objetivos, por reconstruir los mecanismos de mercado, todo lo cual requiere restablecer las garantías jurídicas de los derechos económicos y, con ello, el rol central del Derecho Mercantil como el conjunto de instituciones económicas inclusivas que facilitan el libre intercambio de bienes y servicios.

Esto pasa por implementar la reforma legislativa que derogue las instituciones económicas extractivas del modelo socialista. Sin embargo, no se trata simplemente de restablecer el ordenamiento jurídico-económico a su situación de 1999, pues como vimos, ya para ese entonces el Derecho Mercantil había sido secuestrado por el Derecho Administrativo debido a la *vis* expansiva de la intervención administrativa en la economía anclada en imprecisos conceptos como el servicio público. El objetivo, por el contrario, es construir una nueva relación entre el Derecho Mercantil y Administrativo a través de los principios de subsidiariedad y menor intervención[64].

Esta nueva relación, que se fundamenta en el desmontaje de los arreglos jurídicos del Petro-Estado, debe rescatar el espíritu del Pacto de Puntofijo y del Programa, los cuales reconocieron el rol central de la iniciativa privada, en especial, en la promoción de derechos económicos y sociales. Esta visión no solo no exigía una visión estatista del desarrollo (que fue la visión consolidada hacia la década de los setenta) sino que, además, se oponía a tal visión, pues el desarrollo estatista es incompatible con la democracia. Así, en Venezuela es necesario superar la visión estatista del desarrollo a los fines de asumir la visión de desarrollo centrada en la expansión de las capacidades individuales, de acuerdo con la propuesta de Amartya Sen[65].

Esta propuesta no niega la intervención del Estado en la economía, pero condiciona esa intervención a la promoción de

---

[64]   Además de lo antes expuesto, véase nuestro análisis en Hernández G., José Ignacio, "Regulación económica y Derecho Mercantil a comienzos del siglo XXI", en *Revista Foro de Derecho Mercantil N° 21,* Bogotá, 2008, pp. 7 y ss.

[65]   Sen, Amartya, *Development and freedom,* Anchor Books, Nueva York, 1999, pp. 13 y ss.

capacidades individuales, y no a la creación de vínculos de dependencia con el Estado. En realidad, la economía de mercado requiere del Estado, y en especial, de las Administraciones Públicas, a los fines de atender los fallos que pueden impedir la eficiencia económica. Pero el rol del Derecho Administrativo, desde esta visión, no es de expansión sobre el Derecho Mercantil sino de complementación[66].

La Constitución Económica del Pacto de Puntofijo era una basada en esa complementariedad entre el sector público y privado, y que reconoció el rol del Estado como promotor del desarrollo, pero concebido como desarrollo humano, no como un proceso definido por y para el Estado. Hoy, es necesario retornar esa visión y refundar la Constitución Económica desde la centralidad de la persona y su dignidad, todo lo cual pasa por construir capacidades en el sector público y privado para garantizar el acceso efectivo a los bienes y servicios anejos a los derechos económicos y sociales. El primer rol del Estado, en este sentido, es garantizar ese acceso equitativo, en especial, en el marco de la emergencia humanitaria compleja.

Para lograr esos objetivos, es necesario cambiar la narrativa de la libertad de empresa, que usualmente suele minusvalorar sus garantías jurídicas como resultado de sesgos en contra de los mecanismos de mercado[67].

Los prejuicios a la libertad de empresa, que hoy están muy presentes en el modelo socialista, no son en ningún caso nuevos. Esos prejuicios a la libertad de empresa se remontan, en Venezuela, incluso a la época de la Colonia. En el *Tomo Tercero* de las *Memorias de la sociedad económica,* impresas en Madrid en 1778, se inserta el discurso que, sobre la libertad de comercio, pronunció Don Francisco Cabarrus.

---

[66] Singer, Joseph, *No freedom without regulation: the hidden lesson of the subprime crisis.* Yale University Press, New Haven, 2015, pp. 59 y ss.

[67] Rieber de Bentanta, Judith, "Imprecisiones frecuentes sobre las libertades económicas", en *Estado y Reforma n° 1-2,* Comisión Presidencial para la Reforma del Estado, Caracas, 1987, pp. 419 y ss.

Refiriéndose a la situación de tal libertad en la Metrópoli y en las colonias, recordaba los acérrimos adversarios a esa libertad. Los unos -señalaba- que, aunque conozcan sus ventajas *"interesados en el monopolio, no miran más interés en el Estado que el suyo"*; los otros, son aquellos hombres *"al parecer mal organizados, que se puede decir han renunciado formalmente al derecho de pensar"*. De esa manera, concluía, estas son *"las dos especies de contrarios que tiene que combatir la libertad (de comercio): el interés de pocos y la ignorancia de muchos"*.

La realidad de hoy no es muy distinta. Al interés de pocos y la ignorancia de muchos debemos la precaria situación institucional actual de la libertad de empresa, como parte del progresivo socavamiento del Estado social y Democrático de Derecho, en un intento de edificar al Estado Comunal al margen de lo establecido en la Constitución.

De allí la necesidad de replantear el estudio de la libertad de empresa en Venezuela, no como un derecho condicionado y subordinado a las exigencias unilateralmente impuestas por el Estado, sino como un auténtico derecho fundamental, derivación de la libertad general del ciudadano, y pilar de la democracia y de la economía social de mercado, tal y como se concibió con el Pacto de Puntofijo.

Tal y como ha recordado Brewer-Carías, la deriva autoritaria ha estado acompañada de una narrativa en contra del Pacto de Puntofijo. Esa distorsión no distingue entre el Pacto y el agotamiento del modelo político que se apartó de las bases de la democracia constitucional fijadas en 1958 y plasmadas en la Constitución de 1961[68]. Lo era necesario en 1999 era volver al espíritu del Pacto y del Programa, en concreto, reconociendo la *"función primordial que cumple la iniciativa privada como factor de progreso"*. Pero el lugar de ello, se adoptó un modelo que desconoció la esencia del Pacto y retrocedió a Venezuela a niveles autoritarios previos 1958.

---

[68] Brewer-Carías, Allan R., "El "Pacto de Punto Fijo" de 1958 como punto de partida para el establecimiento y consolidación del sistema democrático y del Estado Constitucional de derecho en Venezuela," *Libro Homenaje a Humberto Romero Muci, cit.*, pp. 83 y ss.

Por ello, en la reinstitucionalización, transición y transformación democrática de Venezuela, el espíritu del Pacto, basado en la construcción de la democracia constitucional sentada en el pluralismo político, deberá llevar a reconocer la función principal que cumple la libertad de empresa como factor de progreso.

Brookline, MA, 2024

EL DIÁLOGO SOCIAL Y EL CONSENSO, COMO HABILITADORES DEL PROYECTO POLÍTICO DE RÓMULO BETANCOURT

L.M. Lauriño TORREALBA[*]

I. INTRODUCCIÓN

En el entramado de la historia política venezolana, el proyecto nacional liderado por Rómulo Betancourt emerge como un esfuerzo monumental por transformar tanto la estructura económica como la dinámica sociopolítica del país. En este contexto, el análisis de los acuerdos de 1958, y especialmente el *Pacto de Puntofijo*, así como el amplio abanico de políticas implementadas durante su gobierno, no pueden ser cabalmente entendidos si se les aísla de la visión global y la estrategia integral que los enmarcó, pretendiendo como fin último la introducción y estabilización del sistema liberal democrático.

Betancourt, figura clave de la política contemporánea de Venezuela, no sólo aspiraba a erradicar los resabios de un pasado autocrático, sino a cimentar las bases de lo que denominaría una "revolución democrática". En este ensayo se aborda desde una

[*] Profesor-Investigador del Instituto de Investigaciones Económicas y Sociales de la Universidad Católica Andrés Bello (Caracas. Venezuela). Director de Docencia (IIES-UCAB), Director del área de Estudios Laborales (IIES-UCAB), Director de la Revista Temas de Coyuntura (IIES-UCAB). Investigador Asociado del Centro para el Desarrollo Económico (Equilibrium Cende). Lic. en Ciencias Sociales. MSc en Relaciones Industriales, MSc en Sistemas de la Calidad, MSc en Historia de Venezuela y candidato a Doctor en Historia. Articulista y colaborador de diversas revistas académicas tanto nacionales como internacionales.

perspectiva crítica y detallada, la complejidad, los alcances y las consecuencias de su proyecto político, partiendo del contexto histórico que precedió su ascenso al poder, pasando por la conceptualización y ejecución de sus políticas, hasta evaluar su impacto y legado en la historia de la Venezuela contemporánea.

II. EL PROYECTO POLÍTICO DE RÓMULO BETANCOURT

Después de la muerte del General Juan Vicente Gómez, el 17 de diciembre de 1935, el General Eleazar López Contreras asumió la presidencia de la República. Este cambio en el liderazgo político no representó el término de un estilo de gobernanza, sino más bien la persistencia, aunque en una forma adaptada, de un régimen autocrático que se había instaurado desde 1899 con el general Cipriano Castro. Dicho sistema, a lo largo de los años, se encontró bajo una creciente presión por demandas de renovación y cambio. Por su parte, Rómulo Betancourt, quien había estado en un primer exilio entre 1928 y 1936, coincidiendo con la etapa final del régimen gomecista, retornaría al país.

Aquel período de exilio, ahora contrastado con las experiencias nacionales vividas en primera persona, había representado una oportunidad de aprehender de forma directa y vivencial la realidad sociohistórica que había intentado auscultar y expresar Rómulo Betancourt en el *Plan de Barranquilla*[1].

Tras el diagnóstico, si se quiere teórico, pero sobre todo fáctico, de la realidad nacional, Betancourt comprendió la urgencia de impulsar cambios estructurales en la sociedad venezolana. No sólo se trataba para éste de "liquidar el gomecismo", sino de abordar las causas profundas del atraso generalizado en el país.

---

[1] El "Plan de Barranquilla" (1931) y su "Programa Mínimo" (1931) pueden ser considerados los documentos originarios del proyecto político concebido por Rómulo Betancourt. Está plasmada en este documento la esencia inicial de su pensamiento y su relación con la superación de las causas primarias de los problemas fundamentales de la sociedad venezolana que, en su opinión, causaban los grandes desequilibrios sociales que caracterizaban la realidad contemporánea del país.

En otras palabras, se trataba de liquidar el modelo gomecista atacando sus causas raíces, es decir, "el chacharismo, la represión salvaje de todo intento de la ciudadanía para afirmar su derecho a la libertad, el continuismo como forma de gobierno y el peculado como sistema de administración…"[2]. Ello, aunado a un conjunto de factores socioeconómicos de larga data y profundas raíces en la sociedad venezolana, tales como la autocracia, el militarismo, el capitalismo y el latifundismo.

Lo que la distancia le había impedido a Betancourt observar desde el exilio, lo podía ahora comprobar, tras su regreso, por el contacto directo con la propia realidad. Se convencía así, de la correlación entre aquellos factores y el atraso estructural de la sociedad venezolana, lo que le permitió definir un punto de partida, el esbozo general de una estrategia para dar forma gradual al complejo proceso de transformación de la sociedad venezolana.

La organización social de las masas, la independencia económica, y la revaloración estratégica de la industria petrolera, serían tres de los aspectos fundamentales de aquel punto de partida, ya planteado desde 1931, en lo que podría ser considerado el documento seminal del proyecto nacional concebido por Rómulo Betancourt, el *Plan de Barranquilla*.

En este contexto y según esta visión, la organización social de las masas permitiría que el pueblo pudiese tener una participación activa en los asuntos políticos y sociales del país. La independencia económica, buscaría romper la extrema dependencia de los intereses extranjeros, y fortalecer el desarrollo nacional. Y finalmente, la industria petrolera, debía convertirse en el motor de la economía, por lo que debía ser gestionado por el Estado nacional de manera justa y sostenible.

Durante aquellos primeros años, Rómulo describió la implementación de sus ideas como elementos fundamentales de lo que denominó la "revolución democrática". Según este enfoque, se daba un especial énfasis a las características únicas de la realidad nacional, como pilar esencial para realizar el proceso de

---

[2]   Betancourt, R. *Antología Política*. Volumen Segundo. 1936-1941. Editorial Fundación Rómulo Betancourt. Caracas. 1995. pp. 708. p. 180.

transformación política, económica y social que aspiraba a lograr. En estos términos describiría a grandes rasgos su enfoque sobre la "revolución":

Sin negar la universalidad de los procesos históricos, los hombres que comandan la revolución venezolana han querido instaurar una etapa democrática, pero sin copiar los patrones europeos, pues ya desapareció la intangibilidad del liberalismo y el predominio de la burguesía. Ahora la revolución democrática, la experiencia de América, ha de realizarse por el proletariado y las clases medias conforme a normas materialistas, adueñados a ambos estamentos del Poder y disponiendo de instrumentos de intervención económica para proteger el bienestar de las grandes masas pobladoras. De la democracia iremos al socialismo que habrá de realizarse también de acuerdo a nuestra vocación nacional y con elementos extraídos de nuestra intransferible realidad económica[3].

Aquella era aún una visión romántica e impregnada aún de un marxismo libresco y teórico de los primeros tiempos, pero que iría transitando prontamente hacia una concepción liberal y socialdemócrata, significativamente caracterizada por las particularidades y los ajustes que demandaría la realidad nacional.

En cuanto al distanciamiento ideológico del comunismo debemos recordar que uno de los hitos de la transformación ideológica de Rómulo Betancourt fue el giro significativo de la "Revolución Bolchevique" iniciada en 1917, bajo el liderazgo de José Stalin. A medida que avanzaba, se inclinaba cada vez más hacia el totalitarismo, resultando en numerosas divisiones. Betancourt, rechazaría críticamente tanto el carácter dictatorial y personalista de la "revolución", como las ambiciones hegemónicas de su propagación impulsadas por Stalin, y puestas especialmente de relieve con la firma, en 1939, del pacto germano-soviético (Ribbentrop-Mólotov).

En cuanto a la especial valoración de la realidad nacional para configurar un "modelo" político propio, una estrategia particular, o

---

[3]   Betancourt, R. *Antología Política. Volumen Cuarto. 1945-1948.* Fundación Rómulo Betancourt. Caracas. 2006. pp. 27-28.

como le llamara algún especialista, una "teoría propia del poder"[4], es importante resaltar que Betancourt creía en la importancia capital de los contextos específicos de cada sociedad, así como en la consecuente adaptación de las estrategias a estas realidades. Desde su perspectiva, la rigidez ideológica no debía ser un obstáculo para abordar los desafíos y necesidades particulares de cada nación.

De manera que aquella transformación ideológica modificó la noción personal de "revolución", dejando de ser aquella fundamentada en la violencia y la dictadura del proletariado, para convertirse en una "Revolución Democrática", arraigada en los fundamentos de la socialdemocracia y con un particular enfoque "venezolanista".

En ese proceso de transición ideológica, permanecería como vestigio de la inicial inclinación hacia el marxismo de Rómulo Betancourt, una significativa valoración de la importancia de la transformación de los factores de producción, como condicionante cardinal para el logro de los cambios económicos y sociales[5] que, en su opinión, demandaba la sociedad venezolana.

---

[4] "Teoría propia del poder" o "teoría revolucionaria venezolana de la democracia" ha sido la forma como ha expresado el historiador Germán Carrera Damas el desarrollo particular de la estrategia política o del "modelo" político concebido por Rómulo Betancourt para la transformación de la sociedad venezolana y la introducción y consolidación del sistema liberal democrático en el país. Ver Carrera, G. *Rómulo Histórico*. Editorial Alfa. Caracas. 2013. pp. 478.

[5] Aquellas ideas habían sido expresadas por Engels al comentar las tesis desarrolladas por Marx en su obra *Contribución a la Crítica de la Economía Política*, escrita en enero de 1859, al señalar que "el modo de producción, de la vida material condiciona el proceso de la vida social, política y espiritual en general". A lo que añadiría, a propósito de la tesis que, sobre el materialismo histórico, había planteado Marx en esta misma obra, que sus consecuencias no sólo afectarán la teoría, también la praxis, pues y citando al propio Marx, 'Al llegar a una determinada fase de desarrollo, las fuerzas productivas materiales de la sociedad chocan con las relaciones de producción existentes, o, lo que no es más que la expresión jurídica de esto, con las relaciones de propiedad dentro de las cuales se han desenvuelto hasta allí. De formas de desarrollo de las fuerzas productivas, estas relaciones se convierten en trabas suyas. Y se abre así una época de revolución social. Al cambiar la **base económica, se**

267

En otras palabras, cambiar la base económica, reconfigurar los factores de producción y desarrollar el sistema de relaciones industriales, va a constituirse en factor primario y esencial de la estrategia concebida por Rómulo Betancourt para lograr sus objetivos sociales, particularmente a partir del desarrollo sistémico de los factores de producción y del proceso de industrialización nacional. En este caso, convencido de que estas fuerzas productivas para el desarrollo de la sociedad venezolana, debían ser las fuerzas de un capitalismo regulado por los preceptos de la social democracia.

Se esbozó entonces una suerte de "fórmula" política, no declarada, cuyo objetivo final sería la introducción y estabilización del sistema liberal democrático, iniciando el proceso a partir de la transformación de los factores de producción, habilitando con ello una fase de diversificación económica y de desarrollo industrial que permitiría alcanzar gradualmente, con el consenso y el diálogo social como pívot, mayores niveles de desarrollo económico y social.

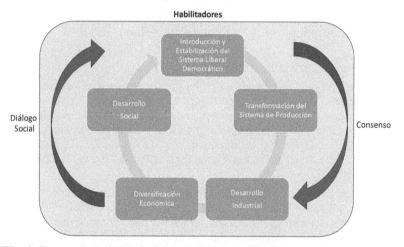

Fig. 1. Estrategia Política de Rómulo Betancourt para la Introducción y Estabilización del Sistema Liberal Democrático en Venezuela.

revoluciona, más o menos rápidamente, toda la inmensa superestructura erigida sobre ella [...]'. Ver Marx, K. *Contribución a la Crítica de la Economía Política*. Biblioteca del Pensamiento Socialista. Siglo XXI Editores. México. 2008. p. 335. Las negritas son nuestras.

La puesta en marcha de aquella visión política sería compleja y ameritaría una delicada operación de redistribución del poder que, basada en los valores liberales de la democracia, tendría como eje el consenso, los acuerdos y el avenimiento entre los actores económicos, sociales y políticos de la sociedad contemporánea del país.

III. LA TRANSFORMACIÓN DEL SISTEMA DE PRODUCCIÓN

La transformación del sistema de producción demandaba una particular dinámica de diálogo y consenso; y para ello, un liderazgo político que, por comprender la importancia del balance de tal correlación y sus efectos sobre la estabilidad sociopolítica, lo concibiera, promoviera y lo pusiera en marcha[6].

Betancourt asumió dicho liderazgo con plena conciencia de lo que estaba en juego tras el cambio político que representaba su Gobierno,

---

[6]   Esta correlación de poder social es descrita por el historiador Manuel Caballero, quien afirma que, "en efecto, en las sociedades de más larga historia política, los partidos no suelen encontrarse solos en el escenario social (…) Así, además de las tradicionales como la Iglesia, el partido político ha debido compartir el terreno con organizaciones que le son coetáneas, como por ejemplo los sindicatos obreros, que en muchas partes fueron fundadas o dominadas en sus comienzos por anarquistas que no sólo rechazaban o se oponían a la existencia del Estado, sino a la idea misma de política: aborrecían la actividad política, proclamaban la abstención y por supuesto, rechazaban de plano los partidos.

Cuando en 1936, aparezcan los primeros partidos políticos en Venezuela, la iglesia todavía lame las heridas que le había infligido el liberalismo guzmancista a partir de 1870. Los sindicatos, por su parte, no rivalizan con el partido político: no sólo nacen al mismo tiempo, sino que éstos son por lo general los fundadores de aquellos; y les asignan el mismo papel propuesto por Lenin: el de 'correa de transmisión' de la política del partido.

En cuánto a los empresarios, basta con señalar la fecha de fundación de Fedecámaras: 1944. Y son de tal manera tributarios del partido político, que en su fundación no dejó de estar presente la influencia de dos antiguos leninistas: Carlos Fleury Coello, un ex militante del partido comunista norteamericano que 'concibió' Fedecámaras; y Rómulo Betancourt, quien de una forma u otra manifestó su interés si no su simpatía por la formación del organismo empresarial. En: Caballero, M. *Rómulo Betancourt, Político de Nación*. Editorial Alfa. Segunda Edición. Caracas. 2008. pp. 477. p. 253.

las transformaciones económicas estructurales pretendidas y el consecuente desajuste en el equilibrio de poderes socioproductivos[7]. Los primeros cambios requeridos en este sentido suponían para Betancourt y su gobierno, equilibrar la capacidad de negociación de los trabajadores y el empresariado por medio de la promoción formal y legalización de sus respectivas organizaciones pues,

Este fenómeno no es venezolano sino universal. No vivimos exclusivamente en la era de la bomba atómica, sino también en la era del sindicato. Pretender impedir coactivamente que los trabajadores o los patronos se integren en sus organismos de lucha económica sería caer en el totalitarismo dictatorial, que ya fracasó estruendosamente en Alemania, Japón e Italia, produciéndose en esos países un colapso que ha conducido al hambre a millones de trabajadores, pero también a catastrófica ruina a los industriales y comerciantes de esos países[8]

Aquella política, estaba consciente Betancourt, generaría un reacomodo de los equilibrios de poder en el incipiente sistema productivo que, aunque tendiente al balance supondría en el momento, el estímulo de la organización de los trabajadores y su

---

[7] Aseguran el profesor John Dunlop y sus colaboradores, en relación a los cambios normalmente generados por los líderes impulsores de la industrialización y sus consecuentes retos, que "un conflicto contextual, entre la cultura vieja y la nueva cultura, que es el tema dominante enfrentado por la élite industrializante, es llevado y peleado en varios frentes: el económico, el político, el religioso, el intelectual, etc. Un conflicto ideológico, entre las distintas alternativas posibles en la orientación de la industrialización, tiende simultáneamente a ser peleado en los mismos frentes". A propósito de esta afirmación, cabe destacar la persistente resistencia de los empresarios, particularmente aquellos agrupados en Fedecámaras desde su fundación en 1944, frente a ciertas formas de intervención estatal en la economía. Esta dinámica de oposición había sido una constante en las interacciones entre el Estado y el sector empresarial desde la administración del general Eleazar López Contreras. Ver: Urquijo, J. *Lectura Crítica de "El Industrialismo y el Hombre Industrial"*. Cuadernos Universitarios. Serie Relaciones Industriales. 5. Departamento de Investigaciones Laborales. IIES-UCAB. Caracas. 1994. pp. 24. p. 16.

[8] Betancourt, R. *Op Cit*. 2006. p. 300.

legalización[9]; lo cual generaría de facto un reacomodo del poder de los actores fundamentales del sistema de producción, incrementando las cuotas del trabajador, pero reduciendo relativamente las del capital, e inclusive las del propio Estado[10].

El equilibrio de poder y el consenso en las relaciones industriales generaría fricciones en el corto plazo, pero era una condición fundamental, un "imperativo" para llevar a cabo en el mediano y largo plazo el proceso de industrialización planteado[11].

Avenimiento Obrero-Patronal

La estrategia de Betancourt tomaba en cuenta una esperada resistencia por parte del sector empresarial, el cual ya había manifestado su rechazo hacia el intervencionismo estatal desde el gobierno del general Eleazar López Contreras, y percibía al movimiento sindical como un obstáculo para el libre desarrollo de las actividades productivas. Un reflejo de esta tensión se evidenció en su reconocimiento de las dificultades y "tropiezos" encontrados al

---

[9]   Advertía en este sentido Raúl Leoni en octubre del 46, a la sazón, ministro del Trabajo y miembro de la Junta Revolucionaria de Gobierno, que el gobierno que representaba no tenía "el menor deseo de hacer demagogia apoyando directa o indirectamente exageradas demandas obreras", lo cual parecía una afirmación lógica si se consideraba viable la pretensión de alcanzar un equilibrio relativo en las relaciones sociales de producción. Ver *Exposición del Ministro del Trabajo*. Noticia reseñada en *El País,* 09 de octubre de 1946.

[10]   Esta política tendría un impacto especial en la organización sindical, pues el estímulo que a ésta se dio desde un principio, tendría efectos expansivos, afectando la correlación de fuerzas en el ámbito laboral, por lo que, "por primera vez el movimiento sindical adquirió una dimensión verdaderamente nacional". Villalba, D. *Persistencia del Paternalismo: Estado y Sindicatos en Venezuela 1936-1948*. Ediciones Faces-UCV. Caracas. pp. 146. p. 54.

[11]   Uno de los aspectos que contribuyen con las fuerzas de "homogeneización" del proceso de industrialización es "un nuevo consenso social", a partir de ideas y creencias comunes, "integrados en una especie de totalidad", específicamente en torno a una ideología laboral que "enfatiza el valor de lo moderno, la ciencia y la tecnología, la educación para la producción, etc.". De igual forma la ética laboral, que valora "el trabajo productivo, la responsabilidad, el incentivo, la movilidad ocupacional, etc". Y finalmente la ética social, "fundamentalmente orientada a la participación". Urquijo, J. *Op Cit.* 1994. p. 20.

intentar promover el acercamiento entre obreros y patronos. Betancourt afirmó en este sentido, que "hay sectores patronales recalcitrantes que consideran que es una pérdida de ciertos privilegios feudales de que creen disfrutar al hacer la menor concesión a los trabajadores"[12].

Aquella previsión, fundamentada en el marco de las "contradicciones de las clases sociales", sería expresada inicialmente por Rómulo Betancourt apenas a unos días de haber asumido el liderazgo de la autodenominada "Junta Revolucionaria de Gobierno", cuando en una alocución radial, realizada el 30 de octubre de 1945, indicó que sería menester "adelantarse a esos conflictos, evitarlos haciendo justicia rápida y eficaz a quien la tenga". De manera que, los cambios aunados a la ya existente conflictividad demandarían necesariamente, en opinión de Betancourt, una política de diálogo y consenso puesta en marcha desde el Estado como una de sus funciones tutelares[13].

A propósito de ello, en marzo de 1946, y en el marco de la "Segunda Convención Nacional de Cámaras de Comercio y Asociaciones de Producción", Betancourt advirtió al empresariado nacional representado en esa instancia que, "...para nosotros, que no somos gobernantes ensimismados en engreídos conceptos autocráticos, gobernar no es monologar: gobernar es *dialogar*"[14]. El llamado al diálogo, pero sobre todo su instrumentación consensuada, era una condición *sine qua non*, no sólo para garantizar la sostenibilidad gubernamental de corto plazo, también sería visto, en el mediano y largo plazo, como un prerrequisito para garantizar el relativo equilibrio de poder entre las fuerzas productivas.

---

[12] "Rómulo Betancourt glosó la Realidad Venezolana En Acto ofrecido por Organizaciones Revolucionarias Mexicanas." *La Esfera*. 02 de Agosto de 1946.

[13] Se consideraba el Consejo de la Economía Nacional el espacio idóneo para ello, razón por la cual en esta misma alocución se anunciaría su próxima creación. Ministerio de Relaciones Interiores. *El Gobierno Revolucionario de Venezuela Ante su Pueblo*. Talleres Gráficos de la Nación. 1946. pp. 174. p. 16.

[14] "El Programa Económico del Gobierno delineado por el Presidente de la Junta Revolucionaria." Noticia reseñada en *El País*. 11 de Marzo de 1946. Las negritas son nuestras.

Por una parte, se buscaba generar la confianza necesaria sobre la política oficial y sobre la orientación e intencionalidad del Gobierno en torno a la actividad productiva, a fin de dar viabilidad a las políticas, planes y lineamientos oficiales. Por otra, se buscaba reducir en lo inmediato y a la mínima expresión la conflictividad laboral real o inducida[15], facilitando un libre flujo de la actividad productiva, y logrando con ello un mayor nivel de independencia económica, pues éste "constituye no solamente uno de los soportes fundamentales para liberarnos del vasallaje a que nos somete el comercio internacional (…) sino que también es fuente necesaria para satisfacer la legítima aspiración de los venezolanos a un trabajo bien remunerado"[16]. Por último, y como se ha dicho, el consenso buscaba adelantarse previsivamente al conflicto social, construyendo una base mínima para la estabilización social y política.

Entre los primeros pasos dados por Rómulo Betancourt en aquella dirección, ya en el ejercicio del poder, estuvo la creación de las

---

[15] La complejidad de los conflictos desencadenados tras las reformas implementadas desde octubre de 1945 no se limitaba solo al ámbito empresarial; también surgían fricciones con sectores de la izquierda, especialmente con aquellos representados por los líderes del Partido Comunista de Venezuela (PCV). Tras haber obtenido ciertas posiciones de influencia gracias a los acuerdos y alianzas con el gobierno de Isaías Medina Angarita, fundamentadas en la estrategia de unidad nacional y colaboración entre clases promovida por la política "browderista" de la Tercera Internacional y el Buró del Caribe, los comunistas vieron mermar su poder con la caída del régimen medinista. Este cambio de escenario desató diversas reacciones políticas, muchas de las cuales se manifestaron en el ámbito laboral a través de huelgas y conflictos. Estos últimos, si bien se presentaban como disputas laborales, en numerosos casos estaban más motivados por razones políticas que por desacuerdos en el ámbito del trabajo. A propósito de ello, al poco tiempo de haber asumido el poder, la "Junta Revolucionaria de Gobierno" debió enfrentar, antes de lograr el control absoluto de la situación, una serie de amenazas a su estabilidad política. "Mientras tanto los Comunistas se sumaron a los problemas del gobierno, fomentando una ola de huelgas". Entre las más importantes estuvo aquella producida en la industria petrolera, resultando exitosamente gestionada en el marco de la política oficial del recién creado, de manera independiente, Ministerio del Trabajo. Ver: Mc Donald, A. *Latin American Politics and Government.* Second Edition. Thomas Y. Crowell Company. New York. 1954. pp. 712. p. 443.

[16] *EXPOSICIÓN DEL ENCARGADO DEL MINISTERIO DEL TRABAJO. DR. RAÚL LEONI. El País.* 10 de Octubre de 1946.

llamadas "comisiones tripartitas", como un mecanismo intermedio de resolución del conflicto y la consecución de alternativas, puesto en marcha por el recién creado Ministerio del Trabajo[17], en el marco de una política oficial orientada hacia el logro de una relativa "paz industrial"[18].

Tales comisiones, conformadas por representantes de los trabajadores, el empresariado y el Estado, serían una herramienta fundamental a los fines de ejecutar y hacer seguimiento a aquellos acuerdos resultantes del proceso de diálogo y consenso en materia productiva.

Uno de los logros más significativos de aquella política de "paz industrial" sería, además de la fundación y legalización de la Federación de Trabajadores Petroleros de Venezuela (FEDEPETROL), la firma del primer contrato colectivo de la industria petrolera en 1946[19], pues fue a partir de aquel momento, que

---

[17] El decreto N° 4 del 21 de octubre de 1945 dispuso la separación del Ministerio del Trabajo y de Comunicaciones en dos Departamentos Ejecutivos: el Ministerio del Trabajo y el Ministerio de Comunicaciones.

[18] Ante el aumento de la conflictividad laboral, el Ministerio del Trabajo identificó la necesidad de fomentar una política de "paz industrial", convirtiéndose en la piedra angular de su estrategia socio-política y laboral durante el gobierno de la "Junta Revolucionaria" entre 1945 y 1948. Para ello, se inició con la formación de comisiones de arbitraje, activas hasta 1946, destinadas a resolver los conflictos laborales emergidos con el establecimiento del nuevo gobierno. Además, se promovió la adopción de medidas para facilitar la toma de decisiones directas en situaciones que así lo ameritaran, buscando siempre soluciones efectivas y ágiles ante los desafíos presentados. Otra visión sobre el asunto la ofrece el profesor Fernando Parra Aranguren. Según éste, el Gobierno ordenaba que los conflictos laborales se sometieran a esta comisión durante su período de vigencia, mientras que "...en el resto de trienio sólo toleró las huelgas que afectaran un reducido número de trabajadores y el 89% de los conflictos no fueron resueltos directamente por los interesados sino por el gobierno". Ver: Parra, F., Tres Momentos de los Inicios del Movimiento Obrero-Venezolano. *Revista Sobre Relaciones Industriales y Laborales. Caracas. UCAB. No. 19. Julio-Diciembre 1986.* pp. 65-76. p. 70.

[19] Ver Lucena, H. *El Movimiento Obrero Petrolero. Proceso de Formación y Desarrollo.* 3era Edición Facsímil. Ediciones Centauro. Caracas. 1998. pp. 539. pp. 70-71. p. 338. Vale la pena recordar también que en la redacción de

proliferó la práctica de la negociación colectiva en diferentes industrias del país, bajo la inspiración del movimiento obrero (representado por la CTV, Confederación de Trabajadores de Venezuela, recién re-organizada), que tuvo siempre como referencia fundamental los Contratos de las Compañías Petroleras.[20]

De manera que, considerando desde el Ministerio del Trabajo que, "sólo mediante la firma de contratos colectivos puede asegurarse al trabajador la conquista de mejores condiciones de trabajo y de apreciables ventajas en el orden económico y social", así como a "los empresarios la tranquilidad que necesitan para dedicarse con entero entusiasmo al planeamiento del desarrollo y mejoramiento de la actividad industrial"[21], no pocos contratos colectivos fueron impulsados, alcanzados y legalizados en el interín del período comprendido entre los años 1945 y 1948, como parte de la política oficial[22].

Además de las iniciativas oficiales y mecanismos señalados para alcanzar la convergencia de intereses, Betancourt consideró necesaria la puesta en marcha de un proceso de diálogo para el logro de un acuerdo global de mayor alcance, de un pacto formal que, superando la visión dialéctica marxista de las relaciones de producción, permitiera un flujo armónico y sostenible en el tiempo de las mismas, lo cual fue considerado, posteriormente, como un "imperativo intrínseco de la lógica del industrialismo"[23].

---

este contrato intervino directamente el Dr. Raúl Leoni, a la fecha, ministro del Trabajo, miembro fundador del partido Acción Democrática, y líder civil de la Junta Revolucionaria de Gobierno. Ver: Congreso de la República. *Presencia de Raúl Leoni en la Historia de la Democracia Venezolana*. Ediciones del Congreso de la República. Caracas. 1986. pp. 66. pp. 56-57.

[20] Urquijo, J. *Planteos sobre Democracia Industrial en las Relaciones de Producción*. Cuadernos Universitarios N° 7. UCAB. Caracas 1976. p. 14.

[21] *EXPOSICIÓN DEL MINISTRO DEL TRABAJO*. Noticia reseñada en *El País*, 09 de octubre de 1946.

[22] "Serenidad y Justicia en las relaciones entre Empresas y Trabajadores Petroleros." Noticia reseñada en *El País*, 17 de Mayo de 1946.

[23] Urquijo, J. *Op. Cit.* 1994. pp. 18-20.

No sólo había pasado, en opinión de Betancourt, "la hora del forcejeo airado en la pugna interclasista"[24], sino que veía necesario para la Nación, "que en todas las ramas de la industria se firmen contratos colectivos con largos plazos de vigencia, porque esa es la única forma de estabilizar la producción"[25].

Planteó entonces Betancourt la necesidad de establecer el avenimiento obrero-patronal como máxima instancia del consenso en el sistema productivo. Por ello, en el marco de la primera Convención de Cámaras de Comercio y Producción realizada en 1944, señaló por primera vez ante el país, la necesidad, pero sobre todo la posibilidad de alcanzar un acuerdo general de largo plazo entre obreros y patronos. Dirá allí, que "empresarios y obreros, capitalistas y trabajadores manuales o intelectuales, tienen necesariamente que coincidir en el planteamiento de problemas que le son comunes. Problemas que desbordan la pugna obrero-patronal y adquieren carácter de cuestiones nacionales, venezolanas"[26].

Destacaba entonces la necesidad de reenfocar los problemas de la producción, superando la "microvisión" operativa de la producción, para alcanzar una "macrovisión" que comprendiera el sistema productivo como un subsistema fundamental, o una pieza, de un conjunto mayor de sistemas (económico, político y social, entre otros) de alcance nacional.

Simultáneamente, en el contexto de esa visión de construcción colectiva de la economía, se fundó en junio de 1946 el Consejo de la Economía Nacional[27].

Este organismo se concibió como un foro del más alto nivel de importancia, destinado a fomentar la integración, la convergencia y la uniformidad en los enfoques de todos los actores vinculados con la actividad económica y la producción nacional. En esencia, se estableció un ámbito destinado a promover la democratización de las

---

[24] Betancourt, R. *Op. Cit.* 2006. p. 386.

[25] *Íbidem*. pp. 403-404.

[26] Betancourt, R. *Antología Política*. Volumen Tercero. 1941-1945. Editorial Fundación Rómulo Betancourt. Caracas. 1999. pp. 392.

[27] Ver: "El Consejo de la Economía Nacional." Noticia reseñada en *El País*. 14 de Junio de 1946.

relaciones sociales entre los diversos agentes de la producción y su articulación con las políticas públicas diseñadas para dar impulso a la dinámica económica del país.

Tras no pocos esfuerzos realizados desde aquella primera propuesta del 44[28], en octubre de 1948, sectores obreros y empresariales, estimulados desde el más alto Gobierno, intentaron concretar el avenimiento obrero-patronal[29]. Sin embargo, el golpe de estado del 24 de noviembre de 1948 impediría la concreción de aquel proceso, que se retomaría años más tarde, y tras el derrocamiento de la dictadura militar del general Marcos Pérez Jiménez.

De manera que, llegado el mes de abril de 1958, ya derrocada la dictadura militar, se realizó un almuerzo en Miraflores, promovido por la Junta de Gobierno, en el que participaron representantes del "Capital y el Trabajo", en la búsqueda de una tregua sindical que titularía la prensa como la "Consolidación de la paz social y de la tregua sindical"[30]. Aquel titular no estaría muy lejos de la realidad.

Durante aquella reunión, representantes de la Junta de Gobierno expresarían su interés porque culminara pronto el proceso de negociaciones conducentes al consenso sindical. Y como colofón de aquella, y de muchas otras reuniones entre los representantes del Estado, trabajo y capital, el 24 de abril de 1958, se firmaría finalmente el "Convenio de Entendimiento" que regiría las relaciones obrero-patronales en todo el país. La prensa resaltó de aquel acuerdo, seis puntos de suma importancia:

Creación de comisiones de avenimiento en las empresas, formadas por representantes patronales y sindicales.

---

[28] Betancourt insistiría nuevamente en mayo del año 1946 sobre la idea de alcanzar un pacto obrero-patronal Betancourt, R. *Archivo de Rómulo Betancourt*. Tomo 3. 1931. Fundación Rómulo Betancourt. Caracas. 1991. pp. 476. p. 139.

[29] Ver Pérez, P. *Nuevos estilos frente a los capitales*. En: J. A. *Escritos de Pérez Salinas (Sobre el Movimiento Obrero Venezolano)*. Edición homenaje al autor José Agustín Catalá, editor. Caracas. 1993. pp. 23-24.

[30] "Consolidación de la paz social y de la tregua sindical". *La Esfera*. Caracas, 9 de abril de 1958, s/p.

Reconocimiento y respeto a la libertad de organización sindical sin interferencia de ninguna clase.

Conveniencia de mantener la mayor estabilidad posible en los trabajadores.

Estricto cumplimiento de los contratos colectivos y de la Ley del Trabajo.

Conveniencia de celebrar contratos colectivos por actividad económica.

Necesidad de que se agoten las medidas conciliatorias antes del planteamiento de cualquier conflicto[31].

El avenimiento obrero-patronal contemplaba así evidentes beneficios tanto para patronos, como para trabajadores en un plano, si se quiere, operativo y desde una óptica industrial. Entre ellos, el reconomiento de los derechos laborales y la estabilidad laboral. En una dimensión política, permitía la prevención y resolución del conflicto, evitando con ello su escalada, y las consecuentes amenazas a la cohesión social.

Para Betancourt el alcance de este acuerdo tenía además otras implicaciones. Para éste, el avenimiento obrero-patronal, era parte de una "posición lealmente unitaria", y en defensa de la tesis de su partido sobre la unidad nacional. Recordará, a propósito de ello, que

Junto con la tregua política propiciamos, a través de nuestras fracciones sindicales, la unidad del movimiento laboral y el avenimiento obrero-patronal. La primera porque un movimiento obrero unido parece ser fórmula más eficaz que la de la fragmentación de fuerzas laborales en el cumplimiento por éstas de sus funciones específicas en defensa de los intereses económicos de los trabajadores, y en las de carácter general como soporte y defensa del régimen democrático.[32]

---

[31] "Firmado Anoche el Convenio de Entendimiento que Regirá las Relaciones Obrero-Patronales". *La Esfera*. Caracas, 25 de abril de 1958, p. 22.

[32] Betancourt. R. *Posición y Doctrina*. Segunda Edición. Edit. Cordillera. Caracas. 1959. pp. 294. p. 184. En: Lauriño, L. Pacto de Avenimiento Obrero-Patronal de 1958. *Revista sobre Relaciones Industriales y Laborales / N° 44 /*

La "defensa de los derechos económicos de los trabajadores" y la "defensa del régimen democrático" se contemplaban, así como una correlación necesaria en el proyecto político de Betancourt. Pero tal correspondencia debía ser estimulada en el marco de los valores del liberalismo democrático que pretendía por fin último dicho proyecto. Por lo tanto, era imperativo distanciarse de cualquier práctica que se impusiera mediante la coacción.

Así el diálogo y el consenso se constituirían en habilitadores para la transformación del sistema de producción, facilitando la puesta en marcha de aquel delicado proceso de redistribución del poder entre los actores fundamentales de la producción, para lograr una relación de poder más equitativa y conveniente.

Aquello era condición *sine qua non* según la visión de Betancourt, no sólo por la inherente necesidad política de promocionar la justicia social, se requerían en el mediano y largo plazo mayores niveles de estabilidad y eficiencia económica para entrar en una nueva fase, la de la diversificación económica y el desarrollo industrial. Lo que requeriría a su vez, no sólo del consenso de trabajadores y patronos, sino de un acuerdo de mayor alcance que permitiera sentar bases más sólidas y permanentes para garantizar la sostenibilidad del proyecto político.

Pacto de Puntofijo

Lograr el consenso entre trabajadores y patronos garantizaba ahora la relativa estabilidad del sistema productivo, posibilitando la introducción de una nueva estrategia económica basada en la diversificación y el desarrollo industrial.

Sin embargo, esta nueva fase del proyecto exigía un redimensionamiento del acuerdo previamente establecido entre trabajadores, empleadores y el Estado. Al ampliar su alcance, actores y objetivos, especialmente en el ámbito político, se abriría la posibilidad de configurar un consenso sociopolítico de mayor envergadura. Este consenso, alineado con las bases del acuerdo socioproductivo, contribuiría a la formación de un "pacto social" de

2008. Instituto de Investigaciones Económicas y Sociales (IIES). Universidad Católica Andrés Bello. Caracas. 2008. pp. 33-98.

mayores dimensiones, elevando no sólo la factibilidad o probabilidad, sino la posibilidad, de reinstaurar, estabilizar y mantener el régimen liberal democrático.

Desde esta perspectiva, el avenimiento entre obreros y empresarios representaría una subdimensión del pacto social, en la misma medida en que lo representaría el acuerdo entre líderes políticos y partidos. La sinergia de estas interacciones, cada una representando pilares fundamentales dentro del proyecto político de Betancourt, señalaría la existencia de una realidad más amplia y profunda: la de un "contrato social", emergiendo tácitamente como una manifestación avanzada e integral del consenso[33]. Este "contrato" no sólo integraría las distintas capas de consenso, sino que también elevaría la cooperación a un nivel superior, marcando la convergencia de esfuerzos hacia objetivos nacionales compartidos.

---

[33] Vale la pena recordar algunas palabras de Jean Jacques Rousseau de su obra clásica "El Contrato Social". Decía: 'Encontrar una forma de asociación que defienda y proteja con la fuerza común la persona y los bienes de cada asociado, y por la cual cada uno, uniéndose a todos, no obedezca sino a sí mismo y permanezca tan libre como antes'. Tal es el problema fundamental cuya solución da el Contrato Social. Las cláusulas de este contrato están de tal suerte determinadas por la naturaleza del acto, que la menor modificación las haría inútiles y sin efecto; de manera, que, aunque no hayan sido jamás formalmente enunciadas, son en todas partes las mismas y han sido en todas partes tácitamente reconocidas y admitidas, hasta tanto que, violado el pacto social, cada cual recobra sus primitivos derechos y recupera su libertad natural, al perder la convencional por la cual había renunciado a la primera". Rousseau, Jean. *El Contrato Social*. En: http://www.enxarxa.com/biblioteca/ ROUSSEAU% 20El%20Contrato%20Social.pdf. Recuperado el 06-12-2018. p. 14.

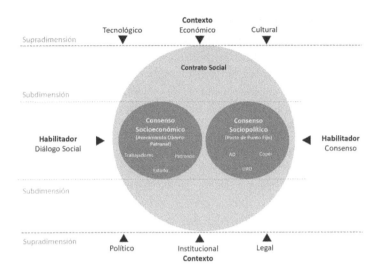

Fig. 2. El diálogo social y el consenso en articulación
en la conformación del contrato social"

Aquel redimensionamiento de los acuerdos alcanzados en el campo de la producción, no sólo eran vitales para iniciar un proceso de diversificación económica y desarrollo industrial. El "contrato social" se revelaría como un instrumento indispensable para asegurar la estabilidad política y económica, garantizar el desarrollo sostenible e integral de la sociedad, alcanzar la reducción de las desigualdades sociales y lograr la cohesión social. Todos, elementos fundamentales para la reconstrucción y dinamización del tejido social y económico del país, situándolos en el corazón de una estrategia más amplia destinada a garantizar el proceso de reimplantación y fortalecimiento de la democracia.

Bajo está lógica, Rómulo Betancourt promovió los primeros pasos en aquella dirección[34]. Así, a pocos días del derrocamiento de

---

[34] Afirma el historiador Manuel Caballero que, "Betancourt estaba de acuerdo con lo que todo el mundo decía: que un régimen sectario y monocolor en las circunstancias de 1958 llevaría rápidamente a un nuevo 24 de noviembre. Propone entonces, y su proposición es aceptada, uno de los pactos más inteligentes, importantes y duraderos de toda su carrera política y de toda la historia de Venezuela: el Pacto de Punto Fijo (*sic*)". Caballero. M. *Op Cit.* 2008. p. 297. Las negritas son nuestras.

la dictadura militar del general Marcos Pérez Jiménez, el 19 de enero de 1958, sostuvieron una primera reunión en Nueva York, Ignacio Luis Arcaya, Jóvito Villalba, Rafael Caldera y Rómulo Betancourt, posiblemente a los fines de explorar la posibilidad de alcanzar un acuerdo político que garantizara la gobernabilidad democrática y neutralizara cualquier posibilidad de reincidencia autocrática a la caída de la dictadura[35].

La concreción de aquel acuerdo, una delicada operación de arquitectura política y social tomaría varios meses de negociaciones. Así, el 31 de octubre de 1958, se firmó el denominado *Pacto de Puntofijo*, fijando "las bases de un mínimo de entendimiento que garantizara el funcionamiento del régimen democrático a establecerse"[36].

Los líderes de los partidos Acción Democrática (AD), Comité de Organización Política Electoral Independiente (COPEI), y el partido Unión Republicana Democrática (URD), Rómulo Betancourt, Rafael Caldera y Jóvito Villalba, respectivamente, acordaron así tres "compromisos políticos" fundamentales: 1) la "defensa de la constitucionalidad y del derecho a gobernar conforme al resultado electoral", 2) la conformación de un "Gobierno de Unidad Nacional", y 3) la suscripción de un "Programa Mínimo Común"[37].

---

[35] Asegura Manuel Caballero que, "una foto tomada en New York al día siguiente de la caída de la dictadura, donde Rómulo Betancourt, Jóvito Villalba y Rafael Caldera, brindaban por el suceso, llevó a creer que ese pacto se había discutido y prácticamente firmado allí. Es lógico pensar que al reunirse esos tres personajes, y para celebrar tal acontecimiento, no iban a hablar de cocina, de moda o deportes. Allí pueden haberse cruzado algunas ideas que varios meses más tarde fueran estampadas en el Pacto". Íbidem. pp. 297-298.

[36] Brewer Carías, A. R. *El 'Pacto de Punto Fijo' de 1958, como punto de partida para el establecimiento y consolidación del sistema democrático y del Estado constitucional de derecho en Venezuela.* Texto escrito para el Libro Homenaje a Humberto Romero Muci, Academia de Ciencias Políticas y Sociales, Caracas 2022 (en curso de publicación). En: https://allanbrewercarias.com/wp-content/uploads/2022/02/Brewer.-SOBRE-EL-PACTO-DE-PUNTO-FIJO-1958.-enero-2022.pdf. Recuperado el 10/04/24.

[37] Ver Pacto de Punto Fijo [1958] en: Presidencia de la República. *Documentos que Hicieron Historia. Siglo y Medio de Vida Republicana 1810-1961. Tomo*

En cuanto al Partido Comunista de Venezuela (PCV), sería excluido de aquellos acuerdos por tres razones fundamentales: 1) el contexto de la guerra fría, 2) el rechazo de la Iglesia Católica, y 3) su apego y dependencia al Partido Comunista Soviético. Esta exclusión fue interpretada no sólo como una firme desaprobación del comunismo, sino también como una táctica deliberada para mitigar las dudas y preocupaciones del sector militar anticomunista, así como para apaciguar y asegurar a los Estados Unidos de América. Se buscaba entonces posicionar favorablemente al naciente régimen democrático de Venezuela frente a ellos, en marcado contraste con la anterior predilección norteamericana por el régimen dictatorial militar venezolano, que había sido considerado un aliado clave en el Caribe durante la Guerra Fría. En este contexto, es importante recordar que aún recaía sobre Rómulo Betancourt, líder emblemático de la democracia venezolana, la sombra de la sospecha de ser un comunista intransigente[38].

La posición pública del PCV ante aquella situación se dio a conocer en la "Declaración del Buró Político del Comité Central del PCV". En ésta se ofreció respaldo a los siguientes compromisos: "Defensa de la constitucionalidad y del derecho a gobernar conforme al resultado electoral (…), Gobierno de Unidad Nacional (…), Programa Mínimo Común (…), Sobre la tregua política (…)", y como una exigencia final, dada su exclusión de aquel pacto, su

> participación en el acto de adhesión de todas las organizaciones y candidatos participantes al resultado de las elecciones como expresión de la soberana voluntad popular. En igual forma, compartimos el 'sincero propósito de respaldar al Gobierno de Unidad Nacional', al cual presentaremos (*sic*) **leal y democrática colaboración**[39].

Sin embargo, la auténtica postura del PCV quedaría en evidencia por su participación activa durante el período de la subversión armada

---

II. De la Revolución Azul a Nuestros Días. Ediciones Conmemorativas del Sesquicentenario de la Independencia. Caracas. 1962. p. 443.

[38]   Ver: Carrera, G. *Historia Prospectiva.* Edit. Alfa. Barcelona. 2018. p. 181.

[39]   Declaración del Buró Político del Comité Central del PCV. En: El Nacional, Caracas 5/11/58. Las negritas son nuestras.

iniciada en Venezuela desde 1960, apenas a un año de haber sido electo presidente constitucional Rómulo Betancourt (1959-1964), y a dos de la firma de aquel pacto[40]. No pareciera entonces ilógico pensar, que la inclusión del PCV en la firma del aquel acuerdo político, habría hecho fácticamente inviable el sostenimiento en el tiempo de sus principios y objetivos.

El 6 de diciembre de 1958, se firmaría el último acuerdo de aquel año[41], en este caso, en relación al tercer compromiso político fijado en el propio *Pacto de Puntofijo*: el "Programa Mínimo Conjunto de Gobierno de los Candidatos Presidenciales".

El *Programa Mínimo Conjunto*, resultante de no pocos programas sectoriales propuestos desde diversos sectores de la vida política y social del país para el momento[42], comprendía ocho aspectos generales sobre los cuales se desarrollaron lineamientos

---

[40] Resulta en este caso interesante recordar los resultados electorales de 1958: "los partidos Acción Democrática, Copei y URD, que fueron los signatarios del Pacto asumiendo el compromiso de mantener el sistema democrático, obtuvieron más del 92 % de los votos en las elecciones generales de 1958", mientras que el Partido Comunista "…no obtuvo más del 5% …" de los mismos. Brewer, A. 2022. *Op Cit.*

[41] Además del *Pacto de Avenimiento Obrero-Patronal* del 24 de abril, del *Pacto de Puntofijo* del 31 de octubre y del *Programa Mínimo Conjunto* del 6 de diciembre, aquel año se firmaría la *Declaración de Principios de los Profesionales Universitarios y Profesores* del 21 de agosto, así como el *Pacto de Unidad Estudiantil* del 21 de noviembre, entre otros acuerdos. Ver Suárez, N. *Puntofijo y Otros Puntos. Los Grandes Acuerdos Políticos de 1958.* Serie de Cuadernos de Ideas Políticas. Fundación Rómulo Betancourt. Caracas. 2006. pp. 91.

[42] A saber: Documento Político del PCV del 22 de febrero de 1958. Manifiesto del Directorio Nacional de COPEI del 9 de marzo de 1958. Declaración de Principios del partido Integración Republicana. Primer Pleno de Dirigentes de AD. Declaración Económica de Barquisimeto. Documento de URD a la Comisión de Enlace de julio de 1958. La Cuestión Venezolana de Arturo Uslar Pietri del 8 de julio de 1958. Plan de Acción Inmediata del Comité Sindical Unificado de julio de 1958. Bases Programáticas y Tesis Sindical de AD de agosto de 1958. Resolución política del Pleno del Comité Central del PCV de agosto de 1958. Programa del Movimiento Electoral Independiente (MENI). La Unidad y el Candidato de Rafael Caldera. Programa Unitario de Rómulo Betancourt del 21 de octubre de 1958. Discursos de campaña de Wolfgang Larrazábal, Rómulo Betancourt y R. Caldera.

políticos, y que contemplaron: la "acción política y administración pública", la "política económica", la "política petrolera y minera", la "política social y laboral", la "política educacional", las "Fuerzas Armadas", la "política inmigratoria", y la "política internacional".

El primero de estos dos acuerdos, el *Pacto de Puntofijo*, tuvo como colofón la Constitución de 1961, texto que representó ampliamente aquella visión compartida de los principales actores sociales del país y se proyectaría en su esencia hasta el año 1999, cuando fuera inicial e intencionadamente suprimido. En otras palabras, aquel acuerdo había integrado "'... aquellas líneas básicas de la vida política nacional, en las cuales pueda haber y exista convergencia de pensamientos y de opiniones en la inmensa mayoría, quizás podríamos decir en la totalidad de los venezolanos'"[43].

En lo particular, aquel texto constitucional había integrado,

...el establecimiento de un régimen político democrático representativo, con previsiones para su mantenimiento que marcó la constitución política del Estado; la estructuración de un Estado constitucional de derecho; y en el establecimiento de un peculiar sistema político-económico-social, que configuró la constitución económica, basada en el principio de la libertad económica con posibilidad para el Estado de promover el desarrollo económico y restringir dicha libertad[44].

El segundo acuerdo, el *Programa Mínimo Conjunto*, planteado en términos tácticos, no sólo apuntaba a la solución de problemas estructurales de la sociedad venezolana en áreas como la económica, social y laboral, petrolera y minera, educacional, así como la de la acción política y administrativa, entre otras, sino que fue, en articulación con otros factores, como por ejemplo, los ingresos extraordinarios provenientes del petróleo, una clave medular del alto nivel de desarrollo del país a finales de los años 70[45].

---

[43]   Brewer-Carías, A. 2022. *Op. Cit.*

[44]   Brewer, Carías, A. 2022. *Op. Cit.*

[45]   "La producción promedio anual de petróleo durante el periodo [1958-1973], fue de 1.196 millones de barriles, con un mínimo de 951 millones en 1958 y un máximo de 1.353 millones de 1970 (...) El volumen de las exportaciones

Una descripción general del contexto económico y social de aquellos años da cuenta de un auge económico significativo durante la mayor parte de la década de los 70, con un notable aumento en el ingreso per cápita, que colocó temporalmente a Venezuela entre los países de América Latina con mejor desempeño, posibilitando un importante incremento de las inversiones en áreas sociales y de infraestructura, incluyendo educación, salud, vivienda, y vialidad.

Se registraron durante dicha década tasas de crecimiento robusto, especialmente después del boom petrolero de 1973. El crecimiento del PIB alcanzó picos significativos, aunque variaron año a año. Por ejemplo, en 1976, el PIB creció alrededor de un 9%. La tasa de desempleo varió durante la década, pero generalmente se mantuvo en cifras relativamente bajas. Y la inversión en educación, como porcentaje del Producto Interno Bruto (PIB), mostró un incremento que ayudó a mejorar los índices de alfabetización y aumentar el número de inscripciones en todos los niveles de la educación, acercando las tasas de alfabetización al 90% a finales de la década en cuestión.

En síntesis, si bien el consenso sociopolítico representado en el *Pacto de Puntofijo* y el *Programa Mínimo Conjunto* fue el resultante de un esfuerzo colectivo de varios actores y líderes políticos, el mismo está imbuido de un sentido y una lógica mayor de conjunto, integrados en el proyecto político de Rómulo Betancourt y en alineación, en consecuencia con su finalidad, la reinstauración y el sostenimiento del régimen sociopolítico liberal democrático, sentando así las bases para avanzar en la transformación del sistema de producción, la diversificación económica y el desarrollo industrial[46].

---

petroleras, que para 1957 había llegado a 940 millones de barriles, supera los 1.200 millones por primera vez en 1967 y se mantiene oscilando alrededor de esa cifra -con un máximo de 1.266 millones en 1970-hasta 1972, año en que disminuye a 1.121 millones. El valor de estas exportaciones subió de 2.435 millones de dólares en 1957 a 4.267 millones en 1973 y alcanzó un total de 38.726 millones de dólares en los 16 años de este período, o sea un promedio de 2.420 millones de dólares al año". En Fundafuturo. *Cuando Venezuela Perdió el Rumbo. Un análisis de la economía venezolana entre 1945 y 1991.* Ediciones Cavendes. Caracas. 1992. p. 46-48.

[46] Por ejemplo, el *Programa Mínimo* contempló en cuanto a la Política Económica la "Elaboración de un Plan Integral de Desarrollo Económico de

III. DIVERSIFICACIÓN ECONÓMICA Y DESARROLLO INDUSTRIAL

La posición de Rómulo Betancourt acerca de la necesidad de diversificar la economía y promover el desarrollo industrial en Venezuela se fundamenta en una evaluación crítica de la excesiva dependencia de la economía del país de la industria del petróleo. Esta posición se manifestó como el reflejo de una visión profundamente crítica hacia la monodependencia petrolera, subrayando un llamamiento urgente a la transformación estructural de la economía venezolana para asegurar un desarrollo más independiente, equilibrado y sostenible.

Desde la década de los años 30, Betancourt se había percatado de la vulnerabilidad del país frente a la extrema dependencia del petróleo, un sector dominado casi en su totalidad por el capital extranjero. Éste, identificó la dependencia no sólo como una barrera para la autonomía económica, sino también como un obstáculo para alcanzar la soberanía nacional. Para éste, la economía del país, intrínsecamente agrícola y complementada con niveles de actividad protoindustrial y preindustrial, resultaba insuficiente para cubrir las necesidades del mercado interno, aunado al hecho de que la gran mayoría de la población vivía en áreas rurales, profundizando las limitaciones de la dinámica económica.

Pero, a pesar de aquel cuadro de atraso, se desarrollaba una industria petrolera yuxtapuesta a las demás actividades productivas de la economía nacional. De manera que, ya desde principios del siglo XX, Venezuela se había convertido en el principal exportador de

---

largo alcance", el "Tratamiento local de materias primas minerales" y el "Estímulo y Protección de la actividad económica", entre otros aspectos. En cuanto a su "Política Petrolera y Minera" contempló, entre otros, el "Estudio para la creación de una empresa Nacional de Petróleos" y la "Revisión de la Política del Hierro". Y en cuanto a su "Política Social y Laboral", la "Defensa y valorización del capital humano", la "Política de vivienda", el Reconocimiento del trabajo como fundamento del progreso económico", y la "Defensa del trabajador y de la libertad sindical", entre un número mayor de consideraciones.

petróleo[47]. A finales de los años cuarenta, los ingresos petroleros habían registrado un incremento del 83,8%, con respecto a las cifras registradas al comienzo de la década, aumento que elevó los ingresos nacionales a 465 millones de dólares, estableciendo un récord sin precedentes en la historia económica del país. Y entre las décadas de 1950 y 1960, el país ya había alcanzado un nuevo hito, el de suministrar el 15% del petróleo consumido a escala mundial[48].

Este abrupto proceso de transformación marcó entonces un punto de inflexión en la estructura económica del país, consolidando la actividad petrolera, como un pilar fundamental, pero extremadamente influyente, de su economía. El crudo pasaría así a generar el 97% de los ingresos por exportaciones, relegando a un distante segundo plano productos como el cacao y el café, que habían representado los ejes de la economía nacional durante los siglos XVIII y XIX, respectivamente[49].

La extrema dependencia de la economía nacional de la actividad petrolera se había hecho cada vez más evidente, aunada a una creciente dependencia de los capitales extranjeros que, en opinión de Betancourt, jugaban un papel cada vez más preponderante[50].

La posición profundamente crítica de Betancourt, dada su preocupación por los graves impactos que generaba aquel cuadro para la Nación venezolana, no sólo se intensificaría, se transformaría en preocupación notoria. Por un lado, al observar los efectos directos e indirectos de la Segunda Guerra Mundial, al amplificar las vulnerabilidades de una sociedad excesivamente dependiente del

---

[47] Rómulo Betancourt data esta situación en el año 1928. Ver Rómulo Betancourt. *El saber de Petróleo. Venezuela: Senado de la República 1975.* Ediciones Centauro. Caracas. 2003. pp. 203. p. 7.

[48] Ver: Storm, A. *Precarious Path to Freedom. The United States, Venezuela and Latin American Cold War.* University of New México Press. Albuquerque. 2016. p. 21.

[49] Betancourt, R. *Venezuela, Política y Petróleo.* Segunda Edición. Editorial Senderos. Caracas. 1967. pp. 987. p. 539.

[50] Aseguraba Betancourt que los inversores extranjeros llegaron a controlar una extensión de 11.746.768 hectáreas ricas en petróleo en el territorio nacional, entregadas en concesiones foráneas para fines de 1945. En: Betancourt, R. *Op Cit.* 1967. p. 212.

petróleo. Por el otro, por la compartida convicción sobre el inminente agotamiento del petróleo[51]. Estaba convencido de que "la riqueza del suelo entre nosotros no sólo no aumenta, sino tiende a desaparecer"[52].

Y abonando aún más el terreno de aquella visión, consideraba Betancourt como agravante la gestión gubernamental cortoplacista de los ingresos provenientes del petróleo, destacando la urgente necesidad de una transformación económica que superase la parálisis agraria y la dependencia extrema de la industria petrolera. Dirá entonces que

> Como Nación somos remedo del ruletero afortunado que una noche desbancó a Montecarlo, y luego se dedicó a gastar a manos llenas la inesperada riqueza. Esa riqueza que estamos gastando tan sin sentido de la inversión reproductiva, capaz de garantizar estabilidad y sosiego a las generaciones de mañana, es el petróleo. Porque es fundamentalmente el auge de las ventas petroleras…Y no la habilidad administrativa del equipo en el Poder. Ese mismo equipo, en los comienzos de su gestión debió apelar al aumento de un centavo de impuestos sobre los fósforos para equilibrar su renco presupuesto sólo porque en los mares Atlántico y Caribe los submarinos del Eje habían hundido algunas docenas de buques-tanques (sic) aceiteros[53].

De acuerdo con su perspectiva, aquella situación mostraba un escenario en que se hacía evidente la falta de una visión estratégica necesaria para dirigir el rumbo económico y social del país, lo que

---

[51] El agotamiento del petróleo como recurso energético no renovable, así como la estimación de sus reservas fue una importante preocupación técnica y académica entre los principales países productores durante la primera mitad del siglo XX. Por ejemplo, en los Estados Unidos el geólogo David White, jefe del United States Geological Survey (USGS), así como de la Sección de Petróleo y Gas, aseguró en el año 1919 que "las reservas estadounidenses de petróleo de 6.740 millones sólo serían suficientes para durar otros diecisiete o dieciocho años al ritmo de consumo actual". Ver Priest, T. *Hubbert's Peak: The Great Debate over the End of Oil*. En: Historical Studies in the Natural Sciences. February 2014. DOI: 10.1525/hsns.2014.44.1.37. pp. 43. Traducción propia.

[52] *SEMBRAR EL PETRÓLEO*. Editorial Diario *Ahora*. Año 1. N° 183. 14 de Julio de 1936.

[53] Betancourt, R. *Op Cit.* 1999. p. 407.

comportaba implicaciones no sólo para la economía nacional, sino también para el bienestar futuro de su población. Se ponía así de manifiesto la importancia de adoptar con carácter de emergencia, políticas encaminadas a una administración más prudente y visionaria de los recursos, a los fines de sentar bases más sólidas para el desarrollo sustentable.

De manera que la superación de aquellas dependencias exigía, en opinión de Betancourt, un cambio estructural, en el que el mismo petróleo se debía convertir en epicentro y catalizador de aquel proceso de transformación.

Arturo Uslar Pietri había popularizado la frase "sembrar el petróleo", a través de su famoso editorial del diario "Ahora", publicado el 14 de julio de 1936. Según éste, se debía "...invertir la riqueza producida por el sistema destructivo de la mina, en crear riqueza agrícola, reproductiva y progresiva"[54]. Sin embargo, la idea de Úslar, de claro signo fisiocrático, sobre la "siembra de petróleo", se fundamentaba en la reinversión de la renta petrolera en la modernización de la industria agrícola y pecuaria del país.

Pero una reinterpretación de Betancourt sobre la idea de la "siembra del petróleo", amplificaba su alcance y su significado. De manera que la reinversión de la renta petrolera por parte del Estado[55], no sólo era necesaria, sino inaplazable, a los fines de revertir los problemas estructurales, así como la coyuntura socioeconómica del país, reactivando la actividad agrícola y pecuaria, pero incorporando en una visión de corto, mediano y largo

---

[54] "Sembrar el Petróleo." Editorial Diario *Ahora*. Año 1. N° 183. 14 de Julio de 1936.

[55] Según lo planteaba Betancourt el Estado debía asumir un rol fundamental. Por ello, "tiene que actuar, en consecuencia, como Estado estimulador, financiador y orientador de las actividades económicas que tienden a hacer más abundante y variada la producción doméstica; y como Estado-empresario, para desarrollar algunas actividades directamente vinculadas al interés público (la siderúrgica, electrificación, comunicaciones radiotelegráficas y telefónicas, transporte)". Rómulo Betancourt en: Baptista, A. y Mommer, B. *El Petróleo en el Pensamiento Económico Venezolano*. Un Ensayo. Ediciones IESA. Caracas. 1992. pp. 99. p. 42.

plazo, el impulso, desarrollo y diversificación de la producción industrial como eje fundamental de la economía nacional[56].

Los esfuerzos para la "vitalización" y desarrollo de un proceso de industrialización, según este planteamiento, no podían "limitarse, unilateralmente, al cultivo de mayores extensiones de tierra y al aumento de rebaños de vacunos. Era necesario conjugar la política de créditos -y otros estímulos estatales- orientada hacia el campo, con una dirigida hacia las factorías urbanas"[57]. Es decir, no sólo era importante para Betancourt la modernización de la actividad agrícola era vital el desarrollo de la industria nacional y su diversificación.

La diversificación económica y el desarrollo industrial habían sido ahora colocados en el centro de la idea reinterpretada de la "siembra del petróleo". La renta petrolera reinvertida debía entonces, catalizar y hacer posible el proceso de transformación económico y social del país. En otras palabras, se planteaba el petróleo como un factor para la formación y desarrollo de una genuina economía nacional.

Para iniciar esta fase del proyecto político de Betancourt se requerían unas condiciones de estabilidad que debían partir necesariamente del diálogo, la convergencia de visiones y el consenso de los principales actores socioeconómicos y políticos del país.

Por ello, en paralelo a la puesta en marcha primaria del proyecto, ya en funciones de Gobierno, en el marco de la *Junta Revolucionaria de Gobierno*, no fueron pocas las veces en las que insistió Betancourt, como se ha señalado previamente, en la necesidad de alcanzar un primer acuerdo en el campo de la producción, así como en la creación de espacios idóneos para facilitar tales condiciones.

---

[56] Ese enfoque integral de corto, mediano y largo plazo es clave para entender el alcance de la visión sobre el desarrollo industrial y la transformación socio-económica del país en el pensamiento de Rómulo Betancourt y en su ejecutoria de gobierno. Se contemplaba en éste, medidas oficiales que gradualmente debían ser articuladas en torno a todos los actores del sistema productivo, sus contextos, sus sistemas normativos, de incentivo, su organización, desarrollo ideológico e institucionalidad necesaria, a los fines de alcanzar un desempeño armónico, integrado, equilibrado y eficiente de conjunto.

[57] Betancourt, R. *Op. Cit.* 1967. p. 458.

En este orden de ideas no sólo se establecería la "paz industrial" como premisa formal del recién creado Ministerio del Trabajo, también el propio partido liderado por Rómulo Betancourt propuso, en el marco del proceso de revisión y ajuste de la Carta Magna, en octubre de 1946, y a través de la Asamblea Nacional Constituyente: "lograr una racionalización de las relaciones entre capital y trabajo...", pues según éstos, "ello permitiría un progresivo incremento de la producción, condición para un aumento del nivel de vida de la clase obrera"[58].

A los pocos días de iniciado el gobierno de la *Junta Revolucionaria*, liderada por Rómulo Betancourt, se anunciarían los primeros pasos y el significado práctico para éste de la "siembra del petróleo". Así, en una alocución realizada el 30 de octubre de 1945 explicó lo que haría la autodenominada "Revolución de Octubre":

> Nosotros comenzaremos a sembrar el petróleo. En créditos baratos y a largo plazo haremos desaguar hacia la industria, la agricultura y la cría, una apreciable parte de esos millones de bolívares esterilizados, como superávit fiscal no utilizado, en las cajas de la Tesorería Nacional. Será creado el Instituto Permanente de Fomento de la Producción, que conceda créditos sin favoritismos discriminadores[59]

Sin embargo, la propuesta de Rómulo Betancourt no era meramente un conjunto de reformas aisladas, sino un plan integrado que tocaba diversos aspectos de la vida nacional, desde la economía hasta el bienestar social. Por ello, además del crédito y el desarrollo de una institucionalidad especializada, aquella visión integral de la

---

[58] Godio, J. *El Movimiento Obrero Venezolano. 1945-1964.* Tomo II. Instituto Latinoamericano de Investigaciones Sociales. Caracas. 1985. pp. 294. pp. 59-60.

[59] Betancourt, R. *Op Cit.* 2006. p. 119. Vale la pena recordar que las "banderas del régimen" al que se refiere Rómulo Betancourt eran, tal vez entre otras, las del Gobierno recientemente derrocado del general Isaías Medina Angarita. En éste, Arturo Uslar Pietri, autor del famoso editorial del diario Ahora sobre la "siembra del petróleo", había tenido no sólo un rol oficial como Ministro de Relaciones Interiores, sino también un importante peso intelectual. Por ello el balance crítico y mordaz de aquel mensaje, en el que Betancourt destacaba el carácter "demagógico" y "discriminatorio" de la política oficial en relación a la "siembra del petróleo".

"siembra del petróleo" contemplaba "echar los sólidos cimientos de una industria nacional", a la par de "aumentar la población y domiciliarla, educarla y proteger su salud"[60].

Dadas aquellas premisas iniciales sobre la operacionalización de la idea de la "siembra del petróleo", el balance de un primer esfuerzo puesto en marcha durante el período 1945-1948, comprendió al menos tres factores medulares: 1) el consenso como habilitador, considerando como parte de este esfuerzo, la creación de espacios necesarios e idóneos, así como el desarrollo de la institucionalidad necesaria del Estado para su estimulación; 2) la creación de condiciones adecuadas para la promoción, desarrollo y soporte de la empresa privada en torno a la producción industrial y agrícola, considerando el crédito como instrumento central, para estimular la participación de un empresariado incipiente, con limitadas capacidades de financiamiento, sin visión de largo plazo y con poca tolerancia al riesgo; y 3) la creación de condiciones básicas para el desarrollo y fortalecimiento del capital humano del país y la mano de obra calificada, lo que comprendía la educación, la vivienda y la salud, así como la puesta en marcha de una estrategia migratoria para el aumento de la población. Todo ello, en simultáneo a la creación y desarrollo de una institucionalidad oficial altamente especializada, concentrada inicialmente en la planeación y disciplina organizacional.

Con relación al consenso como habilitador, considerando como parte de este esfuerzo la creación de espacios necesarios e idóneos, así como el desarrollo de la institucionalidad necesaria del Estado para su estimulación podemos mencionar, además de lo ya señalado, la creación del Consejo Nacional de Economía, la Corporación Venezolana de Fomento y el desarrollo primario de la infraestructura, salud y educación.

Como se ha reiterado en no pocas ocasiones, desde el inicio de su primer mandato, Rómulo Betancourt se propuso fomentar la colaboración entre el gobierno y el sector empresarial, representado principalmente por Fedecámaras. Este acercamiento tomó forma en una reunión donde Betancourt esbozó los lineamientos de su visión revolucionaria y los planes económicos para el futuro mediato. Con

---

[60]   Betancourt, R. *op. cit.* 1967. p. 348.

un énfasis particular en el entendimiento mutuo y la acción coordinada, anunció la creación del Consejo Nacional de Economía. Este anuncio no sólo destacó la inclusión de representantes de diversos sectores económicos del país, sino que también manifestó el compromiso del gobierno de reducir la excesiva promulgación de decretos. En su lugar, se privilegiaría el camino del consenso y la consulta directa con todos los actores involucrados. Fue así como en junio de 1946 se creó este órgano consultivo, para establecer por primera vez, un espacio para la inclusión de todos los actores directamente involucrados en la actividad productiva y económica del país, promoviendo hacia el consenso y la celeridad en las medidas de política económica.

Además de la coordinación económica, se identificó la necesidad de ejecutar políticas y proyectos que impulsaran la productividad y diversificación económica. En este sentido, recordaría Betancourt que desde 1946 ya funcionaba un organismo no previsto aún en "… la Constitución, ni en ley alguna. Presidido por el jefe del Gobierno, se reunía semanalmente, para considerar y resolver los problemas de índole económica y fiscal, y para vigilar la ejecución de los planes de fomento de la producción"[61]. Se trataba de la Corporación Venezolana de Fomento que, aparecida en Gaceta Oficial el 29 de mayo de 1946, representó un esfuerzo por avanzar hacia una estructura de producción industrial más orgánica e integrada, rechazando la visión sobre el país como mero proveedor de materias primas. La creación de esta entidad subraya el esfuerzo por materializar una estrategia de desarrollo económico inclusivo y diversificado, considerando las necesidades y capacidades del país dentro de una visión de "nacionalismo revolucionario". En palabras del propio Betancourt:

Nuestra actual propiedad obedece, básicamente, al auge del petróleo en la postguerra. La siembra del aceite negro en el país, mediante el impulso del crédito cuantioso a las industrias reproductivas, apenas comienza a dar sus frutos iniciales.

---

[61]   *Ibidem*. p. 536.

Dispone de poderosos recursos financieros el Estado y circula dinero en abundancia, porque el petróleo se está vendiendo en los mercados del Exterior a precios excepcionales, y porque el Gobierno actual ha recabado una participación creciente en el producido de una riqueza de la cual somos los legítimos dueños. Pero esta situación de prosperidad, debido a la endeble contextura de sus cimientos, puede tornarse en otra, de signo contrario. Nada nos puede garantizar contra una posible depresión económica en los grandes países industriales, con su inmediato reflejo en la economía de una Nación que todavía está girando en torno a un solo eje: el petróleo. Y aun cuando una crisis económica mundial no se perfile de inmediato en el horizonte, si se percibe ya un hecho cumplido: el de una apreciable parte de los ingresos suplementarios derivados del auge petrolero se nos está yendo hacia el exterior, para pagar los escandalosos precios a que se cotizan las maquinarias, las materias primas y los productos elaborados que llegan periódicamente a los puertos de la República.

Frente a esta situación no queda sino un solo caminᵣ, que se nos presenta como un mandato imperativo: producir[62].

En cuanto al desarrollo de la infraestructura, la salud y la educación, podemos afirmar que los planes técnicos para una ambiciosa electrificación nacional, junto con la ejecución de la Reforma Agraria y significativas inversiones en los sectores de salud y educación, dan cuenta de la preocupación de Betancourt por el fortalecimiento del bienestar social y el fomento de una infra-estructura robusta. Estas políticas no sólo apuntaban a elevar la calidad de vida de los ciudadanos, sino que también buscaban impulsar la productividad y fomentar una mayor inclusión social y económica en el esfuerzo nacional por modernizar el país. En particular, el énfasis en mejorar la salud y la educación subraya la convicción de Betancourt de que un desarrollo económico duradero y equitativo requiere invertir en el capital humano, reconociendo así la importancia de preparar a la población para contribuir eficazmente al crecimiento y la innovación en todos los ámbitos de la sociedad.

---

[62] Betancourt, R. *Op. Cit.* 2006. pp. 385-386.

Con relación a la creación de condiciones adecuadas para la promoción, desarrollo y soporte de la empresa privada en torno a la producción industrial y agrícola podemos mencionar, además del ya recordado establecimiento de la Corporación Venezolana de Fomento, el desarrollo de iniciativas para la electrificación, la creación de la Corporación de Economía Básica, y la puesta en marcha de una política crediticia a través del Banco Agrícola y Pecuario (BAP), entre otras.

La electrificación del país y la creación de la Corporación de Economía Básica, en alianza con la Corporación Venezolana de Fomento, evidencian en su preconcebida articulación, un serio esfuerzo por mejorar las infraestructuras básicas necesarias para el desarrollo productivo.

En este orden de ideas, los planes de la Corporación Venezolana de Fomento en torno a la electrificación nacional contemplaron, para el año 1947, "el otorgamiento de créditos a las Compañías Anónimas de Maracay, El Tuy y Cabimas y a diversas Municipalidades y contratos con compañías privadas sobre rebaja de tarifas"; así como la "realización de un estudio completo de la electrificación en Venezuela"[63]. Asimismo, en el balance oficial realizado en febrero del 1948 se aseguraba haber pasado "...en dos años de trescientas diez y nueve poblaciones con plantas eléctricas a seiscientas dieciséis; de trescientas veintidós plantas instaladas se ha pasado a seiscientas"; que la "primera de una basta red de plantas termo-eléctricas que cubrirá la República entera (..) ya se instala en La Cabrera, avecindada a Maracay"; y que la inversión de la Corporación Venezolana de Fomento permitiría, aquel mismo año, la instalación de "su primera planta generadora, con capacidades inmediatas de quince mil kilovatios-hora". Se anunciaba, finalmente, la creación de un departamento de electrificación en el Ministerio de Fomento, conformado por personal altamente calificado, el auspicio de un curso de la especialidad en la Facultad de Ingeniería de la Universidad Central de Venezuela, y el estudio de un proyecto de ley de regulación de los servicios eléctricos[64].

---

[63] "Para Fomentar la Producción-1947." Noticia reseñada en *El Nacional*. 26 de Noviembre de 1946.

[64] Betancourt, R. *Op. Cit.* 2006. pp. 398-399.

La Corporación de Economía Básica (CEB) fue otra de las instituciones creadas durante este período. Se concibió entre 1946 y 1948, como una fórmula temprana para elevar el nivel de producción agrícola, a partir de la reinversión de las utilidades de la industria petrolera y de la articulación del capital privado, nacional y extranjero, con la estrategia y planes gubernamentales en torno a la "siembra del petróleo". Betancourt explicaría detalladamente a obreros de su partido, en agosto de 1947, los orígenes, evolución y fines de esta iniciativa en los términos siguientes:

'Cuando llegamos al poder buscamos en mesa redonda a los Gerentes de las Compañías Petroleras, para plantearles la conveniencia y la necesidad de que reinvirtieran parte de sus utilidades en el incremento de la producción del país, especialmente en desarrollar la producción de artículos esenciales en las vecindades de los campos petroleros. Les hicimos ver que una de las consecuencias del desarrollo del aceite negro en el país, era la decadencia paulatina y visible de la agricultura y de la cría, pero agregamos que esas inversiones debían realizarse, no con fines de obtención de beneficios exagerados, sino con fines dirigidos hacia el bienestar de la colectividad. Estas gestiones nuestras coincidieron con la organización por el Sr. Rockefeller de una Corporación de Economía Básica, con la cual se propone este capitalista norteamericano demostrar que produciendo más y más barato, pueden tenerse utilidades lícitas, que no sean exageradas. Se constituyó entonces una asociación en la cual las Compañías Petroleras aportan varios millones de bolívares sin tener voz ni voto en las deliberaciones de la empresa, en acciones preferidas que devengan un interés fijo del 4% y con aportes de [Nelson] Rockefeller y sus asociados. La Corporación de Fomento ha aceptado, en principio, asociarse con la Corporación de Economía Básica en todas las empresas orientadas hacia el mejoramiento de las condiciones de vida del pueblo venezolano y muy especialmente con las productoras de artículos esenciales'[65].

---

[65]   Betancourt, R. *Op Cit*. 2006. pp. 70-71.

Así, la CEB organizó muy pronto tres empresas: una de producción agropecuaria, otra de producción, conservación y distribución de pescado; y una de distribución de mercancías a través de un sistema de cadena de supermercados[66].

Por otra parte, el ya existente Banco Agrícola y Pecuario (BAP), jugaría un papel fundamental en la visión holística que, sobre el desarrollo del sistema productivo planteaba Betancourt, toda vez que sería el responsable de "todas las operaciones de crédito agrícola de pequeña cuantía"[67]. La atención a la política de créditos y la modificación en la política del Banco Agrícola apuntaron así a descentralizar y ampliar las oportunidades para el sector agrícola, intentando superar las barreras que limitaban la producción agrícola y, por ende, fomentando el emprendimiento y la iniciativa privada en este sector.

Finalmente, en relación a la creación de condiciones básicas para el desarrollo y fortalecimiento del capital humano del país y la mano de obra calificada, el balance contempla medidas específicas para duplicar la cantidad de médicos rurales, la construcción de más de doscientas escuelas en el campo, además del impulso a una ambiciosa empresa de alfabetización[68].

Esta estrategia estaba destinada a combatir el analfabetismo, que afectaba a un muy alto porcentaje de la población, demostrando un esfuerzo significativo en la promoción de la educación como un medio esencial para el fortalecimiento del capital humano, elevando su calidad de vida, pero también apuntalando el incremento de la productividad y el bienestar general.

Como complemento del desarrollo de estas condiciones básicas, en el contexto de la Reforma Agraria y el fomento de la productividad agrícola, Betancourt aspiraba a que no menos de

[66] Betancourt, R. *Op Cit.* 1967. pp. 987. pp. 330-334.
[67] *Ibidem*. p. 427. El Banco Agrícola y Pecuario, atendería "préstamos de menor volumen –de hasta 25 mil bolívares…". *Ibidem*. pp. 391-392.
[68] "Rómulo Betancourt Glosó la Realidad Venezolana en Acto ofrecido por Organizaciones Revolucionarias Mexicanas." *La Esfera*. 02 de Agosto de 1946.

veinte mil familias europeas se asentaran en Venezuela, contribuyendo con su capacidad productiva[69].

La política migratoria así planteada apuntaba entonces a aumentar
la población laboral calificada en el país, además de incorporar
nuevos conocimientos y habilidades que fuesen beneficiosos para la
economía nacional. La idea era apoyar el desarrollo productivo
mediante la integración de inmigrantes capaces de contribuir al
crecimiento económico y a la diversificación industrial y agrícola

Sin embargo, todo aquel proceso de transformación iniciado entre
1945 y 1948 sería interrumpido durante la década de la dictadura
militar del general Marcos Pérez Jiménez. Pero la convicción de
Betancourt y de un conjunto no menor de líderes políticos,
económicos y sociales brindarían el impulso necesario para que
nuevamente fuese retomado a la caída de la dictadura militar del
general Marcos Pérez Jiménez, tal vez ahora con más fuerza, pues
estaba imbuído de una energía y una extraordinaria motivación
colectiva que algunos han llamado el "espíritu del 23 de enero"[70].

Con la reinstauración del sistema liberal democrático en enero de
1958, el proyecto político impulsado por Rómulo Betancourt sería
retomado con una nueva perspectiva. Particularmente a partir del 13
de febrero de 1959, ya elegido presidente constitucional, se
incorporarían las adaptaciones y ajustes necesarios derivados de lo
ensayado en el "trienio", así como de la dura experiencia vivida
durante la década de la dictadura militar. Este proceso no sólo
significó la continuación de un proyecto nacional previamente
concebido, también sentaría las bases para lograr la continuidad,
proyección y vigencia del tácito "contrato social", representado

---

[69]   Betancourt, R. *Op Cit*. 2006. pp. 320-321. Aquellos esfuerzos migratorios
       iniciales, acompañados de medidas oficiales tomadas en materia petrolera y
       que resultaran en el establecimiento de un marco regulatorio diáfano y en el
       otorgamiento de nuevas concesiones, comenzaron a generar un particular
       atractivo para la inversión extranjera, y con ello unos ingresos fiscales y una
       acumulación de capital extraordinaria que permitiría el auge de la inmigración
       europea en Venezuela en los años 50, aunque sin conexiones significativas con
       la producción agrícola. Ver Freitez, A., Et Al. *La Población Venezolana 200
       Años Después*. Universidad Católica Andrés Bello y Asociación Venezolana
       de Estudios de Población. Caracas. 2011. p. 124.

[70]   Entre ellos, Naudy Suárez. Ver Suárez, N. *Op. Cit*. 2006. pp. 91.

especialmente por los consensos de *Avenimiento Obrero-Patronal*, del *Pacto de Puntofijo* y del *Programa Mínimo de Gobierno*, evidenciando con ello un compromiso renovado con los principios democráticos y las lecciones aprendidas en el pasado reciente.

Aquella proyección y vigencia permitirían entonces dar continuidad al proceso de diversificación económica y de desarrollo industrial que, iniciado en el trienio 1945-1948, retomado a partir de 1958, y fundamentado en una lógica de diálogo social, acuerdos y consensos permitiría, entre otros factores, alcanzar mayores niveles de desarrollo social.

En esta nueva etapa, la planificación económica desempeñó un papel crucial, pues estaba concebida como una herramienta integral para impulsar la producción nacional de manera sistemática, asegurando la integración de todos los factores necesarios para una adecuada respuesta a los desafíos de la economía nacional. Esta visión se vio materializada en la creación de instituciones clave como la ya mencionada Corporación Venezolana de Fomento, y la Oficina Central de Coordinación y Planificación (Cordiplan), que junto con la Corporación Venezolana de Guayana (CVG), establecida en diciembre de 1960, formaron la columna vertebral de la estrategia de desarrollo industrial del país.

En este orden de ideas fue creada por Decreto N° 492 de diciembre de 1958, la Oficina Central de Coordinación y Planificación (Cordiplan), teniendo como fin último el diseño de un plan de desarrollo armónico del país, su desarrollo industrial y el logro de la anhelada diversificación económica.

Y como resultante inmediato del ejercicio de planificación de Cordiplan se crearía también, en diciembre de 1960, la Corporación Venezolana de Guayana (CVG), como un instituto autónomo que contempló entre sus objetivos estudiar y desarrollar los recursos de Guayana, aprovechar el potencial hidroeléctrico del río Caroní, promover el desarrollo industrial, coordinar actividades económicas y sociales, y contribuir al desarrollo de los servicios públicos necesarios[71].

---

[71] Izaguirre, M. *La Evaluación de una Experiencia*. Facultad de Ciencias Económicas y Sociales. Universidad Católica Andrés Bello. Trabajo de Ascenso (Profesor Agregado). Caracas. 1976. pp. 2-3.

La premisa de Rómulo Betancourt era transformar a Guayana en el epicentro de la industrialización venezolana, comparándola con poderosos centros industriales globales como Pittsburgh, el Ruhr o Detroit. En este sentido, se consideró vital la elevación "substancial" del potencial energético del país, pues "...la energía eléctrica es la palanca insustituible para el progreso de los pueblos en la era industrial"[72].

De manera que, siendo una de las aspiraciones más emblemáticas y de mayor alcance del proceso de desarrollo industrial, desde su concepción e inicio de obras en 1963, hasta su puesta en marcha comercial en 1978, tomó forma concreta la "gran represa del Guri", cuya infraestructura energética se convirtió en la base para el posterior desarrollo industrial, no sólo en Guayana sino en toda Venezuela.

La estrategia de desarrollo de Guayana no solo se concentró en la planificación y el estudio de los recursos, sino que también llevó a la creación de empresas y de una infraestructura, centradas en sectores estratégicos como la energía eléctrica, la industria del aluminio y el acero.

Entre éstas destacan, la Empresa de Electrificación del Caroní (Edelca), creada en 1964 para aprovechar el potencial hidroeléctrico de Guayana, y la CVG Siderúrgica del Orinoco C.A. (Sidor), también fundada en 1964, destinada a producir acero.

Adicionalmente, con el propósito de reforzar la industria del aluminio, se establecieron la CVG Aluminio del Caroní S.A. (Alcasa) en 1967 como la primera planta reductora de aluminio del país y la CVG Industria Venezolana de Aluminio C.A. (CVG Venalum) en 1978, que llegaría a ser una de las plantas reductoras de aluminio más grandes de Latinoamérica.

La creación de estas empresas se complementó con la CVG Ferrominera Orinoco en 1976, dirigida a la explotación del mineral de hierro, además de otras empresas como Interalúmina y Bauxiven, enfocadas en la producción de alúmina y bauxita, respectivamente.

---

[72] Betancourt, R. *Antología Política*. Volumen Séptimo. 1959-1964. Editorial Fundación Rómulo Betancourt. Fondo Editorial Universidad Pedagógica Experimental Libertador. Caracas. 2007. p. 154.

Este proceso de industrialización permitió capitalizar los recursos naturales de la región, además de generar empleo, mejorar la distribución del ingreso, y, en última instancia, mejorar el nivel de vida en la región y el país en general. La construcción de la Represa del Guri, por su parte, sería entonces emblemática en relación a estos esfuerzos, al convertirse en una fuente principal de energía eléctrica a precios accesibles para todo el país.

En correspondencia con aquel proceso de industrialización debía correr el de la necesaria calificación técnica de la mano de obra, por ello la temprana fundación del Instituto Nacional de Cooperación Educativa (INCE) durante el mismo primer año del gobierno constitucional de Betancourt. Esta institución, entonces diseñada con la intención de articular las necesidades de la fuerza laboral, los patronos y el Estado, tendría por finalidad fomentar el desarrollo de una educación técnica que respondiera a los requerimientos del modelo de industrialización planteado.

Por otra parte, y con relación al mejoramiento y elevación del nivel de vida de la población, la dotación de "agua potable, de suelo sano, de luz eléctrica a las pequeñas poblaciones del interior del país"[73], así como la continuación de "las obras encaminadas a la defensa y protección del material humano"[74], fueron los objetivos pretendidos de manera consensuada, y en buena medida alcanzados por aquel proyecto nacional.

De manera que la consolidación y aportes de estas iniciativas, no sólo transformaron la región de Guayana en un centro industrial neurálgico para el país, también representaron un factor crítico de éxito en el desarrollo económico sustentable y la consolidación democrática de la Nación venezolana.

En particular, los efectos de aquella política industrial, facilitada por los crecientes y extraordinarios recursos provenientes del petróleo, combinada con las políticas globales seguidas por los diversos gobiernos durante el período que va desde la reinstauración

---

[73] *Íbidem*. p. 155.

[74] *Íbidem*. p. 156.

de la democracia en 1958 hasta finales de la década de los 70[75], se evidenciaron no sólo cualitativamente, sino también cuantitativamente. Algunos indicadores económicos y sociales dan cuenta de ello.

La inflación total de los tres primeros gobiernos de la nueva era democrática llegó a un promedio anual de 2,76 %[76]. El panorama de las reservas monetarias internacionales del país experimentó una notable evolución entre 1957 y 1973. Después de una significativa disminución, de 1.381 millones de dólares en 1957 a 571 millones en 1961, las reservas comenzaron a mostrar signos de recuperación a partir de 1963. Esta tendencia positiva culminó en 1973, cuando alcanzaron los 2.401 millones de dólares[77].

Entre 1957 y 1973, el ingreso nacional de Venezuela, valorado a precios corrientes, experimentó un notable aumento, pasando de 16.782 millones de bolívares a 61.674 millones, lo que representa un crecimiento interanual del 8,5%. En términos per cápita, el incremento fue igualmente significativo: de 2.516 bolívares por habitante en 1957 a 5.401 bolívares en 1973, reflejando un alza promedio anual del 4,9%.

Sin embargo, el aspecto más destacado de este período fue la transformación en la distribución del ingreso. Mientras que, en 1957, el 5% más rico de la población acaparaba más del 67% del ingreso total, esta cifra se contrajo hasta el 20% en 1973. En correspondencia, el ingreso del 50% más pobre, que previamente representaba apenas el 6% del total, ascendió al 19% durante el mismo período. Se evidencia entonces un cambio profundo en las dinámicas de equidad económica en el país, marcando un avance hacia una distribución del ingreso más justa y balanceada[78].

---

[75] Rómulo Betancourt (1959-1964), Raúl Leoni (1964-1969), Rafael Caldera (1969-1974), y Carlos Andrés Pérez (1974-1979).

[76] Fundafuturo. *Op Cit.* 1992. p. 60.

[77] *Íbidem.* p. 62.

[78] *Íbidem.* pp. 52-53.

"El sector industrial creció sostenidamente al punto que pasó de representar 10,8% del Producto Interno Bruto (PIB) total en 1958, a 11,0% en 1963; 11,9% en 1968; 13,2% en 1973; 15% en 1978"[79].

En 1971, la proporción de analfabetos en Venezuela alcanzaba el 20 % de la ocupación en la industria manufacturera y esta proporción se redujo al 8 % en 1979. El número de personas con educación media en la industria subió del 19 % en 1971 al 29 % en 1979; y los empleados con educación universitaria aumentaron de 7.000 en 1971 a 26.000 en 1979. La proporción de mujeres en la fuerza de trabajo industrial aumentó del 20 al 28 % de la fuerza laboral. La tasa de crecimiento del número de mujeres empleadas en la industria en este periodo duplicó la de los hombres, de manera que ocurrió un cambio en la estructura, por sexo en la fuerza laboral en este sector[80].

El crecimiento interanual del salario real entre 1950 y 1980 fue de 3,8%, en comparación con el 2,1% de los países latinoamericanos, y del 3,1% de los países desarrollados. La expectativa de vida en número de años pasó de 57 en 1960 a 67 en 1980, mientras que en los países de Latinoamérica fue de 55 a 64, respectivamente, y en los países desarrollados de 71 a 74 para los mismos años. La tasa de mortalidad infantil (niños por 1.000) fue de 85 en 1960 a 42 en 1980, en comparación con la de Latinoamérica que bajó de 111 a 64, y la de los países desarrollados que lo hizo de 28 a 11, entre los mismos años de comparación.

El gasto público dedicado a la educación calculado en dólares por habitante llegó a 112 en 1980, mientras que en Latinoamérica y los países desarrollados fue de 110 y de 134,7, respectivamente. Y el grado de alfabetización bajó de 63% a 82% entre 1960 y 1980 en Venezuela, mientras que en Latinoamérica pasó de 70% a 82% para el mismo período, y en los países desarrollados llegó a 99 % en 1980[81].

---

[79] Pérez, I. *La Industrialización de Venezuela (1958-2012)*. Centro Gumilla. 2013. p. 475. En: http://gumilla.org/biblioteca/bases/biblo/texto/SIC2013760 _474-477.pdf. Recuperado el 08-05-15.

[80] Escobar, G. "Gerentes, obreros y máquinas: la productividad industrial". En: Naim, M. y Piñango, R. *El caso Venezuela. Una ilusión de armonía*. Ediciones IESA. Caracas. 1984. p. 413.

[81] Baptista, A. "Más allá del optimismo y del pesimismo: las transformaciones fundamentales del país". En: Naim, M. y Piñango, R. *Op Cit.* 1984. pp. 26-27.

Los indicadores económicos y sociales reflejan así no sólo los logros de las políticas implementadas, sino también un periodo de transformación profunda que repercutió positivamente en el bienestar general de la sociedad venezolana.

IV. INTRODUCCIÓN Y ESTABILIZACIÓN DEL SISTEMA LIBERAL DEMOCRÁTICO

Se sugiere entonces una correlación hipotética, aunque significativa entre la transformación del sistema de producción en Venezuela iniciado entre 1945 y 1948, el proceso de diversificación económica y desarrollo industrial que se retomó y profundizó desde 1958, y el desarrollo social que derivó de estos procesos, con la introducción y sostenimiento del sistema liberal democrático, representados en la convergencia ideológica y los consensos que devinieron en un tácito "contrato social".

Tal correlación está fundamentada en al menos cuatro aspectos de importancia, tales como la generación de una base económica para la democracia, la generación de estabilidad y desarrollo social, el "contrato social" propiamente dicho, así como el desarrollo de la industria y su infraestructura.

En relación a lo que podríamos llamar la generación de una base económica para la democracia, el período que abarca desde 1945 hasta 1948 marcó el inicio de un esfuerzo por diversificar la economía, que hasta entonces había sido eminentemente agrícola y cada vez más dependiente del petróleo. La intención de diversificación económica y desarrollo industrial buscaba crear una base sólida que permitiera un desarrollo más equitativo, generando empleo y reduciendo la dependencia de las fluctuaciones de los precios del petróleo. Esta base económica era vista, como ya se ha dicho, como un aspecto primordial a los fines de apuntalar un sistema democrático estable, proporcionando al gobierno los recursos necesarios para invertir en programas sociales y lograr un apoyo popular sostenido.

En cuanto a la generación de estabilidad y desarrollo social, debemos decir que la diversificación económica y el desarrollo industrial que se promovieron activamente desde 1958 bajo el sistema democrático restablecido, contribuyeron a alcanzar una etapa de relativa estabilidad política y crecimiento económico. Estos factores, a su vez, permitieron financiar y expandir programas de educación, salud, vivienda y otras iniciativas de bienestar social.

De esta manera, el desarrollo social puede ser interpretado como una meta, tanto como un medio para consolidar la democracia, ya que un electorado más educado, sano y económicamente seguro ahora tendría más probabilidades de comprender, apoyar y participar en el sistema democrático.

A propósito del "contrato social" propiamente dicho, aunque particularmente en relación al *Pacto de Puntofijo*, comprometió a los signatarios a respetar los resultados electorales y a gobernar en base a un programa de gobierno consensuado, que incluía principios de desarrollo económico y social. Este pacto facilitó una transición relativamente estable hacia y dentro de la democracia, proporcionando un marco político dentro del cual pudieron avanzar la diversificación económica y los esfuerzos de desarrollo.

Por último, en relación al desarrollo de la industria y su infraestructura, como parte del proceso de industrialización no sólo fueron claves para la diversificación económica, sino que también generaron empleo y mejoraron la calidad de vida, aumentando así el apoyo popular al sistema democrático.

La construcción de infraestructuras educativas, la expansión de la red eléctrica y la mejora de las vías de comunicación fueron fundamentales para el desarrollo social y económico del país.

En suma, los cambios económicos y sociales reforzaron y fueron reforzados por la instauración y sostenimiento del sistema liberal democrático. La democratización proporcionó el marco político necesario para implementar y sostener políticas de desarrollo económico y social, mientras que los éxitos en estos ámbitos legitimaron y estabilizaron el sistema liberal democrático, creando un círculo virtuoso entre desarrollo económico, progreso social y estabilidad política.

Este paradigma prevaleció como un modelo de éxito hasta finales de los años 70, período a partir del cual comenzaron a manifestarse señales de fractura que anticipaban una inminente crisis estructural, y el comienzo de un nuevo periodo de retos y transformación profunda.

Abril 2024

LAS REPRESAS INSTITUCIONALES DEL PACTO DE PUNTO FIJO

Miguel Ángel MARTIN TORTABU*

INTRODUCCIÓN

El presente trabajo tiene como propósito resaltar las bondades de consolidar la democracia institucional en Venezuela a partir del acuerdo político que sirvió para sellar la transición de la dictadura a la democracia en la década de 1958.

La democracia sustentada en instituciones fuertes son el elemento vital para la estabilidad y la convivencia ciudadana. Hoy tenemos una crisis de la democracia en el mundo, posiblemente porque los modelos de transición que se trabajaron en el pasado y que condujeron a la llegada de las democracias se agotaron o sencillamente no se renovaron.

Venezuela no se escapó de la falta de renovación y del agotamiento, lo que trajo como consecuencia la llegada de un modelo autoritario, denominado socialismo del siglo XXI, con un inventario de calamidades tan graves como los vividos en las dictaduras que se habían superado en las décadas pasadas.

---

* Doctor en Derecho. Fue profesor de la Universidad Central de Venezuela (UCV) y de la Universidad Católica Andrés Bello (UCAB). Estudios de tercer nivel en Derecho Constitucional, Derecho Procesal y Derecho Laboral. Fue magistrado en el Tribunal Supremo de Justicia hasta 2008. Fue decano de la Facultad de Ciencias Políticas y Jurídicas de la Universidad José Antonio Páez. @miguelmartint_

Sin embargo, pensamos que la experiencia de transición venezolana por el pacto de punto fijo en el ámbito estrictamente dogmático fue una buena experiencia, y su principal logro fue la convivencia pacífica de la sociedad venezolana, el respeto de los ciudadanos a elegir sus autoridades, y el crecimiento sostenido de una clase media profesional, entre otras circunstancias, que consolidaron la democracia más duradera del país.

Pero el descuido en áreas sensibles para la gente, tales como, la pobreza, la seguridad, las crisis de servicios públicos de salud y trabajo, entre otros, sorprendieron a la democracia que tanto había costado al país. Esta crisis se encontró con una clase política que estaba en una zona de confort que no pudo activar las represas institucionales que precisamente se habían construido en el Pacto de Punto Fijo, represas creadas para evitar el autoritarismo que actualmente vive la nación venezolana. Esas represas consisten en todos los controles de protección de la democracia, repetimos, construidas en el acuerdo o pacto de punto fijo, y que, de haberse activado, posiblemente tendríamos otra historia que contar.

En este trabajo intentamos darle la importancia al elemento central de la existencia de un Estado de bienestar, donde las instituciones sirven de contrapeso de las decisiones de los poderes del Estado. Mas allá de la colaboración entre los poderes ejecutivo, legislativo y judicial, la concepción de una democracia institucional, en la mente y comportamiento de todos los funcionarios de cada uno de los organismos del Estado y de los poderes que la componen, es lo realmente importante para sostener una democracia.

Nuestra opinión, es que la democracia institucional impide que algún gobernante de turno cruce las líneas de la legalidad contra la misa sociedad que está llamada a proteger, y aunque ese gobernante de turno obtiene un poder importante y fuerte, los posibles excesos y la arbitrariedad pueden ser detenidos o controlados por la activación de la institucionalidad de los poderes del Estado, siempre dentro del marco de lo establecido en el estamento jurídico. Se trata de construir represas institucionales para evitar la arbitrariedad, el autoritarismo de la función pública.

LAS BASES DE LA TRANSICIÓN

En su sentido etimológico transición, es la acción y efecto de pasar de un estado a otro distinto, y cuando la transición es política se refiere a etapas sucesivas que se vive en un país durante el cambio de un sistema a otro. La referencia histórica de una transición hacia la democracia se presenta con el fin de un régimen dictatorial, iniciando un sistema de gobierno con vida democrática.

Según el enfoque estructural de las transiciones se analiza la relación con el régimen de origen y el régimen resultante, donde encontramos transiciones hacia la democracia y las transiciones desde la democracia. Las transiciones hacia la democracia tienen como precedente la existencia de un régimen totalitario o de un régimen autoritario que tienen características parecidas por la presencia de marcados elementos que lo divorcian de los principios en que descansa la democracia.

En este orden, vale señalar como se configura un **régimen totalitario** por la concentración del poder en el Estado, la existencia del partido único y la ideología totalizante, los cuales operan en sinergia. En este sentido Norberto Bobbio opina que el totalitarismo es más que un gobierno dictatorial o régimen autoritario porque a partir de una concepción de la vida y de la naturaleza específica tenía la pretensión de ser una propuesta de organización permanente para la sociedad y la civilización.

Apunta Bobbio[1]: "Una característica específica del totalitarismo es la movilización total del cuerpo social, con la destrucción de todas las líneas entre el aparato político y la sociedad […] la acción totalitarista penetra en la sociedad hasta sus células más escondidas, la envuelve totalmente. Los elementos constitutivos del totalitarismo son la ideología, el partido único, el dictador, el terror. La ideología totalitaria es la crítica radical a la situación existente y una guía para su transformación también radical y orientan su acción hacia un objetivo sustancial: la supremacía de la raza elegida o la sociedad comunista […]. El partido único, animado por la ideología, se opone y se sobrepone a la organización del Estado, trastornando la autoridad

---

[1] Bobbio, N. *Diccionario de Política* (tomo II). México: Siglo XXI, pp. 1586-1587.

311

y el comportamiento regular, politiza a todos los grupos y a las diversas actividades sociales. El dictador totalitario ejerce un poder absoluto sobre la organización del régimen, haciendo fluctuar a su gusto las jerarquías, sobre la ideología, de cuya interpretación y aplicación el dictador es el depositario exclusivo...".

Asimismo, señala Bobbio "... El terror totalitario inhibe toda oposición y aun las críticas más débiles y genera coercitivamente la adhesión y el apoyo activo de las masas al régimen y al jefe personal. Los factores que hicieron posible el totalitarismo son la formación de la sociedad industrial de masas, la persistencia de un ámbito mundial dividido y el desarrollo de la tecnología moderna. [...] Un ámbito internacional inseguro y amenazador permite y favorece la penetración y movilización total del cuerpo social. Por otro lado, está el impacto del desarrollo tecnológico sobre los instrumentos de violencia, los medios de comunicación, las técnicas organizativas y las de supervisión permiten un grado máximo de control, sin precedentes en la historia. [...] En síntesis, el concepto totalitarismo designa a un modo extremo de hacer política más que a cierta organización institucional. Este modo extremo de hacer política que penetra y moviliza a toda la sociedad, destruyendo su autonomía, se encarnó en dos regímenes políticos únicos, temporalmente circunscritos... sin duda esta forma de hacer política dejó una huella indeleble en la historia y la conciencia de los hombres del siglo XX".

Podemos hacer una descripción para identificar en términos generales un gobierno totalitario, a saber: **i.** Una ideología estatal única y omnicomprensiva. **ii.** Un partido político único y excluyente que domina todo el sistema político y las estructuras sociales y económicas. **iii.** El uso de técnicas de propaganda mediante el control exclusivo y excluyente de los medios de comunicación social. **iv.** La organización y movilización de la sociedad civil para los fines del régimen. **v.** Un aparato represivo del Estado sobre la sociedad que ejerce un control de los individuos. **vi.** El uso de la ciencia, la educación, la tecnología como instrumentos de perpetuarse el régimen.

Especial mención debemos hacer sobre **el autoritarismo** como un régimen político que se caracteriza por el abuso de la autoridad que impone su poder sin el consenso del pueblo, dirigido por un tirano, monarca absoluto, gobiernos militares, líder de elites o poderes económicos, anulando todos los derechos humanos. Se trata de un sistema contrario a la democracia, y a diferencia del totalitarismo el autoritarismo no posee una ideología que lo defina, siendo primario para este régimen los intereses de una persona o una minoría al poder.

El primer investigador que dio una definición precisa de Estado autoritario fue Linz [2] afirmando que los Estados autoritarios es un sistema político con un pluralismo político limitado, no responsable, sin una ideología elaborada y directora, pero con mentalidad peculiar, carentes de una movilización política intensa y en donde el líder ejerce su poder dentro unos límites formalmente mal definidos, pero bastante predecibles.

Aunque la definición del autoritarismo que da Linz tuvo sus críticos, existe un consenso en los estudiosos de la ciencia política, que los regímenes autoritarios presentan: **i.** Una ideología justificadora, elaborada por una elite militar o burocrática de corte militar. **ii.** Se elimina el partido único y operan varias instituciones militares como un bloque de poder dominante y único. **iii.** Un aparato represivo y policial de vigilancia y control sobre los ciudadanos, que impide el desarrollo de tendencias opositoras. **iv.** Un líder carismático, que es un líder militar y político, donde se concentra el poder del Estado y de quien depende toda la estructura de poder. **v.** La desmovilización y desorganización de la sociedad civil. **vi.** La complicidad entre la elite militar, una elite burocrática con funciones asesoras y de respaldo político e ideológico, una elite profesional que controla los medios de comunicación. **vii.** La complicidad con un empresariado que impone las reglas del proceso económico y monopoliza los recursos del país.

TRANSICIÓN DEMOCRÁTICA

Para la ciencia política una transición democrática o transición a la democracia, se describe como un proceso político e institucional complejo a través del cual un sistema político transita desde un régimen autocrático hacia la instauración de un régimen democrático.

---

[2]   Linz, J.J. *Una teoría de régimen autoritario. El caso de España, Fraga Iribarne,* M, Velarde, J., Del Campo, S., *La España de los años setenta,* vol. III, tomo 2, Ed. Moneda y Crédito, Madrid, 1974, p. 1467.

Es relevante conocer el régimen institucional que sirve de punto de partida de la transición, así como el proceso mismo de transición, referido al modo legal o extralegal del traspaso de los órganos de poder desde la dictadura al naciente gobierno democrático, que incluye los grados de eventuales crisis políticos-sociales, y el más determinante de los elementos que rodean a la transición consiste en el hecho desencadenante, ya que esto determinan la forma y dirección del proceso de transición.

Todos estos elementos de comprensión del proceso determinan las razones de la pérdida del poder del régimen que gobernaba, y la percepción de la ciudadanía de cambiar hacia un régimen de bienestar representado por la democracia, donde encontramos que el régimen opresor se encuentra con la resistencia de los ciudadanos.

Cuando la transición se promueve desde el propio régimen opresor o es producto de la presión social el resultado es diferente, toda vez, que en el primer supuesto implica que las instituciones controladas por la dictadura entran en un proceso institucionalizado de transición, y cuando el hecho desencadenante es la presión social y política de los ciudadanos tiende a derrumbarse las instituciones de la dictadura, para conformar un proceso de sustitución de las anteriores instituciones y reglas jurídicas de dictadura por las nuevas instituciones y normas democráticas.

La naturaleza política de la transición se desprende si la misma ha sido forzada o pactada, la primera es provocada por hechos desencadenantes fuera del sistema, que obliga al régimen opresor a modificar y hacer un traspaso, con lo cual se derrumba la dictadura, y por otra parte, cuando el proceso de la transición ha sido pactada ocurre que el escenario político cambia como consecuencia de hechos desencadenantes, donde el traspaso del poder es pactado por las fuerzas políticas, siendo posible que el régimen en el poder preserve instituciones fundamentales del sistema, caso donde se afirma que se sale del dictador, pero no de la dictadura.

La transición política, en términos generales, consiste en el paso de un régimen a otro, donde suele caracterizarse por su incertidumbre y ambigüedad. Es un proceso al que solo *post festum* se puede precisar su intensidad, profundidad y gradualidad en el cambio de régimen. Además, las fronteras que demarcan el inicio y el final del proceso suelen ser, igualmente poco definidas y claras ya que normalmente quedan constituidas después de la culminación de una situación de confrontación entre grupos que aspiran al control del poder. De ahí que la transición política puede definirse, entonces, como aquel proceso a través del cual actores, instituciones, posiciones de poder y reglas del juego dejan de corresponder a la lógica del régimen anterior sin definirse del todo en una lógica distinta. [3]

En el caso bajo estudio del pacto de punto fijo, se fijó las líneas de la transición política de una dictadura hacia la democracia, y a pesar de las incertidumbres que surgen de toda transición, en el caso venezolano, la transición pactada por los actores político del momento dio como resultado la llegada de una democracia que se consolida en la base de la institucionalidad, siendo este ultimo elemento el que sirvió para sellar el éxito del pacto de punto fijo.

EL COMPROMISO DEL PACTO DE PUNTO FIJO

La importancia de comprender el aporte que el liderazgo del momento concibió en el Pacto de Punto Fijo para establecer la democracia, consiste que, en algún momento futuro, un nuevo pacto político será necesario para poder restablecer la democracia en la Venezuela actual. De esta manera el profesor Brewer destaca que en 1958, los líderes de los tres más importantes partidos democráticos que en una u otra forma habían contribuido desde la clandestinidad al derrocamiento del dictador Pérez Giménez (Acción Democrática, Partido Social Cristiano Copei, y Unión Republicana Democrática), con vista a la necesidad de la realización de unas elecciones generales en ese mismo año de 1958, y a la posterior conformación del gobierno y de un sistema político que consolidara la democracia en el país, suscribieron dicho *Pacto de Punto Fijo*, con el cual no sólo

---

[3] L. Morlino, *La transición de régimen,* en C. Cansino (comp) *Las teorías del cambio político,* México, Universidad Iberoamericana, 1993, vol. 1, p. 175. "El paso de un régimen – nos dice Leonardo Molino – a otro comporta siempre un cambio fundamental: el nuevo régimen se presenta en algunos o en todos sus aspectos esenciales diversos como el anterior. Así defino en síntesis la transición de régimen: un cambio fundamental que comporta siempre el paso de un régimen a otro cuyas características esenciales son palmariamente diversas".

reconocieron y establecieron entre ellos unas "reglas de juego" político-partidistas para guiar sus relaciones en el futuro, sino que fijaron las bases de un mínimo de entendimiento que garantizara el funcionamiento del régimen democrático a establecerse.[4]

Recordando al profesor Juan Carlos Rey, quién expresó: "uno de los más notables ejemplos que cabe encontrar en sistema político alguno, de formalización e institucionalización de unas comunes reglas de juego, al propio tiempo que muestra la lucidez de la élite de los partidos políticos venezolanos." Se trató, por tanto, de un convenio entre partidos democráticos, suscrito entre ellos partiendo del supuesto de que tenían "la responsabilidad de orientar la opinión para la consolidación de los principios democráticos," para lograr puntos de unidad y de cooperación y sentar las bases conducentes a la consolidación del régimen democrático. [5]

Ahora bien, el acuerdo del 31 de octubre de 1958, suscrito por los partidos políticos Acción Democrática, COPEY y Unión Republicana Democrática se comprometían a actuar conjunta y solidariamente en tres ejes:

---

[4] Brewer-Carías, Allan R., El "Pacto de Punto Fijo" de 1958 como punto de partida para el establecimiento y consolidación del sistema democrático y del Estado constitucional de Derecho en Venezuela. Caracas, Venezuela, Academia de Ciencias Políticas y Sociales. Separata del libro homenaje al Dr. Humberto Romero-Muci. 2023. Tomo 1. p. 84. Los partidos Acción Democrática, Copei y URD, que fueron los signatarios del Pacto asumiendo el compromiso de mantener el sistema democrático, obtuvieron más del 92% de los votos en las elecciones generales de 1958

[5] Véase en Juan Carlos Rey, *"El sistema de Partidos Venezolanos"*, Politeia, número 1, Instituto de Estudios Políticos, Caracas, 1972, p. 214; y Problemas Socio–Político de América Latina, Caracas, 1980, p. 315. Esto lo escribió el profesor Rey en 1972, seis años antes de 1978, cuando otro pacto político de enorme importancia, como fueron los Pactos de la Moncloa, condujo a establecer el régimen democrático en España en la época post-franquista, citado por Allan Brewer en *"Pacto de Punto Fijo"* de 1958 como punto de partida para el establecimiento y consolidación del sistema democrático y del Estado. Caracas, Venezuela, Academia de Ciencias Políticas y Sociales. Separata del libro homenaje al Dr. Humberto Romero- Muci. 2023. Tomo 1. p. 84-5.

1) defensa de la constitucionalidad y del derecho a gobernar conforme al resultado electoral: se explica que, cualquiera que fuese el partido que ganase las elecciones, los otros 2 se opondrían al uso de la fuerza para cambiar el resultado;

2) gobierno de unidad nacional: se formaría un gobierno de coalición y ninguno de los 3 partidos tendría la hegemonía en el gabinete ejecutivo;

3) los 3 partidos se comprometían a presentar ante el electorado un programa mínimo común. [6]

Como puede evidenciarse, el compromiso consistió en un pacto de gobernanza, ya teniendo el poder en sus manos los que suscriben el acuerdo y derrotada la dictadura del momento, siendo relevante el eje consistente en la defensa de la constitucionalidad como pivote de la democracia que nace bajo el esquema de un Estado de derecho con la supremacía de la Constitución y la participación de los ciudadanos en su derecho de elegir a las autoridades que gobernaran.

LA DEFENSA DE LA CONSTITUCIONALIDAD

Al finalizar la Primera Guerra Mundial afloró con cierta timidez la intención de proteger las disposiciones constitucionales en algunas cartas expedidas en esa época, como un sector del fenómeno calificado por Boris Mirkine-Guetzévitch, en forma que puede considerarse clásica, como «racionalización del poder», pero la inestabilidad política de los regímenes europeos de esa época, varios de los cuales cayeron bajo el dominio de férreas dictaduras, no permitió el desarrollo vigoroso de tales instituciones libertarias, que por otra parte no surgieron en forma repentina, sino que son el fruto de una lenta y paulatina transformación. [7]

---

[6]   Hemerografía: Vallés, Oscar. *Los antecedentes programáticos del Pacto de Punto Fijo*: proyecto de consolidación democrática 1946-1948». En: Politeia. Caracas, núm. 15, 1992.

[7]   Véase *Las nuevas Constituciones del mundo*, Madrid, 1931, pp. 56-57; Id. Les nouvelles tendances du droit constitutionnel, París, 1931, pp. 7-8, citado por Héctor F. ZAMUDIO en *La protección procesal de los derechos humanos*, ante las jurisdicciones nacionales. Publicaciones de la Universidad Nacional Autónoma de México. 1ª Edición. Editorial Civitas, S.A. Madrid. 1982, p. 36.

Estos medios de sistemas de defensa se tutelan supranacionalmente por medio de: Organismos internacionales; Tratados internacionales; Tribunales Internacionales; Grupos u organizaciones de defensa de los derechos humanos. Asimismo, esta tutela en el ámbito nacional de cada país, de acuerdo con el derecho positivo interno se realiza por los siguientes mecanismos: Las normas jurídicas; Actos emanados del Estado, a través de diferentes controles de los poderes que conforman el Estado; Los órganos administrativos, y el ejercicio de los recursos administrativos; Los tribunales, por medio de las acciones y los recursos dirigidos a la tutela directa constitucional, cuando la justicia ordinaria no cumple con los principios y derechos de tal rango.[8]

El Pacto de Punto Fijo tiene dentro de sus propósitos principales la defensa de la constitucionalidad y del derecho en general para asegurar la gobernanza de quien haya sido elegido presidente de la República, además que debe ser aceptado y respetado por las fuerzas políticas contrarias y por ende de toda la sociedad venezolana.

La fuerza que le imprime al pacto de gobernanza impacta en la consolidación de una democracia institucional, colocando al ciudadano en la participación de las políticas públicas en un sitial de importancia, ya que ellos son los que eligen sus dirigentes y todas las instituciones deben servir con respeto al mandato popular. Así lo explica con mucha precisión el profesor Brewer cuando sostiene en relación con la defensa de la constitucionalidad y el orden democrático del pacto, que, en primer lugar, la defensa de la constitucionalidad y del derecho a gobernar conforme el resultado electoral, en definitiva, se configuró como un acuerdo de unidad popular defensivo del sistema constitucional, del sistema democrático, y de las elecciones que se iban a realizar.

Explica el profesor Brewer[9], en relación con este compromiso debe señalarse que la Revolución Democrática de 1958 no derogó la

---

[8]   Martin Tortabu, Miguel Ángel, *El Amparo Constitucional*. Editorial Jurídica Venezolana Internacional, Colección de Estudios Jurídicos No 139. Caracas, Venezuela. 2020. p.30.

[9]   Brewer-Carías, Allan R., El "Pacto de Punto Fijo" de 1958 como punto de partida para el establecimiento y consolidación del sistema democrático y del

Constitución de 1953, que había sido producto de una Asamblea Constituyente convocada y dominada por la dictadura; de manera que el Acta Constitutiva de gobierno que se constituyó el 23 de enero de 1958, dejó en vigencia el régimen constitucional precedente, que era el de la Constitución de 1953, con las modificaciones que la Junta de Gobierno pudiera adoptar, no convocándose para sustituirla ninguna Asamblea Constituyente. En esta decisión sin duda, había una motivación práctica. El convocar elecciones para una Asamblea Constituyente, elaborar una Constitución y luego convocar a elecciones para constituir los nuevos Poderes Públicos conforme a la nueva Constitución, era entrar en un proceso que podía remover o socavar la propia unidad que se buscaba establecer, la tregua política que se había logrado y la despersonalización del debate, y quizás, hubiera sido caer en una lucha interpartidista al máximo. Por ello se dejó en vigencia el régimen constitucional de 1953, a pesar de que se hubiera incluso opinado que lo que debió haber hecho la Junta de Gobierno era derogar la Constitución de 1953, para poner en vigencia la Constitución de 1947 y realizar todo el proceso político al amparo de ésta.

Sin embargo, esto no se hizo: como señalamos, se dejó en vigencia la Constitución de 1953 y se fue directamente a un proceso electoral de acuerdo con las previsiones de la Ley Electoral que se había dictado en mayo de ese mismo año 1958 por la Junta de Gobierno, a los efectos de elegir al Presidente de la República y a una Asamblea-Congreso que debía elaborar la nueva Constitución, y en el cual se declaró como inexistentes el plebiscito y elecciones que se habían realizado en diciembre de 1957. Por eso, el primer compromiso del *Pacto de Punto Fijo* fue la defensa de la constitucionalidad, y ésta era la establecida en la Constitución de 1953, con las modificaciones establecidas por el Gobierno de facto. Ahora bien, este compromiso implicaba ir a elecciones y respetar el resultado de las mismas por lo que el Pacto configuró una "unidad popular defensiva" del sistema constitucional y del resultado de las elecciones.

Estado constitucional de Derecho en Venezuela. Academia de Ciencias Políticas y Sociales. Separata del libro homenaje al Dr. Humberto Romero-Muci. Caracas, Venezuela, 2023. Tomo 1. pp. 87-88.

El profesor Brewer, sigue apuntalando las bondades del pacto en lo que respecta a la defensa de la ley, que sería el pilar donde descansa el acuerdo político que construye el proceso de transición a la democracia en Venezuela, y así para lograr este primer objetivo del Pacto de Punto Fijo, en su texto se establecieron una serie de compromisos concretos: En primer lugar, el compromiso político de que los Poderes Públicos para el período 1959-1964 serían los resultantes de las elecciones; en segundo lugar, el que todas las fuerzas políticas consideraban como un delito contra la patria, la intervención por la fuerza contra las autoridades electas, en virtud del compromiso de respetar el resultado electoral; en tercer lugar, la obligación general de las fuerzas políticas de defender las autoridades constitucionales contra todo intento de golpes de Estado que se pudieran producir; compromiso que asumieron las fuerzas políticas, aun cuando no estuviesen participando en el futuro gobierno y estuviesen, en lo que se llamó en el Pacto, "en una oposición legal y democrática al Gobierno" o sea, dentro del mismo juego democrático; y en cuarto lugar, así como se estableció que se consideraba delito contra la patria la intervención por la fuerza contra las autoridades electas, se estableció, también, como un "deber patriótico", la resistencia contra la fuerza o contra todo hecho subversivo. Como consecuencia, también se consideró como un delito contra la patria, la colaboración con las fuerzas y con los hechos subversivos, que pudieran provocar la ruptura de la estabilidad constitucional y democrática que resultara de las elecciones.[10]

La unidad popular defensiva de la constitución y del resultado de las elecciones es uno de los componentes del Acuerdo o Pacto de Punto Fijo donde los venezolanos centran la transición hacia la democracia y los fundamentos de este pacto son precisamente las que aplaudimos como un ejemplo de un acuerdo político celebrado bajo el pilar de la institucionalidad democrática en momentos difíciles para la nación y que sin duda consolidaron una de las democracias de la región.

---

[10] Brewer-Carías, Allan R., El "Pacto de Punto Fijo" de 1958 como punto de partida para el establecimiento y consolidación del sistema democrático y del Estado constitucional de Derecho en Venezuela. Academia de Ciencias Políticas y Sociales. Separata del libro homenaje al Dr. Humberto Romero-Muci. Caracas, Venezuela, 2023. Tomo 1. p. 88.

LOS CONTROLES DEMOCRÁTICOS

Los controles democráticos son mecanismos que colaboran en la vigilancia de la democracia, revisan la democracia, señalan sus deficiencias apuntando sus omisiones y denunciando los errores o retrocesos. Estos controles pueden ser institucionales o no, ser internos o externos a los estados y se desarrollan por la sociedad sirviendo para regular y mejorar el funcionamiento de los gobiernos y las estructuras democráticas.

Pierre Rosanvallon[11]:ha continuado y enriquecido el camino abierto por Claude Lefort. De alguna manera, su obra se hace las preguntas derivadas de aquella "paradoja de la democracia" que señalara Lefort [12]: el poder es del pueblo y no es de nadie al mismo tiempo, porque el pueblo empírico, concreto, es diverso, no es uno sino múltiple). Como su naturaleza es paradójica, la democracia se caracteriza entonces por fallas, ficciones, reemplazos de todo tipo. Rosanvallon se ha dedicado a historizar todas estas fallas, las formas concretas que adquirieron los principios democráticos, las soluciones históricas, los desencantos y las ficciones renovadas. Su obra, sin dudas, completa y amplifica la obra de Lefort.

Claude Lefort, definía a la democracia como una forma de sociedad, retomando el sentido que los antiguos le daban a la noción de "régimen político": la constitución, la forma de gobierno, pero también un estilo de existencia, un modo de vida. La forma de sociedad democrática era para él aquella que colocaba a los hombres

---

[11]   Rosanvallon, P. *"The test of the Political: A Conversation with Claude Lefort"*, en Constellations, vol. 9, núm. 1, Blackwell Publishing Ltd., Oxford. Conversación grabada en el foro "Reinventar la democracia", organizado en mayo de 2009 por La Republique des Idees (http://www.repid.com/) en Grenoble. Publicado por primera vez en laviedesidees.fr. Traducida del Frances al Ingles por David Ames Curtis, Escritura: la prueba política (Durham: Duke University Press, 2000. Referido por la Universidad Autónoma de México en la Web La democracia exigente. La teoría de la democracia de Pierre Rosanvallon (redalyc.org)

[12]   Lefort, C. (1985), *"El problema de la democracia"*, en *Revista Opciones*, núm. 6, Santiago de Chile, pp. 73-86. Referido por la Universidad Autónoma de México en la Web La democracia exigente. La teoría de la democracia de Pierre Rosanvallon (redalyc.org)

y a las instituciones ante la prueba de una indeterminación radical; y que resultaba de un acontecimiento también radical, de la "mutación simbólica" que implicaron las revoluciones francesa y americana y sus declaraciones de derechos.[13]

Apunta Lefort en su discusión que las "revoluciones democráticas" produjeron un cambio en el estatuto del poder: el poder se transformó en un lugar vacío, que no podría en adelante ser apropiado ni encarnado por nadie, y que es en cambio repuesto periódicamente. Así, esta mutación simbólica se traduce en la pérdida del fundamento trascendente del poder: quienes ejercen la autoridad política son entonces simples gobernantes, no pueden apropiarse del poder, incorporarlo, ni encarnarlo. Y es aquí donde empieza la paradoja, porque sería posible suponer que la democracia moderna instituye un nuevo polo de identidad, un pueblo soberano, que se convierte en el nuevo fundamento del poder. Pero en realidad ese pueblo no existe en ningún lugar como una unidad sustancial. La sociedad democrática es una sociedad dividida, en la que división es constitutiva de su unidad. Se pierde toda referencia a la trascendencia como a la unidad sustancial de la comunidad. De esta manera, la democracia conjuga dos principios en apariencia contradictorios: el poder emana del pueblo, y el poder no es de nadie. Esta paradoja de la democracia se hace sensible, por ejemplo, en el sufragio universal: en el momento en que la soberanía se manifestaría como voluntad del pueblo, el ciudadano se vuelve un individuo abstracto, una unidad de cálculo y la sustancia es sustituida por el número.

Esto implica también una separación, de las esferas del poder, el saber y la ley. La verdad y el derecho pueden oponerse al poder. Surge así un espacio público, a distancia del poder, en el que se debate el sentido de los derechos, que nunca puede ser fijado, en el que se instaura la legitimidad del debate sobre lo legítimo y lo ilegítimo[14]. La sociedad democrática tiene entonces dos rasgos principales: por

---

[13] Lefort, C., *Essais sur le politique*. París: Seuil. 1986. Referido por la Universidad Autónoma de México en la Web La democracia exigente. La teoría de la democracia de Pierre Rosanvallon (redalyc.org)

[14] Lefort, C. (1987) [1984*], "Los derechos humanos y el Estado de bienestar"*, en *Revista Vuelta*, núm. 12, pp. 34-43. Referido por la Universidad Autónoma de México en la Web La democracia exigente. La teoría de la democracia de Pierre Rosanvallon (redalyc.org)

un lado, se apoya en ausencias, fallas, sustituciones y ficciones; por otro lado, es una "sociedad histórica por excelencia", atravesada por la contingencia y en la que el sentido de sus principios y sus instituciones es el resultado de un debate nunca cerrado.

Es esta historicidad particular, no la de la historia de la democracia sino la de la democracia como historia, la que deviene la materia de la obra de Rosanvallon. Este pensador, podemos decir, es el gran historiador de esta historicidad. Pero su trilogía reciente[15] dedicada a las transformaciones políticas contemporáneas, delinea también una teoría de la democracia. Su teoría es capaz de hacer inteligible el desencanto contemporáneo y de traducirlo positivamente en exigencia. Si la democracia se apoya en ficciones y sustituciones, su historia está y estará signada por sucesivos desencantos: el que enfrentamos actualmente se origina en la desacralización del pilar que desde hace más de dos siglos la estructura, el electoral-representativo, y produce por su parte la emergencia de nuevos actores e instituciones. Lejos de paralizar la democracia, el desencanto contemporáneo la ha expandido, y es comprendiendo el sentido de esta complicación, advirtiendo cuáles son los principios que vienen a cristalizar los actores e instituciones emergentes, exigiendo a la democracia que contemple todas sus dimensiones y que las integre en un conjunto articulado, que lo podemos tornar motor en lugar de freno. Para Rosanvallon, el desencanto no es la perversión de la democracia[16] sino lo que lleva a los hombres y mujeres, como los ha llevado en el pasado, a ensayar nuevas formas de organizar su comunidad.

---

[15]   Rosanvallon, P. (1998), *Le peuple introuvable Histoire de la representation democratique en France.* Paris: Gallimard. (2007a), *La contrademocracia. La política en la era de la desconfianza.* Buenos Aires: Manantial. (2009), *La legitimidad democrática. Imparcialidad, reflexividad, proximidad.* Buenos Aires: Manantial. (2012a), *La sociedad de iguales.* Buenos Aires: Manantial. Referido por la Universidad Autónoma de México en la Web La democracia exigente. La teoría de la democracia de Pierre Rosanvallon (redalyc.org)

[16]   Ortiz Leroux, S. (2006), *"La interrogación de lo político: Claude Lefort y el dispositivo simbólico de la democracia", en Andamios*, vol. 2, núm. 4, pp. 79-117. Porque incertidumbre y desencanto van de la mano, y tal es el corazón de las sociedades democráticas, en la línea de Lefort: "la democracia es una forma de sociedad cruzada por el riesgo y la contradicción".

Los controles de la democracia se activan de manera natural desde la misma ciudadanía y la sociedad organizada al llegar al poder un gobernante, ahí su capacidad y bien juicios es sometido a constante supervisión, siendo estrictamente necesario que las demás instituciones distintas a la que pertenece el gobernante procedan vigilantes y activen su competencia cuando se presenta una anormalidad o cuando sea necesaria la autorización o supervivencia, y de ahí la importancia la activación de los controles institucionales o de ciudadanía para evitar actos arbitrarios y fuera de la ley.

Estos controles también son formas de monitoreo muy pacíficos activados por ejemplo con mecanismos de la consulta ciudadana, la contraloría social, las mesas de diálogo o consejos participativos, que se desarrollan en espacios democráticos que al final son espacios de gobernanza, que van más allá de supervisión y vigilancia, abriendo las puertas de la intervención social por medio de la colaboración con los gobiernos en el ejercicio ciudadano de las políticas públicas.

En el Pacto de Punto Fijo, la base institucional que se le imprimió en ese momento permitió no solo surfear la ola política del momento, sino que permitió la construcción de una democracia ante la salida de la dictadura donde se debía siempre tener en cuenta la institucionalidad, tal como se reflejó en la Constitución de 1961 que sustituye a la Constitución de 1953 y que dentro de sus bondades se encontraba la concertación política que precisamente había sido fijada en el Pacto de Punto Fijo.

LAS REGLAS DE LA INSTITUCIONALIDAD COMO GARANTÍA DE LA DEMOCRACIA

El principio de separación de poderes conforma un diseño institucional de frenos y contrapesos entre las instituciones que integran el Estado por medio del cual se ejerce el poder político. El control político ayuda a mantener la democracia y le imprime un sello de institucionalidad.

Recordando una frase celebre de John Emerich Edward Dalberg-Acton, Lord Acton: **«el poder corrompe, pero el poder absoluto corrompe absolutamente».** Es una máxima, en la que el poder político parece que tiene que ser limitado y frenado, con el fin de hacerlo compatible con la libertad, expresando la idea de que la tendencia del poder (humano, social, económico, político) es a extralimitarse y por lo tanto a ahogar la libertad.[17]

Ahora, el control institucional no es suficiente con el diseño de la colaboración y control entre ellas, sino que a las instituciones hay que nutrirles de controles de la defensa de la constitución, tal como se ha estudiado en este trabajo con antelación, que dependa de los partidos políticos y de la ciudadanía organizada, así como de reglas de juego democráticas que deben estar fijadas en el marco jurídico del Estado.

En el funcionamiento de los controles interinstitucionales también participan otras entidades del Estado, que deben ser autónomas e independientes, como lo tiene que ser la Contraloría General de la República para la supervisión, vigilancia y verificación de los actos y resultados de la gestión pública. El Banco Central con la función de preservar la estabilidad monetaria. La Defensoría del Pueblo en la defensa de los derechos constitucionales, supervisión de las obligaciones del Estado y la prestación de servicios públicos. Los controles parlamentarios que van desde la aprobación de leyes, autorización de actuaciones del presidente, comisiones de investigación, etc.

En el Pacto de Punto Fijo, la institucionalidad producto de la defensa de la constitución y la aceptación de resultados de las elecciones colocó a la democracia institucional como parte central del entorno político, económico y social de la democracia naciente, que durante los años que siguen a la firma del pacto siguió con un comportamiento que formó parte de la rutina en el mundo de las instituciones venezolanas, siguiendo de alguna manera los lineamientos que hoy plantea Douglas C. North, cuando refiere que las instituciones son las reglas del juego en una sociedad o, más formalmente, los constreñimientos u obligaciones creados por los humanos que le dan forma a la interacción humana. En consecuencia, éstas estructuran los alicientes en el intercambio humano, ya sea político, social o económico.

---

[17]   Pérez Francesch, Juan Luis: "Lord Action y La Historia de la Libertad". *Revista de estudios políticos*. No. 121, 2003. p. 225.

El cambio institucional delinea la forma en la que la sociedad evoluciona en el tiempo y es, a la vez, la clave para entender el cambio histórico.[18]

La existencia de un entorno de instituciones, en tanto que rutinas de comportamiento, es lo que permite no tener que pensar en muchos problemas o no tener que tomar decisiones complejas. Se dan por hecho las soluciones ya que la estructura de intercambio ha sido institucionalizada, de manera que se reduce la incertidumbre. "En el origen, pues, no tenemos propiamente individuos que razonan, ni acciones ni aun relaciones elementales, sino pautas, maneras de hacer las cosas: formas de vida".[19]

Pero decir que el comportamiento está gobernado por reglas no significa que sea trivial o no razonado. La conducta acotada por reglas es, o puede ser, profundamente reflexiva. Las reglas pueden reflejar lecciones complejas producto de la experiencia acumulada, y el proceso a través del cual se determinan y aplican las reglas apropiadas implica altos niveles de inteligencia, deliberación y discurso humanos.[20]

El enfoque basado en la teoría de la elección racional que parece útil es aquel que centra su atención en las "maneras de hacer las cosas" y en los constreñimientos impuestos a los actores racionales las instituciones de una sociedad. Como dice Tsebelis: que el enfoque de la elección racional no se refiera a los individuos o a los actores y centre su atención en las instituciones políticas y sociales parece

---

[18] North Douglas, *Institutional Change and Economic Performance*, Cambridge University Press, Cambridge, 1990, p. 3. El planteamiento de North intenta dar respuesta a la difícil cuestión de por qué unos entramados institucionales son eficientes para promover el desarrollo económico mientras que otros no lo son. En el camino por encontrar una respuesta a la vinculación entre las instituciones y el desempeño de la economía, North articula una teoría de las instituciones que no sólo resulta útil para el análisis político, sino que genera una reflexión muy interesante en torno a la vinculación entre régimen político y estructura económica.

[19] Escalante Fernando, *Ciudadanos imaginarios,* El Colegio de México, México, 1992, p. 30.

[20] Véase a March y Olsen, *Rediscovering Institutions. The Organizational Basis of Politics,* The Free Press, Nueva York, 1989, p. 22.

paradójico. La razón de esa paradoja es simple: la acción individual se supone como una adaptación óptima a un entorno institucional, y la interacción entre individuos se supone como una respuesta óptima entre unos y otros. Por tanto, las instituciones prevalecientes (las reglas del juego) determinan el comportamiento de los actores, el cual, en su momento, tiene consecuencias políticas o sociales.[21]

Apunta North, que en la relación entre individuos existen incertidumbres producto de la información incompleta sobre la conducta de otros individuos: Las limitaciones computacionales del individuo están determinadas por la capacidad de la mente para procesar, organizar y utilizar información. A partir de esta capacidad considerada junto con las incertidumbres propias del desciframiento del medio, evolucionan normas y procedimientos que simplifican el proceso. El consiguiente marco institucional, como estructura de la interacción humana, limita las elecciones que se ofrecen a los actores.[22]

Esas interacciones regulares que llamamos instituciones pueden ser muy inadecuadas o estar muy lejos de lo óptimo, en cualquier sentido del término, debido a que las limitaciones en la información y en el conocimiento del entorno obstaculizan necesariamente la racionalidad humana. El proceso de reproducción social, en tenso equilibrio entre la paz y la violencia, ha ido generando dos tipos de reglas para normar el comportamiento: por un lado, las que establecen constreñimientos de carácter informal, prácticas sociales provenientes de una información socialmente transmitida y que forman parte de la herencia que llamamos cultura; por el otro, aquellas normas formales jerárquicamente ordenadas que constituyen el mundo del derecho.[23]

---

[21]   Tsebelis George, *Nested Games,* University of California Press, Berkeley, 1990.

[22]   North Douglas*, Institutional Change and Economic Performance*, Cambridge University Press, Cambridge, 1990, p. 25.

[23]   "Por reglas nos referimos a las rutinas, procedimientos, convenciones, papeles, estrategias, formas organizativas y tecnologías en torno a las cuales se construye la actividad política. También nos referimos a las creencias, paradigmas, códigos, culturas y conocimientos que rodean, apoyan, elaboran y contradicen esos papeles y rutinas. (...) Las rutinas son independientes de los

En todas las sociedades contemporáneas donde los mercados complejos han terminado por predominar coexisten, en diferentes combinaciones, ambos tipos de reglas (las informales o tradicionales, y las formales o escritas) por lo que los regímenes políticos constituyen entramados institucionales dados por una combinación muy intrincada de constreñimientos u obligaciones que permiten el intercambio complejo entre los humanos en un entorno dilatado tanto temporal como espacialmente. Empero, no en todos los regímenes el carácter de las obligaciones formales es el mismo; en algunos casos las prácticas informales pesan más y determinan el sentido que se da a las reglas formales. Una misma norma jurídica puede tener implicaciones diversas de acuerdo.

Para North, por ejemplo, las organizaciones son los espacios que dotan de una estructura a la acción humana y le permiten cumplir su papel en la división social del trabajo. Las organizaciones en sí mismas funcionan a partir de rutinas repetidas que evitan tener que definir cada vez el comportamiento que hay que seguir frente a los conflictos. La existencia de rutinas reduce los problemas de elección de estrategias y, por tanto, la incertidumbre en la acción de la organización. La capacidad de estas rutinas para predecir eficazmente las situaciones que el medio ambiente presentará a la organización acaba por darles un carácter institucional. En este sentido, son organizaciones las empresas que pretenden maximizar sus ganancias a partir de alguna ventaja comparativa en el mercado, los partidos políticos que actúan en determinado régimen, el Congreso, las universidades, los aparatos burocráticos, etcétera.

Las organizaciones están dirigidas por *empresarios*, que son los diseñadores de la estrategia de adaptación asumida por la organización en cada momento. En el caso de la política, la idea del empresario representa a "un núcleo organizativo normalmente procedente de la clase media educada, que va a proporcionar a los movimientos las destrezas comunicativas precisas para hacer valer sus demandas".[24]

---

actores individuales que las ejecutan y son capaces de sobrevivir considerablemente a los individuos". March y Olsen, *Rediscovering Institutions. The Organizational Basis of Politics,* The Free Press, Nueva York, 1989, p. 22.

[24] Paramio, Ludolfo, *El materialismo histórico como programa de investigación*, Instituto de Estudios Sociales Avanzados, Madrid, 1992. p. 16.

Cuando son eficaces, los empresarios políticos se convierten en élites que son grupos de personas que por su posición estratégica en organizaciones poderosas tienen la posibilidad de influir en los resultados de la política nacional regular y sustancialmente. Las élites están formadas por los principales tomadores de decisiones en las organizaciones políticas, gubernamentales, económicas, militares, profesionales, de comunicaciones o culturales más grandes o con más recursos de una sociedad.[25]

Ahora bien, la relación de los empresarios con el entorno institucional en el que se desempeñan, así como el papel que juegan en el cambio institucional, puede ser explicada ya sea a través de la teoría de los costos de transacción que desarrolla North o por medio de la teoría de juegos, tal como lo hace Tsebelis. Las conclusiones a las que llegan ambos, empero, resultan similares.

Para North[26] la incertidumbre sobre el comportamiento de los otros dificulta la capacidad de los entes sociales, o mejor dicho de las organizaciones, para cumplir los fines que socialmente se les ha atribuido en la división del trabajo. Es por ello que tienen que dedicar parte de sus recursos a averiguar cómo se comportarán tanto el entorno natural como el entorno social, esto es, los llamados costos de transacción del intercambio social. Se trata de costos derivados de deficiencias y asimetrías en la información que poseen las organizaciones sobre el entorno en el que se desarrollan. Las rutinas institucionales existen fundamentalmente para reducir estos costos.[27]

---

[25] Michael Burton, Richard Gunther y John Higley, "Introduction: Elite Transformation and Democratic Regimes", en John Higley y Richard Gunther (eds.), *Elites and Democratic Consolidation in Latin America and Southern Europe,* Cambridge University Press, Cambridge, 1992, p. 8.

[26] Véase North Douglas, *Institutions..., op. cit.*, p. 4.

[27] "La creciente literatura sobre los costes de transacción nos ofrece toda una familia de conceptos diseñados para aclarar los costes asociados con las interacciones económicas humanas. Los costes de información, los costes de intermediación, los del fraude y del oportunismo, son todos importantes. Otra parte de la literatura subraya los costes que nacen de la incertidumbre, de la disminución del riesgo a través de los seguros y los problemas de una selección adversa y de las dudas morales. Los costes de cumplimiento son aquéllos derivados de detectar las violaciones de los acuerdos contractuales y de

La estabilidad de los entramados políticos, que hace posible el desempeño de las organizaciones económicas y permite el intercambio complejo en el tiempo y el espacio ya que mantiene en términos aceptables los costos de transacción de las organizaciones políticas y económicas, consiste en un equilibrio perdurable entre la eficacia de las rutinas sociales para reproducirse autónomamente y la violencia heterónoma que imponga su reproducción. Pero *a priori* no hay ninguna lógica por la que la acción social en función de intereses conduzca a soluciones estables.[28]

Además, la estabilidad de las urdimbres institucionales no significa que éstas sean eficientes.[29] Tsebelis,[30] por ejemplo, hace una división de los entramados institucionales: los que son eficientes (que promueven los intereses de todos o casi todos los actores) y los que él llama *redistributivos* (que promueven los intereses de una coalición frente a otra). A los últimos los subdivide en instituciones de consolidación (diseñadas para promover los intereses del ganador) e instituciones de nuevo arreglo *new deal institutions* (creadas para modificar a la coalición existente e incorporar a algunos actores hasta entonces excluidos). Así, las instituciones ni necesaria ni frecuentemente son diseñadas para ser socialmente eficientes; al

---

establecer su penalización. El coste de detectar la violación es el coste de medirla y, en un intercambio entre sujetos, tanto la medición de los atributos de los bienes o servicios intercambiados como los efectos externos de la medición imperfecta son costosos. En las relaciones entre agentes y gobernantes están los costes de medir los resultados de la actuación del agente y las deficiencias derivadas de una medición imperfecta. Los costes de establecer la penalización apropiada incluyen los derivados de la evaluación de los daños y perjuicios". North Douglas, *Estructura y cambio en la historia económica,* Alianza Universidad, Madrid, 1984, p. 230.

[28]   "Utilizando la jerga de la teoría de juegos se podría decir que el conflicto social es un juego iterado del que a la larga surge una estrategia dominante, pero en el que en sus primeros ensayos los jugadores obtienen resultados muy malos o mediocres, muy lejanos del equilibrio". Paramio Ludolfo, *El materialismo histórico..., op. cit.,* p. 36.

[29]   Por lo demás, el término eficiencia puede no tener en este modelo evolucionista, de acuerdo con North, las agradables propiedades que los economistas le asignan, sino que frecuentemente está asociado con la dominación de un grupo sobre otro. North Douglas, *Institutions..., op. cit.,* p. 21.

[30]   Véase Tsebelis George, *Nested Games, op. cit.*

contrario, por lo general al menos las reglas formales son creadas para servir a los intereses de aquéllos con el poder de negociación suficiente para desarrollar nuevas reglas.

CONSIDERACIONES FINALES

Regresando al Pacto de Punto Fijo, podemos observar como la inteligencia de los actores que celebran el pacto mantienen las instituciones de la dictadura y en la medida del tiempo fueron creando una nueva institucionalidad, ponderando los conflictos sociales del momento, y los factores de poder que se encontraban en el Estado mientras estuvo gobernando el dictador.

En el pacto se desprende incluso como el cambio en las instituciones se desencadena dentro del marco jurídico y con primacía a la Constitución, no solo la Constitución de 1953, vigente para el momento de la firma del pacto de punto fijo, sino con la llegada de una nueva Constitución, la de 1961, que surge de la concertación política y acorde con las circunstancias cambiantes de la dinamina nacional e internacional, demostrando la clase política de entonces, que las cosas marchan mejor si el entramado institucional se realiza y se va modificando bajo la figura de la concertación política y ciudadana, sellando unas reglas del juego de la democracia institucional que fue construida a partir del Pacto de Punto Fijo, siendo esta una de sus principales bondades históricas.

Nadie puede cuestionar el Pacto de Punto Fijo como un gran acuerdo político de construcción institucional de la democracia en la Venezuela contemporánea, estrechamente vinculado al desarrollo de instituciones cada vez más eficientes, donde se promueven los intereses de los actores relevantes de la sociedad, llegando a garantizar la estabilidad del país por varias décadas con niveles muy bajos de violencias y permitiendo el intercambio de reglas claras despejando la incertidumbre institucional, creando además un entorno apropiado para el desempeño de las economías avanzadas de mercado en esa época.

Es un ejemplo de eficiencia política que poco a poco realiza cambios permitiendo el mayor acceso popular en la toma de las decisiones políticas, eliminando por completo, en la experiencia democrática venezolana, los caprichos de un gobernante autoritario para confiscar el bienestar de la gente, y esto se debió al movimiento pactado para una mayor eficiencia política, logrando el equilibrio de carácter democrático.

En el curso de la democracia naciente, se construyó las represas o controles constitucionales para que los gobernantes que fueron elegidos no solo como presidentes del poder ejecutivo, sino como gobernadores de las regiones y alcaldes, tuvieran siempre presente un marco jurídico de constitucionalidad, y el control ciudadano por medio de organizaciones de la sociedad civil, además de las instituciones del Estado distintas a los poderes ejecutivos nacionales, estatales y municipales.

En el futuro deberíamos tener en cuenta este ejemplo de democracia institucional que surgió desde la caída de la dictadura en 1958, y aunque la democracia en Venezuela se ha visto interrumpida desde la llegada del Socialismo del Siglo XXI, en el futuro mediato, seguramente servirá esta experiencia que es una hechura venezolana de proceso exitoso de transición política.

Pensemos que la transición a la democracia conlleva la idea de acción frente a una oportunidad de cambio, con las estrategias de verdaderos estadistas, a la altura de las circunstancias que hoy se vive en Venezuela y el mundo, que pongan en marcha para dirimir un juego de cambio institucional en el que el resultado sean reglas del juego democráticas.

Debemos entender que las democracias son regímenes relativamente eficientes, donde tienen cabida instituciones formales e informales, pero las primeras deben tener mayor peso para que exista certidumbre y los resultados de las políticas públicas estén dirigidas hacia un Estado de bienestar, por supuesto, el bienestar de la gente, los destinatarios de las políticas públicas, sin dejar de lado, como fue la visión del Pacto de Punto Fijo, que las reglas electorales sean equitativas y siempre se encuentren con la aceptación de la normativa democrática, pues la expresión de los ciudadanos más contundente es al momento de elegir a los representantes que sean capaces de conducir con claridad los asuntos de Estado.

"El PACTO DE PUNTOFIJO", SU DECONSTRUCCIÓN Y LA PRETENSIÓN DE LOS EXCLUIDOS

Leonardo PALACIOS MÁRQUEZ[*]

> *"El logro más grande de los cuarenta años es haber demostrado que podíamos vivir en libertad y en paz, y el fracaso más triste no haber aprendido a defenderla y a mejorarla".*
>
> Ramón Guillermo AVELEDO[**]

I. ACERCA DE ESTE APORTE: OBJETIVOS Y PREMISAS

Este trabajo está basado en nuestra exposición *"Del puntofijismo constructivo de democracia a la memoria deconstructiva que la denosta"*, efectuada el 24 de enero de 2024 en el conversatorio

---

[*] Abogado egresado de la Universidad Católica Andrés Bello (UCAB), con estudios de posgrado en Derecho tributario en la Universidad Central de Venezuela, Estudios de ampliación en investigación histórica, Estudios avanzados en investigación histórica y actualmente cursando el Doctorado en Historia de la UCAB. Ex presidente de la Asociación Venezolana de Derecho Tributario (2015-2020), ex presidente de la Cámara de Comercio Industria y Servicios de Caracas, Socio director del PTCK Legal. Profesor de la UCV, UCAB y Monteávila en materia financiera y tributaria

[**] Ramón Guillermo Aveledo, *La 4ta República. La virtud y el pecado. Una interpretación de los aciertos y los errores fe los años en que los civiles estuvieron en el poder en Venezuela,* Editorial Libros Marcados, Caracas: 2007, 299.

realizado en el marco de las actividades conmemorativas de la fundación del Instituto de Estudios de Derecho Público de la Universidad Central de Venezuela, en el cual tuve la honrosa oportunidad de participar con los académicos Allan Brewer Carías y Gabriel Ruan Santos. Esa actividad denominada *"Pacto de Puntofijo": ejemplo de democracia concertada y posible vía de recuperación de la institucionalidad del país"* fue el resultado de la iniciativa del profesor Ruan Santos, quien a raíz de su disertación sobre el "Pacto de Puntofijo" ("Pacto" o "Puntofijo") intitulada *"La democracia de consensos en Venezuela"* en el I Congreso Regional de Academias Jurídicas de América del Sur, celebrado en la ciudad de Bogotá en fecha 26 de octubre de 2023, emprendió la organización del evento contando con el entusiasmo e inquietud editorial del Profesor Emérito de la UCV, Allan R. Brewer Carías, y el apoyo del presidente del Instituto, el profesor Gustavo Urdaneta Troconis.

Desde el primer momento, me entusiasmó el proyecto, pues estoy convencido de las bondades del "Pacto", su importancia como estabilizador de la democracia, que no supimos defender por omisión de mis coetáneos de participar en pilotar el barco de la gestión pública, de no incorporarnos en los partidos para debatir acerca de las políticas públicas, evitar el naufragio del sistema político, dejándolo a timoneles improvisados, o sin escrúpulos que la encallaron.

No significa olvidar o dejar de reconocer el esfuerzo y compromiso de muchos, que hasta ahora hicieron de la política y de la función pública una exposición modélica de servicio honesto y noble, que lucharon denodadamente para evitar "la rebelión de los náufragos"[1], de los predicadores de la antipolítica, y de quienes le

---

[1]   Es el título de la obra de la periodista Mirtha Rivero, que lo adoptó de las palabras pronunciadas por el presidente Carlos Andrés Pérez (1922-2010) en su alocución en cadena nacional el 20 de mayo de 1993: "Nunca una coalición fue tan disímil. Cuando se retratan en grupo aparecen señalados con definiciones precisas de diversas etapas de la lucha política de los últimos cincuenta años. Rostros derrotados o frustrados que regresan como fantasmas o como espectros, predicando promesas mágicas de resurrección... Es como la rebelión de los náufragos políticos de las últimas cinco décadas. Los rezagados de los años sesenta. Con nuevos reclutas. Los derrotados en las intentonas subversivas del 4 de febrero y el 27 de noviembre de 1992 se

dieron cabida a los anatematizados del "Pacto de Puntofijo" y a sus sucesores, para luego ser abandonados y traicionados, una vez utilizados y logrados sus objetivos.

Hay que volver al "espíritu del 23 de enero", estudiar y divulgar el "Pacto" para superar el deslave institucional que vivimos, aprender de su celebración y ejecución, experimentar en la cabeza de sus inspiradores para encontrar la vía adecuada para recuperar el camino hacia la democracia.

En esta oportunidad, es pertinente tener presente las palabras de Pompeyo Márquez (1922-2021) pronunciadas en reivindicación del 23 de enero de 1958, en cuanto a que el acontecimiento, que debe extenderse a "Puntofijo" por su relación indisoluble causa-efecto,

> "reclama una nueva valoración y se hace perentorio ubicarlo como uno de los tantos movimientos precursores en la lucha por una democracia social en nuestro país, por un cambio social. El estudio de estos años de historia contemporánea tiene excepcional trascendencia para las generaciones presentes, muchos cuyos integrantes, saben poco de estos lustros, o tienen un conocimiento parcial o tergiversado.

---

incorporan a la abigarrada legión de causahabientes, Todos los matices, todas las ambiciones y todas frustraciones juntas de repente…" (Mirtha Rivero, *La rebelión de los náufragos* (Editorial Alfa, Caracas: 2010) 433). La mejor descripción posible, la señalización de los antipuntofijistas, los herederos de la izquierda insurgente, todavía realenga, cosechando la siembra de la conciencia de mentes trasnochadas, añorantes de la épica de cafetín de los años sesenta, indigestos de lecturas mal digeridas e impresionados por ejemplo de quienes, aun sabiéndose derrotados, anhelaban la revolución no por la boca del fusil, sino por las bocas de las urnas electorales. Estos empezaron a recorrer por Venezuela, primero, y luego por Latinoamérica, abrazados con el fantasma del castrocomunismo. Todos los derrotados de la insurgencia, las viudas de la guerrilla, en impensable cruzada con los herederos resentidos gomecistas y medinistas, sedicentes demócratas, resurgieron bajo la consigna arrogantes del anti pactismo puntofijista. Comenzaba, la construcción de una nueva memoria histórica

335

Diríamos que no es posible elaborar una justa política para el presente y el porvenir inmediato si no se toman en cuenta la experiencia de esos años"[2].

Agrega el recordado dirigente político, el legendario "Santos Yorme", ex militante del Partido Comunista de Venezuela (PCV), uno de los reprobados del "Pacto", quien en los últimos años de su vida se dedicó con fervor a luchar en la etapa más avanzada y proterva arremetida contra la democracia, inmediatamente después de sus tiempos fundacionales, siendo uno de sus grandes exponentes, que "hay que desentrañar las causas que permitan que las luchas libradas por grandes mayorías nacionales sean sufridas por pequeñas minorías representadas siempre en las clases dominantes y gobernantes"[3], sobre todo, agregamos nosotros, cuando las mismas se elevan en la lomita de los anti valores democráticos.

De esta manera, el gesto inicial de organización de un evento conmemorativo y de concepción para la divulgación de este instrumento consociacional, que permita al venezolano vitrinear para el conocimiento de su historia, evoluciona a una obra colectiva a causa de la fogosidad de Brewer Carías por la difusión de las ciencias jurídicas y políticas, destinada a analizar, desde diferentes disciplinas, el complejo aristado que revisten los hechos históricos, como son el 23 de enero de 1958, y su expresión funcionalista, el "Pacto de Puntofijo" y su "Programa mínimo de gobierno", celebrados respectivamente, el 31 de octubre y 6 de diciembre de ese mismo año.

Ello no sé significa ambicionar alcanzar el objetivo terminal del análisis de la trayectoria política y evolución del Estado venezolano durante el siglo XX, ni dar por cumplido el análisis histórico, que pueda adelantarse a partir del conocimiento del primer hecho indicado en la gestación e implementación posterior de la trascendente convención política fundacional.

No es lógico pensar, que puede agotarse el análisis de la importancia traducida en hechos concretos, que representan un punto

---

[2]   Pompeyo Márquez, El 23 de enero de 1958: La culminación de un proceso en *Reconquista de la libertad por acción del pueblo y las Fuerzas Armadas,* Ediciones Centauro, Caracas: 1982, 364.

[3]   *Ibid.,* 365.

esencial de conocimiento de cómo abordar la posibilidad de la reinstitucionalización del país, y la transición que se impone de una nominal y vacua democracia, falente de la esencia propia a este tipo de sistema de gobierno, hacia una real y efectiva, con un entorno institucional *ad hoc* para el desarrollo y desenvolvimiento digno del hombre con un disfrute y goce de sus derechos fundamentales. Lo que equivale decir, el tránsito necesario inevitable, que ha de iniciarse por el cual debemos atravesar ante el marco muy precario existente, definir y establecer elementos coincidentes para reformular adecuadamente, o si se quiere adaptar, los fundamentos del Estado de derecho, buscando el mayor número de voluntades políticas para la vuelta a la democracia y la inevitable reinstitucionalización, que deben acometer los factores democráticos frente a los causahabientes de la demonización pionera del "Pacto".

Este aporte a la obra colectiva proyectada, hilo conductor de análisis y divulgación multidisciplinario, nos lleva a la concreción de los siguientes objetivos:

En primer lugar, analizar cómo la exclusión de ciertos factores del ámbito de su formalización denostó la importancia del "Pacto", comportando una causa eficiente para la construcción de una narrativa para desprestigiar la democracia en las distintas épocas de su vigencia efectiva mediante una carga alegatoria fundamentada en la desnaturalización de actos, hechos, acrimonia de los actores directamente vinculados en el proceso, que condujo a su celebración y al desconocimiento de las realizaciones concretas de los gobiernos constitucionales a partir de 1959 y hasta 1998, las cuales en la segunda parte del convulso siglo XX, evidencian bienestar colectivo y evolución de la sociedad venezolana.

En segundo lugar, coadyuvar con el desmontaje de la metonimia de "Puntofijo" con conceptos como dominación o explotación, y borrar la sinonimia de fraude histórico y traición, amén de instrumento antagónico a los anhelos de bienestar y libertad de los venezolanos. Vale decir, colaborar en asocio para enervar la visión destructiva de su esencia, realizar una ponderación positiva de sus resultados y atacar su satanización como implemento antónimo constructivo de la conciencia histórica destinada a acentuar la oposición sustantiva ideológica y moldes de un liderazgo sustituto de la esencia del "Pacto". Esa tarea debe centrarse en afianzar las bondades del sistema "puntofijista", y deflactar aquellos contravalores motivacionales, que los diseñadores de la nueva memoria histórica.

Por consiguiente, hay que mancomunar esfuerzos para demostrar las bondades y pertinencia en la sistémica institucional controvertida de propender a evitar la demolición de la democracia representativa apalancada en la participación ciudadana en el ámbito de lo público, favorecer el sistema de partidos como pilares de sustentación y conductos dispuestos para la consecución de las bases consensuadas, frente a la tendencia del partido único, o de la judicialización de su control, el secuestro de los órganos del Poder Público por parte del Ejecutivo Nacional, la articulación de un ordenamiento plural necesario para su funcionalidad en correspondencia con los principios y valores de la convivencia democrática.

De manera coetánea, debemos frenar la forma dominial del culto a la personalidad, no solo del líder de turno, recipiendario de la gloria de los excluidos del pasado, sino también de la erección de panteones para el ritual de alabanzas y ofrendas a los excluidos.

Es necesario inhibir la afanosa búsqueda de una muestra de liderazgo alternativo a las figuras históricas celebrantes de "Puntofijo": Rómulo Ernesto Betancourt Bello (1908-1981), Rafael Antonio Caldera Rodríguez (1916- 2009) y Jóvito Villalba Gutiérrez (1908-1989).

El empecinado accionar del borrar la ascendencia de personajes históricos, centrado en Betancourt, busca el efecto de la construcción artificiosa de un referente antagónico y heredero vindicativo de la gloria de los factores de las figuras y partidos excluidos de la suscripción del "Pacto", formalidad que imprime existencia y marca la trascendencia en el levantamiento de la estructura soporte del sistema democrático.

Se debe rescatar la esencia e importancia de los partidos políticos, como columnata de sustentación de la democracia, su naturaleza de diversidad para la acción y la participación política, la conducción del debate abierto y no excluyente de las políticas públicas. En fin, para la actuación de los agentes políticos en el seno de los órganos del Poder Público ajustado al ordenamiento, que constituye el cimiento del Estado de derecho.

En este último aspecto, se debe rescatar la vigencia y virtudes de este tipo de Estado frente a la pretensión complementaria de demolición de sus bases para facilitar el control absoluto de la sociedad.

El convencimiento de que las libertades públicas sólo encuentran desarrollo en el Estado democrático de derecho debe conducir a contrariar, sin ambages, y con contundencia la narrativa para la instauración de un Estado Comunal, paralelo y sin asidero constitucional[4]. Una forma organizacional contradictoria en sí misma de los corolarios del Estado de derecho, inspirados en galimatías ideológicas, que buscan el control a campo traviesa para la sustitución del sistema plural y de partidos políticos conducto de participación y vaso comunicante entre el ciudadano y el Estado, por el de partido único con la misma función de aquel, pero con las instancias del Poder Comunal. Una forma concepción de Estado producto del agavillamiento perverso contra la soberanía popular y en fraude continuado a la Constitución de 1999[5].

---

[4] El Profesor Emérito de la UCV Brewer Carías (1939), en relación a ese tipo de Estado, expresa que: "Ese modelo de Estado Constitucional desarrollado a partir de la Constitución de 1961 y que se consolidó formalmente en la Constitución de 1999, se intenta cambiar radicalmente mediante una Reforma Constitucional que fue sancionada por la Asamblea Nacional en noviembre de 2007 con el objeto de establecer un Estado Socialista, Centralizado, Militarista y Policial, denominado Estado del Poder Popular o Estado Comunal (Allan Brewer Carías, Introducción General al Régimen del Poder Popular y del Estado Comunal (O de cómo en el siglo XXI, en Venezuela se decreta, al margen de la Constitución, un Estado de Comunas y de Consejos Comunales, y se establece una sociedad socialista y un sistema económico comunista, por lo cuales nadie ha votado) en Allan Brewer Carías et al., *Leyes Orgánicas sobre el Poder Popular y el Estado Comunal (Los Consejos Comunales, las Comunas, la Sociedad Socialista y el Sistema Económico Comunal)* (Editorial Jurídica Venezolana, Caracas: 2011) 12.

[5] El mismo Brewer Carías acota que el Estado Comunal se ha impuesto paulatinamente "en burla a la voluntad popular y en fraude a la Constitución", desde antes de que se celebra el referendo sobre la Reforma Constitucional del 7 de diciembre de 2007," agregando que "La Asamblea Nacional en abierta violación a la Constitución, comenzó a desmantelar el Estado Constitucional para sustituirlo por un Estado Socialista, imponiendo a la fuerza como ideología única socialista, mediante la estructuración paralela de un Estado del

En nuestro criterio, estos deberían ser los objetivos de esta obra colectiva concebida, como fuente tributaria para el conocimiento de una experiencia histórica y expresión de consociacionalismo modélico exitoso, que inexorablemente debe estudiarse, y escrutarse en sus causas, consecuencias e implementación, ponderando y valorando sus resultados, a los fines de la más eficiente futura e inevitable reinstitucionalización de Venezuela, y el retorno a la democracia.

La narrativa histórica del periodo comprendido entre 1958 y 1998, no debe dejarse al libre arbitrio deconstructivista de la minoría excluida del ámbito de eficacia del "Pacto", tanto en lo atinente a su celebración, como en lo que respecta a su ejecución, no solo por la tergiversación de los hechos, el desconocimiento de los avances en materia institucional[6], que derivan de la ejecución del acuerdo consociacional que nos ocupa, la sustitución infructuosa del liderazgo civil y democrático, que condujeron a la conformación del Estado democrático, sino fundamentalmente en la definición, como objetivo terminal, de una memoria histórica artificiosa, iniciativa de los "rostros derrotados o frustrados que regresan como fantasmas o como espectros, predicando promesas mágicas de resurrección", como bien lo expresó el presidente Pérez en su alocución del 20 de mayo de 1993, parcialmente citada.

Lejos está pensar que debe copiarse, o caprichosamente reeditar "Puntofijo" para volver a la esencia y objetivos de la institucionalidad democrática desmontada por los herederos de los detractores de sus

---

Poder Popular o Estado Comunal, a través de la sanción de la Ley de Consejos Comunales de 2006, reformada posteriormente y elevada a rango de ley orgánica en 2009" (*Ibidem*)

[6] Véase, por ejemplo, además de las obras citadas en este trabajo atinentes a las bondades de "Puntofijo", Ramon Guillermo Aveledo, *La 4ta. República. La virtud y el pecado. Una interpretación de los aciertos y los errores de los años en que los civiles estuvieron en el poder en Venezuela*, Editorial Libros Marcados, Caracas, 2007; José Curiel (ed.), *Del "Pacto de Puntofijo" al "Pacto de La Habana". Análisis comparativo de los gobiernos de Venezuela*, Cyngular/La hoja del norte, Caracas, 2014; Ramón Hernández, El asedio inútil. Conversación con Germán Carrera Damas, Editorial Alfa, Caracas: 2016; Tomás Straka (compilador), Modernizar en libertad: cinco años de administración democrática (1964-1969), AB Ediciones, Caracas: 2022.

logros en beneficio de la consolidación del sistema de libertades públicas. Lo que se exige al mundo académico, es analizar y divulgar sus antecedentes, las motivaciones de su celebración, sus ejecutorias y el marco de relaciones entabladas entre las instituciones y sus líderes suscriptores y ejecutores, así como aquellas al margen de las formas y prácticas reñidas con la deontología democrática, que guiaron la actuación de los agentes, que, desde un primer momento, en empecinamiento atormentado buscan distorsionar y trabucar el "espíritu del 23 de enero" y denostar al "Pacto". Hay que desempolvar las experiencias positivas, y preterir los yerros.

Se impone pues, desbordar la obcecación injusta deconstructiva de la memoria histórica antipuntofijista con un trabajo historiográfico ajustado a los cánones destinado a la elaboración de la historia atinente a los cuarenta años de efectividad democrática, comprendido entre 1959 y 1999, centrado en la evolución institucional (sentido amplio), la valoración de los aportes traducidos en aciertos de los actores de la época, individuales e institucionales, sus desatinos y un balance de las ejecutorias de "Puntofijo"[7].

El trabajo así emprendido es indispensable para la compresión de la ruptura del ciclo, que dio continuidad al periodo de gran riqueza historiográfica, como el comprendido entre 1945 y 1948, que permitió el paso a éste que destruye la esencia sistémica democrática orientada por "Puntofijo". Es esta etapa corriente, y en pleno desenvolvimiento, iniciada en 1999, que ya va acumulando lustros, a las que nos referimos como la "etapa de desmontaje del Estado de derecho", sin que ello signifique la aceptación pacífica de la periodización apriorística impuesta por los herederos directos de los excluidos, o

---

[7] Un balance en el cual se impone lo positivo sobre lo negativo, donde es mayor "la columna azul del crédito que la roja" del débito" (Ramón Guillermo Aveledo, "*La 4ta. República.*", 299. La gran demostración, en aserción de Asdrúbal Aguiar (1949), de lo que: "...puede alcanzarse bajo una república de ciudadanos montada sobre los hombres del trabajo compartido, afincada sobre el mérito, procuradora de la justicia dentro de los cánones de la libertad y en un Estado de derecho, es decir, en una democracia; o bajo otra, sedentaria, anclada en el pasado que apuesta al gendarme o padre tutelar para resolver. Mediando arrestos de valentía y prácticas populista sobre las necesidades esenciales de la población" (Asdrúbal Aguiar, prólogo a Del "Pacto de Puntofijo José Curiel (ed.), 10.

por los aprovechados de la coyuntura, estructura temporal sobre la cual edifican su narrativa: "Cuarta República" o "Puntofijismo"[8] ("catástrofe moral", "etapa nefasta") versus "Quinta República" ("progreso", "reivindicación" y "prosperidad")[9].

Es importante aclarar el énfasis y sentido, que sobre estas frases de "Cuarta Republica" y "Puntofijismo" se tiene en la actualidad, que conforman una neolengua surgida del insulto sistemático, excluyente y zahiriente, que ha impuesto el actual régimen, heredero imperfecto y fraudulento de los excluidos y reprobados de "Puntofijo", en abierta oposición a los convencionalismos democráticos.

---

[8] Es importante aclarar estas frases de "Cuarta Republica" y "Puntofijismo, que forman parte de la neolengua, surgida del insulto sistemático, excluyente y zahiriente, que ha impuesto el actual régimen, heredero imperfecto y fraudulento de los excluidos y reprobados de "Puntofijo", en abierta oposición a los convencionalismos democráticos. El abogado, académico y político Ramón Guillermo Aveledo (1950) aclara que: "Se ha venido llamando cuarta república largo y espacio histórico que va desde la separación de Colombia y el primer gobierno de José Antonio Páez, iniciado 1830, hasta la segunda presidencia Rafael Caldera, culminada en febrero de 1999. Pero, más precisamente, aunque estamos en un concepto acordeón que se ensanche recoge conveniencia y que a veces ha llegado expandirse hasta el grito de Rodrigo de Triana y Colón y las tres carabelas, en el lenguaje político convencional actual, se llama cuarta república a los gobiernos civiles y democráticos venezolanos de 1958 a 1998 (Ramón Guillermo Aveledo, "La 4ta República..."), 9. Por su parte, el sociólogo y cineasta Oscar Lucien (1952) sobre este particular expresa". "Aunque el "pacto" fue perdiendo vigencia, siempre sirvió como un telón de fondo de entendimiento de estos grandes partidos de la más larga época civil de nuestra República, garantizando la alternabilidad en el poder durante 40 años. Chávez llega el poder cuestionando esa época de República civil y con el propósito de hacer tabla rasa de todo ese periodo. El pato usado como chivo expiatorio, denigrado y satanizado como origen de los supuestos terribles males que estaban denunciando. Puntofijismo es el término usado y con el que simplifica y se demoniza ese pasado" Óscar Lucien, *Neolengua roja rojita. Un glosario chavista,* Abediciones, Caracas: 2022, 101.

[9] El mismo Lucien define esta expresión de la forma siguiente: "Con la imposición de la Constitución de 1999 Chávez pretendió inaugurar una era que calificó de quinta república y Moniz el pasado histórico inmediato que llamó a la Cuarta República". Lamentablemente la sociedad democrática, pasiva y crítica, asumió el vocablo de "Cuarta República" y legitimó la feroz condena de los cuarenta años precedentes de la república civil" (*Ibidem.* 104)

El abogado, académico y político Ramón Guillermo Aveledo (1950) aclara que

"Se ha venido llamando cuarta república largo y espacio histórico que va desde la separación de Colombia y el primer gobierno de José Antonio Páez, iniciado 1830, hasta la segunda presidencia Rafael Caldera, culminada en febrero de 1999.

Pero, más precisamente, aunque estamos en un concepto acordeón que se ensanche recoge conveniencia y que a veces ha llegado expandirse hasta el grito de Rodrigo de Triana y Colón y las tres carabelas, en el lenguaje político convencional actual, se llama cuarta república a los gobiernos civiles y democráticos venezolanos de 1958 a 1998"[10].

Por su parte, el sociólogo y cineasta Oscar Lucien (1952) sobre este particular expresa"

"Aunque el "pacto" fue perdiendo vigencia, siempre sirvió como un telón de fondo de entendimiento de estos grandes partidos de la más larga época civil de nuestra República, garantizando la alternabilidad en el poder durante 40 años. Chávez llega el poder cuestionando esa época de República civil y con el propósito de hacer tabla rasa de todo ese periodo. El pato usado como chivo expiatorio, denigrado y satanizado como origen de los supuestos terribles males que estaban denunciando. Puntofijismo es el término usado y con el que simplifica y se demoniza ese pasado"[11].

En simétrica posición, Jesús Sanoja Hernández (1930-2007), quien sufrió varios periodos de prisión durante la década militar (1949, 1950, 1951, 1952), debido a sus actuaciones en la vida política y a su adscripción en el PCV, acusa

---

[10] Ramón Guillermo Aveledo, *"La 4ta República..."* 9.

[11] Óscar Lucien, *Neolengua roja rojita. Un glosario chavista*, Abediciones, Caracas: 2022, 101.

"IV República o puntofijismo ha sido la calificación despectiva que el MVR y sus afiliados le han dado a ese periodo de 40 años, excepcional, sin embargo, porque nunca antes el país había cubierto una etapa constitucional de tan larga duración"[12].

Baste tan solo recordar, lo expresado en 1996, como muchas otras, por Hugo Chávez Frías (1954-2013), en relación a "Puntofijo" siempre bajo la misma tónica despectiva y con manipulación de la historia:

Sin duda, estamos ante una crisis histórica, en el centro de cuya irreversible dinámica, ocurren simultáneamente dos procesos interdependientes: uno es la muerte del viejo modelo impuesto en Venezuela hace ya casi doscientos años, cuando el proyecto de la Gran Colombia se fue a la tumba con Simón Bolívar, para dar paso a la Cuarta República, de profundo corte antipopular y oligárquico y el otro es el parto de lo nuevo, lo que aún no tiene nombre ni forma definida y que ha sido concebido con el signo embrionario aquel de Simón Rodríguez: "La América no debe imitar modelos, sin ser original. O inventamos o erramos". Por supuesto que el viejo modelo ha venido cambiando de ropaje y de nombres a lo largo de todo este tiempo, pero siempre se ha basado en la imposición, en la dominación, en la explotación, en el exterminio. ¡En este siglo, durante la última década de gobierno del General! Gómez, fue incubándose un modelo político al que perfectamente pudiéramos llamar "el modelo adeco", fundamentado especialmente en la explotación petrolera (en 1926 ya el petróleo había desplazado al café como primer producto de exportación), en el populismo y en el autoritarismo. El "modelo adeco" irrumpió el 18 de octubre de 1945; echó sus bases en el Trienio 45-48, para ser desplazado durante una década y reaparecer en 1958, a la caída del gobierno del General Marcos Pérez Jiménez. Ahora sí había venido para quedarse. Desde entonces el nefasto modelo pisó el acelerador al proceso de sustitución de importaciones, profundizando el rentismo petrolero y la dependencia, sobre un pacto político cupular-partidista al que se conoce como "Pacto de Punto Fijo",

---

[12] Jesús Sanoja Hernández, *Entre golpes y revoluciones*. Tomo I, Debate, Caracas: 2007, 191.

reforzado desde ese momento por el calderismo copeyano, cómplice, a pesar de su papel de actor de reparto, en el festín. El "Modelo Adecopeyano" devino, como tenía que ocurrir, en una crisis avalancha que hoy es ya una verdadera catástrofe moral, económica, política y social.

Es histórica e irreversible. Conjuntamente con el Pacto de Punto Fijo, que lo hizo posible, están no solamente agotados, sino que se encuentran ahora en la fase terminal de su triste historia y con ellos se hunde también el modelo económico colonialista-dependiente[13].

El 23 de enero de 2011 en un acto de celebración de esa fecha, que es motivo de unidad, y no de violenta exclusión, el entonces presidente Chávez manifestó Señaló que la dictadura no cayó con el régimen de Marcos Pérez Jiménez, "sino el pasado 6 de diciembre del año 1998", cuando se acabó con el pacto de Punto Fijo, que fue "el pacto de la traición al 23 de enero de 1958"[14].

Mas reciente, e igualmente displicente, el presidente Nicolás Maduro Moros (1962) en relación a "Puntofijo" ha expresado

"El Pacto de Punto Fijo marcó el inicio de una etapa nefasta para nuestra historia, en la que el pueblo fue traicionado por las élites que cedieron a los caprichos e intereses del imperialismo, entregaron la soberanía de Venezuela. ¡Prohibido Olvidar!"[15].

---

[13]   Agustín Lewit y Luis Wainer, La Venezuela pactada: entre Punto Fijo y el paquete liberal, acceso el 22 de febrero de 2024 https://www.centrocultural. coop/revista/20/la-venezuela-pactada-entre-el-punto-fijo-y-el-paquete-neoliberal

[14]   Correo del Orinoco, 23 de enero de 2011. Acceso el 22 de febrero de 2024, http://www.correodelorinoco.gob.ve/presidente-chavez-se-suma-a-concentracion -revolucionaria-conmemoracion-al-23-enero-1958/

[15]   Tweet en su cuenta @NicolasMaduro en la red social Twitter, ahora "X" acceso el 22 de febrero de 2024 https://www.minec.gob.ve/hace-64-anos-se-firmo-el-pacto-de-punto-fijo/#:~:text=%C2%ABEl%20Pacto%20de%20Punto %20Fijo,entregaron%20la%20soberan%C3%ADa%20de%20Venezuela.

Se cumplen 60 años de la firma de un acuerdo anti-democrático que traicionó la esperanza de nuestra Patria, el "Pacto de Punto Fijo". Época signada por la exclusión y oscuridad. Con la llegada del Cmte. Chávez, el pueblo despertó y se liberó de semejante adefesio. ¡No Volverán!"[16]

Estamos frente a un dilema que resolver, derivación de la máxima *rankeana* de que la historia y el historiador describen, los hechos dominan y el silencio del oficiante se impone y cede a la fuerza de los acontecimientos, y aquella conforme a la cual la exigencia que se exige al historiador de hacer uso de su sentido crítico y reconstructivo frente a la aspiración de su monacal imparcialidad y objetividad para evitar distorsionar los hechos.

Nos encontramos en una encrucijada de actuación, máxime cuando todavía se encuentran entre nosotros figuras del "puntofijismo", y las contrafiguras que lo demeritan.

Transitamos un periodo antitético de las esencias, motivaciones explícitas y reales del 23 de enero y su resultado consensual, como es el "Pacto de Puntofijo", y el inmovilismo que no hace frente a la deconstrucción de varias décadas de nuestra historia republicana.

Debemos comprender los antecedentes y los sucesos posteriores que enmarcaron la celebración y vigencia del pactismo democrático, el pensamiento dualista, por ejemplo de Betancourt, quien inspira su elaboración y suscripción, cuya movilidad se verifica, por una parte, entre un plano teórico ideológico de la democracia y su funcionalidad, y por la otra, el pragmatismo de reinventarse y demostrar la evolución de su personalidad política frente a los factores, que le hicieron frente a la expansión de su liderazgo octubrista, propiciante del arribo de la década militar.

Visión legitima, explícita y manifiesta de la imperiosa necesidad de vuelta a la democracia, y la no tan meridiana, en criterio de algunos, de su jugada e intención de reivindicarse desbrozando el camino lleno de incertidumbre y recelos sobre su madurez, el

---

16   Tweet en su cuenta @NicolasMaduro en la red social Twitter, ahora "X" acceso el 22 de febrero de 2024 https://twitter.com/NicolasMaduro/status/1057606934973571072

despojo de su inclinación marxista y el aprendizaje cruento de las lecciones de la "Revolución democrática de octubre", que hacen hace lucir impertinente su vuelta al poder[17].

Las premisas a partir de las cuales procedimos a la elaboración este análisis son las siguientes:

a. Como punto inicial, es menester destacar que "Puntofijo" no busca ni implica uniformidad genésica, unanimidad, ni exigencia de renuncia de sustancia o cesión de identidad ideológica a los partidos que lo suscriben y contribuyen a su vigencia. Su esencia es la convergencia de criterios y concepciones sobre la institucionalidad y recuperación del sistema de libertades, abruptamente suspendido por el militarismo noviembrino instaurado en 1948.

b. La existencia de una serie condicionamientos exógenos y endógenos, que fijan una racionalidad imprescindible para aproximarnos a la forma, oportunidad y contenido del "Pacto", la forma que se adoptó y las motivaciones que condujeron a la exclusión de ciertos factores causantes de la herencia, que llevó a los causahabientes a contar con una aparente carga argumental para embestir contra la democracia, lo que es lo mismo decir, arremeter contra el "puntofijismo".

II. CONTRA LA DEMONIZACIÓN DEL "PACTO DE PUNTOFIJO"

El 23 de enero de 2058 se verifica el derrocamiento de Marco Evangelista Pérez Jiménez (1914-2001), para otros el abandono del poder por parte del dictador y su camarilla, que facilitó los sucesos de aquel día, haciendo viable el nacimiento de la democracia. Fue el

---

[17] René Hartman, refiriéndose a las conversaciones de Betancourt, Caldera y Villalba sostenidas en Nueva York, previas y preparatorias de "Puntofijo", y que "la dictadura había sido una dura escuela y nadie tuvo que ser convencido" de que "tenían que llegar a un acuerdo, a un entendimiento entre los partidos si querían establecer el régimen democrático en Venezuela", expresa: "En un momento dado, el Dr. Caldera le dijo a Rómulo que en su opinión él no debía intentar ser presidente de Venezuela, pues era demasiado controversial y su postulación podía tener serias consecuencias. R.B. nada dijo". René Hartman de Betancourt, *Rómulo y yo,* Ediciones Grijalbo, Barcelona: 1984, 133.

punto final de la denominada "década militar"[18], cuya gestación y consolidación fue interrumpida el 24 de noviembre de 1948. Se derriba el primer gobierno surgido de los primeros comicios sin discriminación de géneros, con los preceptos democráticos de ser universal, directo y secreto.

Una etapa de intensidad confrontacional, profundización de la participación del Estado en la economía, los inicios de la participación y militancia política abierta, bajo para aquel entonces la novedosa forma organizativa de los partidos, convertidos en los modernos Príncipes, que, entre otros factores, sirvió de marco referencial al gobierno constitucional de Rómulo Gallegos Freire (1884-1969), tanto como soportes de la gestión constitucional oficialista, como de oposición democrática[19].

---

[18] En el año de 1984 siendo aún estudiante de Derecho en la Universidad Católica Andrés Bello, me fue obsequiada la obra de José Rodríguez Iturbe intitulada "*Crónica de la década militar*". José Rodríguez Iturbe, *Crónica de la década militar*. Ediciones Nueva Política, Caracas: 1984, el cual leí con fruición e hice propia el deseo del autor, conforme al cual para quienes nos asomábamos a la política después del 23 de enero de 1958, sus reflexiones "quizá constituya material que ayude a descubrir, en el caso concreto de Venezuela, el sentido de aquella afirmación desgasperiana según la cual las generaciones '*son olas de un mismo mar*'". Su lectura me permitió descubrir la imprecisión de llamar al periodo comprendido entre el 24 de noviembre de 1948 y el 23 de enero de 1958 como la "dictadura perezjimenista", y enfrentarme a una realidad conforme a la cual la resistencia contra la hegemonía castrense fue el producto de varias fuerzas políticas y actores sociales, y no el monopolio y valentía de un partido político. Ahora, con la pasión centrada en el estudio de la historia, considero que es la mención descriptiva más ajustada a la historiografía.

[19] En una expresión muy acertada, Antonio Gramsci (1891-1937) estableció un paralelo entre el antiguo príncipe, objeto de la gran y más conocida obra de Nicolás Maquiavelo (1469-1527) de igual nombre, y los partidos políticos: "El príncipe moderno, el mito-príncipe, no puede ser una persona real, un individuo concreto; sólo puede ser un organismo, un elemento de sociedad complejo, en el cual comience a concretarse una voluntad colectiva reconocida y afirmada parcialmente en la acción: Este organismo ya ha sido dado por el desarrollo histórico y es el partido político: la primera célula en la que se resumen los gérmenes de la voluntad colectiva que tienden a devenir universales y totales". (Esta cita corresponde a la obra del fundador del Partido Comunista Italiano titulada "Notas sobre Maquiavelo, sobre la política y el Estado moderno" pero la conocimos a partir de la cita parcial que hace Gustavo

Un golpe de estado, que irrumpe contra la construcción del modelo democrático emprendido, con la legitimidad de origen dimanante del proceso constitutivo de la "primera República liberal democrática"[20], dentro de los parámetros aproximados de valoración en la configuración de un Estado de derecho y la funcionalidad de su institucionalidad a través del sistema eficaz de libertades públicas

Esa fecha es conmemorativa de la instauración de la democracia, o si se quiere del nacimiento de la era democrática del país, y la gestación de la "segunda República Liberal democrática"[21], iniciada el 13 de febrero de 1959 bajo el periodo constitucional de Rómulo Betancourt electo en el segundo proceso de sufragio democrático vivido por los venezolanos.

Un periodo de nuestra historia, que representa una serie de manifestaciones en cuanto a la forma de llevar a la práctica los principios y valores ordenadores de la actividad política, concebida en torno a la necesidad de la construcción de un Estado, que permite la participación de todos los sectores en la proposición, discusión y aprobación de las políticas públicas, que como tales representan el contexto general del accionar de los órganos del Poder Público.

La proyección de esa etapa historia fue posible gracias a la visión compartida erigida sobre el pilotaje edificante de la bóveda normativa e institucional, que estabilizan la conformación de los mecanismos y procedimientos para alcanzar las bases consensuales, que hacen posible la estabilidad, la gobernanza o gobernabilidad en la acción conductual de la funcionalidad del Estado en aras de alcanzar los fines y cometidos previstos en el ordenamiento.

Tarre Briceño (1946) en *Carta abierta a los copeyanos (que puede ser leída por quienes no lo son)*, Ediciones Centauro, Caracas: 1990, 11.

[20] Germán Carrera Damas, *Rómulo histórico,* Editorial Alfa, Caracas, 2013, 386.

[21] Guillermo Tell Aveledo Coll, *La segunda república liberal democrática. 1958-1998*, Fundación Rómulo Betancourt, Caracas: 2014.

III. EL 23 DE ENERO Y EL "PACTO DE PUNTOFIJO"» DOS HECHOS HISTÓRICOS SIAMESES. LAS VISIONES ENCONTRADAS SOBRE LOS MISMOS

El 23 de enero no puede verse de manera aislada, como un simbolismo hueco rodeado de la parafernalia festiva o protocolar de rigor[22], ceñido a ser el centro de la pretensión de su apoderamiento reciente por parte de sectores políticos -algunos con marcada inmersión ideológica de solera, otros por mero oportunismo clientelar- ajenos al respeto de los corolarios del Estado plural democrático de derecho.

Un deseo de convertir esta fecha, como efemérides icónica para cedularse como demócratas, legitimando reivindicar en su favor el protagonismo de todos aquellos hechos, que culminaron con esta gesta cívico militar, o militar y cívico, pues en este tema que nos ocupa, pareciera que el orden de los factores sí altera el producto en el análisis de las causas eficientes, que permitieron el derrocamiento del gobierno autoritario de sustento militar, y el rol que este último sector se le asignó en simetría con la defensa y salvaguarda del régimen que se aspiraba constituir.

En sus memorias, Laureano Vallenilla Planchart (1912-1973), importante figura del régimen perezjimenista, en el cual se desempeñó como ministro de Hacienda y de Justicia, expresa:

---

[22] El antropólogo e historiador David Israel Kertzer (1948) se aproxima a una definición de simbolismo, lo cual podemos proyectarla a la descripción que en la historiografía se ha dado en torno al 23 de enero, al "espíritu del 23 de enero" a esa "rebelión popular" que pretende encontrar en los sucesos acaecido en esa fecha. Asi, el académico estadounidense expresa: "I have defined ritual as action wrapped in a web of symbolism. Standardized, repetitive action lacking such symbolization is an example of habit of custom and nor ritual. Symbolization gives the action much more important meaning. ("He definido el ritual como acción envuelta en una red de simbolismo. La acción estandarizada y repetitiva que carece de dicha simbolización es un ejemplo de hábito o costumbre y no de ritual. La simbolización da a la acción un significado mucho más importante") (David I. Kertzer, *Ritual, Politics and Power,* Yale University Press, New Haven: 1988, 9. (Traducción del autor)

350

"A nosotros nos faltó el respaldo de "la sociedad", en momentos críticos, el 23 de enero. Pienso más bien que él fue el de las Fuerzas Arandas. No descubro cómo, cierto grupo, hubiese podido cambiar la decisión de militares resueltos a derrocarnos"[23].

La queja de Vallenilla de que los sucesos que desencadenaron, abiertamente enfilaron sus acciones contra el denominado espíritu reinante de unidad, que fluyó este día y fue motivo para la búsqueda de puntos de convergencia restauradora de la democracia, avalan la opinión de quienes sostienen, que fue el producto de las desavenencias existentes en el seno de las Fuerzas Armadas Nacionales, las cuales dieron la estocada a la dictadura perezjimenista, desconociendo la espontaneidad de la población.

Así por ejemplo, el general Carlos Savelli Maldonado (1929-2021), quien expresaba su "particular animadversión por el régimen adeco que todavía mantengo y me enorgullece mantener", fue un eterno conspirador desde la época en que era cadete de la Escuela Militar entre los años 45 y 48. Su acción, que se infiere como terrorista, y se califica como tal de acuerdo a fuentes documentales -diario personal y hemerográficas, respectivamente-, entre otros hechos, se puso de manifiesto en los atentados contra el gobierno constitucional de Rómulo Betancourt[24].

Para este general, "el movimiento del 23 de enero no es, desde el punto de vista castrense, como se le ha tratado de definir, un movimiento democrático. Ese movimiento sale espontáneamente del seno de las Fuerzas Armadas"[25].

---

[23] Laureano Vallenilla Lanz, *Razones de proscrito*, Imprimerie des Gondoles, Seine: 1965, 219.

[24] Cámara de Comercio, Industria y Servicios de Caracas, "*La conspiración Carlos Savelli Maldonado*", acceso 1 de abril de 2024, https://camaradecaracas.com/la-camara-caracas-y-sus-historias/ocurrio-aqui/la-conspiracion-savelli-maldonado/

[25] Testimonial del general Carlos Savelli Maldonado en Agustín Blanco Muñoz, *El 23 de enero: habla la conspiración*, Editorial Ateneo de Caracas/Faces-UCV, Caracas: 1980, 314-315. El controversial militar en forma concluyente asevera: "No imperó una consigna desde el punto de vista democrático en el

En criterio de Luben Petkoff (1933-1999), dirigente guerrillero, a esa gesta no puede atribuírsele la naturaleza de un movimiento cívico –militar pues no hubo acuerdo o entendimiento desencadenante[26].

En igual sentido, expresa Luis Ricardo Dávila (1953) que esa fecha fue "un episodio novedoso y dramático para la historia venezolana", para algunos continúa el autor, una "revolución popular" pero que "no fue más que un golpe de Estado animado por un movimiento militar que buscan mantener una estructura de poder castrense, pero sin Pérez Jiménez"[27].

El mítico dirigente de la resistencia contra el militarismo de los años cincuenta, Fabricio Ojeda (1929-1966), presidente de la Junta Patriótica[28], describe ese enerino y trascendente acontecimiento, como el día en que "el pueblo de Venezuela en toda su integridad quien derrocó a la dictadura", matizando el esbozo con el complemento de que "no existe diferencia entre el pueblo y el ejército en cuanto a patriotismo e ideas democráticas.

---

movimiento del 23 de enero, aunque parezca una barbaridad decirlo en este momento y contra la opinión de todo el país y todo lo que se ha escrito sobre eso, a mi juicio no hubo, ni había en la Fuerzas Armadas un material propicio para recibir ese tipo de ideas porque, después de una dictadura tan larga y una formación militar de corte casi fascista, eso no era posible. (...) Por eso para mí el 23 de enero lo que ocurrió fue que las Fuerzas Armadas aprovecharon la coyuntura del repudio popular a la maquinaria dictatorial. Pero no creo que los haya guiado ningún móvil de carácter democrático. Y esto lo creo a pesar de que se haya mantenido, y los propios oficiales hayan declarado continuamente, que fueron inspirados para restablecer el orden democrático en Venezuela. A mi juicio eso es mentira." (*Ibid.* 315)

[26] Testimonial de Luben Petkoff en Agustín Blanco Muñoz en, *La lucha armada: Hablan 6 comandantes*, Universidad Central de Venezuela, Caracas: 1981, 97.

[27] Luis Ricardo Dávila, Momentos fundacionales del imaginario democrático venezolano en (Germán Carreras Damas, Carole Leal Curiel, Georges Lommé y Frédéric Martínez, (Editores), *Mitos políticos en las sociedades andinas. Orígenes, Invenciones y ficciones*, Equinoccio/ Institut francais d'études andines, Caracas: 2006, 148.

[28] La Junta Patriótica fue grupo de acción táctica operativa, creada en agosto de 1957 para hacer frente a la decisión del Congreso de la República, integrado por AD, URD, COPEI y el PCV, con apoyo de la Iglesia, la institucionalidad empresarial y los estudiantes,

Las Fuerzas Armadas de la República y su Juventud Militar son fracción lógica y naturalmente inseparable del pueblo venezolano[29].

Para otros, como, por ejemplo, Arturo Uslar Pietri (1906-2001):

"No fue un movimiento de un partido, ni de un grupo, ni de una clase, no tuvo ni quiera un comando central reconocido. Fue más bien un movimiento de combustión espontánea, como la reacción de un organismo sano contra un veneno para expelerlo, lo que creó esta maravillosa, inesperada y súbita unidad"[30].

El "Pacto de Puntofijo" es la expresión de "la democracia que nace el 23 de enero de 1958", en la calificación dada y en las disquisiciones efectuadas por Carlos Raúl Hernández (S/d) y Luis Emilio Rondón (1957) para soportarla, "es el triunfo de unas pocas decenas de jóvenes que desafiaban el miedo. Irrumpen en 1928 y salen de las catacumbas a partir de la muerte de Juan Vicente Gómez (1857-1935) a proseguir la lucha por la libertad"[31].

El 23 de enero no puede calificarse como un proceso revolucionario, comparable con los Revolución Rusa de 1917, el anarquismo existente en el periodo fratricida de la Guerra Civil española verificada entre 1936 y 1939, o con el proceso cubano de 1959, pues lo actores representantes de la institucionalidad política en la Junta Patriótica tenían una inclinación, que en nada se correspondía con una militancia propositiva de corte radical revolucionaria.

En criterio de Manuel Caballero Agüero (1931-2010), eran "sin rubor alguno, reformistas, gradualistas, y sobre todo institucionalistas[32].

---

[29]   Umaña Bernal, *Testimonio de la Revolución en Venezuela. 1 de enero- 23 de julio 1958*, tipografía Vargas, S.A., Caracas: 1958, 202

[30]   Arturo Uslar Pietri, El alba de la democracia, Editorial de la Revista Billiken, 25 de enero de 1958, acceso el 24 de marzo de 2024. https://mariafsigillo. blogspot.com/2014/01/el-alba-de-la-democracia.html

[31]   Carlos Raúl Hernández y Luis Emilio Rondón, *La democracia traicionada. Grandeza y miseria de "Puntofijo" (1958-2003),* Rayuela Taller de Ediciones, Caracas: 2005, 39.

[32]   Manuel Caballero, *La crisis de la Venezuela contemporánea (1903-1992),* Alfadil Editores, Caracas: 2009, 146.

Los acontecimientos, que encuadran el 23 de enero, en criterio de Simón Sáez Mérida (1928-2005), quien fuera uno de los bastiones de la lucha clandestina contra la dictadura militar, ex secretario general de AD, y fundador del Movimiento de Izquierda Revolucionaria (MIR), encuentra el concurso en una serie de fuerzas no coordinadas, que solo tenían como denominador común la visión acerca de "la necesidad de la libertades públicas, la participación política, la libertad reestructuración de un clima democrático, que era realmente el esquema básico con que funcionaban todos los partidos que se oponía a Pérez Jiménez"[33].

La ascendencia de los grupos económicos poderosos locales con las multinacionales ("imperialismo"), en el criterio del citado político, que concurren, no por haber sido convocadas por las fuerzas políticas internas, sino por "los compromisos por arriba", aunada a la debilidad organizativa e insuficiencia de recursos materiales, incluida, la provisión de armamento, distanció la posibilidad de considerar el 23 de enero como un movimiento de tesitura insurreccional, o aprovechar el acontecimiento para generar la insurrección revolucionaria[34].

---

[33] Testimonial de Simón Sáez Mérida en Agustín Blanco Muñoz, *La lucha armada: La izquierda revolucionaria insurge*, UCV/FACES, Caracas: 181, 93.

[34] La situación descrita, calificada como compleja por Sáez Mérida, hacía que la izquierda actuante el 23 de enero, no estuviera "en capacidad de imprimirle una profundidad mayor al momento, más allá de la restauración de las libertades democráticas que había sido nuestro supuesto estratégico fundamental (...), no teníamos ni grado de organización, ni posibilidades de movilización popular, ni medios ofensivos, armados, poder de fuego para ir más lejos. En relación a la participación de los sectores económicos en los sucesos del 23 de enero, que acusa Sáez Mérida, no encuentra eco en la opinión de Manuel Quijada (1928-2013), aunque coincide en que las fuerzas progresistas no tuvieron el tino del control para dar una orientación diferente al movimiento popular, que lo origina. El ex constituyentista de 1999, ex Ministro de Fomento en el Gobierno del ex presidente Luis Herrera Campins, quien participó en el Porteñazo (1962) del alzamiento de la Marina en Puerto Cabello asienta: "El 23 de enero no lo produce la burguesía porque en realidad ella no hizo nada para tumbar a Pérez Jiménez. Nada en absoluto. La burguesía se aprovecha y lo aplaude. Todos los señores que tú ves ahora eran los mismos que se sentaban en la mesa con Pérez y Jiménez y que iban a desfilar los días Semana de la Patria. Pérez Jiménez cae, en primer lugar, por causas internas de su corrupción, de su propia descomposición y después por una presión

La debilidad estratégica acusada por el citado líder insurgente avala la afirmación de Caballero, la cual compartimos, en cuanto que no existía vocación insurreccional en los actores del 23 de enero, que tal proclividad fue sobrevenida, estaba latente pero no había florecido, pues las causas objetivas posteriores, fueron el producto de la multiplicidad de hechos, que van desde la influencia progresiva de la triunfante Revolución Cubana, los anhelos de tomar espacios por parte de la juventud de AD –que si vieron frustrados–, su alejamiento cada día mayor con la dirigencia histórica fundacional, que se encontraba en el exilio y, por supuesto, la proximidad con la dirigencia comunista, que produjo un trasiego ideológico, el endoso de reproches y cierto recelo a la "vieja guardia" del partido. Betancourt lo sabía, y propició soterradamente la "depuración" –división– del partido, que tempranamente se daba a conocer como la "Acción Democrática de izquierda"[35]. Su olfato político, la

---

popular. Y ni siquiera te voy a decir que Pérez Jiménez cae por una cuestión de eminentemente militar. La reacción militar depende también de las presiones populares. Y una descomposición que en diez años liquidó a Jiménez. No fue la burguesía quien lo hizo. Lo que pasa es que cuando se tumba a Pérez Jiménez, la gente progresista no tiene conciencia del poder que tiene y deja que la burguesía de nuevo sirva de sostén del gobierno. Ahora, ellos en absoluto participaron en la caída" (Testimonial de Manuel Quijada en Agustín Blanco Muñoz, *La conspiración cívico-militar: Guairazo, Barcelonazo, Carupanazo y Porteñazo*, Ediciones FACES, Caracas: 1981, 46. No obstante, el dejo condenatorio de algunos de los jóvenes secesionistas adecos veinte años después, se afanan en mantener el calificativo de ideológica dada a la primera división de AD, que condujo a la creación del MIR. Así. Moisés Moleiro Camero (1937-2002), enfáticamente apunta: "Cae la dictadura el 23 de enero de 1958. Se abren las cárceles y retornan los exilados. La burguesía se hace prontamente del Gobierno y nadie lo cuestiona, ya que los marxistas del momento suponen llegada la "etapa de la revolución democrático-burguesa". El movimiento popular que derribó a Pérez Jiménez no se planteó objetivos ulteriores y allí se queda celebrando lo ocurrido". Moisés Moleiro, *El Partido del Pueblo. Crónica de un fraude.* Vadell hermanos editores, Caracas: 1978, 183.

[35] Domingo Alberto Rangel, quien resulta inevitable no citar frecuentemente, no solo por haber sido un líder de peso en la lucha contra la dictadura militar y una de las cabezas conductoras de la primera escisión de AD, expresa en relación a la separación emocional y falta de identificación entre la juventud y el estamento fundacional lo siguiente: "Para Acción Democrática (...) la

experiencia aquilatada del exilio, sus viejas militancias partidistas, su conocimiento de la realidad vernácula, lo llevaron a ello. "O fijo una posición férrea, a un incluso de la división, o me quitan el partido", habrá sido su reflexión interna, traducida a "mi nadie me saque de la carrera presidencial".

Para otros el 23 de enero, tiene un carácter bifronte en función a los actores: sus anhelos y compromiso, su carácter evolutivo o conservador[36]. Esta fecha, en discernimiento de Domingo Alberto Rangel (1923-2012), uno de los políticos más controversiales del siglo pasado, prolijos intelectualmente, siempre "alzado contra todo"[37], con destacada participación en la conformación de los cuadros de la resistencia clandestina en la década militar, con militancia activa en Acción Democrática (AD) desde su época de estudiante hasta su separación, y uno de los artífices e inspiradores de la primera división de ese partido, que dio surgimiento al MIR

"se montó la comedia de las equivocaciones de William Shakespeare. La izquierda, entonces representada por AD y PCV, quiso ser derechista hasta la exageración. Y la derecha, encarnada

---

resistencia significó en primer lugar el desplazamiento de la generación fundadora. Con la caída de Gallegos pasan a la cárcel o al exilio, los hombres que en 1936 habían implantado el Partido. Vino un periodo de desconcierto, muy breve, en el cual es necesario llenar ese vacío. Acción Democrática había contraído la costumbre de ver en su timón aquellos personajes que, desde la muerte de Gómez, formularon su programa e impartieron su idiosincrasia. Amputados por el cercenamiento del golpe militar, el Partido sintió como si hubiera perdido la cabeza. Pero Acción Democrática tenía, en esos momentos, dos condiciones que constituyen las premisas de una resurrección política: masa y juventud". Domingo Alberto Rangel, *La revolución de las fantasías,* Ediciones Ofidi, Caracas: 1966, 14.

[36] El propio Rangel Burgoin, en la mordacidad de su pluma, e imbuido en la metodología historiográfica marxista, aserto: "La insurrección del 23 de enero tenía dos alas, progresista una de ellas, conservadora la otra, nacionalista la primera, colonial la segunda, renovadora aquella, tradicionalista ésta. El ala moderada y amiga del orden-es decir de las estructuras prevalecientes en la economía y en las relaciones sociales-se ha notado un gran éxito al constituir un gobierno del que están ausentes los militares jóvenes y los líderes de la resistencia" (*Ibid.* 24).

[37] Este es el título de sus "memorias y desmemorias", Domingo Alberto Rangel, *Alzado contra todo (memorias y desmemorias),* Vadell Hermanos Editores, Valencia: 2003.

en Copei y URD, alardeó de izquierdista. El problema de los revolucionarios ese día consistía en ver cómo se mimetizaban hacia la derecha. Y en la derecha campeaba la preocupación por ensayar la carantoña demagógica hacia la izquierda"[38].

El punto de inflexión y resquebrajamiento de la unidad institucional de AD, en afirmación de Moisés Moleiro, fue la discusión de la contratación colectiva de la industria petrolera en el año 1960, la cual permitió la medición de fuerzas internas en el partido, y representó acicate para la divulgación de las posturas mantenidas por Domingo Alberto Rangel y Américo Martín Estaba (1938-2022), líderes del cisma adeco, uno con trayectoria reconocida y pugnacidad, el otro líder de la juventud , ambos propulsores de la izquierda de AD.

Ese evento clave, que cambió la trayectoria fortalecida de un partido, que venía acumulando todos los aditamentos de solvente proyección en la sociedad venezolana (reconocimiento por la entrega y valentía de su dirigencia y militancia en la lucha clandestina, que sufrió cárcel, exilio, persecución, el dolor de sus mártires, que sirvieron de incentivo, y otros signos externos propicios a la pertenencia), pareciera recoger la experiencia telúrica de la huelga petrolera de 1936, un suerte de fototropismo negativo a lo que eran los postulados de AD, específicamente su policlasismo, la conveniencia de la paz social y la seguridad a los inversionistas para continuar dirigiendo su rentabilidad al país, prueba fehaciente de que la nomenclatura adeca busca resarcirse de los hechos "radicales" del "trienio", su enfrentamiento a los ahora factores claves de la gobernabilidad (la Iglesia, los empresarios y los militares). Una forma singular, no *ex profeso* de conmemorar, y sacar provecho a la huelga petrolera de 1936, proyectar los avances del pensamiento revolucionario, que encontraban eco en la rebelde juventud socialdemócrata, e insuflar más su ánimo de lucha.

La esencia del "espíritu del 23 de enero" era restauradora de las libertades públicas y complemento tardío de la experiencia obtenida de las turbulencias octubristas.

---

[38] Domingo Alberto Rangel, *Gustavo Machado. Un caudillo prestado al comunismo,* El Centauro Ediciones, Caracas: 2001, 195.

Por su parte, con cierto dejo de nostalgia, y sin la contundencia de la afirmación de que el 23 de enero fue un acto genésico insurreccional, otro ex líder acciondemocratista, también destacado luchador clandestino contra la dictadura militar y fundador del MIR, Héctor Pérez Marcano (1930), sostiene que ese día pudo haber sido "el inicio de un proceso político de mayor profundidad en cuanto a sus alcances" y "rebasar el marco de la democracia representativa", aprovechando la "gran participación popular", y

"no puede alegarse, en descargo, el hecho de que el puntillazo se lo haya dado un levantamiento militar, porque el ejército venía a actuar, en este caso, como la culminación de un proceso que se había iniciado, en su fase final, con la famoso huelga del 21 de noviembre de 1957[39].

No obstante, Rangel Bourgoin difiere radicalmente de lo expresado por Caballero, en relación a la naturaleza del 23 de enero, y a las consecuencias que de él derivaron.

Para el líder emeritense, ese día fue un episodio inicial significativo de lo que iba a ser el periodo de violencia que se genera en la década de los 60, afirmando que

"es la manifestación de un proceso insurreccional, derivado de las circunstancias que asumió el crecimiento venezolano desde 1948. Este movimiento instruccional se desinfla digámoslo así, porque la dictadura no ofrece la menor resistencia y cae con más rapidez de la que esperaban incluso las propias fuerzas dirigentes del movimiento que derroca a Pérez Jiménez. es un hecho conocido que tanto la junta patriótica, que era la suma de los partidos políticos existentes en la época, como ciertas fuerzas de la burguesía que se enfrentaron a Pérez Jiménez en los últimos meses de su gobierno, la iglesia y las compañías petroleras que también participaron en aquellas experiencias, no creyeron nunca que Pérez Jiménez iba derrumbarse en 24 horas, como ocurrió cuando le insurrección caraqueña evaporó este gobierno"[40].

[39] Testimonial de Héctor Pérez Marcano en Agustín Blanco Muñoz, *La izquierda revolucionaria insurge*, Ediciones Faces/UCV, Caracas: 1981, 274-275.

[40] Testimonial de Domingo Alberto Rangel en "Agustín Blanco Muñoz, *"La izquierda revolucionaria ..."*, 24.

El criterio divergente que apuesta al carácter insurreccional del 23 de enero lleva a Rangel a sostener dentro de su análisis y visión historiográfica marxista militante, que en 1958 "la masa venezolana se da cuenta por primera vez en la historia del siglo XX de las posibilidades que tienen y de la fuerza que hay en ellas"[41].

La corriente insurreccional implícita, que da por descontada Rangel, según su discurrir, es el producto de diez años de una evolución que puede incardinarse en la aparición del petróleo y las transformaciones profundas, que experimentan en la sociedad venezolana, que originan transformaciones en una sociedad esencialmente rural que se convierte aceleradamente en urbana, cuya sustentación vital y existencial gira en torno a la dinámica capitalista acelerada, entre otras por la recuperación postbélica de Europa y lo avances tecnológicos, que inciden en la producción de bienes y patronos de consumo.

Esa "enorme caldera que no tenía válvulas de seguridad o de escape, estalla violentamente al conjuro de ciertos fenómenos que la movilizan y que pueden resumirse en dos"[42], en criterio de Rangel:

a. La crisis económica resultado de la caída de los precios del petróleo ocurrida en 1957 y, por consiguiente, la reducción del gasto público para los ejercicios fiscales subsiguientes.

b. La situación política resultado de los controversias y debates generados por la sucesión presidencial que debía realizarse en el año de 1958[43].

Otro factor condicionante e importante tener presente para atribuir naturaleza política de hecho histórico al 23 de enero, es la circunstancia de que AD y el PCV, según el propio Rangel, tenían la fuerza de penetración y organización dispuesta para la agitación y participación política en las barriadas surgidas en el proceso de urbanización de la sociedad venezolana, que, durante la década de los cincuenta, tenían potencial revolucionario, pues

---

41   *Ibid.*, 25.

42   *Ibid.*, 23.

43   *Ídem.*

"tenían instrumentos políticos para orientar, manejar y, en cierto modo, concientizar a los barrios de Venezuela. Ni la burguesía interna, ni los elementos dominantes del sistema, que entonces existían (y que básicamente eran el ejército y la policía), gozaban del menor instrumento no sólo de orientación en los barrios, sino para el propio análisis de lo que ahí está ocurriendo[44].

En esta elección apriorística de testimoniales de los excluidos originales de "Pacto de Puntofijo", no podía faltar el realizado por el "termocefálico" líder juvenil de AD de los años sesenta, Américo Martín Estaba (1938-2022):

"El pronunciamiento del 23 de enero fue el más importante pronunciamiento del pueblo en todo el siglo XX. Pero como fue un pronunciamiento con una enorme amplitud, tenía un programa muy limitado. El programa del 23 de enero era muy limitado lo explícito, es decir, lo que estaba en el papel. Y lo que estaba en el papel como objetivo de ese movimiento era el retorno a la constitucionalidad, al libre juego de los partidos, libertad de reunión, garantías democráticas, etc.

Pero esto fue lo que permitió que se produjera una muy amplia que se extendió políticamente cubriendo todo el espectro de los partidos políticos venezolanos y socialmente desde sectores de la alta burguesía, hasta la clase obrera y campesinos. La burguesía, por supuesto, fue por su propio interés"[45].

Sin duda, este criterio es una visión ambigua porque entra en contradicciones en sí misma a lo que fue el 23 de enero, y su implementación a través del "Pacto", un instrumento diseñado para lograr todos esos objetivos concretos, traducidas en el visión general de lo que es el concepto institución, en cuanto a la definición y estructuración de los órganos del Poder Público, el establecimiento de

---

[44] *Ídem.*

[45] Testimonial de Américo Martín en Agustín Blanco Muñoz, *La lucha armada. Hablan tres comandantes de la izquierda revolucionaria*, UCV/FACES, Caracas: 1982, 306.

los procedimientos para el logro de las bases consensuales, la definición de un amplio catálogo de derechos fundamentales y garantías para su goce y disfrute de los mismos, siempre bajo las exigencias de la responsabilidad en ejercicio de la función pública y la posibilidad de la tutela judicial efectiva.

En definitiva, dar eficacia y realidad a los corolarios del Estado de derecho, que era lo que se perseguía, contraponer el sentido para aquel entonces en el pensamiento de Martin, de un problema de lucha de clase sociales, y de abandono de los sectores mayoritarios de la población. No era más que una discusión propia de bandería política, con los resultados por todos conocidos.

Lo expuesto, en principio, representa la génesis de la narrativa de quienes se presentan como antagonistas, y el acuerdo consocional, en los términos que veremos infra, que hacen de "Puntofijo" un instrumento forjador de consensos con trascendencia, carácter de fuente indiscutible de la institucionalidad y orientador de la forma de convivencia democrática.

La izquierda militante, que hacía vida en AD y el PCV, sostenía la necesidad de centrar la acción política fundacional del sistema de libertades, no en la institucionalidad misma, que garantiza la operatividad de la democracia, y su consolidación, sino en centrar en los sectores de la población más vulnerables su actuación reivindicativa.

El discurso, una vez producida la exclusión formal existencial de "Puntofijo" del PCV, y la incorporación de los movimientos divisorios de AD, que ampliación de la base subjetiva del activismo degradatorio, encontró asidero en lo social, en el sentido reivindicativo de la actuación política bajo los criterios de la traición a la población, el arrinconamiento de sus aspiraciones y el olvido de la actividad prestacional del Estado de los sectores más vulnerables.

A los fines de aproximarse a la importancia histórica y a las realizaciones dimanantes de esas fechas del calendario cívico de la democracia, que la perfilan como un hecho histórico trascendente, se requiere, ineluctablemente, ser analizada, especialmente, a través del "Pacto de Puntofijo". Ese acuerdo político, reviste más importancia que una simple convención de intereses de las élites dominantes, con el objeto de justificar y garantizar la trascendencia fáctica de una mera deposición de un régimen -*coup d'État*-, que no afecte su esencia de hecho histórico con toda sus características e implicaciones en el devenir institucional del país.

IV. "PUNTOFIJO": EL RESULTADO DE UN PROCESO HISTÓRICO Y DE LA PERSEVERANCIA DEMOCRÁTICA DE UN LIDERAZGO

En el proceso que conduce al establecimiento de la democracia, los sucesos marcados con la impronta de histórico, encuentra similitud entre el 18 de octubre de 1945, el 24 de noviembre de 1948, el 2 de diciembre de 1952 y el 23 de enero de 1958. El agudo escritor tumeremense Sanoja Hernández testigo de excepción de esos hechos mencionados, discurre

"A diferencia del 18 de octubre, generado a través de una logia militar que se había entendido en secreto con la cúpula de AD para derrocar un gobierno abierto al proceso de democratización, el 23 de enero fue el resultad de casi una década de lucha contra la dictadura militar, lucha que pasó por tres fases, la última de ellas sorprendentemente unitaria en los días finales, pues no solo reunión a los cuatro partidos históricos, sino también a gran parte de la Iglesia, los medios y la hoy llamada 'sociedad civil.'[46]"

En nuestro criterio, la procedencia analítica de Sanoja, vista desde el punto de vista de los actores es importante para el análisis historiográfico de esos hechos históricos en cuanto a sus actores, sus encuentros y desencuentros, amén de las formas en que fueron gestando bajo la denominación genérica de la participación popular (pueblo llano) y de la organizada en grupos de interesa o presión, perfectamente legítimos en los periodos pre y democráticos, con la fijación predeterminada de metas y objetivos.

No obstante, en nuestro criterio, y a los fines de trabajo, por su peculiaridad y por lo que lo que representan con respecto a la participación política popular, y la respuesta programática de acción inmediata, nos circunscribimos al 14 de febrero de 1936 y el 23 de enero de 1958. Ambos verificados en entornos de cambio, de

---

[46] Jesús Sanoja Hernández, "*Entre golpes y...*", 190.

búsqueda de bienestar y un sentido orientación hacia las formas de convivencia en libertad y pleno ejercicio de los derechos fundamentales. Momentos históricos, en los cuales los ductores en ambos procesos son los partidos políticos, y la dirigencia surgida en las luchas y procesos inmediatamente anteriores. Todas víctimas de la detracción continua del "Puntofijismo".

En 1936 estrenando esa forma organización de convocatoria de las masas e imbuido dentro de la efervescencia de la contraposición de visiones sobre la concepción del Estados y su acción mayor o menor en la sociedad, las divergencias entre las ideologías que venían enfrentándose en el mundo. Era la reacción popular espontánea, hija de la indignación frente a las medidas lesivas a las libertades públicas, la reacción a la incertidumbre de continuar bajo los esquemas de organización de base autoritaria del régimen gomecista, el temor a la continuidad de la preeminencia de los sucesores, tanto aquellos con vínculos consanguíneos u otros que se fueron acercándose al círculo del poder, adquiriendo la posesión de la condición de validos mediante el matrimonio y la sumisión obsecuente a los dominios del general de La Mulera.

El año 1958 representaba el colofón de una década, de una lucha continua de los partidos políticos, que acumulaban mayor organización para la lucha, formación de sus cuadros y detentaban sus conductores la experiencia de varias etapas desde su irrupción en la escena en 1928, acompañados con otros que se estrenaron bajo su patrón de liderazgo en 1936 y 1958. Fue la confluencia con la institución castrense, ahora con parámetros de modernización y profesionalización, y otros sectores con mayor institucionalidad en defensa de sus intereses.

Los partidos políticos participantes, y los cuales recayó la organización de las actividades para la resistencia al régimen militar, ya venían con un aprendizaje de las consecuencia del férreo mandato de los andinos, la actuación en la incipiente democracia en la continuidad moderada transición andina de los gobiernos de Eleazar López Contreras (1883-1973) e Isaías Medina Angarita (1897-1953), el apasionamiento desbordado y la intolerancia de la lucha política de la controversial etapa "octubrista", acaecida entre el 18 de octubre de 1945 y el 24 de noviembre de 1948, forjada en las contiendas constituyentes y parlamentarias, así como en el fragor de la lucha en las calles y en escenarios de la distinta manifestaciones de la sociedad civil. Dos fechas, dos procesos, pero ambos elementos comunes en correspondencia a la interacción de las placas que estructura la dinámica del poder y el choque de la concentración de las energías entre quienes detentan el poder y quienes desean alcanzarlos, entre quienes quieren mantener el estamento y quienes desean cambios. Esa "dialéctica histórica de continuidad y ruptura" a la cual se refiere el gran historiador venezolano Germán Carrera Damas (1930)[47].

Las consecuencias inmediatas de ambos hechos históricos no pueden entenderse sin las respuestas, que se dieron desde el gobierno en 1936, o de las organizaciones políticas y actuantes en 1958 en procura de garantizar la transición de los cambios, y ofrecer certidumbre de la voluntad política para acometerlos. Una respuesta fue inmediata: una semana después de los sucesos del 14 de febrero, el gobierno de López Contreras anunciaba el "Plan de Febrero", nueve meses después se firma el "Pacto de Puntofijo".

Así, no puede entenderse el proceso de evolutivo que arranca el propio 17 de diciembre de 1935 cuando fallece Juan Vicente Gómez, sin que se tenga presentes las causas y consecuencias, que originaron los sucesos del 14 de febrero de 1936 y la respuesta propositiva dada por el gobierno lopecistas complementada, tiempo después, con una propuesta macerada, como fue el "Plan Trienal" de 1938.

Tampoco se puede pretender la separación entre lo que representa el 23 de enero como hecho histórico, generador de un espíritu de consenso y una relación armónica entre las factores y fuerzas políticas, que prepararon el camino e hicieron posible su verificación, y "Puntofijo", que define el camino para su diseño institucional y viabilidad ejecutoria, es decir, la gobernabilidad.

---

[47] Véase, Germán Carrera Damas, *Historia prospectiva. Sobre la prospectiva histórica para auxilio de planificadores, economistas, politólogos, internacionalistas ... e historiadores*, Editorial Alfa, Caracas: 2018.

El 23 de enero fue el día de la coincidencia entre los venezolanos, que en yunta con los partidos políticos y otras organizaciones por un mismo sentimiento propicio a la libertad y a la esperanza de un nuevo país en democracia. La población en la calle, no solo en Caracas, sino en todo el país.

Una fecha que dista y la vez se asemejan en sus motivaciones del 14 febrero de 1936 y el 23 de enero de 1958. El primer hecho histórico, fue la puesta en escena de la iracundia cívica en Caracas, y otras importantes ciudades del país, contra las medidas adoptadas por el gobernador del Distrito Federal general Félix Galavís Figueroa (1877-1941), sobre "Censura y control sobre publicaciones y emisoras", la cuales estaban contenidas en la Circular de fecha 12 de febrero de 1936, dirigida por igual a "todos los Directores de periódicos que se editen en esta capital "medidas autoritarias de censura reseñadas en el diario "La Esfera" en su edición del 13 de febrero[48]. Una respuesta que tenía como telón de fondo, las demandas de demolición de las bases del gomecismo, la aceleración de la democratización y asestar un golpe a la insistencia de a la casta gomecista en mantener en vigor un régimen de privilegios, convergencia de factores que fue la yesca que dio origen al polvorín.

El 14 de febrero dio origen al "Programa de Febrero" sobre el cual el general López Contreras expresó que

"se realizaron prácticas en el orden político y doctrinario dentro de los principios democráticos (…) y la acción económica, cultural, administrativa y social, no solo en cuatro un sistema, sino en el límite de lo que permitieron realizar los recursos fiscales"[49].

El "Programa de febrero" constituyó "un paso trascendental", que representó

"Un diagnóstico del país y se propuso un programa de gobierno en el cual no solo se incorporaron muchos de los planteamientos críticos hechos al estado en que la dictadura

---

[48]   Eleazar López Contreras, *Proceso político social. 1928-1936*, Caracas, Editorial Áncora: 1955, 33.

[49]   *Ibidem.*, 56.

dejara a la Nación, sino que también se acogieron gran parte de las propuestas formuladas por los diferentes grupos democráticos"[50].

En criterio de Simón Alberto Consalvi Bottaro (1927-2013)

"Más que un programa de acción era un proyecto de país. Obviamente, era tan ambicioso que impresionó a los venezolanos, y fue como la carta de presentación del Presidente López Contreras, y en no poca medida, como la justificación para su elección como presidente constitucional que debía formalizar semanas después el Congreso. El general y sus consejeros tomaron ventaja de la crisis"[51]

El Programa de Febrero de 1936 condujo al *Plan Trienal,* que fue presentado por López Contreras a consideración del Congreso Nacional, el sábado 7 de mayo de 1938. Fue una expresión de ratificación del deseo del gobierno de adelantar una gestión administrativa en el marco de la búsqueda de efectividad del programa febrerino[52].

"Es la primera oportunidad en que se presenta en Venezuela una propuesta de proyección integral –acciones y su financiamiento–, que fue objeto de debate, y en el cual se hace énfasis de la acción gubernamental como objeto de un instrumento de planificación, que involucra "las posibilidades monetarias del Erario público, a la luz de cálculos prudenciales, a fin de no prometer al país más de lo que se puede cumplir, y de cumplir con hechos lo que se ofrece"[53].

[50] Patricia Soteldo, Vilma Petrash y María Teresa Romero, Estudio Preliminar en Rómulo Betancourt, *Antología Política. 1936-1941*, Editorial Fundación Rómulo Betancourt: Caracas, 1995, 19.

[51] Simón Alberto Consalvi, El postgomecismo 1936: "El Programa de Febrero" (II) en *Runrunes*, 1 de febrero de 2011 acceso el 2 de noviembre de 2023 https://runrun.es/opinion/historia/10813/el-postgomecismo-1936-el-%E2%80%9Cprograma-de-febrero%E2%80%9D-ii/

[52] Naudy Suarez Figueroa, *Programas políticos venezolanos de la primera mitad del siglo XX,* Volumen 1, UCAB/Colegio Universitario Francisco de Miranda, Caracas: 1977, 197-132.

[53] *Ibid.*, 197

El 23 de enero fue una jornada de júbilo, unidad y de gran expectativa ante el inminente inicio de la recuperación de las libertades cívicas, dando continuidad a la experiencia octubrista, que durante poco tiempo disfrutó el venezolano en el marco de la Constitución de 1947. Se tenía la percepción de dejar atrás el último vestigio del andinismo prolongado con formas modernas de actuación con el pilotaje de la riqueza petrolera, que comenzaba a cobrar importancia por las necesidades de reconstrucción de la Europa de la posguerra, la innovación y la tecnología, amén del militarismo que lo operativiza. Era el último tercio de la faena llevada a cabo por la mancomunidad cívico militar, que da la estocada a la década militar en medio de un espíritu unitario, que fue la génesis de las bases consensuales enfiladas al establecimiento del "sistema populista de conciliación"[54].

El "Pacto" es el producto concurrente y equilibrado de los liderazgos de Rómulo Betancourt, Rafael Caldera y Jóvito Villalba. Tiene su antecedente inmediato en el llamado "Pacto de Nueva York" celebrado en esa ciudad el 20 de enero de 1958[55], y un complemento

---

[54] Esta expresión fue utilizada en varios de los estudios realizados por el profesor Juan Carlos Rey, en los cuales menciona a "la peculiar cultura y el conjunto de reglas informales de juego político que se desarrollan en Venezuela a partir de 1958, insistiendo en el objetivo básico de preservación del orden socio político que a través de todo ello se buscan". Resalta el Rey que a partir del año de 1958 la preocupación de los actores políticos que participaron en el proceso que hemos venido analizando, se centraba la forma de lograr la aceptación y, la postre la legitimación del nuevo régimen de sistema de libertades públicas, es decir, de la institucionalidad democrática que iba ir definiéndose. Una reflexión importante del referido catedrático, es que "ese sistema es mucho más amplio y notorio en su funcionamiento en la ámbito político -en especial a través del sistema de coaliciones de partidos que se desarrolla a partir del "Pacto" de "Puntofijo"-comprende también un conjunto de pactos-frecuentemente no formalizados ni expresos-que abarca actores y sectores diversos, Juan Carlos Rey, *El futuro de la democracia en Venezuela*, (Oficina de Publicaciones de la UCV, Caracas: 1998, 292-293.

[55] El antropólogo y etnohistoriador Miguel Acosta Saignes (1908-1989) era del criterio que la línea socialdemócrata ya desde 1928 ya mostraba cercanía protectora del capital: "Los marxistas iniciales no lo entendieron, pero sí quien ya tenía en mente la mezcla del marxismo con el positivismo-liberalismo para un producto conveniente a los intereses de un capital en ascenso en el marco

esencial del "Programa mínimo de gobierno" acordado el 6 de diciembre de ese año. Ese acuerdo o "Pacto" instrumental y preparatorio de "Puntofijo", en cierto modo desconocido por la mayoría de los venezolanos, o por lo menos, no ha abordado de manera detallada.

No obstante, lo expresado, debemos advertir, que algunos historiadores, inscritos en la historiografía marxista detractora de la eficacia y eficiencia de "Puntofijo" celebrado el 31 de octubre de 1958, con la intención de acomodar su narrativa interesada en difundir, que éste es el colofón de la esforzada copular tutelar del "imperialismo" y el capital criollo, que es su lacayo, ponen de relieve el hecho de que el primer "Pacto" fue celebrado en la mencionada ciudad norteamericana[56].

El "Pacto neoyorkino", es considerado por el historiador Manuel González Abreu (1944)

---

del naciente país petrolero. El marxismo-positivista empieza a actuar desde entonces a través de la política propiamente socialdemócrata, -incluidos los comunistas-adoptando como guía conductor-imagen la figura de Bolívar, visto y tenido como padre de la patria. Agustín Blanco Muñoz, *El siglo que yo viví. Habla Miguel Acosta Saignes*. Fundación Cátedra Pío Tamayo/FACES/UCV, Caracas: 2012, 28.

[56] El historiador y fundador del PCV, Juan Bautista Fuenmayor (1905-1998) en su "Historia política contemporánea de Venezuela señala que: "Además de Betancourt, Caldera y Villalba figuró en la reunión de Nueva York el conocido escritor colombiano Germán Arciniegas, más tarde embajador acreditado en Caracas. ¿A qué obedeció la presencia de este personaje en una reunión netamente venezolana? No es fácil saberlo, pero se sospecha que fue invitado para que explicara las excelencias de la unidad entre conservadores y liberales [se refiere el escritor al "Pacto" de Benidorm celebrado el 24 de julio de 1956 por Laureano Gómez y Alberto Lleras, líderes de esos partidos, respectivamente que tan buenos resultados les había dado a las clases dominantes de Colombia, después del derrocamiento del general Rojas Pinilla. Y presente estuvo también en las conversaciones que dieron origen al "Pacto" de Nueva York, el señor Maurice Bergbaum, Encargado de los Asuntos Latinoamericanos del Departamento de Estado del país norteño, lo cual denuncia la injerencia directa del gobierno de Estados Unidos en la realización del mentado "Pacto", Juan Bautista Fuenmayor, *Historia contemporánea de Venezuela. 1899-1969,* Tomo X, Caracas: 1983, 521.

"una muestra de una determinación "por arriba", aún antes de caer la dictadura, que recogía la aspiración de la máxima dirigencia partidista en el exilio -y no sabemos hasta dónde de la que estaba en el país al frente de las acciones clandestinas-, pero en todo caso no reproducía a la amplitud y el espíritu unitario y de profundidad democrática que se daba en la Junta Patriótica. Era más bien un acuerdo en torno a la forma de "cuidar" la democracia en inminente, sin mayores reparos de su contenido"[57].

No cabe duda, que el "Pacto de Puntofijo" es el instrumento fundacional de la democracia, que tiene como características el establecimiento de una base concordada y consensuada de acción de gobierno para el inicio de la "segunda República liberal democrática" que supuso una plataforma unitaria con autonomía existencial de los partidos, no pensándose, en lo más mínimo, procurar la ocasión de explorar la conformación de un partido único dominante.

Más por el contrario, se correspondió con un acuerdo de compromiso y proceder ético entre las fuerzas democráticas mayoritarias con una visión coincidente, por lo menos del punto de vista teórico, de lo que debe ser el funcionamiento de la institucio-nalidad.

Es el punto de llegada a una estación de la vida política de algunos de los actores y su liderazgo que encuentra su génesis en las jornadas carnestolendas, que le sirvió de tapadera para insurgir contra el régimen gomecista.

La generación del 28 no fue una simple expresión grupal de la coincidencia cronológica de quienes participaron en los sucesos de febrero de aquel año, en manifestación con efectos multiplicadores e inspiradores en la sociedad venezolana de entonces. Sin duda, fue una generación que permitió el brote a la superficie de la actividad política emergente de entonces de una serie de líderes, mucho los cuales trascendieron a través a la proyección colectiva refractada en los partidos modernos, que se fueron conformando bajo las orientaciones y premisas ideológicas, que dominaron durante todo el siglo XX.

---

[57] Manuel González Abreu, *Auge y caída del perezjimenismo (El papel del empresariado)*, Universidad Central de Venezuela, Consejo de Desarrollo Científico y Humanístico, Caracas, 2002, 195.

V. "PUNTOFIJO": LA CARACTERIZACIÓN DE UNA EXPERIENCIA CONSOCIACIONAL EXITOSA

En aserto de Ramón Guillermo Aveledo, la "Cuarta República",

"no sólo es la única etapa de neto predominio civil en el poder político venezolano, sino también un tiempo en el cual concurrieron por primera vez eventos de trascendencia política propio de la normalidad republicana, la cual no habíamos conocido durante la prolongada impronta decisiva de los hombres de armas"[58].

Reforzando su argumento, de manera contundente complementa, apunta que

"Puntofijo es el primer pacto de gobierno, claro, formal, entre partidos políticos. Después deberíamos otros, para gobernar o para racionalizar el funcionamiento de las cámaras legislativas o para elegir altos dignatarios del Estado. Lo que hasta entonces era parecido como inverosímil se tornó normal y hasta rutinario"[59].

El "Pacto de Punto Fijo" es un acuerdo de gobernabilidad entre partidos con la incorporación de representaciones sociales para construir una "democracia de consenso" o "consosicional", en la definición elaborada por Hernández y Rondón, quienes siguiendo al politólogo neerlandés Arend Liphjart (1936), lo caracterizan porque "el gobierno consensual toma el lugar del gobierno de la mayoría…"[60].

A partir del análisis y determinación de la naturaleza del Frente Nacional de Colombia, el destacado jurista colombiano Mauricio Plazas Vega ((1955), define los acuerdos o pactos consociacionales de la forma siguiente:

"Convenios que procuran, además, definir las condiciones en que, después de los regímenes usualmente autoritarios a los cuales procuran poner fin, ha de operar una fase transitoria, con

---

[58] Ramon Guillermo Aveledo, *"La 4ª República…"*, 68.

[59] *Ídem.*

[60] Carlos Raúl Hernández y Luis Emilio Rondón,*" La democracia traicionada…"*, 42.

limitaciones y restricciones para los partidos y la actividad política, que conduzca a una plena afirmación de la democracia liberal[61].

En este orden ideas, y como complemento de lo expresado, puede adicionarse que el "Puntofijo" no tuvo la intención de constitución de un partido único. Más, por el contrario, estableció un sistema plural basado en la existencia de los partidos políticos como bóveda de sustentación del régimen democrático, lo cual se evidenció en el financiamiento público de los partidos políticos, y el régimen de representación proporcional de las minorías.

La evidencia del acérrimo desabrimiento antipuntojista, lo constituye la eliminación en la Constitución de 1999 del sistema de financiamiento de los partidos políticos por parte del Estado, la judicialización interventora de las direcciones partidistas, la forma abierta de auspicio a las instancias del comunal y el empeño de extinción de la descentralización, que es la manera institucional binaria -cercanía de poder y formación de liderazgo-, que facilita la alternabilidad y la renovación de la dirigencia política.

El "Pacto de Puntofijo" no fue el reflejo de uniformidad conceptual acerca del Estado, la visión única de su rol en la economía, los criterios unívocos del hombre en la sociedad, la fijación de criterios idénticos de organización, ni mucho menos de imposición de una sola ideología. Si puede decirse que constituyó un blindaje frente a los esfuerzos desestabilizadores y de pasmar la levadura de institucionalización bajo los cánones del Estado de derecho, de crecimiento y estabilidad económica, los criterios mínimos para la definición de la Constitución formal, las políticas públicas mínimas necesarias para la satisfacción de las necesidades públicas, que dieran piso para la sustentabilidad del sistema liberal democrático para la época incipientes y expuestos a riesgos exógenos.

Por consiguiente, visto los antecedentes históricos del 23 de enero de 1958 y el 31 de octubre de ese año, gestación y alumbramiento, respectivamente, del "Pacto", lo cual presenta, como subyacente existencial la disimilitud misma, la contraposición de intereses y la vocación de poder sus actores, era de no esperarse que no existiera unanimidad celebrante y ejecución monolítica de una obra.

---

[61]   Mauricio Plazas Vega, *El Frente Nacional*, Editorial Temis, Bogotá: 2012, 49.

Era imposible que las experiencias de gobierno previas de los personeros pioneros del "puntofijismo", erráticas y traumáticas por excelencia, el aprendizaje de modelos políticos foráneos, la formación adquirida de muchos de ellos en el exterior por pragmatismo militante, testimonial de excepción o académico, no afloraron como factores condicionales en la celebración de "Puntofijo".

Lo indicado conduce justificar el hecho de que el "Pacto" fuera el resultado de la convergencia completa, o absoluta en la proclividad similar de los firmantes hacia el modelo policlasista, plural, nacional, ajenos a imposiciones internacionales a pesar de que sus líderes se incardinan en ideologías estructuradas de valor universal, como el caso de Caldera, que lo estaba en la democracia cristiana. Era la coincidencia mayoritaria nominal en cuanto a la cualidad de los tres grandes líderes firmantes, que no prescribía por sí misma la prohibición de expresión abierta, o implícita de una agenda personal, o grupal-por ejemplo, el tema candidatural, que tanta incertidumbre ocasionó-, siempre que ello no atentara con los objetivos preeminentes del acuerdo consociacional.

Los partidos políticos mantenían su autonomía y su plan de vuelo, dentro de las posibilidades que se les presentaba, inmersos en las tareas de su reorganización y reagrupamiento de su militancia.

Tampoco, "Puntofijo" representaba un esquema cerrado de alternancia del poder, escogida por orden cronológico de suceder en el ejercicio del Poder Ejecutivo Nacional, todo se daba en función a la escogencia del gobernante mediante sufragio.

Ello significa no preterir, la existencia de instituciones, normas y procedimientos "no necesariamente expresas ni formalizadas", que permiten definir reglas negociales, transaccionales, compromisorias y conciliatorias, como garantías de operatividad del sistema, coadyuvantes de la construcción de consensos[62].

"Puntofijo" surge como un pacto compromisorio de naturaleza política e instrumental, orientador y principista, que obliga a los actores, es decir, los líderes y sus partidos convergentes –en su sentido etimológico y literal del vocablo– a garantizar, entre otros aspectos,

---

[62]   Véase, Juan Carlos Rey, "*El futuro de…*", 293.

"la defensa de la constitucionalidad y el derecho a gobernar conforme al resultado electoral", "la conversión de la unidad popular defensiva en un Gobierno unitario" y la observancia de un Programa Mínimo"[63].

Es un instrumento de esencia máximoderivante de instituciones, ordenamiento ("reforma de leyes, reglamentos y ordenanzas para erradicar disposiciones contrarias al ejercicio efectivos de las libertades públicas", especialmente, "la elaboración de una constitución democrática que reafirme los principios del régimen representativo e incluya una Carta de Derechos Económicos y Sociales de los ciudadanos)[64] y políticas públicas definidas con fines y cometidos específicos (económica, petrolera y minera, social y laboral, educacional, militar, inmigratoria, internacional redacción)[65].

"Puntofijo" fue previsto, como consecuencia de lo expuesto, para levantar las bases sólidas para la transición de una institucionalidad y ordenamiento de facto a unos poderes con legitimación de origen democrático (Ejecutivo y Legislativo y su órgano auxiliar, como la Contraloría General de la República) para la conformación y derivación del Poder Judicial y Consejo de la Judicatura, así como de un ordenamiento democrático y plural.

En este orden de ideas, Caldera afirma

"El "Pacto de Puntofijo" "fue acordado para un periodo de gobierno, es decir, para el quinquenio 1959-1964", (...) y "le dio a Venezuela autoridad en el concierto de los países democráticos y fue comentado y estudiado con mucho interés por países hermanos que se encontraban bajo gobiernos de facto y luchaban por restablecer la democracia.

No se previó su duración más allá del primer quinquenio, pero, indudablemente, el espíritu del 23 de enero, el compromiso solidario de sostener las instituciones por encima de las diferencias partidistas, la defensa de las libertades y los derechos

---

63 Fundación Rómulo Betancourt, "Puntofijo" y otros puntos. Los grandes acuerdos políticos de 1958, Fundación Rómulo Betancourt, Caracas: 2008, 77-78.

64 *Ídem.*

65 *Ibidem.*, 83-87.

humanos y el compromiso social, inseparable del derecho del deber de gobernar, valores que inspiraron el "Pacto" de "Puntofijo", sobrevivieron al término previsto"[66].

En coincidencia apreciativa con Caldera, en relación a la proyección de "Puntofijo, Sanoja Hernández asienta:

"El puntofijismo, visto por algunos analistas como consenso de élites, batió récord histórico como entendimiento político. Duró más que el liberalismo amarillo y más que el Gómez ismo. No es poco decir, si se tiene en cuenta la sucesión de golpe sin conflictos armados en América Latina, exceptuados dos países: Costa Rica y México, este último apenas molestado por la curiosa guerrilla zapatista"[67]

La celebración y adopción, como bitácora gubernativa de 'Puntofijo' fueron asertivas y acertadas pues sirvieron para construir un modelo de 'democracia consocional', de acuerdos entre las elites, de pesos y contrapesos para hacerla viable. Oportuna descripción de Luis Castro Leiva (1943-1999) entorno a su valor y eficacia consensual

"Nos vino devuelta a través del poder del sufragio y de los partidos, de aquellos partidos que conscientes de su prudencia, atentos a la inteligencia de la circunstancia, forjaron el Pacto de Puntofijo la decisión política y moralmente más constructiva de toda nuestra historia: no un «festín de Baltazar», ni un pacto entre mafiosos. Fue la construcción racional del camino para pasar de un voluntarismo político sectario a la realidad de la división del poder político como condición necesaria, nunca suficiente, para el funcionamiento de la democracia representativa consagrada en la Constitución de 1961"[68].

---

[66] Rafael Caldera, *De Carabobo a "Puntofijo". Los causahabientes. La historia del origen de la democracia en Venezuela,* Editorial Libros Marcados, Caracas, 2008, 129.

[67] Jesús Sanoja Hernández, *"Entre golpes y revoluciones..."*, 191.

[68] Luis Castro Leiva, Discurso de orden con motivo del XL aniversario del 23 de enero de 1958 en Arturo Serrano (coordinado) *Para leer a Luis Castro Leiva,* Fundación Konrad Adenauer/ UCAB, Caracas, 2006, 117.

Esa la filosofía política del consenso, con todas las críticas, que, por omisiones o ejecutorias erráticas, se puedan hacer a "Puntofijo", inoculó una forma de actuación y un patrón de integración policlasista.

El filósofo de extrema izquierda, Pedro Duno (s/d-1998), percibe el 23 de enero, como el más grande éxito del Partido Comunista. La forma correcta de plantear los problemas políticos le conduce a la cúspide del prestigio entre las masas populares y al mismo grado de participación en la política nacional"[69], y agrega en sentido crítico, que la inconsecuencia de la Dirección Nacional del PCV hace presente, en virtud de que

"no dan al movimiento un carácter de clase". En busca de la UNIDAD NACIONAL, el PCV sirve instrumento a la instauración del poder democrático-burguesa. La Unidad Nacional fue el instrumento del imperialismo, de las compañías petroleras, de la burguesía.

Poco tiempo tardan los sectores revolucionarios del PCV en darse cuenta de que se está sirviendo a la consolidación del sistema democrático neocolonial"[70].

En igual sentido, sembró la tendencia al encuentro de convención política y social. A título de ejemplo, traemos a colación la creación en 1980 por el presidente Luis Herrera Campins (1925-2007) de la Comisión de Estudios y Reforma Fiscal (CERF) a los fines de realizar una evaluación profunda de las finanzas públicas y la formulación de propuestas para su reforma.

Vale la pena rememorar, la muy conocida y controversial CONACOPRESA, establecida mediante la Ley que crea la Comisión Nacional de Costos, Precios y salarios de 1984[71], la cual conforme a su artículo 1 tenía por objeto

"asegurar, conforme a principios de justicia social, mediante la concertación sistemática de los sectores de la vida nacional, el

---

[69]   Pedro Duno, *Sobre aparatos, desviaciones y dogmas,* Editorial CM Nueva Izquierda, Caracas: 1969, 59.

[70]   *Ídem.*

[71]   Gaceta Oficial de la República de Venezuela, N° 33.011 del 2 de julio de 1984.

mejoramiento de la productividad y la producción de bienes y servicios de consumo básico y masivo, asimismo deberá tender al equilibrio del nivel general de precios y al logro del balance real entre las necesidades de consumo y las remuneraciones de los trabajadores y, en general, al ingreso real de la población."

En igual sentido, en ejecución del plan económico del gobierno del presidente Caldera, conocido como la Agenda Venezuela (1996), se procedió a la suscripción en marzo de 1997 del Acuerdo Tripartito sobre Seguridad Social Integral y Política Salarial (ATSSI), que permitió que los actores sociales tradicionales (Estado, empleadores y trabajadores) alcanzaran un consenso que conjugaba armónicamente intereses contrapuestos expresados en funciones, roles hasta sus posturas ideológicas y políticas, que dio origen a la denominada Comisión Tripartita o "la Tripartita", "como instrumento de equilibrio y consenso entre empleadores, trabajadores y Estado" en tema de salarios, beneficios y derechos laborales[72].

En materia electoral, conviene no olvidar las propuestas de Jaime Lusinchi (1924-2014) con el "Pacto Social" (1983) y Carlos Andrés Pérez con la "Concertación" (1988) dentro de ese "espíritu del 23 de enero", que es más que un lema de coyuntura, significó una forma de consenso o conciliación, en el sentido dado por el profesor Rey ya citado.

VI. "PUNTOFIJO": EXCLUSIONES Y DETRACTORES. CONVENIENCIA Y REVANCHISMO

Los partidos signatarios de "Puntofijo" destacan la mesura y previsión de la celebración de esta expresión de consocionalismo de la siguiente manera:

---

[72] Véase Lisbeth Chirinos Portillo y Jorge Villasmil Espinoza, Tripartita y diálogo social en la Venezuela social en la Venezuela de 1997, Gaceta Laboral, Maracaibo: abril 2010) acceso 4 de abril de 2024 https://ve.scielo.org/scielo. php?script=sci_arttext&pid=S1315-85972010000100002#:~:text=Fue%20crea da%20la%20comisi%C3%B3n%20tripartita,particularmente%20en%20las% 20prestaciones%20sociales

"previa detenida y ponderada consideración de todos los elementos que integran la realidad histórica nacional y la problemática del país; y ante la responsabilidad de orientar la opinión pública para la consolidación de los principios democráticos, han llegado a un pleno acuerdo de unidad y cooperación..."[73].

AD, Copei y URD, asumen el compromiso de actuar conjunta y solidariamente en torno a 3 cuestiones: 1) defensa de la constitucionalidad y del derecho a gobernar conforme al resultado electoral: se explica allí que, cualquiera que fuese el partido que ganase las elecciones, los otros dos se opondrían al uso de la fuerza para cambiar el resultado; 2) gobierno de unidad nacional: se formaría un gobierno de coalición y ninguno de los tres partidos tendría la hegemonía en el gabinete ejecutivo; 3) los tres partidos se comprometían a presentar ante el electorado el programa mínimo común[74].

El "Pacto", en el aseguramiento de recta procedencia de los suscriptores, conforme a lo expresado por Rafael Caldera, tuvo "la rectitud de intención que nos llevó a la celebración de (ese) acuerdo",

"cuyo mérito principal estuvo en haber cumplido; porque cien años atrás, en 1857, se había hecho un "Pacto" parecido por los actores de la Revolución de Marzo que derrocó al general José Tadeo Monagas, pero la diferencia estuvo en que aquél no se cumplió lealmente y al poco tiempo las desavenencias y desencuentros produjeron la crisis que abrió el espacio histórico para la guerra federal.

El de 1958 sí se cumplió en lo fundamental"[75].

La diferencia estriba en que la narrativa en los albores de la tan denostada democracia representativa, es decir, aquella bandera izada en la asta de la soberanía popular ejercida por elecciones periódicas y con estándares universales de transparencia y universalidad fue el

---

[73]   Fundación Rómulo Betancourt, *"Puntofijo y otros puntos..."*, 75.

[74]   *Ibid.*, 77-78.

[75]   *Ídem.* Rafael Caldera, *"De Carabobo a..."*, 37.

resultado de la tergiversación apresurada de "Puntofijo" y se efectuó una valoración impertinente de sus acuerdos y bases pragmáticas mínimas, sin ni siquiera esperar los primeros resultados.

El vicealmirante Wolfgang Larrazábal Ugüeto (1911-2003) lamenta que

"El "Pacto de Punto Fijo no fue un pacto completamente venezolano. Fue un pacto político de Jóvito Villalba, Rómulo Betancourt y Rafel Caldera. Ni yo mismo firmé ese Pacto. Sí pues que no fue un pacto completamente venezolano. Y eso es lo que podría decir. Ellos buscaron con esa fórmula una salida a esa que llaman unidad. Y por eso el Pacto de Punto Fijo no funcionó realmente en forma cabal, porque no era la figura de Villalba la más interesante dentro de la política venezolano en ese momento. Y yo no firmé ese pacto. Fue un pacto netamente político, de líderes políticos. No le doy otra importancia. No le doy otra importancia. Los que firmaron ese Pacto ni siquiera se acordaron de mí, o no quisieron acordarse..."[76]

El PCV no fue incluido en el grupo de las toldas signatarias del "Pacto", lo cual generó una corriente de apreciación por los excluidos y huérfanos, sedimentada en la supuesta actitud sectaria y excluyente de los partidos celebrantes, contraria al espíritu del 23 de enero", "la unidad", y la correlativa conducción anticomunista recalcitrante de Betancourt, militando en esa matriz, fuente de desavenencias, "miembros de su propio partido, por la lucha que libraron [los comunistas] contra la dictadura y su cuota de sacrificios en las cárceles y en las cámaras de torturas"[77].

El carismático Jóvito Villalba, hace frente a los comentarios de la ruptura de la unidad del 23 de enero, expresando que

---

[76] Testimonial de Wolfgang Larrazábal en Agustín Blanco Muñoz, *"El 23 de enero: Habla...",* 204.

[77] Omar Pérez, Jóvito Villalba, Biblioteca biográfica venezolana, Volumen 79, El Nacional/BANCARIBE, Caracas, 2008, 60.

"ahí no se rompió nada, ni ninguna unidad con nadie. Ese pacto no podía ser un pacto con el Partido Comunista, porque ello hubiera significado otra cosa que no lo convenía ni al PC ni a nosotros. De modo que con el pacto no se rompió ninguna unidad"[78].

Betancourt sustenta la decisión de execrar a la organización marxista leninista del ámbito subjetivo de eficacia de "Puntofijo" en los términos siguientes:

"Las conversaciones celebradas por mí para la integración del gobierno se han circunscrito a los partidos políticos Copei, Unión Republicana Democrática. Fueron esas dos colectividades y Acción Democrática, la que me postuló a la presidencia, la suscriptora del "Pacto" tripartito el 31 de octubre de 1958. De ese "Pacto" fue excluido el Partido Comunista por decisión razonada de las organizaciones que lo firmaron. En el transcurso de mi campaña electoral fue explícito en el sentido que no consultoría al Partido Comunista para la integración del gobierno y en el de que, respetando el derecho de ese partido actuar como colectividad organizada en el país, miembros suyos no serían llamados por mí para desempeñar cargos administrativos en los cuales influyera sobre los rumbos de la política nacional e internacional de Venezuela. Esta posición es bien conocida de los venezolanos; y la fundamentaron los tres grandes partidos nacionales en el hecho de que la filosofía política comunista no se compagina con estructura la democrática del Estado venezolano, ni el enjuiciamiento por ese partido de la política internacional que deba seguir Venezuela con los mejores intereses del país"[79].

Esa mención efectuada por Betancourt del PCV en su discurso de toma de posesión presidencial, el 13 de febeo de 1959, en apreciación de Villalba fue "una alusión provocativa", (...) pero este era algo que no podía extrañar a quien supiera que Betancourt

---

[78] Testimonial de Jóvito Vallaba en Agustín Blanco Muñoz, *"El 23 de enero: Habla...",* 24.

[79] Rómulo Betancourt, *Selección de escritos políticos 1929-1981*, Naudy Suarez Figueroa (compilador), Fundación Rómulo Betancourt, Caracas: 2006, 335.

siempre ha tenido esa falla, ese anticomunismo enfermizo", indicando que

"después que regresó al país, en el año 36, vino ya afectado por lo que ha sido su constante en la política: un anticomunismo feroz y enfermizo. Y este le viene de cuando Betancourt fue comunista, dirigente destacadísimo, en Costa Rica. Allá hubo un momento en que se peleó con ellos"[80].

Por el contrario, Héctor Mujica (1927-2002), militante del PCV abanderando presidencial por ese partido en 1978, el discurso del presidente Betancourt rompió con el espíritu de 23 de enero.

"El Pacto de Punto Fijo, destinado preservar el recién instaurado sistema democrático y con un fondo subyacente anticomunista, lo que lleva el primer presidente electo por el voto popular como Rómulo Betancourt, a declarar, en su primer discurso ante el congreso la República, en febrero de 1959, que era necesario segregar a los comunistas de la cosa pública. Aislar y segregar, fueron los verbos empleados.

A partir de aquel momento se acabó el idilio, el amor se hizo forzado matrimonio, el llamado "espíritu el 23 de enero", que invocó durante todo el año de 1958, se convirtió en el fantasma del 23 de enero"[81].

El quien fuera militante del PCV, guerrillero insurgente, y posteriormente, un entregado luchador y penador contra los herederos oportunistas de los excluidos de "Puntofijo", discurre:

"El PCV tenía un fuerte sesgo antiadeco. A pesar de que el combate al perezjimenismo hubo una gran unidad entre el PCV y AD, ese era un partido antiadeco. Cosa que, por cierto, es un ingrediente de algunas de las distorsiones que sufrió la vida político-venezolana. La alianza lógica para un comunista en

---

[80] Testimonial de Jóvito Vallaba en Agustín Blanco Muñoz, "*El 23 de enero: Habla...*", 26-27.

[81] Héctor Mujica, *Creo en lo que creo, digo lo que digo*, Editorial Arte, Caracas: 1990, 69.

aquellos años. De 1945 a 1948, era con Acción Democrática, que era un partido de izquierda con enorme prestigio, el partido de las grandes reformas"[82].

El politólogo e historiador, Diego Bautista Urbaneja (1947) afirma que cuando se procedió a la firma el 31 de octubre de 1958 del "Puntofijo" resultó notoria la ausencia del PCV.

En su criterio, existían dos razones fundamentales para no ser invitado a participar:

> "La primera razón era que, de acuerdo a la doctrina marxista, la democracia representativa era una forma de la dictadura de la burguesía, y el objetivo final de todo Partido Comunista era la sustitución de la democracia representativa por la dictadura del proletariado, que también llamaban la verdadera democracia. Así pues, un partido con esa doctrina no podía ser un socio leal de un acuerdo que tenía un objetivo diametralmente opuesto.

> La segunda razón era que el Partido Comunista pertenecía a una organización internacional, cuyo centro era Moscú, de donde emanaban las directrices de la conducta de los partidos comunistas en sus respectivos países. Es decir, el Partido Comunista no era un partido verdaderamente nacional. Estos argumentos de Betancourt fueron aceptados por los de los otros partidos, presumiblemente de buena gana por los de Copei, más a regañadientes por los de URD"[83].

Por lo tanto, a exclusión del PCV, no es un hecho aislado que obedezca a una posición sin justificación. No puede aseverarse que responde a una fuente únicamente visceral de Betancourt, como gran constructor del "puntofijismo". Era razones absolutamente procedentes y válidas, para la sobrevivencia de la naciente democracia. Era la respuesta consensual de la mayoría frente a la concurrencia de una serie de condicionamientos, que pudiéramos clasificar en endógenos y exógenos.

---

[82] Alonso Moleiro, *Sólo los estúpidos, no cambian de opinión. Conversaciones con Teodoro Petkoff*, Editorial Libros Marcados, Caracas: 2006, 59.

[83] Diego Bautista Urdaneta, *Historia Portátil*, Fundación Bancaribe, Caracas: 2016, 318-319.

Los endógenos, vinculados al desarrollo de su personalidad histórica, evidencian su afán de enmendar sus actuaciones anteriores, segura cosecha de la cavilación retrospectiva propia del proceso autocrítico de los grandes hombres conscientes del rol que juegan en la sociedad, marcando su evolución de liderazgo, y su conversión en estadista, más reflexivo y evidenciando una visión flexible en el entendimiento de los factores reales de poder: los militares, la iglesia y el poder económico.

Con un marcado sentido pragmático, este controversial personaje, buscó desentenderse de su pretendida formación y pensamiento comunista, que le achacaban sus adversarios en virtud de su pasantía rasante, pero activa por el Partido Comunista costarricense en los inicios de la década de los 30, lo que facilitó el mote despectivo que endilgaron los sectores conservadores rancios a la militancia «accióndemocratista», como «adecomunista», que derivó luego en «adeco». Buscaba tenazmente borrar su imagen de «termocefálico», epíteto que él mismo empleó en varias ocasiones, y en años diferentes a quienes tenía inclinaciones «filocomunistas» o izquierdistas en su partido, todo a los fines de obtener la adhesión a su proyecto político de aquellos, que, atemorizados por el octubrismo efervescente, veían con estupor las ejecutorias de su gobierno.

Nos encontramos con un Betancourt afanado en construir una imagen de hombre abierto al diálogo, propenso al olvido traducido en un acercamiento a su rival de juventud, del contrapeso existencial político de sus primeros tiempos de luchador civil y compañero de generación, estrictamente hablando –la generación del 28[84]–, que con interrupciones naturales del devenir histórico, retoman el andar conjunto, ahora por los derroteros indicados como ineluctable, para la restauración de la democracia representativa, angustia política

---

[84] Es importante tener presente que esa relación entre los dos líderes, en el ahora del «espíritu», era la expresión genuina de una generación en el sentido orteguiano y glosado, en criterio de Manuel Caballero (1931-2010), por Joaquín Gabaldón Márquez (1906-1984), ambos Individuos de Número de la Academia Nacional de la Historia como "…conjunto indivisible, armónico, constitutivo de la unidad social en el tiempo, serán la manifestación del mismo fenómeno, de una idéntica razón de ser, de una misma finalidad ulterior" (Manuel Caballero, *Rómulo Betancourt, político de nación,* Editorial Alfa, Caracas: 2008, 47.

vivencial de ambos líderes, ya no estudiantiles locales sino representantes de genuinos de una expresión de liderazgo ya reconocido internacionalmente.

Es la búsqueda ansiosa de encofrar en su proyecto a un Villalba, con liderazgo político integral, audacia, verbo y arrojo evidenciado en la década militarista, triunfador sentimental de las elecciones de 1952, pero sin la plataforma tan sólida política de respaldo, que poseía su ya legendario compañero generacional. Sin el acercamiento neoyorquino y el acoplamiento mínimo que condujo al "Pacto de Nueva York", no hubiese sido posible sin la adhesión de Caldera y la celebración desencadenante de "Puntofijo".

Esa racional posición que no estratagema per se oportunista, encuentra razón de ser más en el hondo anhelo de la recuperación de la institucionalidad democrática, que, en la tozuda escogencia de ser abanderado de su partido para participar en las elecciones, lo cual no dejaba de ser absolutamente comprensible y legítimo como opción procesal de que quien tiene vocación de poder. Era necesario entonces, no seguir exponiendo al sol abrasante del temor una piel colectiva, aún sensible al recuerdo de tiempos difíciles y penurias cívicas, es decir, ausencia de libertad y participación política. Se imponía adicionar los efectos los efluvios del «espíritu», que aún se experimentaba en el país, a través de suprimir la imagen de un sectarismo atosigante y ensordecedor de la 'Revolución de Octubre' que impedía escuchar las alertas de voces aturdidos ante los reclamos de quienes ansiaban la vuelta a la sobriedad andina.

Esa actitud se evidencia en estas palabras pronunciadas en la III Convención de Gobernadores celebradas en el 20 de febrero de 1960:

"Concluyo diciéndoles que en estos días de trabajo intenso que vamos a realizar debemos estar todos orientados por la pasión de servicio a Venezuela. Felizmente hemos erradicado aquí el sectarismo partidista. Cada día se conforma y define más una mentalidad de gobierno; y por eso no se aprecia en estas convenciones una especie de estira y encoge en que los gobernadores están pretendiendo obtener más para su región en el nombre y para beneficio exclusivo del partido político en el cual militan.

Ya tenemos una conciencia de gobierno y estamos enfocando los problemas no desde el ángulo particular de las parcialidades políticas, sino con visión y preocupación venezolanas"[85].

El líder fundador de AD busca, por refuerzo a su convicción personal lograr la consolidación de su proyecto político, borrar la imagen, para aquel entonces reciente, de ser poseedor de un temple ideológico de un «garibaldismo» traducido en posiciones radicales llevadas al extremo del dogmatismo, que aún causaban escozor. Le resultaba necesario desprenderse de la fama de comunista encubierto, no sólo en las clases sociales de influencia, provenientes del abolengo que da la cercanía al poder, especialmente, forjados en los 36 largos años del «castro-gomecismo», que sirvió de yunta a sectores económicos y sociales, que fueron consolidándose con la incorporación renovada de otros grupos surgidos en la década militar, sino de también la modesta población conservadora, que fueron sumándose a la animadversión al «betancourismo» iniciado, incluso, de los inicios de su liderazgo.

El Betancourt en el ecuador de su vida había madurado, constituía una referencia diferenciada sustantiva en relación a la conducción de la nueva fachada de liderazgo en comparación con la evidenciada durante su gobierno (1945-1948), ya de suyo afectado para hacer una valoración objetiva de su trascendencia e influjo en la construcción de la democracia por su origen cuartelero, razón que enerva cualquier intento de ir más allá en el empecinamiento de desconocer la importancia genésica de la «República liberal democrática». Se debía rescatar el ADN democrático inoculado por una acción del Poder Público conformado por derivación de la democracia representativa, que en medio de las escaramuzas asamblearias partidistas, las sesiones radiodifundidas de la Constituyente de 1946, y una acción de gobierno, que navegaba en la confluencia de dos poderosas corrientes, el sectarismo, por un lado, y el afán de avanzar y recuperar el atraso cívico institucional, por el otro; acción amenazante de privilegios de las minorías económicas y socialmente desahogadas.

---

[85] Rómulo Betancourt, *Antología política,* Volumen Séptimo, 1959-1964, Fundación Rómulo Betancourt/Universidad Pedagógica Experimental Libertador, Caracas: 2007, 157.

El país despertó abruptamente de más de tres décadas de somnolencia, pasando el venezolano de ser un simple habitante a su conversión tardía en ciudadano. Obviamente, tal avance parece nimio si se compara con los avances y nuevos contenidos atribuidos a la democracia, por lo menos en formalidad del ordenamiento o a la luz de la insurgencia de grupos diferentes, pero necesariamente complementarios a los partidos políticos como base del régimen de libertades inherente a la democracia liberal y representativa.

A la imagen de comunista soterrado, sectario y excluyente, se la agregaba como denominador común el del golpista, que abortó la gestación incipiente de un proceso democrático alentado por el General Isaías Medina Angarita, lo cual creaba fricciones entre los militares. El estadista Betancourt comprendió perfectamente la necesidad del soporte del sector castrense atento como huidizo ante la presencia dominante de la escena de aquel entonces expresidente de la Junta de Gobierno.

Los militares, como cualquier elemento integrante de una elite desplazada, sentían el temor, digamos natural, de su confinamiento definitivo, propia de una vindicta de quien se percibía como el vengador y rehabilitador de un partido y gobierno, derrocado por las mismas armas que ahora empuñaron en la defensa de la democracia, liderada no por un par sino por un civil, con un perfil biográfico que generaba desconfianza.

El otro sector con ciertas aprehensiones en torno al liderazgo a punto de consolidarse fue la Iglesia Católica, que tenía fresca la imagen de la supuesta arremetida del gobierno juntista a través del famoso Decreto 321, considerado como la negación de la libertad de enseñanza y la asunción de la visión política del «Estado docente», que conducía al papel rector de la educación, con el ánimo de formatear la conciencia de los ciudadanos, política pública que se colocaba en la antípoda de la visión de la Iglesia adosada al principio de corresponsabilidad de la formación de los niños y adolescentes. La resistencia de este se logra vencer por la presencia activa de Caldera y COPEI en "Puntofijo". La democracia cristiana –COPEI– sustentado en la teoría política cristiana, que puede hallarse en la doctrina social de la Iglesia, que "es la única confesión religiosa que tiene a su disposición un sujeto estatal internacionalmente reconocido, de ahí que se aun protagonista relevante de la política mundial"[86]. Era la estratagema más adecuada de Betancourt para allanar a su causa institucional –la democrática–, y facilitar su vocación de poder a la Iglesia venezolana, y lograr el apoyo internacional de los partidos democratacristianos, aliados y voceros en la política internacional, a través de un liderazgo reconocido, prestigioso y con ascendencia sobre el electorado, que le serviría de *alter ego*, equilibrador de las aspiraciones de Villalba, y amigable componedor de prestigio entre las añejas discrepancias de los lideres veinteochenos, circunstancial-mente aletargadas.

En fin, Caldera y Villalba era los garantes políticos de la empresa de Betancourt en su doble vertiente: la institucional –reestablecer la democracia–, un aval aceptado con la asunción de las responsabilidades que eso llevaba, y fiadores implícitos, sin saberlo, de sus aspiraciones presidenciales. Juego perfectamente legítimo, que tuvo siempre por como orientación principal la vuelta a la democracia, aun cuando con la vocación de poder innata a cualquier político.

En homenaje a Silvestre Ortiz Bucaram (1926-1999), valiente dirigente de AD en la clandestinidad, fundador del MIR, y miembro de la Junta Patriótica, el líder ex adeco Simón Sáez Mérida, le da aval a lo recién indicado:

"El pacto de punto fijo fue creado como una base de estabilización del proceso democrático. Incorporar a la alianza a los viejos partidos opositores: Copei y URD, que ayudaron a derrocar a Gallegos e hicieron una oposición pugnas, estridente y conspirativa, borrar y apagar los viejos rencores y heridas del pasado"[87].

En otro orden de ideas, en lo que a los condicionamientos endógenos o internos se refiere, debemos señalar el hecho de la íntima relación entre el creador y su obra, es decir, entre Betancourt y AD,

---

[86]   Cesáreo R. Aguilera de Prat, "Democracia Cristiana" en Joan Antón Mellón, *Ideologías y movimientos políticos contemporáneos*, Editorial Tecnos, Madrid 2012, 295.

[87]   Simón Sáez Mérida citado por Gilberto Mora Muñoz, *El MIR originario y la insurrección de los 60*, Alcaldía bolivariana de Valencia/Editorial Melvin, Valencia: 2009, 132-133.

su partido. Su existencia dual para aquel entonces: líder del partido e inspirador de "Pacto" a su regreso al país después del ostracismo, encuentra un valladar en la comunicación y entendimiento, fijado en la discusión de su ascendencia en la dirigencia, puesto en entredicho su liderazgo y en la existencia de una generación, los más jóvenes, contaminados por una visión, una concepción de ser político y hacer política diferente, imbuidos en una ideología y militancia vivencial que no orgánica, asida en exponentes con trayectoria y reconocimiento, algunos con formación ideológica sólida, otros muchos quizás solo con el arrojo y militancia tesonera y valiente moldeada en la lucha clandestina allende la irrupción de la dictadura militar iniciada el 24 de noviembre de 1948.

Un partido que tenía el reconocimiento de haber sido gobierno, contundente en la lucha, epicentro de la furia desatada de la persecución política cruenta, como forma de aniquilamiento político y físico de sus cuadros. En fin, un partido que tenía todos los símbolos externos, y la caracterización de heroicidad de definición de la «adequidad», de anclaje emocional en el venezolano.

Empero, una organización política, ya desde antes de la década militar, con fisuras que no habían llegado a la fractura y desmembración, mezcladas entre causas ideológicas como de reclamos de control de acceso a la conducción del partido. Dos fístulas, solo comunicadas por el acuerdo tácito de sobrevivir en la clandestinidad, que luego degeneraron, en separación del tejido institucional del partido: la vieja guardia, la de los «hermanitos» de Betancourt, forma de llamar, en su amplia correspondencia y documentación producida, al círculo primario de sus afectos y luchas, y la otra bifronte, integrada por el grupo ARS (luego devenido en AD Oposición, y posteriormente Partido Revolucionario Nacionalista PRN) y los jóvenes, éstos últimos que crecieron y se formaron con un tutor ideológico que se hizo imprescindible, creando subterráneamente un sentimiento inicial de pertenencia a una Acción Democrática de Izquierda, embrión de lo que posteriormente seria el MIR, primera división del partido materializada en junio de 1960 en el escenario de una Convención. No puede verse esta división como una mera división de desavenencias orgánicas, o de estrategia más allá de las opiniones expuestas que los líderes fundadores del movimiento han expresado.

Lo cierto, que las amarras de sus aspiraciones presidenciales, llevaron a Betancourt por el desierto del desazón de anticipar y acicatear el desmembramiento de su partido, encarar una oposición dura, más que la externa, a los fines de preservar la unidad de la plataforma concebida como canal de participación e instrumento expansivo de la lucha política, sin el cual no hubiese podido alcanzar la presidencia de la República pues la contienda no era fácil dada la presencia de Caldera, un líder de prestigio con liderazgo tallado en el ejercicio de posiciones que lo exhibieron ante el país, como conductor y molde de sectores conservadores, que se sintieron arrinconados por los adecos entre 1945 y 1948 (por ejemplo, la Iglesia, sectores económicos de poder e incluso de algunas «viudos del gomecismo»), y la de un militar sin formación política y sin nivel de estadista, pero que despertaba simpatías, especialmente en Caracas una ciudad muy "antiromulera", como Wolfgang Larrazábal Ugüeto transformado por el azar en un improvisado político con ciertos niveles de popularidad membretada por la novedad de un militar nato en lides civiles electorales ,y sus condiciones de simpatía personal[88].

---

[88] Laureano Vallenilla Planchart, conocedor de la trayectoria de Larrazábal en sus memorias se expresa despectivamente del vicealmirante: "… allá [se refiere a Venezuela] se ríen (…) de l infelicidad mental de Larrazábal en vez de protestar y [arrojarlo] del poder. Los destinos de un país no se ponen, impunemente en mano de confusionarios, de enajenados y débiles cerebrales. Un campesino ignorante no es culpable de votar por lamentables personajes, per los universitarios, los profesionales liberales, los comerciantes e industriales se hallan en distinto caso. Es inconcebible, por ejemplo, que Jóvito Villalba y otros abogados respalden la candidatura de Wolfgang a la Primera Magistratura (…). La Presidencia de la República merece respeto, devoción" (Laureano Vallenilla Lanz, *"Razones de proscrito"*, 223. Esta afirmación Vallenilla, sin que suscribamos los adjetivos calificativos denigrantes, evidencian. (i) que Larrazábal llega a ocupar esa posición por razones de rango, no su preparación como estadista y formación administrativa, salvo haber sido encargado del Circulo Militar, que lo hacían hombre de cualidades de desempeño social para ocupar la jefatura de la transición; (ii) que el "Pacto" no inhibía la posibilidad de acción autónoma electoral de los suscriptores, los cuales se organizaron y definieron sus apoyos en función a sus interés y (iii) el pragmatismo miope e inmutable de Villalba, quien se reconcilió con Betancourt en los albores del 23 de enero, que hizo posible la celebración del Pacto y se prolongó hasta que se separó "su partido y él", él y su partido" del gobierno de su antiguo compañero de lides estudiantiles. De otra forma,

Finalmente, nos encontramos con la fuerte controversia existente en el sector castrense, que giraban en torno a la desconfianza hacia Rómulo Betancourt y a AD, por aquellos que todavía permanecían fieles al régimen depuesto, y de otros que venían poco a poco siendo captados por la izquierda que luego insurgió. Como ejemplo, podemos citar el liderazgo de Hugo Trejo (1922-1998), el que dio inicio el 1 de enero de 1958 al derribamiento final de los soportes de la dictadura. Su posición incómoda para todos aquellos, que convergieron en el proceso gestor del espíritu del 23 de enero, y de los actores que se impusieron por su dinámica y las razones que hemos analizado, llevaron a tenerlo siempre presente como un elemento perturbador.

En este sentido, es oportuno traer a colación lo expresado en relación a su visión sobre el regreso de los viejos caudillos:

"Los últimos años del régimen de Pérez Jiménez se caracterizaron por la tranquilidad política, toda resistencia dejó de evidenciarse a partir de las muertes de Ruiz Pineda y Wilfredo Omaña, los organismos expresivos del régimen habían ahogado en sangre los pocos síntomas de rebeldía. En el exterior, los peregrinos, los mismos que hoy detentan en el poder Venezuela, los que dejaron solos a los de origen asesinados, los que no estuvieron presentes en ese amanecer del 1 de enero y posteriormente usurparon aquel momento histórico y traicionaron el proceso revolucionario venezolano se reunían para "planificar" las acciones contra el gobierno, en particular, en las fechas patrias y los días de la época navideña"[89].

Resulta evidente, las pretensiones y vocación de poder de Trejo, su distanciamiento con la elite política puntofijista. Historiográficamente, resulta interesante plantearse, como objeto de investigación,

---

hubiera apoyado a Betancourt y AD, en lugar de un hombre con esencia militarista y producto del derrocado régimen, demostrando la superación de viejas rivalidades y resquemores. Su reconocido epilogismo, evitó la permeancia y trascendencia de URD un partido con solera, trayectoria, valiosa dirigencia e inspiración de líder con raigambre popular como era el propio Villalba

[89] Hugo Trejo, *La revolución no ha terminado...!,* Imprenta Nacional y Gaceta Oficial, Caracas: 2008, 163.

qué habría pasado si Trejo no hubiese sido excluido también del "Pacto de Puntofijo". Por la tendencia, su formación y visión de un militarismo impregnado por ciertos elementos aproximados a la convivencia democrática, pero que demuestran su concepción coincidente en los primeros tiempos del chavismo, seguramente la balanza estaría inclinada en cuanto a la formación de un Estado de base autoritaria.

Por otro lado, nos encontramos con un condicionamiento exógenos determinante, en cuanto al desempeño férreo y sesgo anticomunista de Betancourt, como es la denominada «guerra fría», esa pugnacidad inmensa entre los Estados Unidos de Norteamérica, y la extinta Unión de República Socialistas Soviéticas por buscar posicionamiento hegemónico en el mundo, lo que Richard M. Nixon (1913-1994) denominó la tercera guerra mundial "que también es, en realidad, la primera guerra verdaderamente total. Se libra en todos los niveles de la vida y de la sociedad[90].

Sin duda, epicentro cercano de la Revolución Cuba fue Venezuela, la influencia en la intelectualidad y en juventud fue innegable, atizó los ánimos secesionistas en AD, cautivados por la forma de llegar al poder, y el influjo de Fidel Castro (1926-2026), su apoyo financiero y logístico dio a paso a la insurgencia de la izquierda de rigen adeco, y a los excluidos del PCV. Las áreas de influencia, las revueltas en el continente lo convirtieron en campo de batalla de esta gélida confrontación de la cual, sin duda, Betancourt saco provecho para defender a Venezuela ante las arremetidas de los extremos políticos parasitarios de esa larga etapa.

Por si fuera poco, la amenaza constante de la extrema derecha, los afectos al régimen derrocado de Pérez Jiménez, y apodo equivalente de Castro, en la persona de Rafael Leónidas Trujillo (1891-1961), fueron reforzando las razones primarias de Betancourt en la génesis, celebración y ejecución de "Puntofijo".

El "Pacto" sirvió de comadrona de un periodo, que llama asertivamente José Toro Hardy (1945), como "Dolores de parto de la

---

[90] Richard Nixon, *La verdadera guerra. La tercera guerra mundial ha comenzado*, Planeta Barcelona, España: 1980, 29.

Democracia"[91], en virtud de que el gobierno iniciado el 13 de febrero de 1959, enfrenta las complicaciones del mercado internacional, la incertidumbre de los bolsas, especialmente, la de Nueva York, excesos de existencias de inventarios, incremento salarial, elevación de los costos de producción, los coletazos de la crisis del Canal de Suez, el enfrentamiento con las petroleras por la reforma de la Ley de Impuesto sobre la Renta, a la cual se le señala el pecado original de no haber sido consultada

La guerra fría obligaba a los Estados Unidos a una mayor vigilancia sobre sus áreas de influencia, ejerciendo, con marcadas contradicciones, un tutelaje sobre los países latinoamericanos, causa determinante de seguimiento al "Pacto de Nueva York".

Este condicionamiento fue de un peso enorme a los fines de apuntillar la decisión de exclusión del PCV y, sin duda, una justificación para los excluidos de "Puntofijo", que luego harían causa común con el castrismo que recién se estrenaba en Cuba, y comenzaba una proyecto de expansión, que fracasó por vía de la lucha armada y la incentivación de la guerrilla pero que transcurridos varios años pudo concretar a través de la formas y medios de la democracia representativa, que tanto empecinamiento había causado en destruir la contra élite del pasado, hoy coalición elitista dominante, basada en la supuesta traición del «espíritu» y el entreguismo a las fuerzas reaccionarias de la burguesía pro imperialista y de otros factores que buscan encontrarse en la encrucijada del inicio del camino para la consolidación de sus intereses.

En definitiva, la democracia se inicia con una memoria histórica apuntalada en el «espíritu» y en las bases consensuales expresas en instrumentos esenciales, que determinaron la configuración de una República liberal democrática representativa, cuya base de sustentación fueron los partidos políticos configurados como instrumentos modeladores de las aspiraciones ciudadanas, entes partícipes de la redistribución de una renta petrolera, bajo los moldes cepalinos de la sustitución de importaciones, expresión típica e indisoluble de un Estado intervencionista, generador de amplias e

---

[91] José Toro Hardy, *Fundamentos de Teoría Económica. Un análisis de la política económica venezolana,* Editorial Pananco, Caracas: 2005, 571.

ilimitadas expectativas, que no pudieron ser satisfechas, dando al traste, años más tarde, con el «sistema populista de conciliación de élites», que se inició con las negociaciones, que en suerte de memorándum de entendimiento, quedaron plasmadas en el "Pacto de Nueva York, "protocolizada", como hemos indicado con "Puntofijo" y perfeccionado para efectos de la guiatura del sistema político previsto en la Constitución de 1961[92].

VII. CONCLUSIONES.

El "Pacto de Puntofijo" es la instrumentación y concreción del denominado espíritu del 23 de enero. Este sin duda alguna es un proceso sobre el cual puede todavía realizarse estudios historiográficos en función a las causas, consecuencias y el juego de los actores, que desencadenaron ese hecho histórico, para algunos binomio cívico militar, y para otros un hecho que resulta de la evolución de la situación interna vivida en la fuerzas armadas, con el apoyo espontáneo de los sectores populares, que venían siendo preparados por un trabajo de resistencia clandestina por parte de los partidos políticos, que surgían como elementos determinantes del mismo, como fueron a AD, Copei, PCV y URD.

El 23 de enero no puede analizarse sin el surgimiento del liderazgo como que condujo las acciones previas y posteriores a su verificación. Es la denominada dialéctica de la "continuidad y ruptura", que ha marcado el proceso de instauración de la República liberal democrática en nuestro país.

El pacto de punto fijo es un régimen consociacional qué trascendió al simple momento electoral y de observancia a sus postulados, generando una serie de pautas y conductas que se traducen en prácticas de convivencia democrática, que hicieron posible el proceso de consolidación y proyección del régimen civil democrático de conducción de los destinos del país más largo que hayamos vivido. una experiencia exitosa, que ha sido emula y tenida como parámetro óptimo en experiencias anteriores necesarias para articular y poner en movimiento procesos de transición de marcada dificultad.

---

[92] José Ramírez Rosales (editor), *El 18 de octubre y la problemática actual venezolana. 1945-1979*, Ávila Arte, Impresores, Caracas: 1981, 259.

Los procesos políticos nos surgen de la nada, son el resultado de la serie de decisiones encuentran su razón de ser en la necesidad de lograr los cambios propios y deseados que motivan, en el caso de las transiciones y los mecanismos e instrumentos adoptados su formalización, o motivaciones particulares de sus actores, que pueden conformar agendas propias no necesariamente contrarias a los objetivos calificados de interés nacional, que subyacen en los pactos o acuerdos para la transición.

La forma como estos se equilibra, es decir, la ponderación y coexistencia entre los derechos nacionales y los particulares, van a depender mucho del éxito de las convenciones políticas celebradas para materializar la transición de un gobierno de fuerza de circunstancia de violencia a la estabilidad de un régimen de institucionalidad Para el pleno goce y disfrute de los derechos fundamentales.

La exclusión de un factor tan importante en el proceso político clandestino, como fue el PCV en el Marco de una serie de condiciones exógenas con carácter dominante de las implicaciones derivadas de la denominada Guerra Fría, y aguzada por un proceso que entusiasmó a los intelectuales, jóvenes y de los llamados partidos de izquierda, como fue la revolución cubana, cambió el destino que hace avizoraba de paz social y política, que reinaba y siempre impregnaba con el espíritu del 23 de enero.

Ese hecho, sin duda, que obedecía a una serie de reflexiones y decisiones internas de la cara visible del pacto punto fijo, como era Rómulo Betancourt, que buscaba garantizar un proceso sostenido y de viabilidad para naciente institucionalidad, que requería de una visión monolítica de lo que debería ser el Estado, su desempeño internacional, el ejercicio autónomo y soberano del poder público, en la operativa deseada de la concertación plural y policlasista a los fines de lograr las bases consensuales necesarias para la satisfacción de las necesidades colectivas, que tenían como premisa un sentido reformista, progresivo y evolutivo de los objetivos trazados, necesarios para ir despresurizando la sociedad de las tensiones propias que generan las aspiraciones y anhelos de los diferentes sectores.

No se olvida, la existencia de razones muy propias, ontológicas vinculadas a la existencia de Rómulo Betancourt y su vocación de estadista, de hombre vinculado al poder, que supo distinguir lo que eran los objetivos de su partido con aquellos propios su liderazgo.

No obstante, no olvidamos que así lo analizamos, la confluencia de factores que denominamos endógenos en el sentido de cómo afectó la vigencia de punto fijo las decisiones de Betancourt como máximo dirigente de un partido, complejo, enrevesado y, sobre todo, de una comunidad de liderazgo político diverso Que durante muchos años vivió a Mercedes de mecanismo de comunicación clandestino, haciendo que el reencuentro después del de recomiendo la dictadura militar, se convirtiera en un difícil episodio entre desconocidos.

Un problema difícil de encarar desde el punto de vista historiográfico, si no se toma en cuenta el nacimiento cívico del líder, su trayectoria, evolución informativa y de conductor, lo cual puede llevar a generar un "romulocentrismo" denostador, obnubila al Historiador y empaña los resultados positivos, que generó la aplicación del pacto de punto fijo, comenzando por haber dado a la luz una constitución. Que no supimos defender, actualizar y ajustar por los mecanismos que ella misma estableció dentro de la concepción de semi flexibilidad dispuesta a través de los mecanismos de la reforma o de enmienda.

En todo caso, una constitución verdaderamente democrática pues la realidad y esencia de la constitución real llevó a la formalización de una voluntad política un anime, regocijo de resultados por parte de todos los actores del 23 de enero, los celebrantes del pacto y de aquellos que fueron excluidos, dando por válida, y sin preferir las razones subjetivas de Betancourt, aquellas estricta conveniencia anejas a la existencia, proyección y riesgos que representaban su incorporación activa en el pacto así como el etapa instrumental de acceso y ejercicio del poder público constitucional.

La simple constitución de cada uno de los aspectos contenido del programa mínimo anejo punto fijo, dan una serie de realizaciones en las esferas económicas políticas y sociales.

El pacto de P fijo se cumplió en todo su contenido previsible y concordado, a través de una institucionalidad, resultados de cambios complejos paulatinos, que tuvieron que imponerse sobre las pretensiones de cambios discontinuos producto de visiones propias de procesos abruptos o revolucionarios.

El pacto se celebró y se aplicó, el pacto trascendió y se proyectó en términos de evolución incrementar institucional continua, pacífica y con beneficios evidentes para un país que se convirtió en vitrina de democracia y de desarrollo, que permitió la interacción con los distintos sectores de la población mediante mecanismos de consenso, que facilitaron la resolución de conflictos y contraposición de intereses, y a su vez la incorporación a su dinámica operativa a quienes en principio surgieron contra la democracia.

La satanización de "Puntofijo" tuvo varias etapas, que pudiéramos sintetiza, más allá de la reduccionista exclusión de la siguiente manera:

Una primera etapa de carácter ideológico, de decisiones erráticas inducidas por factores exógenos, como fue la nomenclatura fidelista, posteriormente convertida al credo comunista, y batallón aliado de la unión de República socialistas y éticas en la Guerra Fría que tomó escenario importante en Latinoamérica y en el Caribe.

Un proceso intermedio de los cuadros, que se mantuvieron fieles a la decisión de la insurgencia de la "izquierda revolucionaria ", que se extendió la violencia política hacia principios de la década de los años 70.

El mantenimiento de la voluntad extorsivas, abrasiva y de nuestros con lo que representó cuarto de punto fijo, por ser en su criterio y justificación un pacto de dominio de clases sociales dominantes, ajenos al sentir y sentir del destino de las clases más desposeídas, que buscaban la instalación de un régimen plutocrático, que contrariaba al espíritu 23 de enero y obstaculiza los cambios en toda la estructura económica y social. Era mantener un hilo discursivo para contraponer, ya por la vía democrática, una posición política frente al bipartidismo, resultante de la prolongación de facto del pacto.

Finalmente, la agudización de la deformación de "Puntofijo" por el oportunismo y el fraude a la soberanía popular, que centró en el ejercicio del poder a una amalgama de encontrado sin intereses, que van desde aquellos legítimos herederos de una oposición ideológica, consecuente con la memoria de aquellos, que padecieron los rigores de la dictadura, se lanzaron a la aventura insurgentes y, que posteriormente, se incorporaron paulatinamente al juego democrático. Otros intereses, de distinta índole, que se plegaron al movimiento "antipuntofijistas" en una monserga que lo calificaba como deplorable, diabólico, funesto e instrumentación de la explotación de un sufrido pueblo, en nombre de quien se actúa

Son a quienes llamamos los herederos sobrevenidos, o causahabientes del resentimiento de los excluidos, que utilizan como bandera política y excusa permanente para adelantar procesos incrementales discontinuos ajenos a la práctica democrática, entregados a intereses regionales de los tradicionales enemigos de la democracia venezolana para instaurar un Estado calificado de comunal y de sedicente poder popular, que secuestró las instituciones, seca las fuentes del alternabilidad e incinera a varias generaciones, que pueden ocasionar cambios necesarios en el país en forma incremental, y dentro de los parámetros democráticos.

Esa periodización de la vida republicana venezolana, que llevó al debate político la existencia de una "Cuarta república" instrumentada a través del "Pacto de Puntofijo", ha llevado al establecimiento acelerado de un autoritarismo, como forma de gobierno sin límites, sin controles y con la tendencia a la eliminación del debate abierto, patrocinado por un sistema mancomunado de partidos políticos y la sociedad civil. y la pretensión de un dominio de un único partido.

El contraste entre el constitucionalismo de "Puntofijo", y el actual que lo denosta, es justamente el desconocimiento de los coronarios del Estado liberal democrático, llevando a lo que el profesor y académico José Guillermo Andueza, denominada la "constitucionalización del autoritarismo".

Expresaba el académico Andueza en su discurso de incorporación a la Academia de Ciencias Políticas y Sociales lo siguiente:

"Este constitucionalismo de apariencia ha vaciado de contenido los principios esenciales que orientan los sistemas democráticos. En vez de poderes limitados los gobernantes ejercen el poder sin pautas y sin controles, pese a que la Constitución establece lo contrario. Esta nueva forma de concebir el poder y los derechos de los ciudadanos ha producido un cambio radical en la concepción del constitucionalismo. Ahora la Constitución no se labora para garantizar los derechos humanos y la separación de los poderes, como decía el artículo 16 de la declaración universal de los derechos del hombre del ciudadano de 1789. Ahora se hace con un propósito muy definido, Como es constitucionalizar el autoritarismo. En los sistemas autoritarios la forma constitucional de cómo debe ejercer el poder es distinta a como se ejerce diariamente. Esa incongruencia se explica por el propósito que existe en el autoritarismo de simular una realidad que conlleva sufrimiento, persecuciones y muertes"[93].

El "antipuntofijismo" se traduce en una práctica contraria a la democracia. Cuando se acusa al liderazgo histórico, a los verdaderos y legítimos herederos de los padres de la democracia, representación abstracta de un número indeterminado de venezolanas y venezolanas, que sacrificaron sus vidas su juventud y bienestar material en pro de la democracia, se pretende excluir a todos aquellos que suponen al autoritarismo constitucionalización.

Cuando se habla del fracaso de la "Cuarta República", se hace mención de un eslogan vacío y sin propiedad, para tratar de ocultar los éxitos de la etapa democrática comprendida entre 1958 y 1998, para justificar una pretendida transformación discontinua o revolucionaria, que no ha sido más, que un fracaso rotundo y la dilapidación de una inconmensurable riqueza.

---

[93] José Guillermo Andueza, Discurso de incorporación a la Academia de Ciencias Políticas y Sociales el 19 de julio de 2011, acceso el día 2 de octubre de 2024. https://www.acienpol.org.ve/wp-content/uploads/2019/ 09/DISCUR SO-DE-INCORPORACION-DEL-DOCTOR.pdf

En este orden de ideas, se precisa no para generar controversia y volver a una estructuración o reconstrucción del pasado, con prácticas las actores y expresiones institucionales, estudiar y defender las ventajas y beneficios de "Puntofijo", sin arrinconar las acciones erráticas u omisiones, que afectaron la vigencia de la democracia, y el abandono temporal de la población de la seguridad de las ventajas de vivir en ella, y ser calificados como ciudadanos libres y demócratas.

Es necesario estudiar el "Pacto "para tener un análisis histórico bien ponderado de sus antecedentes, ejecución y consecuencias, que oriente el camino de lo que debe ser la materialización del desesperado anhelo de una pronta reinstitucionalización del país.

EL PROCESO POLÍTICO EN LA CONSTRUCCIÓN DE LA UNIDAD NACIONAL EN 1958 Y SU EVOLUCIÓN POSTERIOR

Manuel RACHADELL*

INTRODUCCIÓN

En la década de los 50 Venezuela estuvo bajo la férula de una dictadura militar. En los inicios de ese período la oposición democrática estuvo dividida en forma irreconciliable, pero los crímenes de esa tiranía fueron tantos y tan graves, que progresivamente se fue abriendo paso en los actores políticos la idea de que sin la unidad de los partidos y de la sociedad era imposible restablecer la libertad y la democracia en el país. Por esa vía llegamos al fin de la tiranía, el 23 de enero de 1958, lo que produjo en el país una alegría sin límites que condujo, en octubre de ese año, a la firma de un Pacto de Civilidad y de Gobernabilidad para asegurar el afianzamiento de la democracia y la concordia republicana bajo las instituciones que se crearían en los años siguientes. El objeto del presente escrito es

* Doctorado en Derecho Público y Ciencias Políticas en la Universidad de París. Doctorado en Finanzas Públicas Compradas. Universidad Central de Venezuela. En dicha Universidad fue Profesor de Derecho Administrativo, Profesor de Postgrado de Derecho Administrativo, Jefe del Departamento de Administración Pública de la Escuela de Estudios Políticos, Profesor y Jefe de la Cátedra de Finanzas Públicas en la Facultad de Ciencias Jurídicas y Políticas, profesor de postgrado en la Especialización en Sistemas y Procesos Electorales y Director de la Oficina Central de Asesoría Jurídica de la UCV. Fue Profesor de Derecho Público en la Universidad Católica Andrés Bello y Director de la Escuela Nacional de Administración Pública.

analizar el proceso que condujo a la unidad entre los venezolanos, su formalización en el Pacto de Punto Fijo y las circunstancias que fueron minando esa unidad y pusieron fin a lo que se llamó "el espíritu del 23 de enero".

I.   LOS ANTECEDENTES

La primera vez que los militares accedieron al poder en Venezuela después del fin de la dictadura de Juan Vicente Gómez, fue cuando lo hicieron en asociación con un partido democrático, Acción Democrática. Pero fue en 1948, cuando los mismos militares que habían derrocado antes a Medina Angarita asumieron el control total del Estado a través de una Junta Militar de Gobierno, cuando se inició la dictadura y la represión, en grado variable, a las fuerzas políticas que los adversaban. Decimos que en grado variable porque las medidas más fuertes se dirigieron a los partidos Acción Democrática y Comunista de Venezuela, aunque los partidos Unión Republicana (URD) y COPEI no se libraron de cortapisas a su libertad de expresión, mediante censuras a sus órganos de difusión y a las opiniones de sus dirigentes, y también en cuanto a limitar la realización de actos públicos. El Partido Acción Democrática (AD) fue ilegalizado casi de inmediato de ocurrido el golpe de Estado de noviembre de ese año y el Partido Comunista fue tolerado por un tiempo más, hasta que en 1950 fue prohibido su funcionamiento. Esas diferencias se debieron a que AD, que había compartido protagonismo con la logia militar que había tomado la iniciativa de llevar a cabo ese cambio político, desde el momento inicial había pasado a ser el centro del gobierno por la condición de presidente de la Junta Revolucionaria que se había asignado a Betancourt. En efecto, los militares venían conspirando contra el gobierno de Isaías Medina Angarita porque consideraban que este había mantenido muchas de las estructuras y de los personeros del régimen gomecista y aspiraban a liderizar un gobierno que modernizara las fuerzas armadas para que estas, a su vez, tuvieran la capacidad de dirigir la modernización del país. Por su parte, AD había propiciado desde su fundación, el 13 de septiembre de 1945, la apertura del sistema democrático, comenzando por la elección directa del Presidente de la República, que hasta entonces se realizaba según el sistema indirecto que perduraba desde el gomecismo, conforme al cual los ciudadanos varones mayores de 21 años elegían a los miembros de los concejos municipales y estos designaban a los diputados al Congreso, y también elegían a los diputados a las asamblea Legislativas, los cuales designaban a los senadores. Después, el Congreso nombraba al Presidente de la República. El Presidente Medina Angarita tenía disposición a cambiar este sistema vetusto y antidemocrático, pero le faltó decisión para hacerlo oportunamente.

Ahora bien, el fracaso del entendimiento entre Medina y los dirigentes de AD para efectuar una transición hacia una democracia política plena con la elección de Diógenes Escalante, y la ausencia de una propuesta aceptable para ambas partes, hizo que AD decidiera sumarse al movimiento militar golpista y que pusiera al servicio de la "Revolución" la experiencia política de sus dirigentes, sobre todo cuando los militares aceptaron que dicho partido tuviera mayoría entre los siete miembros de la Junta Revolucionaria de Gobierno a constituirse y que esta fuera presidida por Rómulo Betancourt. Pero esa asociación, que constituía lo que los españoles llamaban en la época de la Reconquista una "alianza impía", porque se aliaban moros y cristianos, no tenía futuro en el largo ni en el mediano plazo. Por una parte, AD, que controlaba el funcionamiento administrativo del gobierno, tenía como propósito fortalecer el partido con el objetivo de dominar el país, para lo cual sus adherentes acaparaban los puestos públicos y las partidas del presupuesto del Estado. Los militares, de su lado, se sentían incómodos en esa época de cohabitación y en el proceso posterior con la actuación del partido, cuyos postulados socializantes diferían completamente de la finalidad que los había impulsado a conspirar para tomar el poder. En esas condiciones, era lógico que los dirigentes castrenses decidieran prescindir de AD y asumir el poder para sí, lo cual hicieron mediante un golpe de Estado que derrocó el gobierno de Gallegos el 24 de noviembre de 1948, en una jugada que no había sido prevista por Rómulo Betancourt ni produjo reacción inmediata de defensa de los militantes de AD.

II.   LOS EMBATES DE LA DICTADURA

Inmediatamente que la Junta Militar de Gobierno tomó la dirección del Estado, comenzó una persecución despiadada contra los dirigentes de AD, de los cuales unos fueron detenidos y otros se escaparon al exterior. Ante esta situación, el comando de AD decidió que la organización del partido tendría una estructura celular para actuar en la clandestinidad y para defenderse mejor de los embates del gobierno militar, tomando como modelo la que había concebido Lenin para el partido comunista ruso, y que ya había sido establecida en el Partido Democrático Nacional (PDN), antecesor de AD, en una época en que temían el acoso del gobierno de Medina Angarita. En esta época, el partido AD actuaba aisladamente en su propósito de poner fin a la dictadura, la unidad de los venezolanos estaba muy lejos en el horizonte.

Los otros partidos no reaccionaron contra la supresión del gobierno civil. El Partido Comunista, que había sido creado el 5 de marzo de 1931 y luego prohibido bajo el gobierno de López Contreras, no había celebrado la instauración del régimen de octubre. Dicho partido había tenido acercamientos con el gobierno de Medina y había sido legalizado por este a solicitud de los Estados Unidos, por efecto de la alianza de los norteamericanos con los dirigentes de la Unión Soviética, una vez que esta había sido invadida por el Tercer Reich. El partido URD había tenido importantes vínculos con el medinismo, hasta el punto de que Jóvito Villalba, su líder fundador, había sido electo senador con votos principalmente del partido de Medina, el Partido Democrático Venezolano (PDV), y de que aquel partido, al ser creado el 18 de diciembre de 1945, se había nutrido con importantes personas afectas al régimen derrocado en 1945. Por estas circunstancias, era lógico que URD no se sintiera estimulado a salir en defensa del gobierno de AD.

Cuando se produce el golpe de 1945 el partido COPEI no existía, los principales dirigentes de la Unión Nacional de Estudiantes (UNE), entre ellos Rafael Caldera y Luis Herrera Campins, que, al año siguiente, el 13 de enero, fundaron a dicho partido, se pronunciaron favorablemente al movimiento que había derrocado al gobierno de Medina, y así lo ratificó Caldera tres meses después en el acto de instalación de su partido. A los ocho días de haber asumido la presidencia de la Junta Revolucionaria de Gobierno, Rómulo Betancourt designó a Caldera como Procurador General de la Nación, cargo que este desempeñó por seis meses. Ocurrió que, estando caldera en San Cristóbal, Estado Táchira, donde le correspondía pronunciar un discurso ante un numeroso público, dicho evento fue saboteado por militantes de AD, y no era la primera vez que situaciones de esta naturaleza se presentaban. Caldera de inmediato notificó por telegrama a Betancourt que renunciaba al cargo y tanto él como su partido se declararon en oposición al régimen gobernante.

A partir de allí, COPEI y URD denunciaron el sectarismo y las pretensiones hegemónicas del gobierno de AD, tanto cuando este formaba parte del régimen cívico militar, como después que Gallegos ganó las elecciones de 1947. La situación de crispación política que se había creado en el país en algún momento llegó al homicidio del adversario, como ocurrió en Los Teques cuando un dirigente obrero de COPEI llamado Víctor Baptista encontró la muerte en manos de un militante de AD. Hechos como este contribuyeron a impulsar el golpe militar de 1948 o, al menos, hicieron saber a los militares que contaban con simpatías en una parte importante de la población.

Estimo conveniente referirme a un hecho no estrictamente político que ocurrió en 1950, pero que tuvo importantes repercusiones en la vida nacional. El 3 de mayo de ese año los trabajadores petroleros de Lagunillas iniciaron una huelga como medio de presión para reclamar el cumplimiento de obligaciones laborales, en la cual participaron 40.000 trabajadores de ese ramo de actividad. Esa huelga, que inicialmente era por 48 horas, se hizo indefinida y se extendió por amplios sectores del territorio nacional, sobre todo por la actuación del Partido Comunista que le dio todo su apoyo, tal como se manifestó en el diario del partido Tribuna Popular. También AD contribuyó a promover el movimiento huelgario, pero lo hizo en forma más discreta, desde su condición de grupo político ilegalizado. La Junta de Gobierno hizo rotundas declaraciones contra ese movimiento, que fueron desoídas al principio pero que le permitieron controlarlo diez días después de iniciado. Seguidamente, las autoridades públicas ilegalizaron al Partido Comunista y ocuparon y prohibieron a su órgano informativo, así como también anularon importantes cláusulas del contrato colectivo de los petroleros, lo que dejó sembrados resentimientos en estos.

La Junta Militar de gobierno, presidida por el teniente coronel Carlos Delgado Chalbaud, se consideraba como un gobierno interino, cuyo propósito era el de convocar a elecciones en un plazo breve. En noviembre de 1950, a raíz del asesinato de Delgado, la que pasó a llamarse Junta de Gobierno estuvo integrada por tres miembros: Pérez

Jiménez, Llovera Páez y Germán Suárez Flamerich, este último -que había participado en las acciones de los estudiantes contra Gómez en 1928 y después había sido Decano de la Facultad de Derecho de la Universidad Central de Venezuela, con el carácter de presidente. El 2 de diciembre de 1952, los militares disolvieron la Junta de Gobierno y nombraron a Marcos Pérez Jiménez como Presidente Provisional de la República, hasta el 15 de abril siguiente, cuando, conforme a lo dispuesto en la Disposición Transitoria Segunda de la Constitución que había entrado en vigencia el 11 de abril de 1953, la Asamblea Nacional Constituyente lo designó por decreto como Presidente Constitucional de la República. En esa oportunidad, y con el mismo fundamento jurídico, dicha Asamblea nombró por decreto a los Senadores y Diputados al Congreso y a sus suplentes, a los Magistrados de la Corte Federal y de la Corte de Casación y a sus suplentes, al Contralor General de la Nación y al Procurador General de la Nación, a los diputados a las Asambleas Legislativas del país y a sus suplentes, a los concejales de todos los Concejos Municipales del país y a los del Distrito Federal y a sus suplentes.

En este aspecto debo decir que el régimen militar había convocado una Asamblea Constituyente cuyos miembros se elegirían en un proceso comicial a realizarse el 30 de noviembre de 1952. En ese evento no podían participar AD ni el PCV, por estar inhabilitados, lo hicieron URD y COPEI. AD, además, exhortó a sus militantes a abstenerse de votar, lo cual no fue atendido pues ese voto se inclinó por URD. Los primeros resultados del escrutinio eran mayoritaria-mente favorables a URD, pero el gobierno ordenó al Consejo Supremo Electoral (CSE) que cambiara los resultados en favor del partido de gobierno, el FRENTE ELECTORAL INDEPENDIENTE (FEI), ante lo cual la mayoría de los directivos del organismo electoral, incluido el presidente de este, renunciaron a sus cargos. Seguidamente Pérez Jiménez nombró nuevos miembros del CSE, los cuales hicieron publicar unos resultados oficiales que arrojaron una mayoría determinante en favor del gobierno, con lo que se consumó el fraude electoral. Jóvito Villalba, Mario Briceño Iragorry y otros dirigentes importantes de URD fueron desterrados del país y los diputados electos por esa organización política no se incorporaron a la Asamblea Constituyente. COPEI ordenó a los diputados electos en sus listas que tampoco asumieran sus curules, pero algunos de ellos desoyeron esa instrucción y fueron expulsados del partido.

AD, como antes se dijo, sufrió con mayor intensidad los embates de la dictadura, la cual contaba con una policía política muy eficiente, bajo la dirección de Pedro Estrada. La oposición encabezada por AD, por su parte, había construido una organización muy importante para la resistencia en la clandestinidad, bajo la dirección de líderes jóvenes y audaces. Uno de los más importantes de ellos, Leonardo Ruiz Pineda, tachirense que había sido uno de los fundadores del partido y desde 1949 su Secretario General, había acogido la idea del capitán Juan Bautista Rojas de publicar una recopilación de los desmanes y crímenes del gobierno, en la que participaron Simón Alberto Consalvi, Ramón J. Velásquez, René Domínguez, Alberto Carnevali, Héctor Hurtado y Jorge Dáger, la cual fue publicada a mediados de octubre de 1952 con el título de *Venezuela bajo el signo del terror 1948-1952, el Libro Negro de una dictadura,* con el prólogo de Ruiz Pineda, actuando como editor José Agustín Catalá con su empresa Ávila Gráfica. La hazaña que significó recopilar, escribir y publicar ese material y su trascendencia política ha sido narrada en internet por Diego Rojas Ajmad, bajo el sello de Prodavinci. La edición del libro acarreó para Catalá prisión y torturas por tres años, en los que no delató a sus cómplices en la aventura, e impulsó a la dictadura a intensificar la búsqueda del autor, lo que trajo como consecuencia que el 21 de octubre de ese año resultara abaleado Ruiz Pineda por agentes de la Seguridad Nacional, lo que le causó la muerte. Le sucedió en el cargo de Secretario General del partido el merideño Alberto Carnevali, en momentos en que arreciaba la represión y la lucha clandestina se hacía cada vez más riesgosa. La dictadura puso precio a su cabeza, pues lo consideraba una persona de cuidado desde que en 1951 se había fugado del Puesto de Socorro de Salas, donde había sido ingresado por la policía política debido a problemas de salud. El 18 de enero de 1953 lograron hacerlo preso y lo recluyeron en la Penitenciaría General de la Nación, en San Juan de los Morros, donde el cáncer que lo afectaba, sin los cuidados médicos necesarios, acabó con su vida cuatro meses después. Para remplazarlo en el cargo de Secretario General del partido, AD nombró al también merideño Antonio Pinto Salinas, quien asumió sus funciones en la clandestinidad hasta que fue capturado y ejecutado por la Seguridad Nacional el 11 de junio de 1953. Entre las personas vinculadas a la resistencia que llevaba adelante el partido AD cabe citarse, entre otros, a Cástor Nieves Ríos y a los militares Wilfrido Omaña y León

Droz Blanco, quienes desempeñaron importantes actividades clandestinas contra el régimen de Pérez Jiménez y fueron asesinados por esbirros de este. Es importante destacar que, en la etapa examinada de lucha por la libertad del país, no hubo intentos de lograr la unidad entre las organizaciones políticas que adversaban al gobierno dictatorial, para darle más efectividad al esfuerzo que realizaban.

III. LOS INICIOS DE LA UNIDAD POLÍTICA PARA PONER FIN A LA DICTADURA

Así se llegó a un tiempo en que en una parte muy grande de la sociedad venezolana se había instalado la idea de que era imposible luchar contra el régimen de Pérez Jiménez, de que las obras espectaculares que había construido su gobierno, el alto nivel de empleo en el país y la propaganda oficial muy repetida que decía que el objetivo que buscaban era "poner a Venezuela en el lugar que le corresponde en el concierto de naciones del mundo, para que cada día sea más digna, más próspera y más fuerte", le garantizaban la permanencia en el poder sin límites. Contra esa sensación tuvo un efecto demoledor la carta pastoral del arzobispo de Caracas, monseñor Rafael Arias Blanco, que se leyó en la misa de todas las iglesias de Venezuela el 1º de mayo de 1957, día del trabajador y cuando se celebra el día de San José Obrero, en la que el clérigo denunció que, bajo una capa de falsa prosperidad, se ocultaban unos niveles muy grandes de pobreza que eran incompatibles con los importantes ingresos fiscales que estaba recibiendo el gobierno, que eran superiores al ingreso per cápita en países como Alemania, Holanda, Australia o Italia, y que en lugar de disfrutar de esa riqueza una inmensa masa de nuestro pueblo vivía en condiciones no humanas. Afirmó también que "la Iglesia no solo tiene el derecho, sino que tiene la gravísima responsabilidad de hacer oír su voz para que todos, patronos, obreros, gobierno y pueblo sean orientados por los principios eternos del Evangelio en esta descomunal tarea de crear las condiciones necesarios para que todos los ciudadanos puedan disfrutar del bienestar que la Divina Providencia está regalando a la nación venezolana". Asimismo, se refirió monseñor Arias a los altos niveles de desempleo que había en el país, a los sueldos bajísimos, a la falta de prestaciones familiares, al déficit de escuelas y de instituciones de formación profesional, a las injustas condiciones en que se evalúa el trabajo femenino, a la frecuencia con que se burla a la Ley del Trabajo; exhortó a los trabajadores "a reunirse en sindicatos por ellos libremente escogidos, convencidos como estamos de que la clase obrera, llegada a su mayoría de edad, tiene que luchar con responsabilidad y con decisión por la auténtica promoción obrera para cumplir la misión que Dios le ha confiado"; denunció que el gobierno no tenía una política social, como sí la tenía para construir edificaciones suntuosas y se refirió al sometimiento que se había impuesto a las organizaciones sindicales, encargadas de velar por el respeto a las condiciones de vida de los trabajadores. La voz de monseñor Arias no estaba sola: personalidades de la Iglesia Católica como Juan Francisco Hernández, Jesús Hernández Chapellín y Manuel Aguirre Elorriaga, fundamentaron las críticas al régimen en la doctrina social de la Iglesia.

Un mes antes, desde su exilio en Munich, Alemania, Luis Herrera Campins -que había tenido que guardar prisión durante cuatro meses por su participación en la huelga universitaria de 1952 y de allí había viajado al exterior- había publicado su opúsculo *Frente a 1958* en Tiela (Triángulo Informativo Europa-Las Américas), órgano de difusión de diversos copeyanos opositores al gobierno de Venezuela. En ese escrito, Luis Herrera exponía que ese año era clave para definir el destino del país, dado que se vencía el período presidencial establecido en la Constitución con el siguiente texto: *Artículo 104.- El Presidente de la República será elegido por votación universal, directa y secreta, con tres meses de anticipación, por lo menos, al 19 de abril del año inmediatamente anterior al del comienzo del respectivo período".* Y dado que la Constitución entonces vigente disponía que los períodos de los poderes públicos eran de cinco años, habiendo comenzado el gobierno de Pérez Jiménez en 1952, correspondía convocar a comicios en 1957 para renovar al año siguiente la primera magistratura nacional y los cuerpos deliberantes en todos los niveles del poder público. Asimismo, se refería Luis Herrera a los abusos y crímenes de la dictadura e instaba a que se unieran los partidos para salir de esa situación. El 2 de noviembre de 1956, Rómulo Betancourt se había dirigido por carta a Rafael Caldera para expresarle, con respecto al proceso electoral anunciado, que los partidos democráticos deberían aprovechar esa coyuntura y particularmente los copeyanos, "porque están dentro del país y porque no han sido 'técnicamente' ilegalizados, están llamados a cumplir un papel de primera importancia"; y también que "Alguna vez –debes recordarlo– hablé contigo en Miraflores. Estimulé tu candidatura presidencial, asegurándote que la Junta por mí presidida rodearía de garantías la compaña que realizaras. Hoy vuelvo a hablar de tus posibilidades y de las de tu grupo para ser pioneros en un empeño en el que no se quedarán solos". Caldera no recibió esa carta porque fue interceptada por la Seguridad Nacional y, años después, una copia de ella que conservaba Betancourt -como se acostumbraba en la época- fue incorporada al archivo de la Fundación Rómulo Betancourt y recientemente ha estado circulando en las redes sociales. En la actualidad su contenido puede leerse en la página web de la Seccional de Acción Democrática en el Estado Apure (https://www.facebook. com/groups/387306146645837/posts/756359486407166/). En todo caso, la significación de este documento es que por primera vez se planteó la necesidad de una coalición de partidos con un candidato único para restablecer la democracia.

El 5 de julio de ese año 1957, Jóvito Villalba anunció desde su exilio en Nueva York que prácticamente existía un acuerdo de AD, URD y COPEI para lanzar la candidatura de Caldera para hacer frente a la de Pérez Jiménez. Y el 14 de ese mismo mes, Jóvito le dirigió una carta al dictador para exhortarlo a que decretara la amnistía de los presos políticos y ordenara la realización de elecciones limpias y democráticas. El 29 de agosto siguiente, desde México, Luis Piñerúa Ordaz se refirió en *Venezuela Democrática*, órgano de difusión del partido AD, a la candidatura unitaria de Caldera.

En junio de 1957 los cuatro partidos opuestos al régimen gobernante habían decidido crear la Junta Patriótica para dirigir, desde la clandestinidad, las acciones de cambio político. Se señala que en una reunión en la que participaron Amílcar Gómez, José Vicente Rangel y Fabricio Ojeda por URD y Guillermo García Ponce por el Partido Comunista, se convino en que las acciones de los opositores no debían ser monocolores, es decir, no debían provenir de un partido individualmente, por lo que se propuso organizar, ya de manera formal, una organización unitaria de lucha contra la dictadura, cuyo programa consistiría en tres puntos: 1. amplia amnistía para los presos políticos, desterrados y perseguidos; 2. elecciones mediante el voto directo, secreto y universal; 3. formación de un gobierno respetuoso de las libertades democráticas. Consultada esta idea con Jóvito Villalba Unidos, manifestó desde el exilio su acuerdo con ella y propuso que se llamara Junta o Sociedad Patriótica, en recuerdo de la asociación que se había formado para presionar por la declaración de independencia y que liderizaba el joven Simón Bolívar. La Junta fue constituida, además de los miembros de URD, por Guillermo García Ponce del PCV, y unos días después se incorporó Moisés Gamero por AD, quien luego fue remplazado por Silvestre Ortiz Bucarán, y Pedro Pablo Aguilar de COPEI, quien al mes siguiente cayó preso en la Seguridad Nacional y fue sustituido por Enrique Aristeguieta Gramcko. La constitución de la Junta Patriótica fue la primera decisión unitaria que tomaron en conjunto los partidos opositores a la dictadura y en junio de 1957 emitieron su primer boletín llamando a la resistencia. Entre los primeros temas de discusión en la Junta Patriótica estuvo el de propiciar una candidatura unitaria de la oposición para enfrentarla a la de Pérez Jiménez y se veía con simpatía la nominación de Caldera.

En la medida en que parecía un hecho la candidatura unitaria de Caldera aumentaba la preocupación del régimen perezjimenista, el cual, para conjurar ese riesgo, ordenó que se encarcelara a Caldera, lo que se ejecutó el 20 de agosto de ese año. Caldera estuvo bajo custodia de la policía política, que lo mantuvo incomunicado, hasta que fue liberado el 19 de diciembre, una vez realizado el plebiscito. Pero informado el líder copeyano de que había la disposición de llevarlo nuevamente a prisión, se asiló en la Nunciatura Apostólica, donde pidió y le fue concedido asilo. Previa obtención del correspondiente salvoconducto, el 13 de enero viajó a los Estados Unidos donde el 20 de ese mes se reunió con Rómulo Betancourt y Jóvito Villalba en el Athletic Club de Nueva York. A esta reunión, que se considera el antecedente inmediato del Pacto de Punto Fijo, habría asistido también el expresidente y general en jefe Eleazar López Contreras.

Enterado Pérez Jiménez de las conversaciones interpartidistas para definir un nuevo candidato unitario que se le opondría, puso a su equipo político encabezado por Laureano Vallenilla (Lanz) a pensar en alguna fórmula que le permitiera evadir el proceso electoral al que obligaba su propia Constitución. El proceso político que se desarrollaba en Colombia en esos meses les dio una idea. El 13 de junio de 1953, Rojas Pinilla había asumido, mediante un golpe de Estado, el poder en ese país. Desde el asesinato de Jorge Eliécer Gaitán en 1948, Colombia se había visto sumida en la violencia y en la inestabilidad política, lo que facilitó el ascenso al poder de Rojas Pinilla quien, en su condición de militar, supuestamente restablecería el orden alterado. Para legitimar su régimen, Rojas Pinilla había promovido una reforma constitucional y el 4 de octubre de 1957 convocó a un plebiscito (que era más bien un referendo) para aprobarla, el cual se realizó el primero de diciembre de ese año. En esa dirección, pero con cambios importantes, Pérez Jiménez dirigió un mensaje al Congreso el 4 de noviembre de 1957, para comunicarle que ese año no habría elecciones y que en su lugar se realizaría un plebiscito para determinar si los electores consideraban que su gobierno debía continuar o si debían celebrarse elecciones. Pérez Jiménez –que había comenzado su carrera política como teniente coronel y ya había ascendido a general de división–, justificó su decisión con, entre otros, el siguiente argumento: "La presencia en el poder de partidos como los que actuaron últimamente es perjudicial porque ellos no conocen a fondo los problemas nacionales, ni sus soluciones, no constituyen fuerza política y son factores de desunión (...) Llevarlos al poder equivaldría a que la conducción del país quedaría a cargo de los menos capaces...". El plebiscito, en el cual votarían los venezolanos y los extranjeros con, al menos, dos años de residencia en el país, consistía en entregar a cada elector dos tarjetas, una roja, que al introducirse en un sobre y depositarse en una urna electoral significaba la negación a la continuidad de Pérez Jiménez, por lo que debía abrirse el proceso para elecciones competitivas; una azul, que significaba que el elector que la depositaba era partidario de que Pérez Jiménez continuara en el poder sin elecciones, por un nuevo período de cinco años, al igual que los diputados, los senadores y los demás funcionarios que estaban en cargos electivos. Además de sufrir limitaciones de todo tipo que se impusieron a los contrarios a la continuidad del dictador, se exigió a los funcionarios en todas las oficinas públicas que, luego de realizado el evento, debían entregar al jerarca del organismo correspondiente la tarjeta roja, para demostrar que había votado por la tarjeta azul. El plebiscito se realizó el 15 de diciembre de 1957 y el escrutinio publicado por el Consejo Supremo Electoral arrojó el siguiente resultado: votos favorables al gobierno: 2.374.160 votos; votos contrarios: 364.182; votos nulos: 186.190. El

20 de diciembre, el Consejo Supremo Electoral declaró la continuidad de Pérez Jiménez por cinco años más como Presidente de la República.

Desde el anuncio del plebiscito se suscitaron reacciones adversas contra el gobierno en diversos sectores de la población, particularmente entre los estudiantes. Fueron numerosas las manifestaciones de los estudiantes de la Universidad Central de Venezuela y de la Universidad Católica Andrés Bello, a las que se sumaron después los liceístas de Caracas, comenzando por los que cursaban estudios en el Liceo Fermín Toro y en el Liceo Andrés Bello y por los del Liceo de Aplicación, Juan Vicente González, Razzetti, Caracas y la Escuela Normal Miguel Antonio Caro. Los estudiantes animaron el proceso político, primero en la capital y después en las principales ciudades del interior, con marchas, mítines relámpagos, distribución de papeles con escritos denunciando al gobierno, entre otros. También estamparon pintas en paredes con el número 104, para expresar que debían celebrarse elecciones tal como lo ordenaba la Constitución en el artículo de ese número. El 21 de noviembre las universidades de Caracas convocaron a una huelga de estudiantes, la que fue realizada con éxito. En esa fecha, la protesta llegó hasta un Congreso de Cardiología que se celebraba en la Universidad Central, ante lo cual la Seguridad Nacional penetró en la Ciudad Universitaria e hizo presos a numerosos estudiantes. A partir de entonces, en esta fecha se celebra el Día del Estudiante en todo el país.

La llegada de las festividades navideñas hizo que se suspendieran las hostilidades por breve tiempo, en el que pareció que el régimen estaba sólidamente atornillado en el poder. Nunca se imaginó Pérez Jiménez, cuando el 31 de diciembre en la noche compartía con sus colaboradores e invitados en la tradicional recepción de fin de año en Miraflores, que unas horas después estallaría un pronunciamiento militar que desataría un proceso que en pocos días pondría fin a su gobierno. En efecto, el intento de golpe estuvo liderado por el teniente coronel del Ejército Hugo Trejo, y se manifestó al mismo tiempo en tres sitios: en primer lugar, el alzamiento de la aviación militar, en el cual varias unidades aéreas comandadas por el mayor Martín Parada despegaron de la base aérea Boca de Río en Palo Negro, sobrevolaron Caracas y ametrallaron el Palacio de Miraflores y la sede de la Dirección de Seguridad Nacional del Ministerio de Relaciones

Interiores; en segundo lugar, la sublevación de la guarnición de Maracay, ciudad en la que tomaron una emisora de radio; en tercer lugar, la movilización de dos unidades de blindados (tanques), que abandonaron su sede en el cuartel Urdaneta en Catia y, bajo el comando de Hugo Trejo, se dirigieron hacia Maracay. Este pronunciamiento no cumplió sus objetivos previstos por las siguientes razones: debido a una delación, el movimiento debió adelantarse cinco días, lo que había producido que muchos oficiales no habían tenido información de lo que se estaba preparando y no pudieron coordinarse con los que actuaron, ejemplo de ello es que la Marina no participó en estos acontecimientos; los blindados que se dirigían a Maracay en vez de hacerlo hacia Miraflores fueron estacionados en Los Teques y su comandante, Hugo Trejo, siguió hacia la capital del Estado Aragua, pero fue hecho preso en la Encrucijada; los 13 aviadores que sobrevolaban Caracas, al conocer la situación del movimiento, volaron hacia Barranquilla, Colombia, donde recibieron asilo. Tampoco hubo ninguna coordinación con los civiles que conspiraban contra el régimen.

No obstante, estas circunstancias, no puede decirse que el movimiento del 1° de enero haya sido un fracaso, todo lo contrario, pusieron en evidencia que no era cierto que las fuerzas armadas apoyaban en bloque el régimen dictatorial y desataron un proceso de rebelión cívica y militar contra el gobierno de Pérez Jiménez, sin la cual no hubiera sido posible un desenlace tan rápido. Ya antes había habido fisuras que no se habían conocido, como ocurrió en el diciembre anterior, luego de realizado el plebiscito, cuando el general Rómulo Fernández, jefe del Estado Mayor de las Fuerzas Armadas, dirigió un memorándum al dictador en el cual le expresaba que el régimen debía cambiar su orientación política, hacer modificaciones en su gabinete, incorporar en este a miembros de las Fuerzas Armadas y cambiar algunos gobernadores de Estado. Después del 1° de enero comenzaron a manifestarse situaciones que pueden considerarse como consecuencias del movimiento de esa fecha, como son los siguientes:

1. El 9 de enero siguiente se produjo un alzamiento de oficiales de la Marina en La Guaira, que consistió en ordenar que zarparan cinco destructores de la flota, los cuales fueron ubicados frente al puerto. Este movimiento fue controlado por la intervención del

general Rómulo Fernández, quien negoció con los oficiales responsables y les ofreció algunas garantías para la Armada. Ese mismo día, Pérez Jiménez decidió la reestructuración del gabinete, del cual excluyó a personas fundamentales en la configuración de la dictadura como Laureano Vallenilla (Lanz), el cerebro político régimen y quien desde hacía varios años desempeñaba el cargo de Ministro de Relaciones Interiores, y Pedro Estrada, el responsable de la seguridad del gobierno y que se había convertido en el terror de los adversarios de este. Ambos personeros, que habían sido removidos debido a presiones de los cuerpos castrenses, viajaron al exterior. En esa oportunidad, Pérez Jiménez nombró a Rómulo Fernández como Ministro de la Defensa y al general Néstor Prato como Ministro de Educación. Esta última designación produjo protestas y mofas de parte de los estudiantes.

2. El 13 de enero Pérez Jiménez reorganizó el gabinete y destituyó a Rómulo Fernández, a quien había nombrado cuatro días antes, y lo expulsó del país. El gabinete quedó integrado por siete ministros militares y siete civiles y el Presidente se reservó el Ministerio de la Defensa para ejercerlo personalmente. El general Néstor Prato, recién nombrado Ministro de Educación, dejó el cargo para ejercer el de Jefe del Estado Mayor. Desde hacía varios días se había iniciado la detención de numerosos oficiales de las Fuerzas Armadas.

3. La Junta Patriótica intensificó sus actividades y el 4 de enero emitió su tercer manifiesto, el cual tituló como "Pueblo y Ejército unidos contra la Usurpación"; y asimismo lo hizo el movimiento estudiantil al incrementar sus protestas a partir del 7 de enero, lo que llevó al gobierno a cerrar el liceo Andrés Bello y luego a otros establecimientos educativos.

4. La debilidad del gobierno, que se manifestaba sobre todo en los cambios nerviosos en el gabinete y en la prescindencia de actores de primer nivel del gobierno, tuvo el efecto de hacer cesar temores en personas de la sociedad civil, las cuales manifestaron abiertamente su posición contraria al régimen. El 14 de enero se divulgó la Declaración de los Intelectuales, suscrito por 400 personas de prestigio en el país y encabezada por Mariano Picón Salas, quien la habría redactado, Francisco de Venanzi, Oscar Machado Zuloaga, Eduardo Arroyo Lameda, presbítero Manuel Montaner, Pedro Pérez Velásquez, Enrique J. Velutini, Miguel Otero Silva, Martín Vegas, Ángel Rosenblat,

Lucila Palacios. En este documento se reclamaba enérgicamente por la restitución de las libertades democráticas y fue objeto de adhesiones por parte de periodistas, sindicalistas y de personas de diferentes sectores. En los días siguientes emitieron comunicados de corte similar los médicos, abogados, farmacéuticos, banqueros y estudiantes.

5. El 17 de enero la Junta Patriótica convocó a una huelga general a realizarse el 21 de ese mismo mes. Los estudiantes de Caracas asumieron el protagonismo en las protestas, que se extendieron progresivamente a todos los centros docentes del país. El 19 de enero el gobierno suspendió las garantías constitucionales para contrarrestar las movilizaciones que lo desafiaban, pero no logró ningún efecto a su favor. La huelga del 21 de enero se efectuó con todo éxito, en las calles de Caracas los automovilistas hicieron sonar insistentemente las cornetas de sus vehículos.

6. El 22 de enero, mientras la huelga general continuaba, la Marina y la guarnición de Caracas se declararon en desobediencia contra el gobierno, a la cual se sumó la Academia Militar. El gobierno buscó conversar con los sublevados, pero ninguno de ellos aceptó el diálogo. Se produjo un fuego cruzado entre el Palacio de Miraflores y tiradores apostados en Pagüita, Agua Salud y El Calvario.

7. En horas avanzadas de la noche del 22 de enero Pérez Jiménez, junto con su familia, abordaron en la Carlota el avión presidencial (un Douglas C-54 Skymaster, apodado *La Vaca Sagrada*) y huyeron del país, con equipajes bien aprovisionados de dólares, rumbo a la entonces llamada Ciudad Trujillo, República Dominicana. Mientras esto ocurría, en la Escuela militar se reunían representantes de las diferentes fuerzas militares para intercambiar opiniones sobre la situación del país. A la 1:00 de la madrugada nombraron una Junta Militar de Gobierno presidida por el Contralmirante Wolfgang Larrazábal Ugueto, el Comandante General de la Marina y el oficial con el más alto grado, e integrada por los coroneles Abel Romero Villate, Roberto Casanova, Carlos Luis Araque y Pedro José Quevedo. Al día siguiente, la Junta de gobierno designó como su secretario a Edgar Sanabria, profesor de Derecho Romano. Cuando los venezolanos se enteraron por la radio de la huida del dictador numerosas personas se reunieron en las calles para celebrar.

8. La reacción popular se manifestó con algunos hechos de violencia: se produjo el asalto del edificio sede de la Seguridad Nacional, se incineraron documentos del organismo policial, algunos funcionarios fueron objeto de linchamiento, saquearon las residencias de Pérez Jiménez, de Laureano Vallenilla (Lanz) y de Luis Felipe Llovera Páez. Los presos políticos fueron liberados.

9. Ese mismo 23 de enero se produjeron protestas por la incorporación a la Junta de Gobierno de los coroneles Abel Romero Villate y Roberto Casanova, por ser conocidos como connotados perezjimenistas. Estos se vieron obligados a renunciar y al día siguiente fueron sustituidos por los empresarios Eugenio Mendoza y Blas Lamberti. Ese día la Junta de Gobierno dictó el Decreto N° 3, por el cual se disolvió la Seguridad Nacional. Ante la ausencia de este cuerpo policial, los estudiantes de la Universidad Central, dirigidos por la Federación de Centros Universitarios, se ocuparon de mantener el orden y se identificaban con unos brazaletes de tela azul que habían confeccionado con unas cortinas del Paraninfo de la Universidad, en los cuales habían estampado el letrero "Brigada de Orden".

10. En las semanas siguientes comenzaron a regresar al país los exiliados políticos.

IV. LA CONSTRUCCIÓN DE UNAS INSTITUCIONES UNITARIAS PARA PROFUNDIZAR Y PRESERVAR LA DEMOCRACIA

Anteriormente hice alusión a la reunión que tuvieron en Nueva York el 20 de enero de 1957 los jefes de los principales partidos democráticos venezolanos: Rómulo Betancourt, Jóvito Villalba y Rafael Caldera. No hay información oficial sobre los temas que cubrió la agenda de esa conversación, pero especulamos que no debe haber sido sobre la estrategia para derrocar a Pérez Jiménez, pues para ese momento ya se tenía claro que la salida del dictador era cosa de pocos días, incluso de horas. Suponemos, entonces, que en ese cónclave se trató sobre el régimen político que debía implantarse en el país una vez recuperada la libertad. Podemos imaginar que Rómulo Betancourt les contaría sobre su evolución política, conforme a la cual había abandonado desde hacía tiempo las inclinaciones que tuvo en su juventud hacia una organización socialista de la sociedad, regida incluso por cánones marxistas. En efecto, la situación que se conocía del estado de los países situados detrás de la cortina de hierro, como la llamó Churchill, resultaba incompatible con el ideal de democracia al que aspiraba el expresidente, quien se inclinaba por una democracia liberal en la que se garantizaría la economía de mercado, la propiedad privada, la libertad individual y los derechos humanos, que era, al mismo tiempo, la mejor vía para alcanzar el mayor progreso económico y la justicia social. Los tres hablarían sobre la situación de guerra fría en que se hallaban sumidos los países de occidente y de oriente y la preocupación que tenían por la política que había adoptado desde hacía años los Estados Unidos de apoyar regímenes dictatoriales en América Latina para sustraerlos de la órbita comunista. Llegados a este punto, Betancourt les habría informado que, por intermedio de su amigo personal Nelson Rockefeller (hombre de negocios y político, quien en ese momento se alistaba para competir por el cargo de Gobernador de Nueva York, el cual desempeñó luego por cuatro períodos sucesivos antes de asumir la Vicepresidencia de los Estados Unidos) había tenido contactos con altas esfera del gobierno norteamericano para expresarles que esa política era un error y que lo que más convenía a todos era promover la instalación de gobiernos democráticos en el subcontinente, con lo cual se satisfacían las ansias de libertad de los pueblos, se obtenía una mejora en las condiciones económicas y sociales y se los alejaba de la seducción comunista. Y asimismo habría manifestado Betancourt que, en todos esos aspectos, había obtenido respuestas positivas del gobierno norteamericano, particularmente en cuanto a apoyar un régimen democrático que se instalara en Venezuela a la caída de la dictadura. Los protagonistas de la reunión habrían expresado su acuerdo con esa política y habrían convenido que para llevarla a cabo sería necesario establecer como primer punto la unidad nacional, apartar los resentimientos acumulados por la lucha interpartidista y colaborar en el diseño de unas instituciones que permitieran implantar una democracia eficiente. Para esos propósitos, consideraron conveniente hacer lo posible por evitar, por un cierto tiempo, las pugnas electorales y participar en los comicios venideros con una candidatura unitaria.

Los acontecimientos que siguieron permiten considerar que las suposiciones expresadas se correspondían con la realidad. El esfuerzo de todos los partidos y de todos los sectores de la sociedad creó un clima de unidad, de cordialidad y de entendimiento que dio origen a lo que se llamó "el espíritu del 23 de enero". Ello se tradujo, en primer lugar, en que se integraron, con participación de los cuatro partidos en forma equilibrada, los comandos de las organizaciones sindicales y del frente sindical, de los gremios profesionales, de las federaciones de centros universitarios, de los centros de estudiantes de las facultades universitarias y de los liceos. En segundo lugar, en los meses siguientes se produjeron intentos de golpes de Estado, pero la acción unitaria de las organizaciones políticas y sociales, solidarizadas con el gobierno provisional, los rechazaron de modo contundente. En tercer lugar, durante el segundo y tercer trimestre de 1958, los partidos políticos y diferentes sectores de la vida nacional hicieron reuniones y mesas redondas para tratar de llegar a una candidatura presidencial de consenso para las elecciones a realizarse en diciembre de ese año, sin lograr el acuerdo buscado. Entre otros, los nombres que se examinaron para la candidatura nacional estuvieron: los doctores Rafael Pizani y Julio de Armas, propuestos por los profesores universitarios; el doctor José Antonio Mayobre, sugerido por los sectores económicos; el doctor Martín Vegas, auspiciado por los partidos URD y COPEI. Entre las opciones adicionales que se barajaron en estos intercambios estuvo, por una parte, el de constituir un ejecutivo colegiado con representación de los partidos suscriptores del Pacto; por la otra, la de crear un consejo de gobierno, que en algunos casos asistiera al Presidente de la República en determinados asuntos y en otros lo autorizara a tomar las decisiones que se especificaran. Estas propuestas no tuvieron apoyo.

Entre los grupos políticos y sociales que participaban en el proceso de escogencia del candidato se había llegado al acuerdo de que, para ser exitosa la nominación, era necesario que esta se realizara por unanimidad, lo cual no se logró con respecto a ninguna persona. Ante esta situación, se decidió que cada partido tendría libertar para hacer su postulación pero que la vía para mantener la unidad en la campaña electoral a celebrarse, para regular el funcionamiento futuro del sistema político y para asegurar la pervivencia de la democracia y la eficacia de la acción de gobierno, era mediante la suscripción de acuerdos políticos. En este aspecto influyó la experiencia colombiana, que había consistido en firmar, el 20 de julio de 1957, un pacto entre los partidos Liberal y Conservador (el Pacto Nacional), del cual surgió el compromiso de celebrar un plebiscito para ratificar la reforma constitucional realizada, en la que se incluían normas para legitimar los acuerdos a que habían llegado ambos partidos, como eran constituir el Frente Nacional para alternarse en el poder cada cuatro años, con una duración total de 12 años, que luego fue ampliada a 16 años; la paridad en los cargos de representación popular en los organismos deliberantes; la confirmación del derecho de la mujer al voto; la asignación del 10% del presupuesto nacional a la educación pública y la delegación en el Congreso de la República para adelantar la reforma de la Constitución. A propuesta del Partido Conservador, el primer período de gobierno correspondería al Partido Liberal, y así ocurrió efectivamente. La alternancia duró hasta 1974, cuando se disolvió el Frente Nacional y se dio por concluido el Pacto.

1. *El Pacto de Punto Fijo*

En Venezuela, además del acuerdo interpartidista para formar la Junta Patriótica, el primero de los pactos para regular el funcionamiento del sistema político fue el llamado Pacto de Punto Fijo, que fue suscrito el 31 de octubre de 1958 por Rómulo Betancourt, Gonzalo Barrios y Raúl Leoni en representación de AD; Jóvito Villalba, Ignacio Luis Arcaya y Manuel López Rivas por URD; Rafael Caldera, Pedro del Corral y Lorenzo Fernández, por COPEI. El Pacto deriva su nombre de la casa de Caldera, llamada Quinta Puntofijo, donde fue firmado el pacto. Si se me permitiera una digresión diría que el nombre Puntofijo (así, pegado) no tiene ninguna relación con una ciudad del Estado Falcón, sino que se origina de un lugar así llamado en donde se detenían las personas que venían a caballo de San Felipe al centro del país, cuando no existía la carretera panamericana, para admirar el paisaje del Valle del Río Yaracuy; lo dice Caldera en su libro *Los Causahabientes*.

Caldera había sido el redactor del proyecto, con base en una iniciativa de Rómulo Betancourt. En el texto de este documento se le consideró un "pleno acuerdo de unidad y cooperación" y su contenido se refería, por una parte, a declaraciones sobre aspectos inmediatos, como la libertad de los partidos firmantes de postular sus propios candidatos y las reglas de convivencia en la campaña electoral a

418

iniciarse; por otra parte, y sobre todo, a los compromisos de mediano plazo, como son: la defensa de la constitucionalidad y del derecho a gobernar conforme al resultado electoral; el gobierno de unidad nacional que dure "por tanto tiempo como perduren los factores que amenazan el ensayo republicano iniciado el 23 de enero"; el programa mínimo común y la creación de una Comisión Interpartidista de Unidad Nacional encargada de vigilar el cumplimiento de este acuerdo. El Partido Comunista, que no fue invitado a participar en el Pacto, lamentó en una declaración que se hubiera abandonado la búsqueda de una candidatura de unidad, pero destacó aspectos positivos de dicho acuerdo, por lo que manifestó su "adhesión a los resultados electorales" y expresó su "sincero propósito de respaldo al Gobierno de Unidad Nacional, al cual prestaremos leal y democrática colaboración". La razón para no incluir al Partido Comunista entre los suscriptores del Pacto de debió a la vinculación de ese partido con la Unión Soviética y con que lo que se estaba construyendo en el país era un sistema de conciliación de intereses, muy alejado de la lucha de clases y de la dictadura del proletariado que propician los ideólogos del comunismo soviético. Pero también es oportuno indicar que desde mediados de 1958 se había constituido una comisión multipartidista para conversar acerca de las bases de un futuro gobierno, la defensa activa de la constitucionalidad y la cooperación para resolver la cuestión de la candidatura presidencial y el programa unitario, que había sido integrada por Luis Augusto Dubuc de AD, Ignacio Luis Arcaya de URD, Luis Herrera Campíns de COPEI, Gustavo Machado del Partido Comunista e Isaac Pardo de Integración Republicana, tal como lo señala Ramón Guillermo Aveledo en el Dossier de la Revista SIC de enero de 2024.

Por último, no he considerado necesario entrar a explicar las consideraciones y los compromisos que se asumieron en el Pacto, su texto es muy claro y puede ser consultado en internet como: *Pacto de Punto Fijo (1958)*.

2. *La declaración de Principios y el Programa Mínimo Común*

La Declaración de Principios y el Programa Mínimo Común fue firmada el 6 de diciembre del mismo año, la víspera de las elecciones, por los candidatos presidenciales Rómulo Betancourt, Wolfgang

Larrazábal y Rafael Caldera. En este documento, que había sido anunciado en el texto del Pacto de Punto Fijo como un desarrollo de este, se ratificaron las declaraciones a favor de la defensa de la democracia, la tregua política y la conformación de un gobierno de unidad nacional y se desarrolló el Programa Mínimo Común, cuyo propósito fue el de "realizar con sentido de permanencia la obra de recuperación democrática, cultural, espiritual y económica que reclama Venezuela". En este aspecto se establecieron definiciones de acción gubernamental en las áreas de Acción Política y Administración Pública, Política Económica, Política Petrolera y Minera, Política Social y Laboral, Política Educacional, Fuerzas Armadas, Política Inmigratoria y Política Internacional. El texto de este documento puede ser también consultado en internet. Este programa constituye el compromiso de los candidatos con los electores de que, quien salga electo, deberá realizar actividades concretas en las áreas en donde había una necesidad y un reclamo social más urgente, que debía ser atendido en el corto y mediano plazo. Las más importantes de esas áreas son las siguientes:

a) La paz social y laboral. En el aspecto laboral, durante la dictadura se había producido la negación de los derechos de los trabajadores, tanto a la sindicalización como a la contratación colectiva, a la huelga y a la protección por los tribunales del trabajo. Desde 1944, Rómulo Betancourt venía reclamando que se hiciera un avenimiento entre patronos y obreros, con mecanismos de conciliación para evitar las huelgas y las situaciones de violencias entre estos sectores esenciales de la producción y lo había reiterado en diversas ocasiones. La inclusión de este aspecto en el programa mínimo común creó las condiciones para que, luego de arduas reuniones durante muchos meses, el 24 de noviembre de 1958 fuera firmado el Pacto de Avenimiento Obrero Patronal por los representantes del gobierno, de Fedecámaras y del Comité Sindical Unificado, en el cual se establecieron los lineamientos para una reforma que comprendía el reconocimiento del trabajo como elemento fundamental para el desarrollo económico y el engrandeci-miento nacional, la protección de la libertad sindical y de los sindicatos y la lucha contra el desempleo. En este aspecto del programa mínimo común se mencionan otros rubros del orden social como la política demográfica, la protección a la madre y al niño, protección a la infancia desvalida, política de vivienda, implantación del salario familiar y establecimiento de un sistema integral de seguridad social, los cuales debían ser desarrollados en adelante. El Pacto de Avenimiento Obrero Patronal fue de gran significación para disminuir tensiones en el país y fue desarrollado en la legislación correspondiente. Sobre los antecedentes de este Pacto y sus detalles recomendamos la lectura de los trabajos de Luis Lauriño y particularmente el que lleva por título Pacto de Avenimiento Obrero, que puede consultarse en internet.

b) Se mencionan en el Programa Mínimo Común el perfeccionamiento técnico y modernización de las distintas armas que integran la Institución Armada y su carácter de cuerpo apolítico, obediente y no deliberante, para cuya reafirmación se intensificaría la educación institucionalista de todos sus cuadros. En esa línea se contempla el reconocimiento de los méritos y servicios de los hombres que integran la Institución y se asume el mejoramiento progresivo de las condiciones de vida de oficiales, clases y soldados. No hubo un pacto escrito con las Fuerzas Armadas para dar cumplimiento a estos propósitos, los cuales serían ejecutados unilateralmente por el candidato que triunfara en las elecciones, pero necesariamente se habrían producido consultas a la institución castrense sobre la mejor forma de llevarlos a cabo.

c) La regularización de las relaciones entre la Iglesia y el Estado. En el empeño de los principales dirigentes políticos del país por resolver o al menos atenuar las situaciones conflictivas que existían o que podrían aflorar para poner en riesgo el sistema de conciliación de intereses, se planteó la regularización de las relaciones con la Iglesia por parte del gobierno que se tenía previsto establecer o que ya existía. En Venezuela regía una Ley de Patronato Eclesiástico promulgada en 1824, por el Congreso de (la Gran) Colombia, que seguía la tradición establecida desde hacía más de 400 años por la autorización del Papa a los Reyes Católicos, que contemplaba una amplia injerencia del Estado en asuntos propios de la Iglesia. Así, se requería autorización estatal para actos como el nombramiento de obispos, creación de diócesis, construcción de catedrales, fundación de seminarios, conventos, monasterios y la disposición de bienes y recursos de la Iglesia. Esta situación resultaba incómoda para las autoridades eclesiásticas porque interfería y retardaba la adopción de decisiones sobre estas materias, que a veces se retrasaban por años o décadas a la espera del permiso oficial, pero el tiempo pasaba y, por circunstancias diversas, no se había modificado este régimen jurídico por uno más racional, aunque se reconocía que en Venezuela esas relaciones se habían llevado con gran cordialidad. En el Programa Mínimo Común se había dispuesto como un tema a resolver la regularización de las relaciones entre la Iglesia y el Estado y en la Constitución de 1961 se había incluido un artículo, con el número 130, con el texto siguiente: *"En posesión como está la República del derecho de Patronato Eclesiástico, lo ejercerá conforme lo determine la ley. Sin embargo, podrán celebrarse convenios o tratados para regular las relaciones entre la Iglesia y el Estado"*. Con este fundamento Constitucional se suscribió un Modus Vivendi, bajo la forma de Tratado, entre los plenipotenciarios designados por el Sumo Pontífice, el Papa Paulo VI, por una parte, y por la otra, por el Presidente de la República de Venezuela, señor Rómulo Betancourt. El documento fue suscrito el 6 de marzo de 1964 y, con relación a Venezuela, ratificado por el Congreso de la República el 23 de junio de ese año y promulgado por el Presidente Raúl Leoni el 30 de junio siguiente. El 24 de octubre de 1964 se efectuó el canje de ratificaciones por ambas partes.

d) La Reforma Administrativa y régimen de empleo para los funcionarios públicos. En el Programa Mínimo Común se hace expresa alusión al compromiso de hacer una reforma administrativa y garantizar la estabilidad de los funcionarios públicos, cuyo cumplimiento había iniciado la Junta de Gobierno presidida por Larrazábal con la creación de la Comisión de Administración Pública en 1958. Este organismo tuvo a su cargo la elaboración de un proyecto de ley de carrera administrativa con la asistencia de una empresa especializada en el tema del servicio civil e inició la formación y el perfeccionamiento de los funcionarios públicos a través de la Escuela Nacional de Administración Pública, creada en 1962. En 1959 se introdujo al Congreso el proyecto de Ley de Carrera Administrativa. Como esta Ley se refería a una materia muy compleja, donde había muchas opiniones diferentes y variados intereses en pugna, y no parecía que iba a ser aprobada con la celeridad requerida, Betancourt dictó el 30 de noviembre de 1960 el Decreto N° 394, que contenía un reglamento autónomo sobre el régimen de los funcionarios públicos nacionales, en el cual se establecía que los funcionarios públicos sujetos a su aplicación no podrían ser destituidos de sus cargos sino por unas causales expresamente reguladas, lo cual constituía una garantía de estabilidad relativa para los servidores del Estado. En ese decreto se reguló la Oficina Central de Personal, inserta en la Comisión de Administración Pública, para administrar el sistema administrativo que se había creado y que se ocupaba de desarrollar el sistema de registro y control de funcionarios y el sistema de remuneraciones. Pero no fue hasta el 4 de septiembre de 1970 cuando se promulgó la Ley de Carrera Administrativa, en la cual se recogieron las experiencias adquiridas bajo la vigencia del Decreto 394 y se creó el Tribunal de la Carrera Administrativa para velar por los derechos de los funcionarios públicos previstos en esa ley. En todos esos casos, las reformas que se hicieron contaron con la aprobación de las organizaciones políticas representadas en el Congreso.

V.   EVOLUCIÓN DEL SISTEMA DE CONCILIACIÓN

El 7 de diciembre de 1958 se realizaron las elecciones generales previstas, conforme al Estatuto Electoral promulgado por la Junta de Gobierno. Para el cargo de Presidente de la República triunfó Rómulo Betancourt, postulado por AD, con 1.284.092 votos, seguido por Wolfgang Larrazábal, candidato de URD y el PCV, con 903.479 votos, y por Rafael Caldera, candidato de COPEI y de otros dos partidos de menor caudal electoral, con 423.262 votos. Para las Cámaras Legislativas los resultados fueron: AD, 32 senadores y 73 diputados; URD, 11 senadores y 34 diputados; COPEI, 6 senadores y 19 diputados. Es oportuno señalar que en estas elecciones se aplicó la figura de los parlamentarios adicionales, mecanismo para asegurar la representación proporcional tanto en la Cámara de Diputados como en el Senado, que consistía en que a los partidos que no habían triunfado en ninguna circunscripción, o que habían obtenido menos adjudicaciones que las que les correspondían por el cociente nacional, pudieron serles asignados escaños que resultaban de la suma nacional de votos que no habían elegido directamente senadores o diputados, y que se llamaron diputados o senadores adicionales.

El 19 de enero de 1959 se instaló el Congreso de la República y se designó Presidente de este a Raúl Leoni, quien presidía el Senado, y Vicepresidente a Rafael Caldera, quien presidía la Cámara de Diputados. El 13 de febrero siguiente Rómulo Betancourt tomó posesión del cargo de Presidente de la República. Su primera medida fue la de constituir un gabinete ejecutivo de unidad nacional, en cumplimiento a los Pactos suscritos, a cuyo efecto designó dos ministros de AD, tres de URD, dos de COPEI y el resto lo cubrió con personalidades independientes, pero todo el gabinete estuvo integrado por venezolanos de primer nivel

1. *La Constitución de 1961*

El Congreso de la República, desde el principio de sus sesiones, se dispuso a dar cumplimiento a un aspecto fundamental que se había incluido en el Programa Mínimo Común, como es el de elaborar una nueva Constitución plenamente democrática para sustituir la Constitución de 1953, que se hallaba teóricamente vigente. A estos fines, el órgano legislativo designó el 28 de enero de 1959 una Comisión Bilateral para elaborar un proyecto de Constitución, que se integró con 11 diputados que representaban la Cámara baja y 11 representantes del Senado y en el que participaron miembros de todos los partidos, sin exclusión alguna. Para presidir la Comisión fue designado el senador Raúl Leoni como Presidente y el diputado Rafael Caldera como Vicepresidente. El trabajo de la Comisión resultó arduo por el propósito de derogar cuanto antes la Constitución de 1953, pero en esta oportunidad, a diferencia de lo ocurrido en 1947, las deliberaciones se realizaron en un ambiente de diálogo y cordialidad, tal como se expresó en la Exposición de Motivos del Proyecto de Constitución: "Se ha trabajado en el seno de la Comisión Bicameral con gran espíritu de cordial entendimiento…las delibera-ciones no se han mantenido en los límites formales del debate parlamentario: han tenido más bien el carácter de conversaciones sinceras e informales, tras de las cuales hemos llegado la mayoría de los casos a una decisión unánime".

El proyecto fue concluido por la Comisión Bilateral a mediados de junio de 1960 y remitido con su Exposición de Motivos al Presidente del Senado. El Presidente de la República convocó al Congreso a sesiones extraordinarias para discutir el Proyecto conforme al procedimiento establecido en la Constitución entonces vigente, el cual preveía: tres discusiones en cada una de las Cámaras y una discusión en sesión conjunta cuando había criterios diferentes en las Cámaras. Una vez aprobado el proyecto, con algunos votos salvados, lo que tuvo lugar el 29 de junio de 1959, en la misma sesión se aprobó someter el texto de lo aprobado a las asambleas legislativas de los Estados, según lo estipulaba la Constitución entonces vigente.

Sobre el procedimiento para aprobar esta Constitución, es conveniente hacer las siguientes acotaciones: de un lado, siguiendo lo acostumbrado en Venezuela cuando se producía un golpe de Estado, el mismo 23 de enero la Junta Militar de Gobierno había dictado un decreto en el cual se establecía lo siguiente: "La Junta así constituida asumirá todos los poderes del Estado, y por lo tanto, ejercerá el Poder Ejecutivo de la Nación mientras se organizan constitucionalmente los Poderes de la República, dentro de las pautas del artículo 3°", y asimismo dispuso que "Se mantiene en plena vigencia el ordenamiento jurídico nacional en cuanto no colida con la presente Acta Constitutiva y con la realización de los fines del nuevo Gobierno, a cuyo efecto dictará, mediante Decreto refrendado por el Gabinete Ejecutivo, las normas generales y particulares que aconseje el interés de la República, inclusive las referentes a una nueva organización de las ramas del Poder Público". De esta manera, la Junta Militar y luego la Junta de Gobierno, se habían arrogado las funciones del Poder Ejecutivo, del Poder Legislativo y, además, el ejercicio del Poder Constituyente, cuando lo considerara conveniente. El mantenimiento de la vigencia de la Constitución de 1953 no estuvo exento de críticas, como las hizo Ambrosio Oropeza en su libro "La Nueva Constitución Venezolana", pero reconociendo que esa vigencia era puramente teórica, puesto que las instituciones fundamentales previstas en esa Carta habían dejado de funcionar: la Presidencia de la República, pues gobernaba un Ejecutivo colegiado, no existían las Cámaras Legislativas, que habían sido disueltas por la Junta, tampoco la judicatura organizada por la dictadura, ni Procuraduría ni Contraloría ni organismo alguno que haya quedado en pie ante el movimiento revolucionario. Y agregaba este autor: "La verdad es que la de 1953 nunca fue una verdadera Constitución ni llegó a cumplirse en ningún tiempo". Un ejemplo de estos poderes constituyentes que ejerció la Junta de Gobierno fue que la Ley Electoral que dictó cambió radicalmente la forma de elegir a los diputados y a los senadores, la cual estaba establecida en la Constitución de 1953. Pero cuando se inició el nuevo período constitucional, en febrero de 1959, se restableció el Estado de Derecho bajo el imperio de esta Constitución y cesaron los poderes constituyentes del gobierno. Cuando se puso en funcionamiento la Comisión Bilateral de Reforma Constitucional, se creó una Subcomisión "para estudiar el procedimiento a seguir para una Reforma Constitucional Provisoria", en virtud de que el senador Gonzalo Barrios había manifestado en el seno de la Comisión que "la reforma es urgente, ya que es un problema moral mantener en vigencia la Constitución Perezjimenista", tal como puede leerse en el libro de "Actas de la Constitución de 1961" publicado por el Congreso de la República, bajo la dirección del Consultor Jurídico Juan José Rachadell y la recopilación de Jesús María Casal Montbrun.

Diferentes propuestas se consideraron en la Comisión Bicameral, una fue la de poner en vigencia la Constitución de 1947, lo que hubiera podido ser hecho por la Junta de Gobierno, pero no por el gobierno constitucional que resultó de las elecciones de 1958, el cual carecía de poderes constituyentes, además de que en las discusiones de aquella Constitución reinó un ambiente de conflictividad que no convenía reproducir porque ponía en peligro las relaciones de concordia ahora imperantes. Por estas razones se descartó esta propuesta y también la de realizar modificaciones menores a la Carta de 1947, pero se aprobó tomar como base esta Constitución y elaborar una nueva bajo el procedimiento de una reforma a la carta de 1953, que era lo que procedía según esta ley fundamental.

De otro lado, la Constitución de 1953 mantenía un conjunto de normas derivadas del principio de que Venezuela es un Estado Federal, ya muy venido a menos en esa época, y por ello se seguía, en algunos aspectos, el modelo de la Constitución de los Estados Unidos, de 1787. En esta Carta se había establecido que la Constitución la elaboraba la Convención de Filadelfia y que, para su entrada en vigencia, se requería la aprobación de las dos terceras partes de los Estados que formaban la Unión americana, manifestada por cada Estado en la forma consagrada en el ordenamiento jurídico de cada uno de ellos: referéndum popular o aprobación del órgano legislativo, que eran los más usados. En Venezuela se había seguido ese modelo en la Constitución de 1953 para las reformas constitucionales, y no había previsiones para Asambleas Constituyentes ni para referendos nacionales, puesto que el Estado Federal era el resultado de un pacto entre los Estados que lo compondrían. Por ello, el 21 de enero de 1961, las Cámaras Legislativas procedieron en sesión conjunta a escrutar el voto de las Asambleas Legislativas, con el siguiente resultado: 18 Asambleas ratificaron plenamente el texto constitucional, la Asamblea Legislativa del Estado Monagas no se reunió y la de Apure aprobó el texto con reservas en los artículos 19, 27, 28, 49, 185, 187 y 244 y en la Disposición Transitoria Séptima, posición esta coincidente con la sostenida por el Movimiento de Izquierda Revolucionaria (MIR). La Constitución entró en vigencia el 23 de enero siguiente.

La Constitución venezolana de 1961 es hija legítima del proceso de unidad que se vivió en el país en los años finales de la década de los 50, cuya expresión más acabada fue el Pacto de Punto Fijo y en ella se expresan las aspiraciones más sentidas de la mayoría de los venezolanos. Por ello, diversas personas aluden a la etapa en que estuvo vigente esa Carta fundamental como el período del "puntofijismo", con un dejo despectivo. Lo cierto es que en la Constitución de 1961 se había definido un modelo de régimen democrático que era el deseado en el momento pero que no era definitivamente acabado, sino que se perfeccionaría con el tiempo. Así ocurrió con la elección de los gobernadores y con la descentralización, pues en la Carta de 1961 se había previsto que esas reformas podrían ser instauradas mediante reformas legales, sin necesidad de modificar la Constitución, como efectivamente se hizo. Pero existía otro modelo de país, muy diferente al democrático, que se implantó en Cuba y que desde el principio tuvo adherentes en Venezuela, los cuales lograron capturar el poder a finales de la centuria, como luego veremos.

2. Los primeros deterioros al Pacto de Punto Fijo

Estrictamente, el pacto fue un acuerdo de tres partes para regir durante el primer quinquenio de la democracia. Pero dejó de ser tripartito desde el momento en que el partido URD se retiró de la coalición de gobierno que se había previsto. Pero no es coincidencia que la causa de este retiro se haya debido a un tema relacionado con Cuba. Cuando se conmemoraba en Venezuela el primer año del 23 de enero de 1958, estuvo Fidel Castro en el país, tuvo apariciones públicas en El Silencio, en el Aula Magna de la Universidad Central de Venezuela, en el Colegio de Abogados, en el Concejo Municipal y ante el Congreso Nacional. Además, se entrevistó con Rómulo Betancourt, presidente electo, para solicitar condiciones especiales, incluso gratuidad, de los envíos de petróleo que hacía Venezuela a Cuba, que acababa de salir de la dictadura de Fulgencio Batista. Betancourt le habría expresado que en Venezuela se vivía una situación de crisis económica, derivada de las deudas que había dejado la dictadura, de la fuga de capitales por parte de seguidores de esta y a la disminución de los precios del petróleo, lo cual le obligaría en el corto plazo a adoptar medidas impopulares, como era terminar el plan de emergencia, devaluar la moneda y rebajar los sueldos de los funcionarios públicos, lo que efectivamente hizo. Por estas razones -le manifestó- no podría concederle los beneficios que solicitaba. Esta relación, que no había comenzado bien, se vio deteriorada por medidas que tomaría el gobierno cubano, como fueron las condenas y fusilamientos por decisiones de tribunales populares, sin el debido derecho a la defensa para los reos, y la expropiación de bienes sin indemnización alguna, lo que hizo que el modelo cubano se alejara cada vez más de sistema vigente en Venezuela.

Por otra parte, el 28 de agosto de 1960 se celebró en San José de Costa Rica la VII Conferencia de Consulta de Cancilleres de la Organización de Estados Americanos (OEA), en la cual el Ministro de Relaciones Exteriores de Venezuela, Ignacio Luis Arcaya, miembro del partido URD, se negó a votar una moción que condenaba a Cuba por sus relaciones con la Unión Soviética, en contradicción con las instrucciones del gobierno nacional. El embajador de Venezuela en Estados Unidos, con sede en Washington, Marcos Falcón Briceño, asumió la representación de Venezuela y Arcaya regresó al país, donde formalizó su renuncia al cargo. Falcón Briceño fue designado Canciller y el 17 de noviembre siguiente URD abandonó la coalición de gobierno, la cual quedó reducida a los partidos AD y COPEI. A esta alianza, que sustituía al gobierno de Unidad Nacional previsto en el Pacto de Punto Fijo, muchos la llamaron *La Guanábana*, porque era verde por fuera y blanca por dentro.

3. *El Pacto Institucional*

El funcionamiento institucional del Estado requería que, independientemente de quien tuviera una mayoría en un momento determinado, se establecieran unas reglas que permitieran la convivencia política y la gobernabilidad. En tal sentido, en el primer gobierno de Caldera se llegó a un acuerdo entre los partidos AD y COPEI, conforme al cual el partido que hubiera postulado al candidato victorioso en las elecciones presidenciales tenía derecho a que se eligiera a un miembro de ese partido como Presidente del Senado, dado que este funcionario era el llamado a suplir la ausencia absoluta del Presidente de la República, mientras el Congreso efectuara nueva elección, o se realizara una nueva elección popular, si el Presidente electo no hubiera tomado posesión del cargo. Asimismo, que la presidencia de la Cámara de Diputados recaería en una persona postulada por el principal partido de la oposición, el cual decidiría también el candidato que elegiría el Congreso como Contralor General de la República, para garantizar el control sobre la gestión del gobierno. Este acuerdo, nunca formalizado por escrito, se llamó el Pacto Institucional, y creó una relación privilegiada entre los partidos AD y COPEI, cuyos votos sumados hacían mayoría en las Cámaras Legislativas, la cual se manifestó en aspectos tales como el consenso para reformar la Ley de Universidades en 1970, para aprobar el ingreso de Venezuela al Pacto Andino y para sancionar la Enmienda N° 1 de la Constitución, la cual tuvo el efecto de impedir en el futuro la candidatura de Pérez Jiménez a la Presidencia de la República.

Otro de los aspectos en que se manifestó el Pacto Institucional fue lo referente a la cedulación de los venezolanos. Sabemos que para ejercer el derecho al sufragio se requiere presentar la cédula de identidad emitida por Dirección Nacional de Identificación, cuyo titular lo nombraba el Presidente de la República. En la Ley Orgánica de Identificación del 18 de diciembre de 1972 se estableció la figura de la Fiscalía General de Cedulación para supervisar el proceso de otorgamiento de las cédulas de identidad, con facultades para objetar el trámite de cédulas que presentaran irregularidades o pedir la nulidad de estas si ya habían sido expedidas. Dada la significación que tiene este documento de identidad para los procesos electorales, se dispuso en la ley mencionada que tal supervisión correspondería al Consejo Supremo Electoral, organismo en cuya dirección participaban los diferentes partidos políticos, y que su Presidente sería el encargado de nombrar al Fiscal General de Cedulación. Y aunque no está dicho en esa Ley, se había convenido en que el nombramiento del Fiscal General de Cedulación recaería en una persona propuesta por el principal partido de la oposición, lo cual se cumplió por varias décadas.

En los años que siguieron al 23 de enero se fue configurando, por los acuerdos políticos, por la Constitución y las leyes y por la práctica de vida, un modelo de la Venezuela deseada, que comprendía: un régimen democrático con la alternabilidad republicana requerida; la garantía de los derechos humanos, entre ellos el de expresar libremente sus opiniones y la salvaguarda del debido proceso, lo que incluye el derecho a la defensa y la presunción de inocencia, de donde se deriva el principio de que las personas deben ser juzgadas en libertad; y una economía de mercado, lo que implica la libertad de cada quien a dedicarse a la actividad lucrativa de su preferencia, el respeto al derecho de propiedad y la prohibición de las confiscaciones genéricas. Y, asimismo, se fue generando una fuerte repulsa a las actuaciones que lesionan los principios y valores mencionados, como fueron, en primer lugar, la que se produjo durante el gobierno de la Junta presidida por Larrazábal por el general Jesús María Castro León, quien difería de la política de dicha Junta y pretendía que se ilegalizara al partido AD y al PCV, se pospusieran las elecciones por tres años y se nombrara un gobierno tutelado por los militares. El mismo general se introdujo en el país en 1960 y trató de promover un golpe militar contra el gobierno de Betancourt, pero en este caso, como en el anterior, fue derrotado por la acción de las Fuerzas Armadas y por las manifestaciones populares. En segundo lugar, en los comienzos de nuestra Democracia fue necesario enfrentar dictaduras de otros países, como ocurrió con la de Rafael Leonidas Trujillo en República Dominicana, quien en julio de 1960 atentó contra la vida de Betancourt, por lo que fue condenado por la Organización de Estados Americanos (OEA), lo cual contribuyó al fin de su régimen.

4. *La izquierda procastrista contra la democracia venezolana*

Lo que afectó más gravemente el desarrollo de la democracia venezolana fue la ilusión que produjo en algunos sectores de nuestra población, sobre todo entre jóvenes universitarios, de poder imitar el sistema que se había implantado en Cuba en 1959, basado en la lucha de clases y la supuesta dictadura del proletariado, que cada vez se distanciaba más del régimen político y económico establecido en Venezuela. Esa postura política había afectado principalmente a jóvenes dirigentes de AD que, en la lucha contra la dictadura perejimenista junto con la Juventud Comunista, se habían contagiado de la ideología marxista leninista y en marzo de 1960 se escindieron de AD para crear el Movimiento de Izquierda Revolucionaria (MIR), con el propósito de acabar, en asociación con el Partido Comunista, el sistema democrático imperante en Venezuela y sustituirlo por una copia del régimen cubano.

El 20 de marzo de 1961, el Partido Comunista anunció que había adoptado una actitud insurreccional y el 25 de junio de ese año se produjo el alzamiento de un contingente militar en Barcelona (El Barcelonazo), inspirado por la izquierda procubana, el cual fue prontamente debelado. El 28 de diciembre del mismo año se produjo una nueva división de AD, para formar AD-Oposición, que luego dio origen al Partido Revolucionario Nacionalista (PRN). Con ello AD y COPEI juntos perdieron la mayoría en la Cámara de Diputados, lo que creó dificultades para enfrentar la acción subversiva. En 1962, el partido Comunista creó las Fuerzas Armadas de Liberación Nacional (FALN) como brazo armado del Frente de Liberación Nacional (FLN), para realizar actividades subversivas juntamente con el MIR. El 3 de abril de 1962 comenzaron las acciones de los guerrilleros procubanos del MIR y del PCV, con el asalto al Concejo Municipal de Humocaro Bajo (Estado Lara). El 10 de abril de ese año, por decreto del Presidente Betancourt, fueron suspendidas las actividades del PCV y el MIR. El 4 de mayo de 1962 se sublevaron en Carúpano, Estado Sucre, integrantes de la Infantería de Marina y de la Guardia Nacional (Carupanazo) infiltrados por las ideas marxistas, los cuales fueron dominados dos días después. El 2 de junio se sublevó el contingente militar de Puerto Cabello, Estado Carabobo (El Porteñazo), el cual fue controlado, pero dejó un saldo de más de 400 muertos y 700 heridos. El 30 de junio de ese año, el Diputado Fabricio Ojeda, que había sido Presidente de la Junta Patriótica en 1957 y 1958, se dirigió en carta pública al Presidente de la Cámara de Diputados para participarle su decisión de renunciar al órgano legislativo nacional y se fue a los Andes a organizar un frente guerrillero. El 16 de enero de 1963 un grupo de asalto guerrillero sustrajo unos cuadros de la Exposición de Pintura Francesa que se realizaba en Caracas, con fines publicitarios. El 16 de febrero de ese año, una brigada de las FALN apresó el buque de carga Anzoátegui y lo desvió hacia Brasil, también con propósitos publicitarios. El 26 de agosto de 1963 fue secuestrado por las FALN el famoso jugador de fútbol Alfredo Di Stéfano, por 70 horas, con fines propagandísticos. El 29 de septiembre de 1963, se produjo un asalto al tren de El Encanto, en el Estado Miranda, que realizaba viajes de turismo familiar, lo cual arrojó un saldo de cinco militares muertos y varios civiles heridos.

Hay un aspecto de la lucha armada contra la democracia de la que no se habla ni se consigue información de conjunto en los medios de comunicación: se trata de la matanza de policías. Los dirigentes guerrilleros habían definido como objetivo matar un policía cada día, sin tomar en cuenta que se trataba de seres humanos que se ganaban la vida haciendo un trabajo honesto y de personas de escaso poder económico. Durante una buena temporada lograron cumplir esa meta.

En todas esas acciones contra el sistema democrático venezolano, los partidos AD, COPEI y una parte de URD se mantuvieron sólidamente unidos en la defensa de la institucionalidad constitucional, acompañados de los sindicatos, los empresarios, los educadores, los intelectuales, la sociedad civil en general y un contingente de la población ampliamente mayoritario.

5. El fin de la lucha armada

En marzo de 1964, tomó posesión Raúl Leoni de la Presidencia de la República y anunció su propósito de hacer "un gobierno de entendimiento nacional, de amplitud democrática y de equilibrio político". Con ese propósito, Leoni propició a los ocho meses de su incorporación al cargo la formación de una coalición con los principales partidos democráticos, lo cual fue aceptado por los partidos AD, URD y FND, este último fundado y dirigido por el intelectual Arturo Uslar Pietri, los cuales suscribieron el Pacto de Ancha Base, que sustituiría al Pacto de Punto Fijo. COPEI, en la voz de Caldera, decidió no participar en esa alianza, pero como no tenía disposición de hacer oposición al gobierno de Leoni adoptó una figura que llamó la Doble A (Autonomía de Acción). El Pacto de Ancha Base no fue particularmente exitoso como coalición de gobierno, pues en marzo de 1966 se retiró el Partido FND y en abril de 1968 el partido URD. Sin embargo, además de su buena gestión de gobierno, Leoni dio los primeros pasos para lograr la incorporación a la actividad civil de los involucrados en la lucha armada, lo cual se concretó al final de su mandato con la preparación de un proyecto de Ley de Conmutación de Penas por Indulto o Extrañamiento del Territorio, que fue apoyado en el Congreso por todos los partidos y al cual se acogieron unas 250 personas enjuiciadas por actividades subversivas. Este proceso nos hace asociar estas decisiones con el espíritu del 23 de enero, que se daba por fallecido hacía tiempo.

En abril de 1967, el VIII pleno del partido Comunista decidió terminar la lucha armada, con lo cual reconoció su fracaso. Es de observar que hasta el mes anterior se habían producido actuaciones de grupos guerrilleros de las FALN, como fue el secuestro del médico Julio Iribarren Borges, una persona que no tenía actividad política alguna, pero que era hermano del canciller de Leoni Ignacio Iribarren Borges. Su cadáver fue encontrado tres días después abandonado en un barranco al costado de la carretera Panamericana, en los Altos de Pipe. El 10 de marzo de ese año se produjo el desembarco en la playa de Machurucuto, en el Estado Miranda, de un grupo de 12 guerrilleros (ocho venezolanos y cuatro cubanos), entrenados y financiados por Cuba. Esa expedición fracasó, algunos guerrilleros fueron dados de baja, otros capturados y un grupo se internó en la zona buscando encontrarse con el grupo guerrillero de El Bachiller, lo que lograron 100 días después. Venezuela denunció a Cuba por esta incursión en su territorio, pero las autoridades de ese país lo negaron. No obstante, el gobierno venezolano demostró ante la OEA que, del examen de los seriales de los fusiles AK47 que había decomisado a los guerrilleros, se evidenciaba que dichas armas habían sido fabricados en Corea del Norte y vendidos por la República Socialista Checoslovaca a Cuba, lo que produjo la condena al régimen de Castro y la ruptura de relaciones de Venezuela con Cuba.

En marzo de 1969 comienza el primer gobierno de Rafael Caldera, en el cual se define expresamente la pacificación como política de Estado. A esos efectos se establece un procedimiento para que personas que habían participado en la lucha armada comparecieran personalmente ante el organismo policial designado (la DISIP) y firmaran un documento en el que constaba que se acogían a la política de pacificación y desistían de participar en hechos violentos contra el Estado y la sociedad, con lo cual quedaban en libertad y libres de cargos. Bajo este esquema, un importante grupo de guerrilleros pertenecientes al MIR se pacificaron en la forma indicada, con lo cual se terminaron los últimos vestigios del enfrentamiento armado por razones políticas que había asolado al país durante más de siete años.

Jaime Lusinchi anunció, al ser elegido Presidente de la República, su disposición de suscribir un Pacto Social, pero al final este no se tradujo en propuestas concretas. En el segundo gobierno de Caldera (1994-1999) se retomó por última vez el uso de la figura del Pacto para regular aspectos trascendentales en la vida de la sociedad y que comprometen al Poder Público a legislar sobre situaciones que interesan los deberes y derechos de las personas. Fue así como el 17 de marzo de 1997 se suscribió el Acuerdo Nacional Tripartito Sobre Seguridad Social Integral y Política Salarial, entre representantes del Ejecutivo Nacional (Ministro de Cordiplán, Trabajo, Industria y Comercio y Hacienda), de los trabajadores (Confederación de Trabajadores de Venezuela –CTV–, Confederación General de Trabajadores –CGT–, y Confederación General de Sindicatos Autónomos –CODESA–) y de los patronos (Fedecámaras, Conindustria, Fedeindustria, Consecomercio y Fedeagro).

6. *La decadencia de la democracia*

La democracia venezolana comenzó a decaer en sus posibilidades de entusiasmar a la población y de crear confianza en que el futuro sería mejor que el presente a partir del llamado viernes negro, el 18 de febrero de 1983. En esa oportunidad, con el hundimiento del signo monetario, se pusieron en evidencia las consecuencias de errores acumulados durante años en la conducción de la economía del país, por no haber podido o sabido establecer un sistema de producción diversificado que no dependiera de un solo producto, el petróleo. Por supuesto que esa situación había derivado de una multiplicidad de factores que no podemos considerar en el espacio limitado de un artículo que tiene un objeto diferente, pero al menos debemos mencionar la falta de austeridad del gobierno y de la sociedad en los tiempos que antecedieron de elevados ingresos por los altos precios del petróleo, que no se debieron al incremento de la productividad sino a circunstancias extrañas al país como fueron los conflictos que se sucedieron en el medio oriente; el establecimiento de un cambio monetario fijo durante muchas décadas, lo que contribuyó a la sobrevaloración de la moneda nacional, aunado a una política de endeudamiento desenfrenado y la adopción de un sistema de cambios diferenciales a partir de febrero de 1983, que creó las condiciones para una corrupción escandalosa, así como la ausencia de mecanismos para tener unas reservas internacionales abundantes y protegidas que permitieran al gobierno hacer frente a épocas de bajos precios del petróleo. La inflación, con sus secuelas de empobrecimiento de la población se instaló en el país, y en la gente se abrió paso el convencimiento de que estábamos mal gobernados. Aunque estas situaciones, y algunas otras, se fueron incubando durante mucho tiempo, el viernes negro fue un estallido que minó la confianza de los venezolanos en la economía y en los responsables de mantenerla en buenas condiciones.

Por otra parte, entre los partidos se desató una lucha encarnizada por obtener el poder, lo que condujo a que los dirigentes se hicieran acusaciones de corrupción que no siempre eran ciertas, o que a veces no lo eran en la medida señalada, lo cual debilitó la credibilidad de los políticos en su conjunto.

Situaciones de protesta popular como las que ocurrieron el 27 y el 28 de febrero de 1989, con un pavoroso saldo de destrucción de establecimientos de comercio y de pérdida de vidas humanas, abrieron las puertas para que se produjeran intentos de golpe de Estado en febrero y en noviembre de 1992, que si bien fracasaron en el corto plazo, impactaron el imaginario popular sobre la necesidad de un gendarme que trajera paz y prosperidad al país y honestidad en el manejo de los recursos públicos, lo que llevó a una mayoría de electores a sufragar, años después, por un militar populista autoritario, el mismo que había protagonizado o dirigido los golpes de Estado mencionados, y que desde el poder impuso unas políticas que han producido el efecto contrario.

435

VI. EL FIN DEL SISTEMA DE CONCILIACIÓN DE INTERESES

Para concluir debemos preguntarnos sobre el cese de la vigencia del pacto de Punto Fijo, dado que se pensaba que su duración se circunscribía al período de gobierno que surgiría después de las primeras elecciones, lo que resultó ser el quinquenio que presidió Rómulo Betancourt, al inicio del cual se creó el "gobierno de unidad nacional", integrado por la coalición a que antes nos referimos, de la cual se separó URD el 16 de agosto de 1960, por diferir de la aplicación de la Doctrina Betancourt con respecto a Cuba. En sentido estricto, con la salida de URD del gobierno de unidad nacional, habría cesado la parte del Pacto de Punto Fijo referente a esta materia. En sentido amplio, cabría otra interpretación: en el texto del Pacto se dice que el gobierno de unidad durará "por tanto tiempo como perduren los factores que amenazan el ensayo democrático iniciado el 23 de enero". En esa época, las amenazan provenían de personeros de la extinta dictadura de Pérez Jiménez, pero posteriormente se sumaron las fuerzas de izquierda procubana para amenazar el régimen democrático. Esas amenazan habrían cesado con la decisión del Partido Comunista de dar por terminada la lucha armada, seguida luego de igual decisión del MIR, y habían concluido con la efectiva implantación de la política de pacificación. Podría decirse que el pacto de Punto Fijo había llegado a su término en ese momento. Desde otro punto de vista, se vincula el final del Pacto de Punto Fijo con la dilución del espíritu del 23 de enero.

Así, podría sostenerse que este se extiende hasta el Pacto de la Ancha Base, pero no con el primer gobierno de Caldera, que fue de carácter monocolor.

Ahora bien, en fecha más reciente se ha hecho frecuente en movimientos vinculados o simpatizantes con el régimen de Chávez y Maduro referirse al "puntofijismo", que es equivalente a lo que también llaman "la Cuarta República", o sea el sistema político que se conformó desde la suscripción del Pacto de Punto Fijo y que duró mientras se mantuvo vigente la Constitución de 1961, al cual los afectos a esta etapa llaman el período "de la República Civil". Esta asimilación no es exacta, pues si bien el partido Comunista no fue invitado a suscribir el Pacto, no tuvo ningún inconveniente en participar en las deliberaciones de la Comisión Bicameral que elaboró en 1960 el proyecto de Constitución ni en la discusión de este en las Cámaras Legislativas. En mi libro sobre La Evolución del Estado Venezolano yo distingo entre el período de la Conciliación de Intereses y el del Populismo Autoritario, el primero es el del pacto de Punto Fijo y la Constitución de 1961, el segundo es el del Socialismo del Siglo XXI. Cuando se comparan ambas etapas de la vida del país se ponen en evidencia las grandes diferencias entre ellas, y si nos remitimos a las encuestas actuales sale ganando la primera en la opinión del país, con una notable distancia.

En efecto, el régimen instalado en Venezuela desde 1999, que hizo derogar la Constitución de 1961 para sustituirla por la actualmente vigente, ha conducido al país a una crisis política, económica y social, que en conjunto es lo que se denomina una crisis humanitaria compleja, que ha afectado a la población venezolana de muchas maneras, a las que no es procedente referirse ahora, como tampoco al desbocamiento de la corrupción, que ha alcanzado una diversificación y unos montos que eran difíciles de imaginar en la Venezuela del siglo XX. Pero en todo caso, lo cierto es que esa situación no debe continuar y que, para realizar el necesario cambio de régimen, se ha escogido la vía pacífica y electoral. Por ello, hemos considerado conveniente traer al país el recuerdo de las situaciones que vivimos en una coyuntura en muchos aspectos parecida a la actual, como fue la gesta que terminó con el régimen de Pérez Jiménez, mediante la unidad primero civil y después cívico militar, que abrió paso a cuarenta años de gobierno civil, en los cuales el país prosperó en todos los aspectos, tanto materiales como espirituales, mediante la conciliación de intereses, pero que no supimos conservar por rivalidades mezquinas o por ignorancia. Es, pues, necesario que revivamos el espíritu del 23 de enero y que aprendamos de los errores del pasado.

Ciudad de México, marzo de 2024

TRASCENDENCIA CONSTITUCIONAL DEL PACTO DE PUNTO FIJO

Juan Manuel RAFFALLI[*]

I. CONTEXTO HISTÓRICO

La historia ha conformado después de más de cuatro décadas que, salvo opiniones que obedecen a intereses políticos e ideológicos particulares, el Pacto de Punto Fijo (el Pacto) suscrito en fecha 31 de octubre de 1958 después de derrocada la dictadura de Marcos Pérez Jiménez, por los tres principales factores políticos de Venezuela para ese momento, es decir los partidos Social Cristiano COPEI, Acción Democrática, y Unión Republicana Democrática, representa un acuerdo político de enorme valor pues derivó en la consolidación institucional de Venezuela en un ambiente de democracia vigorosa y en un Estado de Derecho razonablemente efectivo, ello sobre la base de una Constitución bien pensada y redactada con visión democrática y plural y con respeto a los derechos humanos como lo fue la de 1961 concebida tan solo tres años después del Pacto y cuyo texto se encuentra claramente influenciado por éste[1].

Abogado. Doctor en Derecho Summa Cum Laude. Profesor de la Facultad de Derecho de la UCAB en pregrado y de la UCV en posgrado.

[1] Tomás Straka. *Manuel Caballero: Rómulo Betancourt, Político.* Tiempo y Espacio v. 18 n. 49 Caracas jun. 2008. "Muchos -algunos de éstos, hay que admitir, nostálgicos por el poder perdido- lo presentan como la etapa luminosa de un sistema lleno de aciertos y oportunidades, anterior a su decadencia y corrupción; ciertamente como la etapa de más libertad, prosperidad y libertad vivida por la república desde 1830 hasta ese momento, tesis, a nuestro juicio,

Ciertamente la gestión deficiente y los errores de los últimos gobiernos instalados bajo el imperio de la Constitución de 1961 derivaron en una crisis económica y social mayúscula, abonada además por factores internacionales. La solución a esa crisis terminó por erigirse en una venganza que hoy lamentamos, ejecutada contra los partidos dominantes y sus líderes, lo cual colocó al Pacto en el centro de la Diana del discurso de los vengadores al extremo de calificarle absurdamente y sin bases razonables, como la causa remota de todos los males que aquejaban al país a finales de la década de los noventa, los cuales no han hecho sino agravarse exponencialmente.

El Pacto entonces pasó a ser satanizado sin fundamento alguno, confundiéndose los ulteriores errores de gestión de los gobiernos de los partidos suscriptores mayoritarios AD y COPEI, con los compromisos, valores y principios desarrollados en el Pacto, que permitieron estabilizar y desarrollar al país democráticamente por varias décadas con la preponderancia natural de gobiernos civiles. Así claramente lo confiesa de manera sincera y espontánea uno de sus redactores y signatarios de mayor peso intelectual, Rafael Caldera, quien afirmó que las confrontaciones propias de las luchas por conquistar el poder; el afán de resolver problemas de toda índole; y el ejercicio pleno del derecho a la crítica, llevaron a exaltar un discurso negativo y lo que es peor, a atribuir el fracaso en la gestión al sistema democrático consolidado a partir del Pacto[2].

---

más que atendible; otros lo reivindican como el rostro democrático y civilista de nuestra historia frente al retorno de los militares a la vida política y a los zarpazos que el sistema representativo ha sufrido en los últimos años (y sus intentos sustitución por un ´participativo´ que aún genera dudas en vastos sectores)". Acceso en https://ve.scielo.org/scielo.php?script=sci_arttext&pid= S1315-94962008000100008

[2]   Rafael Caldera. *Los Causahabientes. De Carabobo a Punto Fijo*. P 15. "Muchos venezolanos nacidos hace cincuenta años o menos, en general, no tienen la más ligera idea del proceso político que precedió a la firma del Pacto de Punto fijo y a la promulgación de la Constitución de 1961.

Es, en gran parte, culpa nuestra. Afanados en la consideración de los problemas de toda índole que confronta el país, preocupados por ejercer a plenitud el derecho de crítica que la democracia garantiza, y entregados mayormente a las confrontaciones tendientes a la conquista del poder, nos fuimos yendo hacia las posiciones negativas y, dando por sentado que lo positivo construido se

Es imperioso entonces preguntarse ¿Cómo puede ser satanizado el primer instrumento que logró instaurar exitosamente en Venezuela la democracia civil y el Estado de Derecho? Recordemos que muchos fueron los intentos previos que terminaron en el mismo militarismo al que la nación estuvo sometida desde su independencia. A no dudarlo, solo la manipulación ideológica de la historia permitió esgrimir argumentos ficticios, falsos o falaces con el fundamental propósito de alcanzar el poder o retenerlo, provenientes de actores de izquierda que nunca se consideraron incluidos ni comprometidos con ese Pacto[3] que han llegado al extremo de calificarlo de "antidemocrático", aun y cuando se sirvieron de sus efectos para consolidarse políticamente y acceder al poder por el voto popular, luego de intentar sin éxito hacerlo por la fuerza[4]. En definitiva, fue el Pacto y su amplitud el

---

demostraba por sí mismo y no era otra cosa que el cumplimiento de un deber, le dimos ancho cauce a una literatura dirigida a magnificar todo lo malo y, lo que es peor, tolerar que se atribuyera, no a fallas humanas sino a defectos inherentes al propio sistema democrático".

[3]   PSUV. Noticiero Digital. *Pacto de Punto Fijo Suscribió la Exclusión Política y Represión como Formas de Gobierno.* El primer resultado del Pacto de Punto Fijo es la exclusión de la izquierda del juego político, su persecución y la posterior ilegalización de las vanguardias que la representaban, como el PCV y el Movimiento de Izquierda Revolucionaria (MIR) –que nace de la base adeca en desacuerdo con los lineamientos del partido– lo que deviene en el proceso de autodefensa con la lucha armada urbana y rural. Acceso: http://www.psuv.org.ve/temas/noticias/pacto-punto-fijo-suscribio-exclusion-politica-y-represion-como-formas-gobierno/.

[4]   Gobierno Bolivariano. Ministerio del Poder Popular para el Ecosocialismo. AVN 31/10/2018. "El presidente de la República, Nicolás Maduro, enalteció y ratificó la lucha social que ha impulsado la Revolución Bolivariana en el país desde la llegada al Ejecutivo del comandante Hugo Chávez en 1999, en contraste con los 40 años de los gobiernos de la IV república, cuyas políticas fueron signadas por el denominado Pacto de Punto Fijo que asumió el control de la nación en común acuerdo con empresarios y demás sectores de la oligarquía.

«Se cumplen 60 años de la firma de un acuerdo antidemocrático que traicionó la esperanza de nuestra Patria, el 'Pacto de Punto Fijo'. Época signada por la exclusión y oscuridad. Con la llegada del comandante Chávez, el pueblo despertó y se liberó de semejante adefesio. ¡No volverán!», enfatizó el jefe de Estado a través del Twitter. Acceso en "http://www.minec.gob.ve/presidente-maduro-chavez-libero-al-pueblo-del-pacto-antidemocratico-de-punto-fijo/.

instrumento que, al derivar en la Constitución de 1961, generó un sistema democrático sólido de tal talente que permitió el regreso del militarismo, pero por vía electoral.

El valor histórico del Pacto como acuerdo y compromiso político es reconocido dentro y fuera de Venezuela. Integrado por elementos declarativos principistas y un Programa de Mínimo Común de Gobierno, sus ejes centrales son el respeto a las normas democráticas; el acatamiento del resultado electoral; la defensa de la constitucionalidad y formación de un Gobierno de Unidad Nacional, comprometido con la ejecución del referido programa mínimo de gobierno[5].

Estos ejes centrales del Pacto fueron asumidos plenamente por todos los factores políticos lo cual evidencia sin lugar a equívocos que su celebración y desarrollo se hizo bajo una premisa fundamental, la buena fe representada en el principio *Pacta Sunt Servanda* que inspiraba el interés nacional por la democracia y la civilidad en el ejercicio del poder[6]. Nótese que el nivel de compromiso con el Pacto y sus principios y valores, era tal que, al iniciarse el primer proceso electoral después del Pacto, organizado conforme a la Constitución de 1953 que permanecía vigente, los candidatos postulados, Rafael Caldera Rómulo Betancourt y Wolfgang Larrazábal, casi un año después de firmado el Pacto, suscribieron ante el Consejo Supremo Electoral una declaración ratificatoria del Pacto con miras a conformar su compromiso con la democracia, con la conformación de un Gobierno de Unidad Nacional y el Programa Mínimo Común que integra el Pacto[7].

[5]   Ramón Guillermo Aveledo. *Valoración Histórica y Actual del Pacto de Punto Fijo*. Revista SIC. Centro Gumilla. Caracas. Dossier Enero 2024. p 24.

[6]   Juan Salvador Pérez. "La Observancia más allá de lo Acordado". Revista SIC. Centro Gumilla. Caracas. Dossier Enero 2024. p 3-4.

[7]   Allan R. Brewer Carías. *El 'Pacto de Punto Fijo De 1958' Como Punto de Partida para el Establecimiento y Consolidación del Sistema Democrático y del Estado Constitucional De Derecho En Venezuela"*. Academia de Ciencias Políticas y Sociales. Libro Homenaje a Humberto Romero Muci. t 1. Caracas 2023. p. 92. "Realizada y desarrollada la campaña electoral hasta diciembre de 1958, conforme a las prescripciones del Pacto de Punto Fijo, para reforzar sus principios y el espíritu que lo animó, en diciembre de 1958, concluida dicha campaña y antes de la elección, los candidatos presidenciales, Rómulo

Debe destacarse que el cumplimiento de los mencionados ejes, produjeron resultados inmediatos empezando por la elección presidencial y el gobierno de unidad, pero además los valores y principios que inspiraron el Pacto permearon hacia un instrumento de mayor calado, estabilidad y trascendencia como fue la Constitución de 1961, caracterizada por su flexibilidad ideológica y empoderamiento del legislador, pero con mecanismos para revisar su propio texto como son la enmienda y la reforma[8].

El espíritu de concordia, unidad y la sujeción al Pacto para ese momento era tal que, incluso ese primer proceso electoral se hizo bajo las reglas de la Constitución del 53 pues la Constitución del 61 se hizo con mayor reposo y amplitud adquiriendo una legitimidad fraguada por su extensa de vigencia de casi cuarenta años. En este sentido debe notarse que su sucesora la Constitución vigente de 1999, recoge en una buena medida normas de la Constitución que la precedió, algunas

---

Betancourt, Rafael Caldera y Wolfang Larrazábal, firmaron en la sede del Consejo Supremo Electoral el 6 de diciembre de 1958, una Declaración de Principios ratificatoria del Pacto y el Programa Mínimo Común que se habían comprometido elaborar.

La Declaración de Principios se hizo, "con el propósito de reafirmar el clima unitario" que había prevalecido en Venezuela desde el 23 de enero de 1958, "de asegurar la convivencia interpartidista y la concordia del pueblo venezolano y para disipar cualesquiera diferencias que hubieran podido surgir entre las organizaciones políticas en el curso del debate cívico" que venía de concluir, pues se consideraba que eran "condiciones todas indispensables a la estabilidad de las instituciones democráticas y del próximo gobierno constitucional."

[8]   *Ídem.* p. 96-97. "Resulta, por tanto, de la Exposición de Motivos, el empeño que tuvo la Comisión Bicameral en lograr fórmulas de aceptación común, que no representaran puntos de vista parciales, sino las líneas básicas de la vida política nacional. Por ello, el texto no podía representar una opción rígida político-ideológica, agregándose en la propia Exposición de Motivos, que el texto: "*deja cierta flexibilidad al legislador ordinario para resolver cuestiones e injertar modificaciones que correspondan a las necesidades y a la experiencia de la República sin tener que apelar a la reforma constitucional.*"

Esto fue muy importante, pues expresó la idea de la Constitución como un instrumento que no respondía a un punto de vista parcial, cuyos dispositivos podían ser complementados por el legislador ordinario, para adaptarla a las nuevas realidades concretas, derivadas de la experiencia de vida republicana, sin llegar a modificar el texto."

de las cuales han sido replicadas casi textualmente, con lo cual no faltamos a la verdad al afirmar que el Pacto ha percolado incluso hasta la Constitución actual, a despecho de sus promotores quienes, aun satanizando ese Pacto tras aprovecharse de su ejecutoria, han incorporado su esencia en la Constitución elaborada por la Asamblea Nacional Constituyente de 1999. Nótese que si bien esa Constitución de 1999 aspiraba a ser el reflejo de un ruptura política total, realmente tuvo un sentido reformista a partir de algunas propuesta de reforma de la Constitución de 1961 concebidas desde la Comisión para la Reforma del Estado (COPRE)[9], no pudiendo negarse sin embargo que aspectos sustanciales de la democracia como son el control y los límites al ejercicio del poder, la Constitución de 1999 si representa una involución respecto de su predecesora y por lo tanto un alejamiento de los principios rectores del Pacto de Punto Fijo.

En este contexto, nos proponemos entonces en esta contribución ubicar esos principios fundamentales y valores esenciales contenidos en el Pacto que han penetrado en el texto Constitucional de 1961 y se han mantenido en la Constitución vigente de 1999 y que, aun siendo degradados deliberadamente desde el poder[10], representan una raíz

---

[9] Jesús María Casal. *Reformas Constitucionales para el Fortalecimiento Institucional*. p. 446. "Pese a su intención de ruptura política, la cual se vio reflejada de manera determinante en los hechos, el proceso constituyente de 1999 ofrece señales de continuidad con el orden jurídico-político precedente. En particular, la regulación contenida en la Constitución sancionada por la Asamblea Nacional Constituyente y luego aprobada mediante referendo, recoge muchas de las propuestas de reforma a la Constitución de 1961 que habían sido planteadas desde finales de la década de los ochenta." Acceso en https://www.ucab.edu.ve/wp-content/uploads/2017/ 09/INV-IIES-REV-090-Reformas-constitucionales-para-el-fortalecimiento pdf.

[10] Juan Manuel Raffalli. *Aplicación del Derecho Internacional en la Restitución de la Constitución*. Academia de Ciencias Políticas Serie Estudios 146. Ed Jurídica Venezolana. Caracas 2023. p 531-532. "Así podemos concretar nuestra segunda conclusión, que ha sido que el neopopulismo, como evolución del caudillismo militar y del populismo discursivo, se ha valido del sistema democrático constitucionalmente establecido para que una vez alcanzado el poder se destruya la institucionalidad, mediante la degradación de la Constitución y su sustitución mediante mecanismos como la Asamblea Nacional Constituyente. Ello, para dar piso constitucional a la reelección y a largos períodos presidenciales, además de asegurarse métodos que subyuguen

profunda de nuestra esencia democrática como sociedad libre. Pasamos entonces al inventario de los principales compromisos asumidos en el Pacto y el reflejo de los principios y valores democráticos que se recogen, en las normas constitucionales que los sucedieron convirtiéndolos en un Pacto de la Sociedad más que un Pacto de Partidos, sin dejar de advertir que muchos de tales principios que impregnan los compromisos del Pacto, encuentran raíces en constituciones previas; recordemos que en Venezuela desde su independencia hasta hoy han existido nada menos que veintiséis constituciones pero que ciertamente se replicaban sucesivamente en cortos períodos debido a la inexistencia de procedimientos para la enmienda del texto constitucional que apareció previsto por primera vez en la Constitución de 1961 forjada a raíz del Pacto[11]. Todas estas constituciones fueron administradas y manipuladas por regímenes militares, pero de ellas la de 1947, de corta vida es la que en mayor medida representa un antecedente constitucional con influencia en el Pacto, aun así, el Pacto se inicia y se desarrolla, incluso electoralmente bajo la Constitución de 1953 debido a las complejidades y prioridades políticas del año 1958.

---

el sistema de separación funcional y autonomía de los poderes públicos y, en general, los límites al ejercicio del poder."

[11] Allan Brewer-Carías. *La Constitución de 1999. Derecho Constitucional Venezolano*. Ed Jurídica Venezolana. Serie Estudios 141. Notas ediciones 2000-2022. p. 13. "Este excesivo número de textos constitucionales, sin embargo, no significa que en nuestro país haya habido, literal y jurídicamente hablando, 26 "Constituciones" diferentes. En realidad, la gran mayoría de dichos textos sólo fueron meras enmiendas o reformas parciales de los precedentes, muchas provocadas por factores circunstanciales del ejercicio del Poder, que no incidieron sobre aspectos sustanciales del hilo constitucional. Sin embargo, al no existir en nuestra tradición constitucional, salvo en el texto de 1961, el mecanismo formal de la "Enmienda", aquellas reformas parciales dieron origen a la publicación sucesiva de Constituciones como si fueran totalmente diferentes unas de otras, pero de contenido casi idéntico.

II. LOS PRINCIPIOS, VALORES Y COMPROMISOS DEL PACTO A LUZ DE LA CONSTITUCIONES DE 1961 Y 1999

1. *Unidad, tolerancia y respeto entre factores políticos. Reconocimiento de la existencia de amplios sectores independientes que constituyen factor importante de la vida nacional*

Señala el Pacto en sus párrafos iniciales: *"Como es del conocimiento público, durante varios meses las distintas fuerzas políticas que han participado en las acciones unitarias para la defensa del régimen democrático han mantenido conversaciones destinadas a asegurar la inteligencia, mutuo respeto y cooperación entre ellas, interesadas por igual en la consolidación de la unidad y la garantía de la tregua política, sin perjuicio de la autonomía organizativa y caracterización ideológica de cada uno."*

Esta declaración sin dudas supone un ejercicio de tolerancia y amplitud, pero además el reconocimiento a la libertad de ideas políticas y sus manifestaciones asociativas. Lo que se afirma con esta declaración denota la intención de los signatarios del Pacto de darle un carácter inclusivo pese a que estaba suscrito por tres partidos políticos. Nótese que, si bien el partido comunista PCV no fue invitado a suscribir el Pacto por el riesgo que sus posiciones entrañaban para democracia incipiente, posteriormente y a pesar de sus reservas, emitió un Comunicado Oficial apoyando la "unidad nacional". Esta declaración de reconocimiento y respeto a todos los partidos políticos y sectores independientes de la vida nacional, impregna la firma del Pacto de lo que podemos llamar una representatividad implícita derivada del clamor nacional que llevó a derrocar la dictadura y a imponer la democracia representativa como forma de gobierno capaz de generar justicia e igualdad y fomentar la paz como derecho de los ciudadanos, debiendo resaltarse que el reconocimiento de "otros sectores políticos" independientes de los tres partidos signatarios, derivó en el derecho de asociación y participación política que es esencial para el ejercicio de la democracia.

Esta declaración inclusiva, en su esencia y fines, fue claramente recogida claramente en la Constitución de 1961 la cual, dispuso: "Artículo 114.- Todos los venezolanos aptos para el voto tienen el derecho de asociarse en partidos políticos para participar, por métodos democráticos, en la orientación de la política nacional. El legislador reglamentará la constitución y actividad de los partidos políticos con el fin de asegurar su carácter democrático y garantizar su igualdad ante la ley".

Por su parte la Constitución vigente es aún más categórica en el desarrollo de esta declaración, pues avanza respecto del texto del precitado artículo 114 de su predecesora al señalar de manera expresa el "pluralismo político", como valor superior. De esta forma, desde su artículo 2 la Constitución de 1999 dispone: "Artículo 2. Venezuela se constituye en un Estado democrático y social de Derecho y de Justicia, que propugna como valores superiores de su ordenamiento jurídico y de su actuación, la vida, la libertad, la justicia, la igualdad, la solidaridad, la democracia, la responsabilidad social y en general, la preeminencia de los derechos humanos, la ética y el pluralismo político".

Ese pluralismo como valor superior y esencial para la democracia, tiene como espina dorsal el reconocimiento de todos los sectores de la sociedad y su capacidad para constituirse en factor político. En este sentido no se nos escapa que esta declaración inclusiva del Pacto que reconoce a "todos los sectores" de la vida nacional, incluso los independientes de los tres partidos signatarios, nos lleva directamente al derecho constitucional a la participación política reconocido en el artículo 62 de la Constitución vigente que en su parte inicial dispone: "Artículo 62. Todos los ciudadanos tienen el derecho de participar libremente en los asuntos públicos, directamente o por medio de sus representantes elegidos o elegidas."

Con base en lo expuesto es menester concluir entonces que la inclusión y reconocimiento de factores, incluso independientes de los tres partidos signatarios, como parte del Pacto, fraguó los importantes derechos a la asociación política y a la participación en los asuntos públicos con el consecuente derecho a ser elegidos representantes de los ciudadanos o de manera directa, con lo cual Pacto deja en evidencia su profunda vocación democrática y plural después de la dictadura de Pérez Jiménez.

447

2. *Respaldo de las Fuerzas Armadas al proceso de afirmación de la República como elemento institucional del Estado sometido al control de las autoridades constitucionales*

En la misma declaración inicial del Pacto el mismo refiere: *"...(omissis) ... el respaldo de las Fuerzas Armadas al proceso de afirmación de laRepública como elemento institucional del Estado sometido al control de las autoridades constitucionales, y el firme propósito de auspiciar la unión de todas las fuerzas ciudadanas en el esfuerzo de lograr la organización de la Nación venezolana, han estado presen- tes en el estudio de las diferentes fórmulas propuestas".*

Considerando que el Pacto estuvo precedido de una larga sucesión histórica de gobiernos militares y autoritarios incluyendo el de Marcos Pérez Jiménez, esta declaración resulta de enorme importancia pues refleja la profunda convicción de la necesidad de extirpar el militarismo como fuente de gobiernos no democráticos. En definitiva, el Pacto consolida la democracia civil deplora y se opone el caudillismo militar, por ello es claro el Pacto al señalar el sometimiento de las Fuerzas Armadas al control de la institucionalidad constitucional cuyo talente civil y democrático aparece consagrado en del propio texto constitucional de 1961, como veremos en seguida. Se sembró así la semilla del gobierno civil y el sometimiento de las armas de la República al control del Presidente como su Comandante en Jefe.

En efecto esa semilla sembrada en esta Declaración del Pacto germinó vigorosamente en el artículo 132 de la Constitución de 1961 conforme al cual: "Artículo 132.- Las Fuerzas Armadas Nacionales forman una institución apolítica, obediente y no deliberante, organizada por el Estado para asegurar la defensa nacional, la estabilidad de las instituciones democráticas y el respeto a la Constitución y a las leyes, cuyo acatamiento estará siempre por encima de cualquier otra obligación. Las Fuerzas Armadas Nacionales estarán al servicio de la República, y en ningún caso al de una persona o parcialidad política".

Esta norma constitucional que deviene de la visión civilista de los signatarios del Pacto comienza por afirmar categóricamente que las Fuerzas Armadas son una institución que no participa en actividades políticas lo cual supone que no tienen posiciones ideológicas ni partidistas pues su único norte es la defensa de la Constitución. Podemos decir que bajo esta premisa quien decidiera dedicarse a la carrera militar renunciaba a su derecho a deliberar y a aspirar a ocupar cargos por vía del favor político incluyendo el voto, salvo que se diera de baja de la función armada.

La norma comentada no deja margen a dudas al disponer que la obligación primordial y privativa de cualquier otra de la Fuerzas Armadas, era el respeto y defensa de la Constitución y las leyes, así como velar por la estabilidad de las instituciones democráticas. Esta directriz obligada al poder militar no solo a someterse a la autoridad civil sino al Estado de Derecho y a la Democracia como sistema de gobierno.

La Fuerza Armada, como consecuencia directa de su carácter apolítico, bajo dicho artículo 132 asumía la plena obediencia y servicio a la República y no a individualidades o partidos lo que conforma su carácter institucional.

Pero esta declaración del Pacto sobre el carácter apolítico e institucional de las Fuerzas Armadas también resultó trasegada de la Constitución de 1961 a la vigente de 1999 cuyo artículo 328 dispone: "Artículo 328. La Fuerza Armada Nacional constituye una institución esencialmente profesional, sin militancia política, organizada por el Estado para garantizar la independencia y soberanía de la Nación y asegurar la integridad del espacio geográfico, mediante la defensa militar, la cooperación en el mantenimiento del orden interno y la participación en el desarrollo nacional, de acuerdo con esta Constitución y con la ley. En el cumplimiento de sus funciones, está al servicio exclusivo de la Nación y en ningún caso al de persona o parcialidad política alguna. Sus pilares fundamentales son la disciplina, la obediencia y la subordinación. La Fuerza Armada Nacional está integrada por el Ejército, la Armada, la Aviación y la Guardia Nacional, que funcionan de manera integral dentro del marco de su competencia para el cumplimiento de su misión, con un régimen de seguridad social integral propio, según lo establezca su respectiva ley orgánica".

En esta norma vemos reflejadas la misma prohibición de militancia política; la defensa de Nación y del territorio, de la soberanía interna; y se reafirma que la Fuerza Armada sirve a la

República y no a individualidades o parcialidades políticas. Pero nótese que, al comparar esta norma, con el precitado artículo 132 de la Constitución de 1961, se observan cambios que, sin bien no desnaturalizan su carácter institucional y apolítico, abren claras ventanas a otros roles para la Fuerza Armada, ya identificada con su nombre en singular. De esta forma observamos como la obligación de preservar "las instituciones democráticas" ha sido sustituida por la defensa de la defensa de la "independencia y soberanía de la Nación"; en el mismo sentido se suprimió el claro mandato de obedecer a la Constitución y las leyes, es decir al Estado de Derecho, remitiendo al imperio de la Constitución y la Ley el desarrollo de sus actividades, con lo cual no hay mención alguna a la defensa plena y prioritaria de la Constitución como mandato expreso al poder militar. Además, se le confieren funciones de como la "cooperación" en el mantenimiento del orden público e incluso en "el desarrollo" nacional, base constitucional de un rol activo en la administración pública. Finalmente, en la Constitución de 1999 se les concede a los militares activos el derecho al sufragio, pero sin incurrir en actos proselitistas o de militancia política (artículo 330) lo cual, como sabemos y es notorio, ha sido absolutamente obviado durante las últimas décadas en las cuales los militares activos, incluso oficialmente, se identifica con una ideología partidista y sus símbolos.

3. Paz Política, el Sufragio Libre para Elegir los Poderes Públicos y Representación Equitativa

La segunda declaración del Pacto menciona los siguiente: *"Las minuciosas y largas conversaciones han servido para comprometer a las organizaciones unitarias en una política nacional de largo alcance, cuyos dos polos podemos definir así: a) seguridad de que el proceso electoral y los Poderes Públicos que de él van a surgir respondan a las pautas democráticas de la libertad efectiva del sufragio; y b) garantía de que el proceso electoral no solamente evite la ruptura del frente unitario, sino que lo fortalezca mediante la prolongación de la tregua política, la despersonalización del debate, la erradicación de la violencia interpartidista y la definición de normas que faciliten la formación del Gobierno y de los cuerpos deliberantes de modo que ambos agrupen equitativamente a todos los sectores de la sociedad venezolana interesados en la estabilidad de la República como sistema popular de Gobierno."*

Como se puede apreciar esta declaración pretende consolidar la democracia y con ello lograr la pacificación política del país generando estabilidad institucional. Es tal la importancia de la paz como compromiso a la luz del Pacto que, la Constitución de 1961 desde sus primeras líneas la recoge como objetivo fundamental al incluir dentro de sus propósitos "asegurar la libertad, la paz y la estabilidad de las instituciones".

Debemos destacar también el énfasis que en este sentido coloca el Pacto en el proceso electoral que derivaría en la primera elección democrática de los poderes públicos después de tantos años de dictaduras y gobiernos militares. Es decir, había plena consciencia entre quienes asumieron el Pacto respecto del carácter apaciguador de las elecciones libres y justas. Además, en esta declaración también se exalta como elemento fundamental de la paz "interpartidista" la representación de todos los sectores interesados en la estabilidad de la República. Esta intención de amplitud en la participación política se ve claramente reflejada en la Constitución de 1961 al consagrar en sus artículos 148 y 151 el sistema de "representación proporcional de las minorías" para las dos Cámaras del Congreso, sistema éste que se ha concretado por décadas a través del método D´Hondt.

La paz como propósito esencial de la República y la representatividad proporcional en la elección de cargos también está claramente presente en la Constitución de 1999. Concretamente desde su preámbulo se identifica la Paz como un valor superior de la República, pero concretamente en su tercer artículo señala axiológicamente: "Artículo 3. El Estado tiene como fines esenciales la defensa y el desarrollo de la persona y el respeto a su dignidad, el ejercicio democrático de la voluntad popular, la construcción de una sociedad justa y amante de la paz, la promoción de la prosperidad y bienestar del pueblo y la garantía del cumplimiento de los principios, derechos y deberes consagrados en esta Constitución". Lo mismo podemos decir del artículo 13 que califica al territorio nacional como un espacio geográfico de "paz"; y muy especialmente el artículo 156 que define las competencias del Poder Público el cual se refiere a la Paz pública, al señalar que corresponde a quienes ejercen ese Poder: "2. La defensa y suprema vigilancia de los intereses generales de la República, la conservación de la paz pública y la recta aplicación de la ley en todo el territorio nacional".

451

Sobre la representación proporcional la Constitución de 1999, tantas veces defraudada en este aspecto, determina en su artículo 186 que los diputados que integran la Asamblea Nacional se elegirán Artículo 186 en cada entidad federal por votación universal, directa, personalizada y secreta "con representación proporcional, según una base poblacional del uno coma uno por ciento de la población total del país". Es decir, la Constitución vigente, precisa con especial celo el factor matemático para elegir los representantes en el Poder Legislativo Nacional en cada entidad territorial; y más en su artículo 293 señala que el Poder Electoral debe garantizar la representatividad proporcional. Lo anterior además de mencionar reiteradamente al sufragio como derecho y fuente de soberanía para la elección de los cargos que conforman el Poder Público.

4. *Defensa de la Constitucionalidad y la Responsabilidad Gobernar conforme al Resultado Electoral*

El aparte (a) de la misma Declaración segunda, se titula "Defensa de la constitucionalidad y del derecho a gobernar conforme al resultado electoral". En ella los signatarios asumen expresamente que *"Las elecciones determinarán la responsabilidad en el ejercicio de los Poderes Públicos, durante el periodo constitucional 1959-1964; intervención de la Fuerza contra las autoridades surgidas de las votaciones es delito contra la Patria. Todas las organizaciones políticas están obligadas a actuar en defensa de las autoridades constitucionales en caso de intentarse o producirse un golpe de Estado, aun cuando durante el transcurso de los cinco años las circunstancias de la autonomía que se reservan dichas organizaciones hayan podido colocar a cualquiera de ellas en la oposición legal y democrática al Gobierno. Se declara el cumplimiento de un deber patriótico la resistencia permanente contra cualquier situación de fuerza que pudiese surgir de un hecho subversivo y su colaboración con ella también como de- lito de lesa patria."*

Este postulado del Pacto es fundamental en el momento histórico en el cual se produjo, pues refleja el enorme deseo de la sociedad venezolana de instituir un legítima y auténtica democracia representativa, lo cual, a no dudarlo, era una de las motivaciones principales de sus signatarios. A partir de este compromiso se sembró constitucionalmente el acceso al poder mediante el sufragio. La

Constitución de 1961 recoge este postulado al consagrar "Artículo 4. La Soberanía reside en el pueblo, quien la ejerce, mediante el sufragio, por los órganos del Poder Público". Pero además la importancia del voto en ese momento se percibía de tal magnitud que la propia Constitución no solo como derecho sino como "función pública", lo cual emplazaba a todos los ciudadanos hábiles para hacerlo, a ejercerlo con ello proveer los cargos de elección. Al respecto, el artículo 110 de dicha Constitución, el primero del capítulo correspondiente a los derechos políticos, disponía "Artículo 110.- El voto es un derecho y una función pública. Su ejercicio será obligatorio, dentro de los límites y condiciones que establezca la ley".

Pero debe señalarse que la Constitución 1999 cambió el enfoque del sufragio al calificarlo como un derecho y no como un deber y menos como una función pública; la Constitución vigente dispone así lo siguiente: "Artículo 63. El sufragio es un derecho. Se ejercerá mediante votaciones libres, universales, directas y secretas. La ley garantizará el principio de la personalización del sufragio y la representación proporcional". Pero nótese que el artículo inmediato anterior, es decir el 62, consagra el derecho a la participación política incluso mediante "representantes elegidos o elegidas" y establece como "obligación del Estado" y "deber de la sociedad" facilitar la generación de las condiciones más favorables para su práctica. Además, en el tratamiento pertinente de cada cargo relativo a la alta función pública, la Constitución vigente determina cuáles son electos popularmente, empezando por el Presidente de la República (Artículo 228); los Diputados a la Asamblea Nacional (Artículo 186); los Gobernadores de estados (Artículo 160); y los Alcaldes (Artículo 174); ello además de los cargos legislativos a nivel estadal y municipal (Artículo 162 y 175).

Queda así en evidencia la trascendencia de este postulado del Pacto, que determina el resultado electoral como legitimador democrático del ejercicio del poder público, como guía de lo que *a posteriori* fueron las normas constitucionales que lo han desarrollado en las Constituciones de 1961 y 1999.

En el mismo sentido y con una importancia deliberadamente enfatizada en el texto de este postula 2(a) del Pacto, la asunción y ejercicio del poder público por la vía democrática y electoral, se eleva a límites del deber de defensa de la constitucionalidad al tipificarse como "delito" contra la patria, la insurrección de la fuerza armada contra los funcionarios (autoridades) electas mediante el voto popular. Y es que no solo se enfatiza así la democracia y la forma de acceder al ejercicio del poder público, sino que se sembró con esta mención el carácter civilista del Pacto el cual trascendió y se incluyó en las Constituciones de 1961 y 1999. Nótese incluso esta calificación delictual que hace el Pacto respecto de los actos insurreccionales contra las autoridades electas popularmente, también inspira el contenido de los artículos 250 de a Constitución de 1961 y 350 de la Constitución de 1999, en especial éste último que consagran el desconocimiento de las autoridades que contraríen los valores, principios y "garantías democráticas".

Dentro de la misma Declaración 2 (a) debemos destacar que el Pacto, en el ámbito de la defensa de la constitucionalidad, señala que las organizaciones políticas están obligadas a actuar en defensa de las autoridades constitucionales en caso de intentarse o producirse un golpe de Estado o cualquier situación de fuerza que pudiese surgir de un hecho subversivo y su colaboración con ella también como delito de lesa patria.

De nuevo el Pacto con este claro postulado, nos remite a la resistencia contra la insurrección y los actos subversivos contra el poder legítimo electo por vía del sufragio, ya aludiendo no solo a la Fuerzas Armadas sino de manera general a quien ejecute dichos actos de fuerza. El postulado establece en tales situaciones lo que denomina el "deber patriótico" de resistencia dirigido a todos los ciudadanos. Este deber se encuentra claramente en dicho artículo 250 de la Constitución de 1961 el reza: "Artículo 250.- Esta Constitución no perderá su vigencia si dejare de observarse por acto de fuerza o fuere derogada por cualquier otro medio distinto del que ella misma dispone. En tal eventualidad, todo ciudadano, investido o no de autoridad tendrá el deber de colaborar en el restablecimiento de su efectiva vigencia." Por su parte el mismo artículo 333 de la Constitución de 1999 replica este deber general que excede a los funcionarios público y se adentra en la ciudadanía en general, al establecer: "Artículo 333. Esta Constitución no perderá su vigencia si dejare de observarse por acto de fuerza o porque fuere derogada por cualquier otro medio distinto al previsto en ella.

En tal eventualidad, todo ciudadano investido o ciudadana investida o no de autoridad, tendrá el deber de colaborar en el restablecimiento de su efectiva vigencia".

Sobre este deber que percola del Pacto a las dos Constituciones posteriores, no solo se refiere a los actos de fuerza contra la autoridad electas sino con ello a toda la Constitución incluyendo sus valores y principios. Precisamente por esa razón hemos afirmado que "en el caso de un poder legítimo en su origen que se descarrila y violenta los límites del orden constitucional establecido", también brota ese deber para toda la sociedad.[12]

Pero cabe preguntarse a qué tipo de resistencia se refieren estas normas constitucionales, y más aún cuál es la forma de resistencia a que se refiere este postulado del Pacto. Para nosotros la discusión podrá dar para mucho, llegando incluso a rayar en los límites de la justificación de la violencia en defensa de derechos humanos, sin embargo, desde la óptica constitucional pensamos que esa resistencia tiene límites, empezando por los propios derechos humanos, y los actos que la concreten deben ser graduales pues su esencia como mandato es eminentemente restitutoria del orden constitucional. [13]

En definitiva, este "deber patriótico" de resistir contra los actos insurreccionales o subversivos, dirigidos a "todos los ciudadanos", postulado por el Pacto, claramente trascendió al mismo y se internó

---

[12]   Juan Manuel Raffalli. *Aplicación del Derecho Internacional en la Restitución de la Constitución. El Caso Venezuela*. Ed. Jurídica Venezolana Colección Estudios N° 146. Caracas 2023, p 260.

[13]   Ermano Vitale, *Defenderse del Poder. Por una Resistencia Constitucional*. Trotta. Madrid. 2012, 30. La resistencia se adhiere a un orden precedente que se pretende restablecer, mientras que la revolución lo hace a un orden nuevo, nunca visto y nunca practicado, existente solo en el estado de proyecto político, que se pretende poner en práctica por primera vez. Se resiste frente a un conquistador o a un usurpador en nombre del soberano legítimo, se resiste frente a un soberano convertido en tirano desde el momento en que ha violado las leyes naturales, las divinas, o el pacto constitucional, luchando por el regreso a su observancia: aun cuando pueda sonar extraño con respecto a los usos corrientes del término, la resistencia implica una demanda de restauración, de conservación del orden político legítimo precedente a aquel que de hecho se ha instaurado o se está instaurando. Hoy diríamos: se resiste frente a las diversas formas con las que se puede intentar o llevar a cabo un golpe de estado".

en el texto de la Constituciones de 1961 y 1999, bajo la premisa del repudio a la insurrección y a los agravios violentos contra las autoridades legítimamente electas y el texto constitucional que hoy se extiende incluso a los elementos que integran el denominado Bloque de la Constitucionalidad.

5. Gobierno de Unidad Nacional

Dispone el Pacto en su aparte 3 (b); "... *(omissis) el gobierno de Unidad Nacional es el camino para canalizar las energías partidistas y evitar una oposición sistemática que debilitaría el movimiento democrático. Se deja claramente sentado que ninguna de las organizaciones signatarias aspira ni acepta hegemonía en el Gabinete Ejecutivo, en el cual deben estar representadas las corrientes políticas nacionales y los sectores independientes del país, mediante una leal selección de capacidades."*

Este compromiso contenido denota que sus signatarios antepusieron plenamente el interés general, que no era otro que la importancia de la unidad en favor de la democracia, a cualquier interés partidista o particular. En este sentido debemos destacar que el Pacto refiere y califica a la "unidad nacional" que se fraguó en la ducha contra la dictadura, como elemento fundamental que debe reflejarse en el ejercicio del poder, incluso como mecanismo para canalizar la participación de la fuerzas políticas y más aún como herramienta de defensa de la democracia en ciernes que, según el propio Pacto, se asumía como un ensayo republicano a partir de lo ocurrido el 23 de enero de 1958 que para el ya citado Ramón Guillermo Aveledo implicó un espíritu de unidad nacional bajo la libertad recién adquirida[14].

Este llamado a la unidad, Pacto cobra especial importancia si consideramos que no era la del 23 de enero de 1958 la prima oportunidad en que el país y sus actores políticos ensayaban la democracia como sistema de gobierno. Ya en otras oportunidades se

---

[14]   Ramón Guillermo Aveledo. *Idem*. p 12: "Se habla del ´Espíritu del 23 de enero´ para referirse a un clima unitario, de encuentro nacional en la libertad recién adquirida. Un clima esperanzado predominó en Venezuela en aquel sería un año proclive al optimismo".

había fracasado en esa lucha contra el militarismo, de hecho, el intento revolucionario que se manifestó en el trienio 1945-1948 fue el inmediato anterior a la existencia del Pacto. Esto explica el afán de los signatarios por estabilizar la democracia y ese objetivo se logró planamente gracias precisamente al Gobierno de Unidad Nacional y al Programa Mínimo Común, debiendo destacarse que tal estabilidad se mantuvo casi por cuatro décadas signadas por la sucesión democrática civil en el ejercicio del poder.

Además, debe considerarse que el llamado del Pacto a un Gobierno Unitario, en modo alguno sacrifica la pluralidad de candidatos a la presidencia y ni a los escaños legislativos, todo lo contrario, el Pato entiende que esa sería la semilla de la destrucción del propio Pacto y por ella señala sin equívocos en su punto cuarto: *"El ideal de la unidad como instrumento de lucha contra la tiranía y contra las fuerzas en aptitud de reagruparse para auspiciar otra aventura despótica, sería la selección de un candidato presidencial democrático único, la formación de planchas únicas para los cuerpos colegiados y la formación de un frente único a base de un solo programa integral de Gobierno"*; de hecho el numeral 1 del cuarto punto se crea nada menos que una "Comisión Interpartidista de Unidad" . Rebe asumirse entonces en justica que el Pacto no suponía candidaturas únicas ni unitarias, sino un Gobierno amplio e inclusivo que representara la unidad de las fuerzas políticas quienes se comprometían a seguir los lineamientos del Programa Mínimo Común.

III. CONCLUSIONES

Con todo lo que hemos expuesto queda en evidencia la trascendencia constitucional del Pacto, tanto en el contenido de su hija primigenia la Constitución de 1961, como en su sucesora de 1999, aunque debemos decir que en muchos aspectos ésta última debilitó o menguó los valores y principios del Pacto.

Las áreas o aspectos más importantes en que se percibe esta trascendencia constitucional del Pacto son: *(i)* La paz y la estabilidad política, como fin y propósito de una sociedad libre; *(ii)* La democracia constitucional como sistema de gobierno civil; *(ii)* el sufragio universal directo y secreto, con representación proporcional para cuerpos colegiados, como forma de ejercer la soberanía popular y elegir a quienes ejercen el Poder Público; *(iv)* el respeto a los resultados electorales y la calificación delictual de los actos que atenten contra las autoridades legítimamente electas; *(v)* el repudio a los golpes de estado y la defensa de la constitucionalidad; y *(vi)* el deber general de resistencia ante las agresiones a la Constitución en favor de su estabilidad y solidez.

Lamentablemente la Constitución de 1999 que en estos aspectos replica en mucho a la de 1961, ha sido deliberadamente defraudada desde el poder mismo por parte de quienes se sirvieron de la democracia "puntofijista" para acceder al poder y que ahora, después de gestiones de gobierno empobrecedoras e inaceptables, ante su propia impopularidad, desconocen ese sistema democrático inhabilitando partidos y candidatos; acabando con la independencia de poderes, en especial el judicial y el electoral; y secuestrando la Fuerza Armada como último reducto para defender la supremacía constitucional. En definitiva, como diría Rafael Caldera, los "causahabientes" del Pacto posteriores a 1999, terminaron por defenestrar el estado constitucional de derecho y la democracia como sistema de gobierno.

BIBLIOGRAFÍA

AVELEDO, Ramón Guillermo. "Valoración Histórica y Actual del Pacto de Punto Fijo". *Revista SIC*. Centro Gumilla. Dossier. Caracas, Enero 2024.

BREWER CARÍAS, Allan R. *Las Constituciones de Venezuela*. T. II. Ed. Alfa. Caracas 2008.

_____. *El 'Pacto de Punto Fijo de 1958'. Como Punto de Partida para el Establecimiento y Consolidación del Sistema Democrático y del Estado Constitucional de Derecho en Venezuela"*. Academia de Ciencias *Políticas* y Sociales. Libro Homenaje a Humberto Romero Muci. T. 1. Caracas 2023.

CALDERA, Rafael. *Los Causahabientes. De Carabobo a Punto Fijo*. Ed. Panapo. Caracas 1999.

CASAL HERNÁNDEZ, Jesús María. "Reformas Constitucionales para el Fortalecimiento Institucional". *Revista UCAB 2017/9.* https://www.ucab.edu.ve/wp-content/uploads/2017/09/INV-IIES-REV-090.

PÉREZ, Juan Salvador. "La Observancia más allá de lo Acordado". *Revista SIC.* Centro Gumilla. Dossier. Caracas. Enero 2024

RAFFALLI, Juan Manuel. *Aplicación del Derecho Internacional en la Restitución de la Constitución. El Caso Venezuela.* Ed. Jurídica Venezolana Colección Estudios N° 146. Caracas 2023

STRAKA, Tomás. "Manuel Caballero: Rómulo Betancourt, Político". *Tiempo y Espacio,* v. 18, n. 49, Caracas. Junio 2008.

VITALE, Ermano, *Defenderse del Poder. Por una Resistencia Constitucional.* Trotta. Editorial. Madrid 2012.

PUNTO FIJO:
UN PACTO CON EFECTOS DE ACCIÓN PROLONGADA

Armando Rodríguez García
Profesor Universidad Central de Venezuela

Resulta cierto que la dinámica natural de la vida política esta marcada por la constante presencia de imponderables, por la ocurrencia de eventos, respuestas, acontecimientos y actuaciones que, de una manera directa o indirecta, bien sea en forma deliberada o no, terminan por imponer rumbos distintos, inesperados, o cuando menos, efectos no previstos, en aquello que resulta de sus aconteceres como resultados tangibles de una determinada decisión.

Esto hace que los hechos políticos, independientemente de la trascendencia que puedan tener, usualmente sean material de análisis desde distintas perspectivas, con diferentes enfoques, y desde luego, con resultados distintos, en función de los aspectos que resulten de mayor relieve, lo que, a su vez, esta normalmente asociado con el momento en que se realicen los análisis correspondientes, junto a lo cual, por supuesto, debe tomarse en consideración, el contingente de elementos referenciales y datos con los cuales pueda contarse, a los efectos de desplegar reflexiones, construir hipótesis o verificar la validez de posiciones previamente formuladas, para desde allí, abrir nuevas búsquedas.

En esta oportunidad se plantea la consideración sobre un evento de significativa trascendencia que, por los valores que contenía y, sobre todo, por los efectos imponderables en su origen, resultan de alguna manera en derivaciones indirectas y colaterales de su existencia.

El denominado Pacto de Punto Fijo es un acuerdo político suscrito el 31 de octubre de 1958, por los lideres de mayor entidad en la realidad política venezolana, en un momento intermedio entre la caída del régimen tiránico del General Marcos Pérez Jiménez, ocurrido el 23 de enero de 1958 como desenlace de un alzamiento militar acaecido el 1 de enero del mismo año, y la fecha en que se realizaron las primeras elecciones generales, con ocasión de ese cambio de régimen, proceso de sufragio que se cumplió, con normalidad, el 7 de diciembre del mismo año.

Entonces, en el entorno condicionado por las condiciones políticas, económicas y sociales que marcaban un momento de tránsito importante como el que se ha indicado, quienes reúnen la mayor cuota de liderazgo en el país, acuden al empleo de la fórmula de acuerdo o concertación que se materializa documentalmente en el indicado Pacto.

Los firmantes principales del Pacto son: Rómulo Betancourt, Jóvito Villalba y Rafael Caldera, en tanto líderes máximos de los partidos Acción Democrática, Unión Republicana Democrática y Copei, organizaciones políticas que habían surgido, básicamente, de los movimientos estudiantiles y obreros, pero que quedaron proscritos o impedidos de actuar formalmente por el régimen militar perezjimenista, acudieron con mayor o menos intensidad, a la actividad clandestina, con lo cual lograron mantener ciertos niveles de vida y operatividad como organización. Junto a los lideres máximos de los partidos, aparecen firmando otros miembros prominentes de los mismos, como son, Raúl Leoni y Gonzalo Barrios, por Acción Democrática; Ignacio Luis Arcaya y Manuel López Rivas por Unión Republicana Democrática; Pedro del Corral y Lorenzo Fernández por Copei.

Entonces, en términos resumidos, pudiera entenderse que el documento recoge el acuerdo logrado entre esas agrupaciones políticas para sortear el momento crítico que se transitaba, y dar un paso firme hacia la etapa inmediata que se tenia prevista y hacia la cual se apuntaban los esfuerzos, como lo era la instalación de un gobierno estable y abierto a la forma democrática, surgido del sufragio universal, directo y secreto como soporte que le diera legitimidad y fortaleza.

Dicho así, se puede percibir que, para aquel entonces se trataba de lograr un objetivo de alcance inmediato, de corto plazo, aunque cargado con una importante magnitud cualitativa de valores, que no resultaba exento de fragilidad.

Ciertamente, si se toma en consideración el pasado –tanto el pasado inmediato como el pasado remoto de Venezuela como nación–, provisto negativamente por una experiencia severa de gobiernos personalistas, militaristas, dictatoriales, hegemónicos, totalmente alejados de las libertades y del estado de derecho como el ambiente debido para el despliegue de la vida social y de la institucionalidad, lo que sin duda debe opera como un lastre para el desempeño de la sociedad, es fácil comprender que no las expectativas eran ciertamente limitadas.

Pero en adición, es lo cierto que, como sistema político, la democracia encierra en si misma una marcada fragilidad, que deriva de su propia fortaleza conceptual, y por lo tanto, de su esencia, definida por la participación de las ideas, el respeto del espacio del contrario políticamente hablando, y junto a ello, el decisivo ingrediente de la participación popular, en primer término, mediante el ejercicio del sufragio que no garantiza el triunfo de opciones solidas comprometidas con el espíritu y sentido del sistema, pues tal como demuestra la experiencia, en la práctica real del mismo se alojan factores de desestabilización que juegan en sentido inverso, aprovechando esas debilidades como ventajas.

En el caso de la Venezuela de entonces estaban presentes como factores de riesgo evidentes, el entumecimiento de la practica política, precisamente por la falta prolongada de ejercitación de su ejercicio por el factor primordial, como lo es la ciudadanía, lo que redunda en desconfianza y temor que podía atraer el ausentismo o la falta de entusiasmo en el inicio de las liturgias pertinentes.

Adicionalmente debe contabilizarse la cercanía del momento de caída de un régimen militar de vida prolongada y referentes históricos abundantes, que dispuso del control absoluto de los espacios de la vida política, económica y social, mediante el predominio del terror, contando con estructuras de organización vertical dispuestas a la obediencia sin reflexión, dentro de las cuales persistían intenciones de revertir la situación a favor de un retorno al control del poder, de lo que ha quedado constancia suficiente comprobable en los anales históricos de la época.

De esta manera, el Pacto se convierte en la antesala inmediata de lo que sería el cierre de la primera etapa de vida política derivada del momento específico de la caída de la dictadura, representada por el evento electoral de diciembre de 1958, es decir, en poco menos de un año de periodo de transición, soportado en un Gobierno provisional dirigido en un primer momento por una Junta Militar, encabezada por el Almirante Wolfang Larrazábal y e una segunda etapa, por un catedrático de Derecho Constitucional de la Universidad Central de Venezuela, el Doctor Edgar Sanabria, lo que en si mismo, se puede entender como una señal favorable respecto de la orientación democrática que llevaba ese proceso, que se manifiesta apenas se dan sus manifestaciones iniciales.

En resumen, abriendo la mirada mas allá de lo que ocupa el Pacto en si mismo, cabe advertir que se inserta en un proceso complejo en el cual concurren un conjunto amplio y variado de factores, dentro de los cual el Pacto, como tal, se destaca como una muy valiosa síntesis que se inserta y que genera movimiento en esa dinámica muchas veces impredecible de la vida política, a lo cual aludimos al iniciar estas líneas.

De este modo, son muchos los análisis y las evaluaciones criticas que se han producido sobre el Pacto de Punto Fijo, desde muy diferentes posiciones, dentro de las que se aprecian trabajos de profundo calado, con un pulcro razonamiento que viene avalado por la calidad científica y metodológica de la investigación, por lo que permiten el despliegue de meditaciones de variada perspectiva, coloración, direccionalidad e intensidad. Por supuesto, esto no excluye la existencia de expresiones menos fundamentadas y serias sobre el tema, con motivaciones sesgadas, que alcanzan incluso a la tipología de versiones panfletarias.

En nuestro caso, por cuanto ha sido un asunto de cierta recurrencia dentro de las meditaciones generadas por el interés permanente sobre algunos aspectos políticos y jurídicos del país, hacemos uso de esta ocasión para dibujar algunas reflexiones sobre el alcance prolongado que percibimos en ese evento, así como sucede con los medicamentos de acción prolongada, y sus manifestaciones activas que se destacan en contraste con lo remoto del tiempo en que se han administrado.

Para ello, luego de plantear algunas consideraciones sobre el contenido mismo del Pacto y su aplicación, veremos los factores entornos que, en términos de tiempo y lugar entendemos mas relevantes para desembocar en esa cualidad de efecto prolongado a la que apuntamos como reflexión central.

I.   SOBRE EL CONTENIDO DEL PACTO

Comenzando por el encabezamiento del texto, se aprecia la referencia a la consideración compartida por los partidos políticos firmantes, sobre las circunstancias que marcan la realidad política del país, dentro de cual subrayan la *problemática electoral*, como elementos que inducen, como una responsabilidad que asumen mediante la función de orientar a la opinión pública con la finalidad de consolidar los principios democráticos, en virtud de lo cual se expresa el acuerdo de unidad y cooperación logrado a partir de la participación activa en acciones unitarias consistentes en conversaciones destinadas a asegurar la comprensión, el mutuo respeto y la cooperación entre los partidos con miras a alanzar un espacio de unidad, sin perjuicio de las autonomías organizativas y la caracterización ideológica de cada uno, para garantizar una tregua política, con lo que se concretizan los planteamientos inicialmente vertidos en el momento de ampliación de la Junta Patriótica (plataforma política unitaria clandestina de oposición fundada en la clandestinidad, para la realización de acciones convergentes frente al régimen dictatorial), que se había concretado el 25 de enero de ese mismo año.

De igual manera, en la parte introductoria del documento se hace mención de las múltiples conversaciones realizadas como trayecto para llegar al pacto, destacando la amplitud de as mismas con diferentes sectores de la vida nacional, así como el absoluto respeto a la divergencia y diversidad de posiciones, para responder racional y razonablemente a las urgencias del país.

Para completar el repaso a os principios generales que sustentan la concertación lograda se expresa el compromiso de las organizaciones firmantes en el planteamiento de una política nacional de largo alcance basada en asegurar que tanto el proceso electoral en marcha, como el gobierno que resulte del mismo responderían a las pautas democráticas de la efectiva libertad del sufragio; y junto a esto, garantizar que el resultado electoral no generaría ruptura del acuerdo y por el contrario, auspiciaría la fortaleza del frente unitario mediante la prolongación de la tregua política, la despersonalización del debate, la erradicación de la violencia interpartidista y el establecimiento de pautas que facilitaran la formación de Gobiernos y de los cuerpos deliberantes para agrupar equitativamente a todos los sectores de la sociedad interesados en el sistema popular de gobierno.

A partir de ese preámbulo, el documento recoge los compromisos fundamentales que, como acuerdo, pactan y asumen los partidos políticos concurrentes a ese inédito episodio de concertación en Venezuela. Esos compromisos son, resumidamente:

La defensa de la constitucionalidad, como principio. Cabe destacar que para el momento se mantenía en vigencia el régimen constitucional, en lo que no colidiera con el Acta Constitutiva de la Junta de Gobierno de 23 de enero de 1958, a tenor de lo fijado en el artículo 3 de ese texto. Es, sin duda, un compromiso que privilegia la Constitución como expresión del sistema democrático y garantía del Estado de Derecho que le sirve de fundamento y medio de realización. Junto a la defensa de la constitucionalidad se coloca el derecho a gobernar conforme a los resultados electorales, en el entendido de que las elecciones determinan la responsabilidad en el ejercicio del Poder Público, haciendo mención expresa al periodo de gobierno que se instalaría a partir de las elecciones en puerta (1959-1964), y que significaba la aplicación inmediata del Pacto que adicionalmente registraba la actuación en defensa de las autoridades constitucionales como una obligación de las organizaciones firmantes, en caso de intentarse o producirse un golpe de Estado, aun cuando durante el transcurso del periodo de gobierno, las circunstancias de autonomía de los partidos ya reconocidas les hayan permitido colocarse en oposición legal y democrática al Gobierno, y en ese mismo sentido, declaran como cumplimiento de un deber patriótico la resistencia permanente contra cualquier situación de fuerza que pudiese surgir de hechos subversivos

Estos puntos, formulados como compromisos públicos, dejan ver, en primer término, el apego a la democracia como sistema a implantar, y la direccionalidad adoptada a tal efecto, a través del fortalecimiento del ejercicio político, sin ocultar la realidad critica que acompañaba al momento de transición, con augurios de riesgos que, en alguna medida se hicieron realidad en breve plazo, determinando un entorno local que se desplegaba en forma simultánea con realidades y dinámicas presentes en escenarios mas amplios, en términos geopolíticos, pero no por ello irrelevantes para el proceso político del país.

De otra parte, se identificaba como parte del compromiso la procura de un Gobierno de Unidad Nacional, como un camino para canalizar las energías partidistas y evitar la presencia de oposiciones sistemáticas que traerían debilidad al movimiento democrático. En cuanto a este aspecto, se puntualizaba que ninguno de los partidos signatarios del Pacto aspiraba hegemonía en el Ejecutivo, entendiendo que en el gabinete deberían estar representadas no solo las corrientes políticas que representaban las organizaciones concurrentes, sino también los sectores independientes, a través de una selección leal de capacidades.

En tercer lugar, como medio eficaz para realizar los objetivos del Pacto, se planteaba la construcción y aplicación de un programa mínimo común que ayudara a facilitar la cooperación política durante el proceso electoral, así como la colaboración de éstas con el futuro Gobierno. En ese sentido se pactaba acudir al proceso electoral sosteniendo un programa mínimo común que se tendría como anexo al Pacto y sería empleado como el punto de partida para el desempeño de la Administración.

Seguidamente, los signatarios reconocen la dificultad para llevar a acto comicial un candidato único y planchas únicas, lo que, sin embargo, entiende que no contraría los postulados de unidad, en el entendido que sus requerimientos son compatibles con la presencia de diversidad de candidaturas y planchas diferentes, entendiendo que el respeto y la fidelidad en la adhesión al pacto y al espíritu que lo anima sería la garantía de la unidad requerida, sin menoscabo de la diversidad democrática.

En fin, el texto del Pacto incorpora diversos mecanismos operativos para su aplicación y términos que se dirigían primordial-mente a la celebración del proceso electoral y s sus efectos inmediatos, como ocasión primera para alcanzar resultados prácticos del acuerdo que se estaba formalizando y haciendo público al electorado nacional, en un claro ejercicio de transparencia.

El resultado del proceso electoral en 1958 arrojó como ganador a Rómulo Betancourt como candidato a la Presidencia de la Republica, acompañado por una mayoría parlamentaria para su partido (Acción Democrática), por encima de los otros candidatos, Rafael Caldera (COPEI) y Wolfgang Larrazábal (URD). Sobre este punto y su vinculación con el Pacto, destaca e hecho de que esas organizaciones políticas acumularon mas del noventa por ciento (90%) del voto, con lo cual queda claro el nivel de sintonía que habían logrado establecer con la población, en lo que desde luego algo agregó aquel evento, al menos en cuanto a la percepción de transparencia y confiabilidad.

Una vez cumplido el proceso comicial, se instala el Gobierno, y en el Gabinete Ejecutivo se incorporan como Ministros a ocho miembros militantes de los partidos políticos signatarios del Pacto (2 de Acción Democrática, 3 de URD y 3 de Copei), completando la nómina del Consejo de Ministros con Ministros independientes, con lo cual se cumple cabalmente con otro de los compromisos adquiridos, mas allá de los que se referían estrictamente al proceso electoral.

II. SOBRE LOS CONTEXTOS

Ahora bien, para la adecuada comprensión de esta concertación política y las derivaciones que, de forma directa e inmediata, así como otras mas indirectas y distanciadas en el tiempo, conviene dar un vistazo a los elementos mas destacados como contextos que aparecen tanto en la etapa anterior a la formulación del Pacto, como en los momentos posteriores a su aparición, es decir, a partir de su puesta en práctica.

En este orden de ideas cabe distinguir entre varios ámbitos de entornos, enfocando el tema desde el punto de vista de sus manifestaciones geográficas o geopolíticas y tomando en cuenta también, la de algunos acontecimientos secuencia en el tiempo.

De este modo, es un dato de referencia necesaria, el relativo a la experiencia acumulada que manejaban los actores políticos que despliegan los contactos preliminares y en definitiva concurren a la formalización del Pacto.

Tanto en lo atinente a la experiencia personal, como en cuanto a las organizaciones que dirigían Betancourt, Villalba y Caldera venían operando en el campo de la política venezolana desde algunos años antes, inclusive, con alguna experiencia de gobierno, como fue el caso de Betancourt, quien presidió la Junta de Gobierno en 1945, que abrió el rumbo hacia las primeras elecciones realizadas de manera directa, universal y secreta en el país, ocurridas en el año 1948, donde en las cuales resultó electo como Presidente de la Republica, Rómulo Gallegos (Acción Democrática), quién solo ejerció el cargo por ocho (8) meses, al ser derrocado el 24 de noviembre del mismo año, por efecto del golpe militar liderado entre otros, por Marcos Pérez Jiménez.

Esa trayectoria permitía conocer y calibrar el comportamiento de diferentes factores integrantes de los ambientes integrados en la dinámica del país en sus mas variados espacios (cultural, político, económico, militar, académico, comunicacional, religioso, social, etc.) para ponderar la evolución del ambiente general, y con eso, detectar oportunidades y calibrar posibles riesgos para afianzar posiciones y medir el alcance y los efectos de las posibles decisiones a tomar.

Uno de los riesgos latentes, avalado por la experiencia, cuya mención expresa queda indicada en el texto del Pacto era el proveniente de los cuadros militares, tradicionalmente activos en la irrupción pro la fuerza en el espacio político del ejercicio del poder y el manejo general de las institucionalidades del aparato del Estado, tal como se puede recoger a lo largo de la historia patria.

Junto a este aspecto, otro dato a tener en cuenta venía dado por el anquilosamiento de la práctica política en condiciones democráticas, que también tenía presencia prolongada en la rutina nacional, en buena medida como complemento o derivación del patrón militarista de dirección y control del poder, instalado desde mucho tiempo atrás con férrea presencia, castrante de cualquier oportunidad de realización activa para el ejercicio de manifestaciones de participación libre en el campo de la política.

469

Las consecuencias directas de esa postración sostenida derivaban, como mínimo, en dos sentidos, por una parte la debilidad estructural de los partidos políticos y sus prácticas regulares, que constituyen el nutriente básico para el despliegue de la vida democrática, y por consecuencia de ello, la timidez, falta de formación y temores de los ciudadanos, para incorporarse con decisión, interés y capacidad creativa en las dinámicas políticas de distinta forma y alcance que nutre y auspicia el crecimiento y fortalecimiento de ese sistema.

Entonces, cabe entender que esos factores condicionaban de alguna manera el ambiente previo, concomitante, e inmediatamente posterior a la firma del Pacto de Punto Fijo, y seguramente tuvieron influencia marcada en el modelaje de las ideas y en el diseño de su contenido, expresión y manejo, habida cuenta que se trataba de autoimponerse unas reglas de juego que en alguna medida implicaban límites a las jugadas propias y aceptación de jugadas de los competidores actuales o eventuales, a los fines de sentar unas bases solidas para el campo de juego a futuro.

El hecho cierto es que algunos de los acontecimientos ocurridos luego de las elecciones y poco después de la instalación del Gobierno asociado al Pacto, es decir, el período presidido por Rómulo Betancourt, evidencian la validez de los riesgos previstos y la procedencia de los temores derivados de tales previsiones.

Hacemos referencia ahora al advenimiento de la lucha armada auspiciada por la izquierda política radical del momento que incluyó los levantamientos militares conocidos como "el barcelonazo, "el carupanazo" y "el porteñazo".

El primero de ellos fue el intento de golpe de Estado que se inició en el Cuartel Pedro María Freites de la Ciudad de Barcelona, Estado Anzoátegui, el 26 de junio de 1961, aunque ya el movimiento insurgente había sido detectado con anterioridad, y de esa manera el alzamiento fue sofocado el mismo día, pero no sin saldo de victimas que alcanzaron cerca de un centenar entre muertos y heridos.

El carpanazo ocurrió el 4 de mayo de 1962, en la ciudad de Carúpano, comprometiendo a efectivos militares del Batallón de Infantería de Marina y la Guardia Nacional y luego de ser sofocado en breve plazo, se produjeron arrestos de dirigentes comunistas.

De su parte, el porteñazo se llevo a cabo en la ciudad de Puerto Cabello, concentrándose la insurrección militar en la Base Naval Agustín Almagro y el Fortín Solano el 2 de junio de 1962, es decir, apenas un mes después del anterior (el carupanazo). En esta ocasión la insurrección fue reducida totalmente en tres días, con un saldo de víctimas superior a las 300 personas.

Cabe destacar que, con anterioridad a estos hechos, el 24 de junio de 1960, se produjo un atentado contra el Presidente Rómulo Betancourt, empleando un carro bomba que explotó al paso de la caravana presidencial y le causó lesiones importantes al Presidente, el Ministro de la Defensa y su esposa, además de causar la muerte del Jefe de la Casa Militar. En este caso se atribuyo la acción a grupos de extrema derecha, apoyados financiera y tácticamente por Rafael Leonidas Trujillo, quien para el momento regia los destinos de la Republica Dominicana como dictador militar.

El breve e incompleto resumen de estos acontecimientos da cuenta de la situación de asedio que sufría el desenvolvimiento de la gestión de gobierno en el país, desde el punto de vista interno, con movimientos políticos y militares en su contra, proveniente de distintos sectores y en forma sostenida.

Pero, de otra parte, cabe considerar la situación política del entorno geográfico, caracterizada por un continente importante de gobiernos dictatoriales de corte militar que venían desempeñándose desde algún tiempo atrás con algunas breves etapas de receso y consecuentes recaídas.

Así, se pueden contar en esa dinámica de escasa o inexistente ejercicio de vida democrática, entre otros, Argentina, Paraguay, Uruguay, Perú, Ecuador, Brasil, Colombia, Republica Dominicana y Cuba, que exhibe a partir de 1959 es objeto de una transición de la dictadura de Fulgencio Batista hacia la progresiva y sostenida instalación de un régimen comunista, totalitario, apuntalado por la Unión Soviética con injerencia absoluta en la gobernabilidad y destino de ese país, empleándolo, además como plataforma de lanzamiento para la expansión del régimen soviético hacia otros lugares, entre ellos, Venezuela.

De modo que, en lo que hace al entorno geopolítico exterior pero en un radio medianamente cercano al país, en el momento en que se produce el Pacto de Punto Fijo y el inicio de su aplicación la vigencia del sistema democrático era un recurso escaso o inexistente, por lo que Venezuela pasa a convertirse en una excepción desde ese punto de vista, dado que no solo se practica el mecanismo del sufragio libre, universal y regular para la selección de las autoridades, sino que las estructuras institucionales operan, a pesar de las dificultades generadas por militantes de posiciones antidemocráticas y superando esas acciones en contra, lo que en un balance objetivo debe admitirse que, en alguna medida, esas fortalezas derivan de la estabilidad surgida a partir del Pacto

Pero, además, procede considerar que, en un contexto mas amplio, el mundo en general enfrentaba momentos de tensión por la guerra fría y sus consecuencias de inestabilidad política y económica que en alguna medida impactaban en el país, aumentando los niveles de incertidumbre e inestabilidad, como factores claramente negativos para el desenvolvimiento de la dinámica política en términos de ejercicio democrático

III. EL CUMPLIMIENTO Y LOS EFECTOS EN DISTINTOS TIEMPOS

Dentro del desenvolvimiento del dinámico y relativamente inestable escenario que se ha perfilado en trazos gruesos, el Pacto de Punto Fijo, en sus previsiones centrales, cumplió sus cometidos básicos.

Sin embargo, para 1962 el partido Unión Republicana Democrática deja de formar parte del Gabinete Ejecutivo alegando sectarismo en la conducta de Acción Democrática y, en consecuencia, se retira de la función de Gobierno, con lo cual se desarma la estructura original del Pacto, al menos en cuanto a las partes concurrentes en su creación y ejecución.

Para finales del año 1963, a pesar de las amenazas de los grupos guerrilleros que operaban en el país, se realizan con normalidad las elecciones correspondientes, en las que resulta ganador Raúl Leoni de Acción Democrática, y se produce la primera transición regular en Venezuela, al finalizar un periodo de gobierno civil, lo que habla, cuando menos, de ejercicio de actividad democrática en realización y demuestra un nivel de vida política no alcanzado antes.

Para 1967 el partido Socialcristiano Copei se retira también de los cuadros de Gobierno, con lo cual se puede decir que concluye, en sus contornos esenciales el Pacto de Punto Fijo; sin embargo, quedan secuelas evidentes que no pueden calificarse como efectos de su ejecución, pues sus objetivos inmediatos ya se habían alcanzado, y sus componentes ya no compartían los compromisos adquiridos para aquella ocasión.

No obstante, no es equivocado entender que sus derivaciones se proyectan en el tiempo, provocando, en muchos casos, evaluaciones exageradas en uno u otro sentido, dentro de lo que se ha denominado "puntofijismo", como adjetivo que, de por si denota una importante influencia de aquella decisión en el perfil que dibuja la política venezolana a partir de entonces.

De ese modo, concurren los observadores críticos que acumulan los elementos negativos que sin duda aparecen en todo sistema político, como débito del Pacto de Punto Fijo, hasta llegar a satanizarlo, en un balance objetivamente errado, pues no fueron determinaciones de su contenido ni encajan en sus objetivos, aunque parece mas fácil y menos comprometido en muchos casos, culpar al instrumento (que por lo demás ya había dejado de utilizarse), que a los operadores en términos concretos y específicos, como sujetos responsables de errores, equivocaciones o deliberadas conductas contrarias a los postulados básicos de la democracia y a la debida eficiencia en el ejercicio del poder.

Tal vez el peor de los factores de agresión en ese sentido, ha sido la demonización de los partidos políticos como institución, evadiendo apuntar al verdadero blanco de las criticas, que han sido las personas actuantes, siendo que la institución partidista es un factor indispensable y esencial para la democracia.

473

Pero, sin lugar a dudas, encontramos la presencia del efecto prolongado del Pacto de Punto Fijo cuando, a partir del año 1999, es decir, cuatro décadas después de su aparición formal, y hasta los días actuales, cuando se superan las dos décadas de un régimen de gobierno que da la espalda a las prácticas democráticas, sus lideres continúan batallando contra el Pacto como el enemigo a vencer, lo que lejos de degradarlo, eleva el valor de su fama y de la pertinencia de la vida democrática y civilizada. Algo así como lo que recoge la Leyenda del Cid Campeador.

PUNTOFIJO, AYER Y HOY
PUNTOFIJO, COMO ACUERDO DE GOBERNABILIDAD

José Rodríguez Iturbe*

I

El Gobierno Civil que se inició después del 23 de enero de 1958 fue producto de uno de los hechos más importantes de la historia republicana después de 1830: el *Pacto de Puntofijo*. Naudy Suárez Figueroa ha destacado, con profundidad y brillantez, la importancia histórica del mismo. El liderazgo civil logró en *Puntofijo* un consenso para encerrar en las cavernas de nuestra agrietada historia (al menos por medio siglo) a los monstruos que la acechaban, siempre con afán involutivo, en cada recodo del angustioso transitar del pueblo. Los dirigentes que lo suscribieron tienen, con la firma de ese Pacto y la voluntad inicial de llevarlo adelante, un puesto bien logrado en nuestra historia buena.

El *Pacto de Puntofijo* fue un acuerdo entre organizaciones que, en ese momento, representaban más del 70 % de la opinión política nacional. El factor confianza, siempre necesario para la viabilidad de todo proyecto de gobernabilidad, estaba, pues, políticamente asegurado. El *Pacto de Puntofijo* fue firmado el 31 de octubre de 1958

* Abogado egresado de la Universidad Central de Venezuela. Doctor en Derecho Canónico de la Universidad de Navarra, Pamplona, España. Doctor en Derecho (especialidad en Filosofía del Derecho) de la Universidad de Navarra. Actualmente Profesor de Derecho y Ciencias Políticas, Universidad de la Sabana, Colombia.

en la residencia caraqueña de Rafael Caldera (*Puntofijo*), ubicada en Las Delicias de Sabana Grande, Caracas, por los líderes fundamentales de AD, COPEI y URD. Fue un compromiso cívico de gobernabilidad seguido por un Programa Mínimo Común que debía ser impulsado por las fuerzas políticas democráticas, cualquiera fuese el resultado de las elecciones nacionales. Los suscribieron, por URD, Jóvito Villalba, Ignacio Luis Arcaya y Manuel López Rivas; por COPEI, Rafael Caldera, Pedro Del Corral y Lorenzo Fernández; y por AD, Rómulo Betancourt, Raúl Leoni y Gonzalo Barrios. La transición y el camino (no sin dificultades) hacia la democracia fue, así, el resultado de un acuerdo de élites políticas y organizaciones partidistas con reconocido respaldo popular.

¿Cuál fue su meta? Tuvo como objetivo fundamental lograr la consolidación de un régimen político respetuoso de libertades básicas. Ese acuerdo, suscrito en acto público ante el país, reflejaba la decisión política de las principales organizaciones partidistas no sólo de evitar dinámicas de regresionismo histórico, sino, además, el compromiso de quienes lo suscribieron de fortalecer un proceso democrático que, se sabía, no estaría exento de acechanzas contrarias.

El *Pacto de Puntofijo* no fue una comandita de intereses, sino la cristalización política de una auténtica convicción democrática y patriótica, fruto del aprendizaje de la lección de anteriores errores mutuos.

II

No puede entenderse el *Pacto de Puntofijo* y la expresa exclusión de los comunistas del Frente Democrático, sin estudiar aquella larga polémica de deslinde entre Acción Democrática y el Partido Comunista, entre 1955 y 1957, en los órganos periodísticos del exilio de esas dos organizaciones, *Venezuela Democrática* (de AD, dirigido por Gonzalo Barrios) y *Noticias de Venezuela* (del PCV, dirigido por Eduardo Machado). Largos artículos de Gonzalo Barrios rechazaron en ese debate el frontismo indiferenciado y proclamaron la necesidad del entendimiento entre AD, COPEI y URD.

No puede entenderse el *Pacto de Puntofijo* sin la lectura analítica de las páginas de *TIELA* (Triángulo Europa Las Américas, órgano del exilio copeyano), y de ese ensayo de valor singular, *Frente a 1958*, fechado en Munich y publicado en Roma en 1957, en el cual Luis Herrera Campíns, junto a las realistas visiones de las opciones, llamaba también a la unidad estratégica de COPEI, AD y URD.

El *Pacto de Puntofijo* un pacto de estabilidad política con un programa acordado de gestión pública. Fue un acuerdo de fuerzas democráticas (AD, COPEI, URD), con expresa exclusión del Partido Comunista. Para fortalecer la democracia no pareció conveniente incorporar a un partido como el PCV que resultaba de estricta adhesión al Partido Comunista de la Unión Soviética (PCUS), que negaba la democracia e imponía la dictadura del partido único con abierta represión de sus opositores en media Europa. Por supuesto, el Pacto suponía, también la exclusión de los partidarios de la dictadura depuesta. Encerraba el compromiso de defensa del régimen democrático contra cualquier intentona golpista; la integración de un gobierno de unidad nacional y el compromiso de realización de una campaña electoral de tono positivo, según el espíritu unitario existente a raíz del derrocamiento de la dictadura.

Es verdad que la democracia de *Puntofijo* fue una democracia concebida sobre un pacto entre líderes de partido, y que, por ello, la democracia gestada fue partidocracia. Es verdad que tuvo como motor central la gestión del Estado, y que por ello fue estatista. Es verdad, que su viabilidad se apoyó en la riqueza petrolera y que, por ello, resultó un populismo rentista. Pero era la realidad sobre la cual se tenía que actuar. No había otra.

Los partidos en 1958 tenían una importancia fundamental. La propia progresiva maduración de las instituciones del Estado resulta incomprensible sin la también progresiva adquisición de conciencia de Estado en varias generaciones de liderazgo que sin un clima de libertad y democracia no hubiera podido lograrse.

Después de Chávez y Maduro, por vía de comparación, hay mayor equilibrio para juzgar el tiempo histórico-político generado por el *Pacto de Puntofijo*. Con la tragedia destructiva padecida desde 1999 en adelante pueden verse las cosas sin miopías sectarias. En 1958 el liderazgo actuó en base al país que teníamos. No sólo para conservarlo, sino para mejorarlo. Y en medio siglo de esfuerzo mantenido, a pesar de esfuerzos internos con apoyo externo para frustrar esa dinámica (la guerrilla marxista de los años 60, con continuado apoyo castrista), la mejoría se logró. Entre virtudes y defectos, la *República de Puntofijo* inclina la balanza en beneficio de las virtudes.

III

El *Pacto de Puntofijo* resultó una exitosa novedad histórica. Volver la atención a su significación en un momento en el cual parece no solo conveniente sino ineludible un gran acuerdo nacional de gobernabilidad equivale a buscar, a pesar de las diferencias de coyuntura, una referencia de inspiración. Los acuerdos de gobernabilidad siempre son necesarios. Más aún en las transiciones que se conciben como etapas iniciales de las salidas de crisis. A mayor dimensión de una crisis, mayor necesidad de un pacto de gobernabilidad. Hoy estamos en un momento en el cual pareciera evidente la necesidad de un pacto de gobernabilidad que permita sortear las complejas situaciones de una transición que, si bien se entiende como inaplazable, deberá partir de una realidad que luce sin base sólida, en lo social, en lo político, en lo económico, en lo cultural y en lo espiritual, después de la sistemática destrucción del tejido nacional durante más de un cuarto de siglo.

El *Pacto de Puntofoijo* generó una transición exitosa. Baste simplemente recordar la continuidad de gobiernos civiles de indiscutible legitimidad de origen y ejercicio. Baste recordar el pluralismo y la alternabilidad republicana como evidencia del *vivere civile*. Eso no fue una ficción; fue un hecho histórico. La primera vez que, en Venezuela, desde 1810, un presidente civil libremente elegido entregó el poder a otro civil libremente elegido, sin golpe de Estado y sin guerra civil, fue cuando, en 1964, Rómulo Betancourt traspasó la Presidencia a Raúl Leoni. Y la primera vez, en toda nuestra historia, desde 1810, que una oposición política llegó al poder por libre elección popular, sin que la alternabilidad provocara un golpe de Estado o una guerra civil, fue cuando, en 1969, Raúl Leoni traspasó el poder a Rafael Caldera. En una historia como la venezolana tales hechos no resultan de menor cuantía, sino de una dimensión estelar. A Caldera en su primer mandato lo sucedió Carlos Andrés Pérez. Fueron períodos de consolidación y despegue. Después de los períodos presidenciales de Luis Herrera Campíns y Jaime Lusinchi, vinieron las repeticiones de los mandatos de Carlos Andrés Pérez y de Rafael Caldera. Quizá los segundos mandatos de Pérez y Caldera impidieron una lógica renovación generacional.

IV

Las circunstancias actuales solo guardan con las de 1958 una analogía de proporcionalidad impropia. Al final de la dictadura militar encabezada por Pérez Jiménez la crisis era básicamente política. Pero ni en lo económico, ni en lo social, ni en lo cultural y espiritual se percibía un vacío. Se trataba de recuperar la libertad y el cauce democrático. Se trataba de desarrollar en libertad las inmensas potencialidades de un país percibido por propios y extraños como dotado potencialmente de un gran futuro. Es verdad que aún el 50 % de la población era analfabeta, pero comparado con el casi 80 % de analfabetismo de imprecisas estadísticas de 1936, la Venezuela de 1958, que entonces se acercaba a los 7 millones de habitantes había sin duda experimentado un notable progreso, en lo material y en lo cultural. (Para 1999, con una población de 24 millones y medio el analfabetismo había descendido a menos del 10 %).

Mayor aún era el cambio estructural social provocado por la explotación petrolera. En efecto en las décadas del 40 y del 50 del siglo XX Venezuela experimentó el vertiginoso cambio de un país rural (el 82 % de su población campesina) a un país urbano (el 85 % de su población en núcleos urbanos de más de 100 mil habitantes). Se vivió, además, la transformación económica que supuso el paso del país agrícola al país minero. En lo político la democratización impulsada por la modernización europeizada de las organizaciones populares había permitido el desarrollo, desde los nuevos partidos políticos, de incipientes pero necesarias estructuras de participación ciudadana de la sociedad civil. Surgieron, así, sindicatos, ligas agrarias, juntas pro-fomento de comunidades, colegios profesionales, asociaciones culturales y deportivas, etc.

La modernización sociopolítica, que venía desde 1936, no encontró su fin en la dictadura militar 1948-1958. Entre otras cosas porque, aunque el estamento castrense asumiera institucionalmente, con el derrocamiento de Gallegos, la conducción de Venezuela, la dictadura mantuvo, en líneas generales, a los militares en sus funciones específicas y confió lo que Vallenilla Planchart llamaba "la transformación del medio físico" a una tecnocracia desideologizada. (Vale decir, la antítesis del último cuarto de siglo, con Chavez-Maduro, tiempo durante el cual la institución castrense como tal parece haber desaparecido como consecuencia de su desnaturalización y de la corrupción sin límites).

V

Nadie discutía en 1958 que la solución del problema de la democracia venezolana era responsabilidad primaria del entendimiento de las fuerzas políticas partidistas que, dentro del pluralismo ideológico, tenían en Venezuela un denominador común democrático.

Hoy el panorama es radicalmente distinto. Venezuela resulta hoy un país ocupado. No sólo por Cuba, por la sumisión a la tiranía de los Castro y Díaz Canel, buscada por Chávez y profundizada por Maduro. Hoy la dependencia económica, política y militar en Venezuela, además de la presencia de control y decisión de Cuba, está también reflejada, operativamente, dentro del país, por la pública actuación de Rusia, China, Irán, las fuerzas insurgentes de las guerrillas colombianas de las FARC y el ELN, además de la presencia sincronizada de esas fuerzas, en distintas regiones, con los carteles internacionales de la droga, principalmente mexicanos.

Pareciera que lo interno, en la solución de nuestra tragedia, no es hoy lo principal, sino lo accesorio. Resulta doloroso admitirlo, pero es así. Cuando en la crisis aún en desarrollo de Ucrania, Rusia plantea públicamente su decisión de incrementar la presencia y cooperación militar con Venezuela, Cuba y Nicaragua, en vista de la que considera política adversa a sus intereses por parte de los Estados Unidos y de la Unión Europea, nuestro drama pasó a ser objeto de negociación en los arreglos de las grandes potencias. Con la incidencia de Irán en la Venezuela actual los escenarios bélicos del Medio Oriente no resultan ajenos. Se hizo público, tanto por declaraciones de Maduro como de voceros políticos norteamericanos, la participación protagónica de Qatar, en las negociaciones que concluyeron en la liberación de algunos norteamericanos detenidos en Venezuela y del agente de la dictadura Alex Saab.

Además, el peso de los Estados Unidos no es hoy el que tenía en 1958. Y la Administración Biden no parece tener una clara política respecto a América Latina. Desde México a la Argentina, la capacidad de influencia y el poder de negociación de los Estados Unidos parece haber mermado en forma considerable.

El marco de la Guerra Fría era, internacionalmente, en 1958, el determinante. Pero si bien los Estados Unidos en la primeras década de la confrontación bipolar que siguió a los acuerdos de Terán, Yalta y Potsdam, (la entrega de media Europa al stalinismo soviético, aliado de Hitler y el nazismo hasta la Operación Barbarroja) sostuvo en América Latina la que Betancourt calificó de "internacional de las espadas", desde mediados de los 50 (post guerra de Corea) pareció clara la inclinación del gobierno del Potomac a favorecer en América Latina la sustitución de las autocracias militares por procesos democráticos.

Los Estados Unidos estaban, en 1958, en todo el esplendor de su poder imperial. Nadie discutía entonces, como hecho político constatable, su hegemonía e influencia al sur del Río Grande, en toda nuestra América, sobre todo en el Caribe y en la América Central y en el Norte de la América del Sur.

VI

Ese conjunto de hechos y circunstancias facilitó, sin duda, en 1958, que un acuerdo de gobernabilidad como el *Pacto de Puntofijo* tuviera eficacia real y no fuera papel mojado, como habían sido, en más de una ocasión, proyectos o declaraciones semejantes o parecidas en nuestra agitada historia. Quizás resulta una exuberancia semántica hablar de proyectos o declaraciones semejantes o parecidas, porque es verdad que, en su naturaleza y concreción, el *Pacto de Puntofijo* tiene características de auténtica originalidad, al punto que no encuentra precedente en los vericuetos de nuestro existir republicano.

Hoy las circunstancias son distintas a las de 1958 y evidentemente más negativas. Al proceso de deconstrucción institucional que ha abarcado todos los ámbitos de la Venezuela republicana hay que sumar la dramática migración forzada de 8 millones de venezolanos, algo sin precedente en nuestra historia.

481

Esa migración es una de las mayores a nivel mundial, sin estar, en nuestro caso, motivado el éxodo por una guerra, sino por la hecatombe económica generada por la incompetencia y la corrupción del tiempo de Chávez y Maduro.

El panorama de la destrucción de la Venezuela que conoció mi generación hace en la actualidad evidente la necesidad de un acuerdo efectivo de gobernabilidad, un nuevo *Puntofijo*, que permita sortear con éxito las dificultades sin fin que la realidad presentará a quienes tengan la responsabilidad histórica de iniciar un proceso de reconstrucción nacional.

Este, necesariamente, será un proceso paulatino. El mismo deberá arropar el esfuerzo mantenido de, al menos, dos generaciones. Tan grande es la destrucción que se percibe, y tan profundo es el mal, que el desgobierno ha deliberadamente realizado, que ese estimado temporal no luce exagerado. El Pacto de Puntofijo fue un acuerdo sin la búsqueda de una espada protectora, como había ocurrido en el pasado.

La Venezuela de hoy no tiene similitud con la de 1958. Las circunstancias han variado radicalmente. ¿Sería un nuevo *Puntofijo* simplemente un acuerdo de partidos, como en 1958? La incidencia actual de partidos que tuvieron en el pasado notable importancia resulta escasa. El 22 de octubre de 2023 se realizaron las Primarias de la oposición venezolana. En ellas no solo se eligió, por abrumadora mayoría, una candidata unitaria frente a la dictadura. Esa elección significó también la caducidad histórica de un liderazgo de partidos venidos a menos en este último cuarto de siglo de prepotencia de una autocracia militar-política. No se trata aquí de valorar históricamente esa conducción política, sino de constatar que la masiva concurrencia de casi tres millones de votantes (2.700.000) en un evento que encontró con todo tipo de dificultades y que salió adelante por el encomiable esfuerzo de una Comisión Nacional de Primarias integrada por prestigiosos dirigentes de la sociedad civil, simplemente decretó una variación absoluta de liderazgo opositor.

La confianza que en 1958 tuvieron los dirigentes y las organizaciones que suscribieron el *Pacto de Puntofijo*, hoy se encuentra depositada en la candidatura elegida en las primarias, en los sectores más destacados de la sociedad civil y en los líderes políticos que respeten el compromiso previo a esa cita electoral de respaldar verdadera y unitariamente a quien saliera favorecido por los votos de la consulta.

En las primarias opositoras la opción vencedora obtuvo un abrumador respaldo cercano al 95 % de los sufragios emitidos. Las primarias de la oposición tuvieron, además, no solo un efecto sustitutivo del liderazgo opositor; también fueron un auténtico referéndum contrario a Maduro y su gestión.

Esas primaras opositoras se hicieron sin la presencia militar de la llamada Operación República y sin la perturbadora y desconfiable participación de un CEN que carece, en su composición actual, de toda credibilidad y confianza ciudadana.

Por tanto, la posibilidad de algo semejante a *Puntofijo* en el marco de la realidad social lo que exige en el presente no es tanto un documento con la firma de dirigentes de organizaciones cuya entidad real hoy no luce con el reconocimiento que antes tuvieron, sino el compromiso eficaz, operativo y constante, de los sectores más respetados de la sociedad civil. De tal modo, si *Puntofijo* ayer pudo ser un acuerdo interpartidista, suscrito por los principales dirigentes de las más representativas organizaciones políticas; *Puntofijo* hoy debería ser el acuerdo de las organizaciones de la sociedad civil, principalmente. Las organizaciones político-partidistas suponen, en tal acuerdo, no una parte sustancial y primaria, como lo fueron en 1958, sino una función de respetable apoyo a lo que resulta ahora imprescindible: el compromiso operativo de la sociedad civil,

Y, sobre todo, un compromiso singular de las Universidades. Porque de la Universidad venezolana nació la modernidad política venezolana; y porque si de alguna instancia de la sociedad civil puede y debe esperarse, como constante histórica, un empeño con la patria con libertad y justicia es precisamente de la Universidad. Es la rectitud de Vargas y no la "audacia" de Carujo la que hoy reclama Venezuela.

VII

¿Qué buscó *Puntofijo* en 1958? ¿Qué debe buscar un *Puntofijo* hoy? La respuesta es clara: un orden, siempre perfectible, en el cual se realice la búsqueda de la justicia y el bienestar, en un horizonte de libertad y trabajo.

La cuestión del orden no es secundaria. La ausencia o ruptura del orden es la ruta hacia la anomia. De ello existen demasiados ejemplos en la historia venezolana. Tengo la impresión de que varios de nuestros mejores intelectuales han focalizado en la temática del orden el asunto axial para la consideración de nuestros avances y retrocesos.

Me parece que ejemplo de ello se encuentra Arturo Uslar Pietri, Procurando entender nuestra Independencia, resaltó la ruptura del orden colonial, no como simple ruptura, sino como, por el decurso del fenómeno bélico, no pudo ser sustituido por el nuevo orden previsto por la *intelligentsia* de 1811, sino por la simple y bárbara aniquilación de aquel orden al paradójico grito de *¡Viva Fernando VII!* de las fuerzas de Boves. Pero también, desde el Manifiesto de Cartagena, la crítica al federalismo civilista del año 1811, presente en la primera constitución de las que François Xavier Guerra llamaba *las revoluciones hispánicas* de la modernidad (la Constitución de Cádiz, es de 1812), generó una tangente hacia la irrealidad de modelos de impronta británica, desde Angostura hasta la Constitución de Bolivia en el pensamiento del Libertador. (Con lo cual su pensamiento constitucional tampoco queda libre de su crítica a las *repúblicas aéreas*). Uslar veía con preocupación no exenta de angustia como, desde 1830 en adelante, siempre se estaba intentando prescindir de cualquier noción de orden preexistente, en una especie de permanente plasmación histórica del mito de Sísifo. Y como siempre, se había calificado de revolución, con exuberancia retórica, a todo intento de adelantar mediante la violencia golpista el reloj de la historia, buscando, abierta o embozadamente, dar al caudillismo el papel de escultor del mármol virgen del existir republicano. El resultado había sido que ni el mármol había resultado tan virgen, ni la escultura una obra acabada y proyectable históricamente, por la impaciente discontinuidad iconoclasta.

En 1958, con *Puntofijo,* no paso eso. Rómulo Betancourt, Rafael Caldera y Jóvito Villalba, plasmaron el diseño de un orden para el *vivere civile*, en ese acuerdo histórico. La foto histórica de New York el 23 de enero se reflejó en un pacto que no suponía la ignorancia o supresión de las propias posiciones políticas, sino la comprensión de las diferencias propias del pluralismo privadas de un sentido de antagonismo fundamental y radical que llevara a la sectaria negación del contrincante. Respetando el pluralismo, se puso el énfasis en el denominador común y no en el distinto y legítimo numerador que indicaba la diferencia específica de cada posición política, en el espectro democrático del momento. O fortalecían con el esfuerzo mutuo el recién nacido horizonte de libertad, al cual había que dotar de nuevo ropaje constitucional e impulsar con dinámica signada por las fuerzas creadoras de la libertad, o toda la esperanza de un pueblo no pasaría de la embriaguez de una breve etapa de libertad. Ejemplos recientes, lejanos y no tan lejanos, sobraban en nuestra atormentada historia. Ese acuerdo había sido imposible en 1946 y en 1948 pero se consideró y fue imprescindible y necesario en 1958. Y dio lugar a la etapa más prolongada y fructífera del existir republicano.

VIII

El orden de *Puntofijo* debió enfrentar intentos de los extremismos políticos en su contra. Ese orden se mantuvo con vigencia y eficacia durante casi medio siglo. En los últimos mandatos de la alternabilidad republicana iniciada en 1958 se manifestó la crisis.

Muy raramente los movimientos sísmicos se presentan en la historia de repente. Sus indicios se presentan paulatinamente. Cuando las grandes sacudidas sociales y políticas hacen su aparición, más que la sorpresa de un hecho inesperado, esas sacudidas resultan ser la cristalización de diversos factores que predecían, desde tiempo atrás, la inminencia de un quiebre. Las crisis resultan, así, coyunturas de cambio.

Las crisis no emergen para producir un *stand by* en la crisis misma. Los deltas necesarios de las crisis pueden ser buenos o malos. Buenos, si realmente las superan. Malos, si no solamente no las superan, sino que, además, abren la puerta a crisis mayores. Pero las crisis -excepto en los momentos dominados por el caos o la disolución social- no llegan para quedarse. Son posadas de camino, donde, muy a pesar del viajero, resulta necesario hacer escala no prevista por defecto del vehículo de transporte histórico. Es cuando el énfasis en el cómo contribuye al riesgo de olvidar o confundir el qué. Es cuando queriendo o no queriendo se da a los medios dimensión de fin; cuando se altera la capacidad de recta andadura histórica porque la confusión o evaporación teleológica solo permite el cálculo egoísta del beneficio individual del acto público, con prescindencia total del bien común.

Surgen ellas, las crisis, de la falta de vigencia histórico-política de algo, a menudo importante, que hasta entonces era considerado como estable. Las crisis son el sonido del timbre que recuerda a los protagonistas de esos momentos de pequeñas o grandes convulsiones, que más que al ayer hay que mirar hacia el porvenir, dejando como lastre para la construcción del mañana lo que provocó la crisis misma. No abrir la puerta de la historia cuando suena ese timbre (o abrirla mal) equivale a condenar no sólo el presente sino también el futuro inmediato a la incertidumbre, y a la proyección *sine die* de las sacudidas económicas y sociales que privan de paz al panorama social-histórico de una comunidad determinada.

La sinusoide de la historia venezolana ha estado marcada por empeños que buscaron el logro de la madurez institucional. Empeños no cristalizados, muchas veces. Las pocas ocasiones en que se pudiera considerar que los procesos sociopolíticos posteriores a grandes crisis estuvieron signados por el éxito, ponen de relieve cuán difícil ha sido (y sigue siendo) transformar la multitud en República. Nunca las transiciones han sido fáciles. Fácil es romper, destruir, desbaratar. Mucho más complicado es reunir, construir, reagrupar. Se requiere mucho menos tiempo para debilitar y aniquilar socialmente a las instituciones que para darles vida, fortaleciéndolas con la recta formación ciudadana.

Las crisis y las cadenas de problemas que las mismas muestran agresivamente en la superficie de la dinámica social ponen a la vista no un orden, sino la crisis de un orden. Por ello, pueden y deben ser superadas. No hay crisis inexpugnables. Puede haber frente a ellas, sin embargo, dirigentes sin conciencia o sin capacidad. Es decir, dirigentes que no debieran ser tales por su falta de conciencia del tipo y de la dimensión de la crisis que deben superar; por su falta de capacidad personal para superarla positivamente. Esos dirigentes que no debieran ser tales son aquellos que identifican mendazmente ambición con liderazgo real, ignorando que la ambición desmedida y desbocada es causa de bajeza y esterilidad en la acción política.

IX

Repasar y repensar nuestra historia, sin omitir la presencia y la levadura republicana del liderazgo civil es hoy más que nunca oportuno y necesario.

Después de un cuarto de siglo de chavismo-madurismo la extensión de la anomia ha producido, de modo sin precedente en nuestra historia, una evaporación de la *affectio societatis*, una regresión a la barbarie, con una dimensión comunitaria marcada por todo tipo de violencias anti-éticas. Han sido, los de Chávez y Maduro, años oscuros de anti-patria. La transición deseada no supone solo la caducidad histórico-política del protagonismo de los causantes de la tragedia. Ello, por supuesto, es necesario y condición *sine qua non* de la transición. Pero el éxito de la transición misma exige mucho más. Exige un mantenido esfuerzo de educación cívica mantenido por un lapso no menor a medio siglo. Será un esfuerzo de educación política que necesite un soporte de educación moral. Un empeño formativo en virtudes privadas y públicas. Un empeño extra y supra político, además del empeño propiamente político. Y eso no es *soplar y hacer botellas*. Como todo proceso formativo, reclamará una toma de conciencia sobre su necesidad, un esfuerzo mantenido a largo plazo, una fidelidad a un proyecto de República que no es *de hoy para mañana*. Se exige, sobre todo a los dirigentes, ejemplo en la palabra y en la conducta. Enseñarán si luchan ellos mismos por aprender que la dignidad de la vida política reclama humildad y sinceridad, rectificación y sacrificio. Su mejor lección deberá ser su vida misma.

X

Por eso hace falta un *Puntofijo* de este tiempo, o un nuevo *Puntofijo*. Quienes le den vida tienen la responsabilidad histórica de encarnar el anti-maquiavelismo: su vida política dejará un surco bueno para la siembra histórica si, más que el goce y disfrute del poder, el ciudadano de a pie percibe y entiende que, en lugar de la gloria personal, el dirigente o aspirante a serlo busca de veras servir al bien común. Los que dirijan la transición no gozarán de la recolección de la cosecha. Todo su esfuerzo estará en roturar de nuevo el campo agitado de la coyuntura de cambio, evitando que caiga en la tierra preparada la cizaña de los odios. Semillas de *lo afirmativo venezolano*, para decirlo con palabras de Augusto Mijares, es la que deben sembrarse con el esfuerzo sin pausa de las generaciones venideras.

Reconstruir la nación para reconstruir la patria no es tarea de ingenuos ni de necios. Resulta un desafío mayor para quienes, conscientes de sus limitaciones, no evaden dar su aporte, por pequeño que el mismo pueda lucir ante la dimensión del reto. No se trata de pensar que solo se atreverán a ello los genios, personas fuera de lo corriente. Debe ser un reto al cual respondan, cada uno según sus circunstancias y sus capacidades, todos los ciudadanos. Reconstruir la nación para reconstruir la patria es un desafío para toda persona con conciencia ciudadana. *Nadie es la Patria; pero todos lo somos*, dijo poéticamente Jorge Luis Borges [1899-1966]. Es, pues, tarea de todos. Cada uno según su capacidad; cada quien según su oficio. Venezuela deberá ser una república fundada en el trabajo honesto, continuado, retador y transformador de todos sus hijos comprometidos con la restauración de su dignidad y su grandeza.

XI

Si se quiere tener éxito en una posible y necesaria transición, ella no puede estar regida por el inmediatismo. Por eso es necesario un actualizado acuerdo público de gobernabilidad. Ese sería el nuevo *Puntofijo*. Atendiendo necesariamente al presente, es necesario atisbar el mañana; procurando poner las bases del porvenir. Es necesario partir del duro reconocimiento que, además de la sustitución política de los causantes de la destrucción del país, hay que avanzar, sin pausa, en los trabajos por el renacimiento armónico de los tejidos desgarrados de nuestra sociedad. Y que debemos hacerlo reconociendo el mandato de nuestra propia historia. Reparar tejidos sociales desechos no es empeño corto. Requiere tiempo. Requiere actores adecuados con capacidades adecuadas. Requiere continuidad. Requiere realismo y no utopía. Requiere sentido de historia y conciencia de Estado; no *complejo de Adán*.

Nunca se parte de cero. Ni siquiera en el caso de un país arrasado, como la Venezuela actual. La historia política de un país no se limita a la elipse existencial de una persona o una generación. Pero una transición, aunque sea tarea y responsabilidad de todos, depende en buena parte del liderazgo de sus élites y de la acertada prudencia de sus decisiones. Una buena transición dependerá de la claridad que se tenga sobre la meta que se busca alcanzar; de la conciencia sobre los obstáculos que se deben evitar (humanos y estructurales) y sobre la naturaleza de los adversarios que se deben enfrentar y derrotar.

El primer adversario podemos ser, sin duda, nosotros mismos. El egocentrismo y la falta de solidaridad suelen ir unidos a una especie de incapacidad intelectual, moral y política de servicio al bien común. Intentar *sacar vientre de mal año*, para decirlo con lenguaje cervantino, en las circunstancias actuales reflejaría una indiferencia criminal frente a las exigencias tremendas, materiales y espirituales, de toda la nación. Se necesita en la actualidad un gigantesco esfuerzo personal y colectivo para poner a flote la capacidad de servicio de todos los ciudadanos. Hoy la Patria reclama de cualquier ciudadano, es decir, de todo criollo con sindéresis y conciencia de ser venezolano, su aporte generoso. No es el momento de la pequeñez de ánimo y del espíritu turbio. Nunca lo es. Pero ahora menos que nunca. Estamos en un cruce de caminos que pide la decisión común de contribuir a la recuperación de la grandeza.

Se trata de poner en marcha la reconstrucción después de la liberación. Se trata de partir de lo poco que queda, cultural, espiritual y materialmente, en pie. Se trata de empezar de nuevo. Se trata de empezar y no cejar. La reconstrucción exige, pues, continuidad. Se trata de tomar y pasar el testigo en una dura carrera de relevos. Cada uno y cada promoción debe procurar cumplir su cometido. Se trata de rehacer la patria. Pero no nos engañemos. No somos ángeles ni demonios. Somos criollos de carne y hueso. Con virtudes y vicios. Con una herencia mezclada de aciertos y desaciertos. Con logros y fracasos. De todo debemos aprender. De lo bueno y de lo malo del pasado. Para buscar potenciar lo positivo e intentar desprendernos del lastre de lo negativo. Es momento de revivir ideales y reemprender a lucha, procurando dejar una heredad capaz de proyectar luz sobre un futuro que se presenta, como todo futuro, incierto. El futuro está por hacerse. Es el desafío histórico-político al cual hay que responder con magnanimidad. El mañana dependerá de nuestra respuesta. Y de la respuesta de quienes nos sucedan. Todo dependerá de la honestidad que se imprima a la marcha. De la conducta personal y colectiva regida por principios.

La etapa inicial de la transición es clave. Toda la eficacia hipotética de las técnicas de estructuración social dependerá del esfuerzo de los protagonistas de esta coyuntura; Tenemos que luchar, repito, contra nosotros mismos. Hay rasgos de nuestra idiosincrasia que no facilitan una transición llena de madurez y sentido de historia. Estamos acostumbrados a una tolerancia cómplice con nuestras fallas, debilidades e incompetencias. Debemos luchar contra ellas para hacer de la transición un estadio positivo para la reconstrucción verdadera de Venezuela.

XII

El caudillismo fue, como destacó Augusto Mijares, un subproducto de nuestra guerra de Independencia. Pero también fue el permanente efecto-causa de una impedida participación ciudadana en la decisión responsable sobre los asuntos atinentes a su propio destino. Y el hábito vicioso que llevaba a entender la participación en la política como algo temible y negativo llevó, por el peso en el imaginario de tantas tragedias vividas, a considerar que, si se quería llevar una existencia individual y familiar ajena a todos los males imaginables, era necesario ver a lo público como algo de lo cual debían ocuparse "otros", como denominación imprecisa y genérica de aquellos que no tenían nada que ver con el sujeto común y corriente. Y éste prescindir de lo ineludible aposentó anímicamente, en vastos sectores de nuestro pueblo, la extendida condición de vasallos, no de ciudadanos.

Venezuela se nos presenta a veces como una Patria, hermosa, sí, pero que se asusta de su propia sombra. O que persigue su propia sombra. Hay que vencer los fantasmas del pasado remoto y del pasado inmediato que llega hasta el mismo ayer. No habrá transición posible sin una extendida y continuada participación política responsable. Y la participación responsable supone, como condición *sine qua non*, una renacida decisión ética que dote a los comportamientos, personales y ciudadanos, de un sólido cimiento moral, sin el cual resulta ilusoria la posibilidad de una fuerte regeneración política que implique, en su quehacer histórico, la reconstrucción nacional.

No será tarea fácil. La historia de Venezuela ha sido falsificada deliberadamente en estos años de antipatria. La historia de Venezuela exige ser conocidas y estudiada sin bastardías ideológicas. La transición política institucional ha sido históricamente un reto muchas veces repetido e intentado y pocas veces logrado. Las transiciones muestran, en nuestro caso, una República que se ha buscado (y se busca) con desespero a sí misma, sin encontrarse del todo. La visión de nuestra historia republicana deja el regusto amargo de lo inconcluso. Huimos de la noche, de nuestra propia noche, y tememos hasta el deformado reflejo de nuestras claridades. Y la huida de lo que somos es con frecuencia persecución. La persecución de los propios fantasmas. El intento estéril de atrapar (como si siempre se tratara de un gesto rápido de audacia) las sombras de la fama de artificio, las sombras de la mitología heroica. De un modo u otro, siempre ha surgido, como escape sublimado, la aspiración a pastorear nubes imaginarias, ausentes de la realidad. Ello ha marcado, de manera no buena, reiterando el escape, la elipse histórica de muchas generaciones de la patria criolla.

La República ha sido (y sigue siendo, en buena parte) la sombra inasible de nuestro propio pueblo; un pueblo que piensa que al fin la ha atrapado (a su sombra), para reconocer de inmediato, después de cada crisis, ante las dificultades o fracasos, con gesto amargo de impotencia, que su esfuerzo fue estéril. Debemos repasar y repensar nuestra elipse republicana. No por afán masoquista, sino con perspectiva pedagógica. Para extraer lecciones que nos ayuden a no repetir los yerros y nos impulsen a la recta andadura, con la disposición de rectificar cuantas veces haga falta, pero con la clara decisión de no reeditar las tragedias que enlutan nuestra historia y debilitan nuestra conciencia ciudadana.

XIII

Si, Simón Bolívar fue el Padre de la Patria, José Antonio Páez, como bien señaló Tomás Polanco Alcántara fue el *Fundador de la República*. A partir de 1830 y durante los gobiernos de la que Mijares llama *Democracia Deliberativa*, Páez fue la *espada protectora*. Fue el tiempo de la primera transición post grancolombiana. La segunda transición, que me parece percibir en la sinusoide de nuestra historia es la intentada, como esfuerzo unitario, para poner fin al *Monagato* con su secuela de delitos sin fin. El crimen de mayor relieve de ese tiempo triste (que dejaría sin voz de auténtica Representación

Nacional a la República durante un siglo) fue el asesinato del Congreso el 24 de enero de 1848. Caído Monagas, la esperanza de una transición con estabilidad superadora fracasó: la debilidad del liderazgo y la insensatez demagógica alentaron el incendio de la Guerra Federal, que redujo a pavesas nuestra ya escasa y endeble urdimbre sociopolítica. La tercera gran coyuntura con el sueño de una transición necesaria resultó, entonces, después de la Guerra Federal, la que tuvo como eje la figura de Antonio Guzmán Blanco y abarcó las tres últimas décadas del siglo XIX. Con la muerte de Joaquín Crespo, en la Mata Carmelera (¿de dónde salió el disparo aquél 16 de abril de 1898?), el más relevante personaje del *Guzmancismo sin Guzmán*; y la muerte en Paris del propio Guzmán Blanco el 28 de julio de 1899, puede decirse que se cerró un tiempo en gran medida desperdiciado, para reanudar, con buen pie y sin torceduras, la marcha de nuestra historia republicana signada por la angustia.

Vino entonces el tiempo terrible de cancelar algunos de los males del pasado escayolando la vida de la nación. Venezuela fue concebida como una finca y la función de gobierno como tarea de capataces. Fue el tiempo del delirio orgiástico de Cipriano Castro y de la dictadura tártara de Juan Vicente Gómez. Fue entonces cuando apareció el petróleo. Más allá de los tiranos (porque no fue propósito de ellos) el General Petróleo cambio la faz de la República no hecha; de la nación que se lamía sus heridas recreando en ensueños de escape las inasibles glorias de tiempos idos.

En el tiempo a caballo entre el fin de un siglo y el comienzo de otro, llegaron *los andinos*. Fue el tiempo de la última guerra civil (*La Libertadora*, 1901-1903) y las décadas otra generación consumiendo su existencia en la elipse de dos tiranos, compadres entre sí, y de estilos muy diferentes: Cipriano Castro y Juan Vicente Gómez. Fue la desaparición de la política del siglo XIX post grancolombiana y la aparición contestataria de la política moderna desde las aulas de la Universidad. Fue Mariano Picón Salas quien dijo que el siglo XX comenzó en Venezuela en 1936. Fue el comienzo de la transición post-gomecista. Fue una transición compleja, nutrida de temores, pero ciertamente positiva, encabezada por Eleazar López Contreras. Esa fue la importantísima etapa que se prolongó en el mandato de otro militar y tachirense (igual que Castro, Gómez y López Contreras), de bonhomía indiscutible, Isaías Medina Angarita [1897-1953].

Guzmán y López son dos momentos estelares como posibilidades de reconstrucción de la República. López, con mil dificultades, supo hacer lo que no supo y pretendió hacer a medias Guzmán. La ventaja de López estuvo, sin duda, en que ya afloraba la política moderna (gestada desde 1928, hizo su presentación en sociedad en 1936); y que, en las tres décadas y media del comienzo del siglo XX, las tiranías de Castro y Gómez habían acabado con aquella saga terrible de política armada, al imponer la paz forzosa y represiva como garantía de estabilidad del propio poder dictatorial. En ese tiempo comenzó el renacimiento de la institución castrense como tal, con la apertura de la Escuela Militar, contando con asesoría chilena.

El final del gobierno de Medina fue una abrupta interrupción marcada por el afán de acelerar la historia de jóvenes civiles y jóvenes militares de academia. (Rómulo Gallegos, desde el exilio mexicano y en las páginas de *Venezuela Democrática*, no vacilaría años después en hablar de *desviación* que calificó de *aparatosa*). Figuras destacadas de la Generación universitaria de 1928 y de las primeras promociones de la tardíamente refundada Escuela Militar, tomaron el poder con la llamada *Revolución de Octubre* de 1945. La personalidad civil que apareció presidiendo la Junta Revolucionaria fue un joven de 37 años, líder del PDN [Partido Democrático nacional] y de AD [Acción Democrática]: Rómulo Betancourt. El liderazgo militar estaba, de forma indiscutida, en un joven oficial de brillante trayectoria, Marcos Evangelista Pérez Jiménez.

Fueron los años del Trienio Octubrista. Fueron tiempos de vértigo. Asamblea Constituyente de 1946. Constitución de 1947. Primera elección presidencial por voto universal, directo y secreto: elección de Rómulo Gallegos. Mandato fugaz de nueve meses: de febrero a noviembre de 1948. Los socios militares de octubre de 1945 desplazaron a sus socios civiles. La institución armada, como tal, asumió el poder. Comenzó un tiempo de transformación material de la República de manera y rapidez no vista. El General Petróleo hizo visible y tangible su inmensa capacidad de facilitar el gran cambio de la República Agraria a la República Minera; de la Republica Rural a la República Urbana. Carlos Delgado Chalbaud estuvo brevemente a la cabeza; y, luego de su asesinato, en el único magnicidio oficialmente reconocido de nuestra historia, el corto interregno con la jefatura formal de Germán Suárez Flamerich y finalmente, Marcos

493

Pérez Jiménez. La dictadura militar finalizó el 23 de enero de 1958. Fue, en términos históricos reales, la conclusión de la larga transición post gomecista, iniciada por López Contreras.

XIV

La lucha final contra la dictadura militar que terminó el 23 de enero de 1958 fue dirigida un liderazgo mítico, sin rostro conocido hasta el derrumbe de la autocracia. La conducción fue asumida por una Junta Patriótica clandestina donde estaban representadas todas las fuerzas políticas, expresiones de una modernidad participativa y militante de matriz europea.

Después del *Pacto de Puntofijo* la tecnocracia desideologizada de la dictadura militar fue sustituida por una partidocracia, que, después de la Revolución de Octubre de 1945, había dado vida a las estructuras sociales participativas de una emergente sociedad civil. Después de 1958, al igual que después de 1945, la riqueza petrolera fue el fundamento real de un progreso material, con bienestar creciente y con una cada vez más extendida clase media en una sociedad ya mayoritariamente urbana, producto además de las grandes corrientes migratorias de la segunda post guerra mundial.

Después de cuatro décadas de alternabilidad republicana y civilista, se produjo el atentado cuartelero de una logia castrense el 4 de febrero de 1992. Siguió un segundo intento *putschista* de la aviación militar en noviembre de ese año. La estabilidad institucional se vio deliberadamente quebrada por quienes pensaban que ellos podrían usufructuar el poder y provocaron la crisis del segundo gobierno de Carlos Andrés Pérez. La crisis de gobierno degeneró en crisis de sistema. Y el maquiavelismo convirtió a Hugo Chávez golpista fracasado del 4F92, en sucesor del segundo gobierno de Rafael Caldera.

Con la llegada de Chávez al poder comenzó la larga tragedia cuyo fin resulta una necesidad existencial después de un cuarto de siglo. Un aparato criminal-mafioso, de naturaleza militar-civil, se apoderó del Estado y destruyó material, espiritual y culturalmente la República. La lenta consolidación de la estructura institucional de la República, que, a pesar de sus deficiencias, avanzaba desde 1958, no solo se vio frenada y carente de continuidad, sino que un caudillismo de baja estofa se regocijó destruyéndola. La destrucción no solo afectó a las instituciones civiles; la propia institución militar resultó prácticamente aniquilada.

XV

La transición que cabe esperar, después de un cuarto de siglo de Chávez y Maduro, es una transición de Reconstrucción Nacional. En todos los órdenes. Una tarea ciclópea, que requiere conciencia patriótica y sentido de Estado. La reconstrucción no será cosa breve. Más difícil que la reconstrucción material será la reconstrucción cultural y espiritual. Como me decía Naudy Suárez, habrá que recordar, reiteradamente y a grandes voces, el Decálogo. *¡El séptimo: No hurtar!* La cleptocracia chavista-madurista debe tener sanción moral, social, jurídica y política. Por respeto a los muertos, a los asesinados, a los torturados, a los presos, a los exiliados. A los mancillados, a los destruidos. Por respeto a la Patria, tantas veces violada, tantas veces despojada. Por respeto al ciudadano común, al hombre del pueblo, al Juan Bimba, a quien se pretendió secuestrar todo resto de ingenuidad y de nobleza. Para que la transición sea exitosa tiene que quedar claro que el crimen no paga.

Es eso lo que el restablecimiento de un mínimo de orden social impone. Para superar la anomia y lograr con dificultades la reconstrucción. Para el logro paulatino de la armonía necesaria para la convivencia en paz y con respeto mutuo en el marco de la pluralidad política democrática.

La reconstrucción no va a ser fácil. No se logra por magia la regeneración de las naciones. Ello requiere lentos procesos de educación moral y cívica. Educación que exige el ejemplo de los de arriba, de los que están como en vitrina, generando patrones de comportamiento a quienes los miran desde una altura más baja. Ejemplos que generan aquella *irradiación* (por la *imitación* en la *mente grupal*) de la cual habló Gabriel Tarde. Se trata, sobre todo, del ejemplo de quienes son o se dicen dirigentes en la vida política, social y económica. Hasta los modales, la vestimenta y el lenguaje se imitan. Y en Venezuela, en lugar de ennoblecerse, el aturdimiento materia-lista, la destrucción de la familia, la ruptura de la solidaridad social, el culto al individualismo rastrero uncido al olvido de la urbanidad, la degradación canallesca del lenguaje, la pérdida del respeto en el trato mutuo acompañada de la creciente incineración de la confianza, así como la búsqueda simple y torpe de la prepotencia, de la impunidad y de la fuerza, hicieron patente, una y otra vez, en el tiempo oscuro de Chávez y Maduro, que la Patria no estaba hecha, sino que, en su hacerse, estaba aún en etapas muy distantes de la madurez requerida para tener el relieve deseado en el concierto de las naciones.

XVI

La herencia de Chávez y Maduro es una Venezuela aniquilada. Quiera Dios que la reconstrucción necesaria sea impulsada patrióticamente por venezolanos que estén dispuestos a servir a la Patria Criolla con sus mejores cualidades. Y que exista la conciencia que esa reconstrucción debe ser empeño continuado de varias generaciones, porque la tarea destructiva llegó a todos los campos de nuestra vida política y social.

Desde los sofistas se sabe que se puede convertir la retórica en falacia y degradar el discurso y la *praxis* por la corrupción. Además, desde Platón se sabe, también, que no siempre los filósofos son los mejores políticos prácticos. Pero, por otra parte, el político no puede prescindir del bagaje de ideas que aporta la *bios theoretikos* del filósofo. El político puede hacer suyo el consejo que Bergson dirigiera a los filósofos: *piensen como hombres de acción; actúen como hombres de pensamiento.*

La tragedia venezolana se muestra en la destrucción actual de todo lo tan trabajosamente logrado desde ese gran acuerdo de gobernabilidad que fue el *Pacto de Puntofijo*. La destrucción material y moral de la República en las dos primeras décadas del siglo XXI ha alcanzado niveles impensados. La llamada Revolución Bolivariana no ha sido otra cosa que el saqueo y la demolición institucional de Venezuela. Se exige ahora un comenzar de nuevo. Seguimos en la persecución de la sombra. Pero el estado de postración social, política, económica, cultural y espiritual de Venezuela no tiene precedente. Se trata, pues, de la ciclópea tarea de la reconstrucción nacional…pero con una carencia casi absoluta de bases para ello. Por eso, la transición que se avecina será la más compleja y difícil de toda nuestra historia. Por eso resulta necesidad histórica un nuevo *Puntofijo*, acorde a las realidades presentes. Esperemos que el sacrificio de los centenares de jóvenes mártires del 2014 y 2017, que ofrendaron sus vidas por una libertad que nunca conocieron y disfrutaron (la edad promedio de esa primavera tronchada en sangre por la dictadura fue de 17 años), no haya sido en vano.

Por eso mismo, por la realidad de un país destruido, un Pacto de gobernabilidad, como fue el de *Puntofijo* en 1958 resulta, en la actualidad, más necesario. Es indispensable. Pero, por las objetivas circunstancias del presente, deberá tener características sustancialmente distintas a las del *Pacto de Punto Fijo*. En forma y fondo. Hoy el pacto no será, no puede ser, entre partidos. Los partidos no son hoy para la Venezuela de 2024 lo que fueron en 1958. La dictadura ha consumido el tiempo histórico de toda una generación política que no tuvo referentes como Rómulo Betancourt, Rafael Caldera o Jóvito Villalba, sino que desarrollo su teoría (si la tuvo) y su praxis mirándose en el espejo de Hugo Chávez, Nicolás Maduro y Diosdado Cabello. Con dignas excepciones, no pocos escogieron convivir, cohabitar, cuando no colaborar. Los resultados están a la vista. Ese liderazgo resultó borbónico: se dice que los Borbones ni olvidan, ni aprenden. Por eso se produjo el resultado abrumador de las Primarias de la Oposición, desplazando la antigua conducción formal opositora y dando entidad, legitimidad y fortaleza a la candidatura designada.

El Gran Pacto de Reconstrucción Nacional, el nuevo *Puntofijo*, surgirá de la llamada sociedad civil. La sociedad civil venezolana del post gomecismo, como dije, en su estructura institucional, en buena parte, nació, se desarrolló y fortaleció por la acción modernizadora de los partidos ideológicos de molde europeo. Ahora, por el contrario, contemplamos el proceso inverso: el renacimiento del país político debe encontrar ahora en la savia democrática de la sociedad civil su mejor impulso. Y aparecerán liderazgos nuevos en los cuales no haya un divorcio entre la ética y la política.

En la génesis de nuevos partidos y de nuevos liderazgos las Universidades volverán a tener un papel clave. Como en 1928, cuyo centenario está cerca. Como en 1958. Desde los claustros de la *Casa que vence las sombras* estoy seguro, aparecerá la nueva generación predestinada, portadora de un civilismo honesto.

Quienes ya estamos en las horas del ocaso podemos dirigir nuestra mirada a esa nueva primavera de la patria con las palabras de Pío Gil, a comienzos del siglo XX, cuando parecía que no había esperanza; "a los nuevos e incontaminados, el saludo de quienes quizá no vivirán para verlos, pero que si supieron presentirlos".

DEMOCRACIA DE CONSENSOS EN VENEZUELA Y EL PACTO DE PUNTOFIJO

Gabriel Ruan Santos

*Individuo de Número y expresidente de la
Academia de Ciencias Políticas y Sociales*

I. INTRODUCCIÓN AL TEMA

Pienso que, para una adecuada comprensión de este trabajo, se requiere precisar algunos términos y conceptos a ser desarrollados en la exposición. En primer lugar, considero más acertado que se haga referencia a una "democracia de consensos" y no a una democracia de consenso, puesto que el consenso (consensus) implica consentimiento inicialmente unánime de dos o más personas o de un grupo sobre un objeto, mientras que la democracia como sistema de gobierno plural se basa en la regla de la mayoría, pues no es posible realmente que una sociedad grande o pequeña pueda funcionar con la regla de la unanimidad; por eso, asumimos que con el concepto *democracia de consensos* nos referimos a un sistema de gobierno históricamente construido sobre la base de múltiples acuerdos de grupos sociales, esencialmente de partidos políticos, para crear un orden político y no a una entelequia sin existencia concreta en la cual no haya habido ningún disentimiento o disenso, como pudieran pensar algunos, pues el disenso es inherente a toda sociedad y cuando se logra la unanimidad dentro de ella, probablemente encubre diferencias que no llegan a expresarse por el predominio ocasional de una fuerte mayoría.

En segundo lugar, creemos necesario aclarar que nuestro propósito no es hacer un estudio teórico de la democracia, porque ha habido muchos y muy buenos y porque eso estaría muy alejado de nuestro objetivo, sino enfocar el tema en la experiencia venezolana, y dentro de ella específicamente en el régimen democrático instaurado en el año 1958, que duró hasta el año 1998, o sea cuarenta años, el cual fue *paradigma de la democracia en América Latina* por muchos años, aunque para algunos la verdadera democracia de consensos –iniciada con el Pacto de Puntofijo– duró menos años, porque a partir de los años 1990 comenzó una etapa de transición a otro orden político. Desde luego, para entender mejor esa notable experiencia también se hace necesario iluminar brevemente acerca de los antecedentes que condujeron a ella y la evolución que la democracia tuvo en el siglo XX venezolano.

En tercer lugar, se debe reconocer que el concepto de democracia de consensos coincide con el de "democracia pactada", desarrollado por los más conocidos trabajos de ciencia política, para referirse principalmente a la modalidad de gobierno temporal que se instala después de un régimen autoritario, aplastante de la libertad y destructivo de las bases democráticas que hubieran podido existir en una sociedad determinada, con el objeto de servir de puente o régimen transitorio entre la dictadura y la democracia naciente o reconstruida, a fin de propiciar el desarrollo ulterior de una democracia definitiva en toda su extensión y contenido, incluidas las tendencias contrarias y de disenso de inevitable aparición en su desarrollo.

El conocido politólogo venezolano Aníbal Romero nos informa acerca del concepto de "democracia pactada" (democracia de pactos) y dice que el mismo fue originalmente propuesto por Daniel Levine, aunque acogido con diversas denominaciones por varios autores, para describir la democracia venezolana surgida en el año 1958, el cual "fue diseñado sobre la base de: a) pactos y coaliciones entre actores sociales clave (esencialmente, partidos políticos, pero también empresarios, sindicatos, universidades, la Iglesia, las fuerzas armadas, etcétera); b) consensos inter-élites; c) limitación programática; d) estímulo a la participación, pero controlada y canalizada; y e) exclusión de la izquierda marxista y revolucionaria y de la derecha militarista". A lo cual añade que "el pacto populista descansaba sobre la oportunidad estructural provista por el petróleo de acomodar intereses divergentes".[1] El concepto debe su nombre, según sostiene Paola Bautista de Alemán, quien comenta la obra de Romero, a que "los acuerdos fundacionales creados y suscritos por las élites son el pilar esencial de la democracia de pactos". Según el estudio reciente de esta autora venezolana, el concepto mencionado se fundamenta en cinco *ideas clave*: "1. Los acuerdos fundacionales son el principal cimiento de las democracias pactadas. 2. Los acuerdos fundacionales son producto de la vocación democrática de las élites políticas. 3. La motivación fundamental de las élites que crean y suscriben los acuerdos fundacionales es el temor a la instalación de una nueva dictadura. 4. Las élites políticas que crean y suscriben los acuerdos son reconocidas como legítimas por los ciudadanos. 5. Las democracias pactadas son fenómenos que ocurren en entornos homogéneos y buscan conciliar clivajes de naturaleza política"[2]

Según Paola Bautista, no obstante, el carácter paradigmático de la democracia de pactos venezolana surgida en el año 1958, este fenómeno democrático ha ocurrido con similares circunstancias en muchos países del mundo occidental, entre los cuales estudia particularmente, además del caso venezolano, los casos de Chile y de España, pero –a nuestro juicio– sería referente importante también el caso colombiano con el llamado "Frente Nacional" del año 1957. También señala esta autora, con apoyo en abundante bibliografía, que las democracias pactadas han tenido una evolución semejante, pudiéndose reconocer etapas o momentos comparables en todas ellas, como son, la liberación de la dictadura, la fundación o inauguración, la consolidación, la crisis y desconsolidación, y finalmente el quiebre democrático.

Sin embargo, no obstante, las similitudes entre los casos mencionados, es interesante señalar que Paola Bautista sostiene que la democracia pactada venezolana se distingue porque la liberación de la dictadura se originó en una ruptura radical con el régimen anterior, sin que hubiera negociaciones de la oposición con el dictador

---

[1]   *Cfr*: Romero, Aníbal; en Obras Selectas de Aníbal Romero, *la miseria del populismo. Historia y política de Venezuela,* volumen II; Editorial Equinoccio, Universidad Simón Bolívar, Caracas, 2010, p. 206.

[2]   *Cfr*: Bautista de Alemán, Paola; *el fin de las democracias pactadas*; Editorial Dahbar, Caracas, 2023, pp. 30 y 32.

o con el liderazgo del régimen depuesto, sino genéricos entendimientos con estratos medios de las Fuerzas Armadas no comprometidos. En cambio, en los procesos de Chile y España, hubo negociaciones formales de la oposición con la dirigencia del régimen dictatorial que provocaron la liberación, a través de un cuerpo de normas provisto por las autoridades del régimen dictatorial, como fueron las reformas a la Constitución de 1980 en Chile y la Ley para la Transformación Política aprobada por las Cortes del franquismo, instrumentos que rigieron la transición desde la dictadura a la democracia, apoyada en la posición prevaleciente de sectores moderados de la dictadura. En tanto que en Venezuela la liberación, la transición, y el momento fundacional de la democracia, en 1958, fue el resultado del consenso de los partidos políticos democráticos, con exclusión de los sectores que apoyaban a la dictadura; lo cual no impidió que dichos partidos decidieran utilizar el instrumento constitucional del régimen depuesto, la Constitución de 1953, para asegurar la estabilidad de la transición y llegar rápidamente a unas elecciones para elegir al nuevo gobierno democrático.[3]

En cambio, el "Frente Nacional", fruto del acuerdo elitista de los partidos liberal y conservador en Colombia, en 1957, luego de la caída de la dictadura del general Gustavo Rojas Pinilla, "no fue el primero ni el último de los -pactos- originarios de gobiernos de tipo nacional, con coparticipación de los dos partidos tradicionales de Colombia".[4] El cual se caracterizó por la rigidez de su clausulado, su incorporación al derecho positivo, su duración y su carácter excluyente de fuerzas políticas minoritarias.

Nos proponemos entonces hacer un recorrido evolutivo general acerca de la democracia nacida en Puntofijo, que nos permita apreciar su origen, desarrollo y decadencia.

---

[3]   Ver: Bautista de Alemán, Paola: obra citada, p. 295.

[4]   *Cfr*: Plazas Vega, Mauricio; *El Frente Nacional*; Editorial Temis, Bogotá, 2013, p. 47.

II. ANTECEDENTES DE LA DEMOCRACIA EN EL SIGLO XX VENEZOLANO

En la historiografía política venezolana, impregnada de cierto pesimismo, suele haber acuerdo en el hecho de que la mayoría de los gobiernos que ha tenido la República fueron dictaduras o autocracias militares, caudillistas y autoritarias, con fachada constitucional liberal y representativa, realidad que se impone con algunas variantes, pero sin interrupción, desde 1830, año de creación del Estado Venezolano, hasta la muerte del dictador, general Juan Vicente Gómez, en el año 1935; para luego de un intervalo predemocrático y un ensayo breve de democracia mayoritaria, continuar con la década militar pretoriana y desarrollista del período 1948-1957; pero en lo que respecta a los gobiernos democráticos, no existe entre los autores venezolanos uniformidad de criterios, debido a que entre dichos gobiernos habría diferencias estructurales por su origen, funcionamiento y fines, con respecto a los requisitos esenciales exigidos por la ciencia política al perfil de una democracia moderna.

En esta perspectiva, que parte de la evolución del gobierno representativo hacia la democracia mayoritaria, se debe recordar que la llamada "democracia liberal burguesa" o "democracia formal" -con forma republicana- tuvo su etapa aristocrática hasta bien entrado el siglo XX, durante el cual muchas democracias liberales conservaban sistemas de elección indirecta de sus órganos principales de gobierno y deliberación, derecho de voto reducido a ciertas categorías de habitantes, preservación a ultranza de los derechos individuales frente al Estado, escasa participación en los derechos políticos de la mayoría de la población e inexistente protección de sus derechos sociales. Razones por las cuales muchos autores han calificado a esta etapa como aristocrática, otros como oligárquica, en la cual se daba prioridad a la libertad sobre la igualdad, porque los beneficios del sistema sólo alcanzaban a la minoría de la población, como regímenes predemocráticos o democracias restringidas, en el mejor de los casos.[5]

---

[5]   García Pelayo expresa que el Estado Liberal "corresponde, como decían los liberales alemanes, a las clases con *educación y patrimonio*; o como decían los doctrinarios franceses, a la burguesía, custodia y portadora de la razón y las

Según el politólogo venezolano Juan Carlos Rey, "la democracia responde a la pregunta ¿quién debe ejercer el poder político? Y su respuesta es que debe gobernar el elegido por el conjunto de los ciudadanos", sin que ello implique limitación a su ejercicio. Su meta es la mayor participación popular en el gobierno y beneficios que proporciona el Estado. Mientras que para el liberalismo esta cuestión carece de importancia, pues lo esencial para esta corriente, "con independencia de quién ejerza el poder, es cuáles deben ser los límites para su ejercicio". El poder público podría ser ejercido por el pueblo, por el rey o por la aristocracia, pero no podría ser absoluto sino limitado, pues debe el Estado respetar los derechos de las personas y no desconocerlos, de manera que la sociedad civil debe tener un ámbito libre de toda injerencia estatal. "La democracia representativa en cuanto síntesis de los dos principios podría decirse que es una democracia liberal o un liberalismo democrático".[6]

En suma, según el razonamiento seguido por Rey, la democracia representativa así concebida debe responder satisfactoriamente a tres cuestiones: a) ¿quién ejerce el poder público?; b) ¿cómo se ejerce el poder público?; y c) ¿para quién o en beneficio de quién se ejerce el poder público? El contenido de la respuesta que se pueda dar a estas tres interrogantes nos diría la calidad de la democracia liberal examinada. La primera respuesta requiere como mínimo de elecciones libres, justas y competitivas, con participación activa y pasiva de todos los ciudadanos, para escoger los gobernantes y representantes; la segunda respuesta requiere de límites al ejercicio del poder público, configurados por el Estado de Derecho, la separación de poderes, el imperio de la ley, y el respeto de los derechos humanos; la tercera respuesta está referida a quiénes son los beneficiarios de las políticas y decisiones públicas, o sea, al contenido y fines de la acción del Estado, la cual debe atender las necesidades e intereses de todos los sectores de la población, particularmente, los menos favorecidos. La respuesta a cada una de estas cuestiones nos

---

luces". García Pelayo, Manuel, *Derecho Constitucional Comparado*; en Obras Completas, Centro de Estudios Constitucionales, Madrid, 1991, Tomo I, p. 391.

[6]   Rey, Juan Carlos, *los tres modelos venezolanos de democracia en el siglo XX,* en DOCX, Academia, https://www.academia.edu/15453850/ LOS_TRES_ MODELOS_VENEZOLANOS_DE_DEMOCRACIA_EN_EL_SIGLO_XX? email_work_card=thumbnail-mobile.

permitirá distinguir las diferentes especies de la democracia representativa y estar en capacidad de reconocer lo que han sido las democracias mayoritarias en el mundo occidental y en especial en nuestro continente.

En una primera etapa las democracias dieron predominio a la libertad y limitaron drásticamente el poder del Estado para intervenir en la esfera del individuo. Según explica García Pelayo, la burguesía económica y los intelectuales asumieron el poder y para estos grupos sociales lo importante era el despliegue libre y seguro de la personalidad frente al Estado. Por su mayor capacidad material e intelectual, estos grupos asumen la conducción de la sociedad e integran un estrato calificado, que les permite obtener de ella los mayores beneficios, pero tal objetivo "no podría llevarse a cabo sin el dominio del Estado y para ello se hubo de dar acogida al principio democrático, pero triplemente limitado en cuanto a las fuerzas sociales que iban a ser sujetos activos (sufragio censitario) y a su neutralización por otras fuerzas (cámaras altas, etcétera); en cuanto a la amplitud de su esfera, que se ciñe exclusivamente a la seguridad jurídica, sin pretender penetrar en otros campos (económicos, sociales, etcétera) y en cuanto a su limitación por los principios liberales, tal como lo expresaba Constant", es decir, el ejercicio limitado de la soberanía, pues "la universalidad de los ciudadanos no podría disponer de la existencia de los individuos, pues hay una parte de la existencia humana que permanece individual e independiente y que está fuera de toda competencia social".[7] Hoy en día podría decirse que es el ámbito de los derechos humanos individuales.

Pero el desarrollo mismo de la sociedad –más allá de diferencias ideológicas– propició el ascenso de nuevos grupos sociales, cuya situación vital era diferente de los que enfrentaron al Estado absolutista. Aparecen las clases medias y obreras y el proletariado urbano, los cuales exigen reformas, mayor participación en el Estado y la distribución de beneficios sociales entre los sectores desatendidos. Obtienen el sufragio universal y por ser numéricamente mayoritarios reducen o desplazan a las élites gobernantes, o en el mejor de los casos las obligan a compartir con los nuevos grupos. Estos últimos profesan sentimientos colectivistas frente a los valores

---

[7]   García Pelayo, obra citada, pp. 390 y 391.

del individuo y organizan sus luchas políticas ante la burguesía económica y las instancias públicas en forma solidaria y no competitiva. Se produce la masificación de la democracia y dentro de ella a estos grupos les interesa más la liberación y el ascenso social como grupos o clases que como individuos, inspirados en las diversas expresiones de la ideología socialista. Los partidos políticos de notables, propios de la era aristocrática, ceden el paso a los partidos de masas, propios de la era democrática.

Esta lucha lleva al acceso a la conducción del Estado de estos nuevos grupos, como aliados de las viejas élites o como entidades dominantes y se implanta un nuevo modelo de democracia, que no se limita a los fines básicos de la organización estatal, sino que incorpora a su acción la generalidad de las actividades sociales, como la planificación de la economía, la industrialización, la reforma agraria, la educación, la salud, la seguridad social, etcétera, las cuales son intervenidas progresivamente por el Estado. Surge así la democracia de las mayorías, la cual da preferencia a la igualdad sobre la libertad, y, por consiguiente, la acción del Estado deberá garantizar la "igualdad real" de los ciudadanos y no solamente su "igualdad ante la ley" o "igualdad formal", que garantizaban todas las constituciones liberales, pero que se mostraba insuficiente para asegurar la participación de todos. De allí, que la democracia debió incorporar no solamente los derechos constitucionales de libertad sino los derechos constitucionales de prestaciones (económicas y sociales) para todos los grupos sociales menos favorecidos. Se trataba de hacer posible la democracia para todos.

En relación con esta etapa de la evolución democrática, coincido con la posición del filósofo, sociólogo y politólogo argentino Ernesto Laclau, uno de los más famosos estudiosos del populismo, cuando expresó: "Los Estados latinoamericanos se constituyeron en la segunda mitad del siglo XIX en torno a oligarquías cuya base económica era esencialmente agroexportadora y cuya forma política dominante fue el liberalismo. El mismo éxito de su inserción en el mercado mundial condujo a un rápido proceso de urbanización y a una emergencia de sectores medios, que, hacia la segunda mitad del siglo XX, comenzaron a exigir una participación creciente en el sistema político. Es importante advertir que esta protesta *no cuestionaba en forma alguna la forma liberal del Estado*, sino que reclamaba *la ampliación de sus bases sociales*. ... El populismo que estas expresiones anti-oligárquicas podían promover era muy limitado. *El momento ruptural* no ponía en cuestión el tipo de régimen. Fue sólo después de la crisis de los años treinta que las posibilidades de reforma del Estado liberal-oligárquico se revelaron como ilusorias, por lo que en los años treinta y cuarenta asistimos a rupturas populistas más radicales, como el peronismo en Argentina, el varguismo en Brasil y el MNR en Bolivia."[8] De estas palabras de Laclau, señalo primordialmente que las reformas democráticas no cuestionaban "en forma alguna la forma liberal del Estado" y que la fase populista de la democracia implicaba una ruptura con el tipo de régimen, o sea, con la democracia liberal representativa. De esto se dirá más adelante.

Al poner el foco de esta evolución en Venezuela y con seguimiento de las enseñanzas del profesor Juan Carlos Rey, nos encontramos con una importante distinción dentro del género de las democracias mayoritarias habidas en Venezuela, posteriores a los regímenes predemocráticos de los gobiernos presididos por los generales Eleazar López Contreras e Isaías Medina Angarita, entre la democracia de *carácter radical y partidocrático* (período 1945-1948, iniciado por la "Revolución de Octubre") y la democracia *pactista, consensualista o de conciliación de élites* (período 1958-1998, iniciado con la caída del general Marcos Pérez Jiménez y el Pacto de Puntofijo) a las cuales añade Rey, para referirse también al caso venezolano, la *democracia participativa y protagónica* del chavismo (a partir de 1999). La primera se caracterizó por la alianza temporal entre civiles y militares y más tarde por el carácter hegemónico del partido de gobierno (Acción Democrática) y su escaso respeto de la opinión de las minorías, de allí su carácter sectario o partidocrático, que afectó su duración; mientras la segunda, continuidad de la primera, con el intervalo o ruptura de la dictadura militar desarrollista que gobernó el país hasta el año 1957, fue una democracia plural de partidos, que se caracterizó por las coaliciones partidistas en el gobierno y el reconocimiento de todas las minorías, dando mucho peso al ejercicio consensuado del poder a través de las élites políticas;

---

[8]   Resaltado nuestro. Laclau, Ernesto; *consideraciones sobre el populismo latinoamericano*; Cuadernos del Cendes, Universidad Central de Venezuela; CDS, vol.23. No. 63, Caracas 2006; versión On- line ISSN 2443-468X.

finalmente, al referirse al período chavista, reconoce que se trata de una democracia simplemente nominal o de fachada, siendo en realidad un régimen *bonapartista* y *pretotalitario*, montado sobre el culto al líder y la ideología populista inicialmente, para dar paso luego a un régimen castro-comunista llamado el *"socialismo del siglo XXI"*.[9] Como veremos en este trabajo, Rey le atribuye el apelativo de populistas a estos tres modelos de democracia, a pesar de reconocer rasgos, matices y grados que ponen diferencias entre ellos.

A nuestro juicio, el mencionado marco histórico contiene diversas modalidades de la democracia representativa en América Latina y particularmente en Venezuela, las cuales motivan respuestas diversas o matizadas a las tres preguntas para calificar a un régimen como democrático o "test democrático", así como también comprendería lo que Juan Carlos Rey ha concebido como el propio populismo histórico latinoamericano.[10]

---

[9]   Ver: Rey, Juan Carlos; *los tres modelos de democracia venezolana en el siglo XX*, obra citada.

[10] Reconozco ahora que en mis trabajos precedentes sobre el populismo traté de concebirlo en modo universal, incluyendo experiencias de varios continentes y de diversas etapas históricas; en ese enfoque predominó la concepción del populismo como fenómeno degenerativo de la democracia representativa y comprendía movimientos de diversas épocas y latitudes geográficas, no sólo de América Latina, en su conjunto, de Venezuela, de Europa, tanto occidental como central, y hasta de los Estados Unidos de América; así como también, el análisis presente del llamado convencionalmente como populismo, cuyas explicaciones desbordan la extensión y comprensión del concepto y concluyen en la construcción de conceptos negativistas, ambiguos o ambivalentes, en el mejor de los casos. Esta vez, me propongo alejarme de esa visión para tratar de enfocar el fenómeno sin orientación negativista y con reducción a los límites geográficos venezolanos y en algún momento, ver su correspondencia en otros países de América Latina. Ver: Ruan Santos, Gabriel; *el populismo, destrucción o superación de la democracia*; en obra colectiva, con autores varios, El Falseamiento del Estado de Derecho, coordinación de Allan R. Brewer Carías y Humberto Romero Muci; Academia de Ciencias políticas y Sociales; Editorial Jurídica Venezolana, Caracas 2021, páginas 463 y siguientes.

III. DEMOCRACIA DE CONSENSOS O DE CONCILIACIÓN EN VENEZUELA

A pesar del intento notable por establecer una democracia mayoritaria verdadera en Venezuela, originada por la Revolución de Octubre de 1945, realizada por la autodenominada Junta Revolucionaria de Gobierno compuesta por jóvenes políticos y militares, el país no logró establecer una *comunidad política* que integrara a todos los venezolanos, ya que esta democracia si bien satisfacía plenamente el requisito de origen del poder en la soberanía popular, mediante la realización de tres elecciones universales, secretas, directas y masivas, que dieron super mayoría al partido político Acción Democrática (con porcentajes superiores al 80% de la votación), el modo de ejercicio del poder fue sectario y hegemónico y no dio efectivo reconocimiento a las minorías, promoviendo un fenómeno de movilización de masas aplastante de toda oposición. Desde el punto de vista de los fines de la acción de gobierno, esta democracia descuidó y hasta persiguió los sectores no afines al partido gobernante, cuya militancia acaparó todos los beneficios del poder. Por ello, ha sido opinión general que las características de esta democracia super mayoritaria provocaron su inestabilidad y corta duración: el frustrado trienio 1945-1948. Así como el retorno de los militares al poder. Según Urbaneja, "lo que había ocurrido en el trienio era un exceso de conflictividad, tanto en el volumen como en la intensidad. Los partidos se habían combatido entre sí sin darse cuartel, en el formato AD contra todos los demás". A lo cual se sumó -añade Urbaneja- el enfrentamiento con la Iglesia y un clima de desasosiego y radicalismo social que había crispado los ánimos y hecho sentirse amenazados todos los sectores acomodados.[11]

En el momento de la liberación del país de la dictadura militar presidida por el general Marcos Pérez Jiménez, en el año 1958, todas las élites de los partidos políticos sobrevivientes de la persecución política de esa década militar interpretaron correctamente el sentimiento nacional por la carencia de una comunidad política, que permitiera a los venezolanos convivir pacíficamente, como pluralidad

---

[11]   Urbaneja, Diego Bautista; *la renta y el reclamo, ensayo sobre petróleo y economía política en Venezuela.* Editorial Alfa, Caracas, 2013, p. 192 y ss.

social, en condiciones de justicia, libertad e igualdad, y así superar el canibalismo político y el "sentimiento cainita", como decía Rómulo Betancourt, que había prevalecido desde la muerte del general Juan Vicente Gómez y se había intensificado durante el trienio democrático (1945-1948). Según la esclarecida opinión de Andrés Stambouli: "El prestigio y la legitimidad de las élites dirigentes en sus respectivas bases sociales, a la vez que la voluntad generalizada de *construir una comunidad política incluyente*, sobre la base del reconocimiento recíproco de su legítima presencia y actividad social, fundamentaron el consenso que permitió resolver la crisis histórica acumulada de gobernabilidad. A este respecto el Pacto de Puntofijo, acompañado de un Programa Mínimo Común de Gobierno, fue emblemático del propósito de restablecer la democracia a partir de la política". A lo cual añadía que "el consenso ha sido el rasgo predominante del proceso político venezolano durante sus primeros cuarenta años"; aunque "el desacuerdo y el conflicto no estuvieran ausentes".[12]

La celebración del Pacto de Puntofijo,[13] "momento fundacional" de la democracia de consensos en Venezuela, fue sin lugar a duda el momento de mayor entendimiento y concertación habido entre los venezolanos durante toda la historia política del país. A lo cual se sumó que más allá del texto explícito del acuerdo político, la ejecución del Pacto produjo "todo un esquema de conducción política" (Diego Bautista Urbaneja) cuyas reglas y procesos políticos rigieron la democracia venezolana por los treinta años siguientes. Es de destacar que el Pacto de Puntofijo y el Programa Mínimo Común, no obstante, su trascendencia, fueron realmente acuerdos políticos de caballeros, en el sentido de que no fueron plasmados directamente en el derecho positivo, como los acuerdos del Frente Nacional en Colombia, sino que asumieron éticamente la substancia de los principios de la democracia representativa e inspiraron la construcción de un orden positivo ulterior. Según Brewer-Carías, fue el establecimiento de unas "reglas de juego político-partidistas para

---

[12]   *Cfr*: Stambouli, Andrés; *la política extraviada. Una historia de Medina a Chávez*. Fundación para la Cultura Urbana. Caracas, 2002, p. 123-124.

[13]   Llamado de Puntofijo -no de Punto Fijo- porque su firma ocurrió en la residencia de Rafael Caldera, que se llamaba así.

guiar sus relaciones en el futuro…que fijaron las bases de un mínimo entendimiento que garantizara el funcionamiento del régimen democrático".[14]

La suscripción del Pacto fue acompañada además de una serie de hechos que coadyuvaron a su éxito: 1. El Pacto de Avenimiento Obrero-Patronal entre los empresarios y los sindicatos, que hizo posible la posposición de las aspiraciones de ambos sectores para consolidar la democracia y el sometimiento de los conflictos a comisiones de avenimiento. 2. El decreto de la Junta de Gobierno Provisional que elevó la participación del Estado en la renta petrolera (goverment take) más allá de la proporción mitad-mitad que venía prevaleciendo desde 1945, para llevarla a la de 60-40, al mismo tiempo que se habían dado seguridades a las concesionarias extranjeras de la permanencia del régimen legal de los hidrocarburos, a fin de aumentar los ingresos petroleros que permitirían superar la crisis económica generada por el cambio de régimen político, sin perder la cooperación de las concesionarias. 3. El reconocimiento de la autonomía universitaria, mediante decreto ley de la junta de Gobierno, como premio a los sectores universitarios por su valiente participación en la finalización de la dictadura. 4. Los pronunciamientos de múltiples sectores empresariales, profesionales, estudiantiles y gremiales en apoyo a la democracia. 5. La organización de las brigadas universitarias de orden para suplir a los cuerpos policiales disueltos. 6. La redacción del Programa Mínimo de Gobierno que regiría el primer período constitucional. 7. La redacción y aprobación de una nueva Constitución, vía reforma constitucional, con aplicación del procedimiento previsto en el estatuto constitucional de la dictadura, para evitar elección de una asamblea constituyente, reducir la posibilidad de confrontación entre los partidos democráticos

---

[14]   *Cfr*; Brewer-Carías, Allan R.; *el Pacto de Puntofijo como punto de partida para el establecimiento y consolidación del sistema democrático y del Estado constitucional de Derecho en Venezuela*; en Libro Homenaje al doctor Humberto Romero Muci; Academia de Ciencias Políticas y Sociales, Asociación Venezolana de Derecho Tributario y Editorial Jurídica Venezolana, Tomo I, Caracas, 2023, p. 84. Del mismo Pacto, dijo Juan Carlos Rey: "Uno de los más notables ejemplos que cabe encontrar en sistema político alguno, de institucionalización y formalización de unas comunes reglas de juego, al propio tiempo que muestra de la lucidez de la élite de los partidos políticos venezolanos". Citado por Brewer-Carías en el mismo trabajo.

adherentes y ganar tiempo en la discusión, aprobación y puesta en vigencia del nuevo instrumento constitucional. 8. Se promovió la negociación y firma del Concordato con la Iglesia Católica y se derogó el Patronato Eclesiástico, para disipar las sospechas del catolicismo contra el proceso democratizador.

Los partidos políticos firmantes del Pacto de 1958 fueron Acción Democrática A.D, Unión Republicana Democrática U.R.D y el Partido Social Cristiano C.O.P.E.I, partidos democráticos de masas fundados en la década de los años cuarenta, encabezados por sus líderes históricos Rómulo Betancourt, Jóvito Villalba y Rafael Caldera. Estos tres partidos reflejaban aproximadamente las principales ideologías políticas de occidente: la social democracia, el liberalismo y el social cristianismo. El partido Comunista de Venezuela P.C.V no fue invitado a firmar el Pacto, por la desconfianza del sector militar y por su afinidad con la Unión Soviética, señalada ésta por Rómulo Betancourt, el máximo líder de AD, principal pilar del Pacto. Sin embargo, los comunistas firmaron la nueva Constitución, participaron en los comicios con sus listas, dieron apoyo al candidato de URD y apoyaron la Unidad hasta que resolvieron dar su respaldo a la Revolución Cubana e iniciar la lucha armada contra el nuevo gobierno democrático. Según Brewer-Carías, "se trataba de un acuerdo *de todos los sectores de la sociedad interesados en la estabilidad republicana*, por lo que quedaron fuera del Pacto aquellos sectores que no estaban interesados en esa estabilidad, representados por los sectores del perezjimenizmo y de la conspiración militar, y por el Partido Comunista de Venezuela".[15]

En vista de que el Pacto tenía como mira principal y urgente las elecciones del presidente de la República y los integrantes de los cuerpos deliberantes, el texto contenía los compromisos centrales siguientes: a) seguridad de que el proceso electoral y los poderes públicos que de él van a surgir respondan a las pautas democráticas; b) garantía de que el proceso electoral no solamente evite la ruptura del frente unitario, sino que lo fortalezca mediante la prolongación de la tregua política, la despersonalización del debate, la erradicación de la violencia interpartidista y la definición de normas que faciliten la formación del gobierno y de los cuerpos deliberantes, de modo que

---

[15]   *Cfr*: Brewer-Carías, obra citada, p. 86.

ambos agrupen equitativamente a todos los sectores de la sociedad venezolana interesados en la estabilidad de la República como sistema popular de gobierno". Los partidos concurrieron separadamente a las elecciones, con sus propias listas y candidatos, y aunque no hubo candidato único, todos se comprometieron a defender y acatar los resultados electorales. En cumplimiento de estos compromisos, el partido Acción Democrática y el presidente de la República Rómulo Betancourt, ganadores de las elecciones de 7 del diciembre de 1958, acordaron con los partidos URD y COPEI la configuración equitativa de un gobierno de coalición partidista, con la participación de notables independientes de probada adhesión a la democracia, con asignación de las respectivas cuotas burocráticas, dispuestos todos a ejecutar el Programa Mínimo Común de Gobierno y defender la democracia.[16]

Además de los compromisos explícitos consagrados en el Pacto de Puntofijo, el sistema democrático de consensos generó una serie de pactos adicionales no escritos, que prevalecieron hasta el año 1993, verdaderos hábitos constitucionales, en relación con la elección o designación de las autoridades superiores de las tres ramas del Poder Público (legislativa, ejecutiva y judicial) y de los organismos de control (Contraloría General de la República y Fiscalía General de la República), destinados a compartir el ejercicio del poder entre el partido de gobierno y los partidos opositores relevantes. Igualmente, se estableció el principio según el cual las decisiones más importantes

---

[16] El profesor Mauricio Plazas Vega, en su conocida obra sobre *El Frente Nacional* en Colombia, observa múltiples elementos de coincidencia con el Pacto de Puntofijo en Venezuela. Dice: "Coincidió con nuestro Pacto -Frente Nacional- en sus objetivos orientados a garantizar la concordia nacional e impedir el retorno a regímenes despóticos y dictatoriales. Pero, dice Plazas Vega, que "no tuvo los alcances del Frente Nacional ni en lo que atañe a sus proyecciones en la alternación presidencial y la integración de las corporaciones públicas de elección popular ni en los que concierne a la adopción de los diferentes aspectos del convenio por normas de derecho positivo". *Cfr*: Plazas Vega, Mauricio A.; *El Frente Nacional*; Editorial Temis, Bogotá, 2013, p. 51. Interpretamos que Plazas Vega señala que el Pacto de Puntofijo fue más flexible y abierto al resto de las fuerzas políticas no suscriptoras del acuerdo de gobernabilidad, mientras que el Frente Nacional fue más rígido y cerrado con el resto de las fuerzas políticas no firmantes del pacto, y sobre todo tuvo un mayor reflejo en el derecho positivo colombiano que el Pacto de Puntofijo en el derecho positivo venezolano.

del Estado debían ser consultadas, no sólo con los partidos políticos, sino también con los sectores económicos empresariales y sindicales, las Fuerzas Armadas, la Iglesia, los gremios, las universidades autónomas del Estado, las instituciones científicas, los expertos, las asociaciones civiles pertinentes a cada asunto, etcétera. Esta serie de acuerdos básicos de funcionamiento consensuado del poder integraron lo que fue llamado "El Pacto Institucional".

Juan Carlos Rey nos aporta una interesante descripción de los mecanismos que garantizaron la lealtad de los partidos y demás grupos de apoyo a la democracia. Sostiene que además de los compromisos normativos, inspirados en los principios, la ética y la ideología de la democracia, también funcionaron las ventajas utilitarias, cuyo fin era que ninguna minoría pudiera considerarse perdedora en algún momento, a pesar de las decisiones de la mayoría. Por ello, este autor observa en el "Pacto Institucional" la existencia de una estructura semicorporativa, más allá de los partidos políticos de masas, que aseguraba que los intereses de las minorías, sobre todo pertenecientes al sector privado de la economía, pudieran ser protegidos, razón por la cual llegó a considerar que se trataba de privilegiar minorías frente a los derechos de la mayoría, y por consiguiente configuraba -a su juicio- una modalidad esencialmente antidemocrática, pero que contribuyó a la estabilidad del régimen por muchos años.[17] A este respecto, no se debe olvidar que el fracaso de la democracia del trienio 1948-1949 se debió precisamente al maltrato de las minorías por parte de un gobierno super mayoritario.

El desarrollo del Pacto de Puntofijo y el Programa Mínimo Común se propuso "dar satisfacción a todos los sectores significativos de la sociedad. El Pacto y su Programa contemplaron, y la Constitución de 1961 luego consagró, la reforma agraria, la industrialización por sustitución de importaciones, la instalación de un sector de empresas básicas en manos del Estado, las políticas de fortalecimiento sindical y gremial, la masificación educativa, la construcción de un sistema de salud pública y de seguridad social, la

---

[17] Ver: Rey, Juan Carlos; *esplendores y miserias de los partidos políticos en la historia del pensamiento venezolano*; en el Boletín de la Academia Nacional de la Historia, tomo LXXXVI, Caracas, julio-diciembre 2003, números 343-344, pp. 9 a 43.

formación de técnicos medios y de mano de obra calificada, la regularización de las relaciones entre la Iglesia Católica y el Estado, la modernización, la profesionalización y la apoliticidad de las Fuerzas Armadas. Son lineamientos que atienden a los valores, aspiraciones, intereses de campesinos, obreros, empresarios, maestros, médicos, profesionales de clase media, técnicos intermedios, eclesiásticos, militares… además de atender los intereses generales de la población en salud, vivienda, educación, empleo. Nadie de cuidado quedaría fuera.… la ampliación del sector público implícita en varias de las líneas programáticas suponía que los militantes de los partidos, como es natural, muy presentes en los grupos ocupacionales mencionados, tendrían una fuente muy importante de trabajo y ubicación".[18]

Esta democracia de consensos fue, sin duda, una democracia de partidos políticos de masas, los cuales agrupaban legítima y auténticamente dentro de su militancia formal o informal a todos los sectores de la población, hasta el punto de que el pueblo estaba y se sentía representado genuinamente en los partidos y a través de ellos participaba con fluidez en la conducción del Estado. Los partidos y sus dirigentes gozaban de gran prestigio, surgido especialmente de la lucha contra la dictadura y de su labor de conciliación en favor de un frente unitario democrático. Los partidos contribuyeron a la formación de las instituciones políticas y sociales, desarrollaron la *democratización* del régimen o hicieron el "llenado" del entramado institucional, aunque para algunos críticos de tendencia liberal se trató de una cooptación o colonización de la sociedad civil, lo cual sería vital a la larga para la consolidación del régimen democrático en esa época de reconstrucción política. Podría decirse que la calidad de los partidos fue determinante de la calidad de la democracia, tanto en su consolidación como en su desconsolidación posterior. Decía Betancourt: "El pueblo en abstracto es una entelequia que usan y utilizan los demagogos de vocación para justificar su desempeño desarticulador del orden social. El pueblo en abstracto no existe. En las sociedades modernas organizadas, que ya superaron desde hace muchos siglos su estructura tribal, el pueblo son los partidos políticos, los sindicatos, los sectores económicos organizados, los gremios

---

[18] *Cfr*: Urbaneja, Diego Bautista. *La renta y el reclamo…*antes citada, p. 194.

profesionales y universitarios".[19] En esta fase histórica, los partidos políticos fueron los "agentes constituyentes" (Urbaneja) del concepto de pueblo y su vehículo principal de representación.[20]

En consonancia con los pactos institucionales y las ventajas utilitarias, antes mencionados, que coadyuvaron en la consolidación de la democracia, más allá de las lealtades normativas, es de suma importancia señalar la existencia de "reglas de decisión" (Urbaneja) del consenso en el funcionamiento del Pacto, para el logro del objetivo rector de la consolidación de la democracia, a la cual Urbaneja califica como "metanorma del consenso". Nos dice Urbaneja: "Las reglas de decisión responden a la obsesión por el consenso y su otra cara, la aversión al conflicto, herencia de las lecciones del pasado. Así pues, y he aquí las reglas, todo se hará de forma que *maximice el consenso y minimice el conflicto*, y de forma tal que, en las rondas de decisión, los sectores significativos de la sociedad sientan que sus valores, aspiraciones e intereses están siendo atendidos en el agregado de una manera satisfactoria, y que ninguna sienta lo contrario, es decir que aquellos elementos son sistemáticamente puestos de lado, negados o combatidos. ... los sectores significativos son aquellos que poseen o se les atribuye capacidad, de poner en riesgo la consolidación de la democracia, cuyo consenso por tanto hay que procurar, con respecto a los cuales hay que evitar situaciones conflictivas. Llamaremos *Maximin* a esa combinación de criterios de maximizar el consenso y minimizar el conflicto".[21] Desde luego que el funcionamiento de estas reglas implicaba el sostén y respaldo de una renta petrolera estatal suficiente para cumplir con todos los sectores adherentes al Pacto, y su declinación paulatina fue haciendo muy difícil satisfacerlos a todos, hasta que se produjo la quiebra del sistema al arribar a los treinta años de aplicación. Correspondió a los partidos políticos la asignación de la renta

---

[19]   Citado por Rey, Juan Carlos; en www.academia.edu/15453850/*Los Tres Modelos Venezolanos de Democracia en el Siglo XX.*

[20]   Stambouli matiza el régimen de partidos así: "El epicentro de la construcción exitosa del orden democrático lo constituyó una estructura de partidos políticos altamente centralizada, lo cual representó al mismo tiempo, su principal fortaleza y a la larga, una de las fuentes de su debilitamiento y deslegitimación." Obra citada, p. 125.

[21]   *Cfr*: Urbaneja, *la renta y el reclamo...* obra citada, p. 195.

petrolera y llevar la contabilidad del consenso. Como expresa Urbaneja, especialista en el tema, "son los partidos políticos, más que el Estado o el gobierno, el decisor central y el punto de aplicación de los diversos factores de la economía política".[22] Sin embargo, ya veremos más adelante que no sólo los partidos políticos tuvieron las decisiones centrales.

Si bien es cierto que la duración y estabilidad de la democracia de consensos, fundada con el Pacto de Puntofijo, se debió fundamentalmente al mencionado sistema de distribución de la renta petrolera nacional y que por ello pudiera hablarse de "consensualismo rentista" y hasta de "petroestado", a partir de los años setenta del siglo XX venezolano, como han afirmado muchos autores, también es cierto que en sus primeros años el régimen democrático fue realmente producto del trabajo esforzado de conciliación de los partidos políticos que firmaron el Pacto y la solidaridad de las figuras independientes, los empresarios, los sindicatos, los gremios profesionales, la Iglesia Católica y las Fuerzas Armadas, lo cual dio lugar al llamado "Espíritu del 23 de enero de 1958", suerte de mística democrática que prevaleció durante los tres primeros períodos constitucionales, bajo la presidencia de Rómulo Betancourt, Raúl Leoni y Rafael Caldera, y logró vencer la insurgencia de grupos guerrilleros de izquierda y de militares de ultraderecha, e instaurar la *pacificación* del país.[23]

Con sentido justificador, es oportuno citar aquí el criterio del politólogo Andrés Stambouli, quien respondió a quienes calificaban el orden político del período como una "ilusión de armonía", por su dependencia de la renta petrolera, del modo siguiente: "En Venezuela, se ha logrado configurar un orden político democrático a partir de 1958, que perdura hasta el presente (año 2005), sometido a constantes

---

[22]   *Ibid*, p. 199.

[23]   Juan Carlos Rey afirma que el llamado puntofijismo paso a tener significados que desbordaban su genuina significación inicial, "para referirse al sistema de pactos, acuerdos y arreglos entre élites diversas, que caracteriza al sistema que se inicia en 1958. El uso del término implica una sinécdoque, pues para designar el sistema total se utiliza una de sus partes. Se trata de un uso admisible si es consciente de que se está utilizando un tropo como figura retórica". Ver: Rey, Juan Carlos; *esplendores y miserias de los partidos políticos en la historia del pensamiento venezolano*, obra citada, nota 30.

presiones y conflictos, resueltos democráticamente y con permanente revisión y reconstrucción. La edificación de dicho orden no puede considerarse como un resultado exclusivo del recurso petrolero; el concepto de "petrodemocracia" resulta en extremo reduccionista y distorsionante. No logramos la democracia porque tuvimos petróleo, más bien los logros democráticos son producto de la artesanía política dirigida a confeccionar una comunidad política, utilizando el petróleo para dicho fin, lo cual es una perspectiva bastante diferente". En definitiva, Fue "el manejo de los equilibrios" logrado por la acción de los partidos políticos lo que aseguró los consensos de la democracia.[24] Sin embargo, a pesar de la sólida base que le aportó al orden político la construcción de los consensos y el espíritu unitario de la democracia del Pacto de Puntofijo, es indudable que la declinación de la renta petrolera fue mermando la capacidad del sistema para satisfacer las solicitudes, convertidas en reclamos y demandas de renta, que finalmente condujeron al desencanto popular con el régimen, al descrédito y pérdida de representación de los partidos y al desvío de las preferencias de gruesos sectores del país hacia opciones autoritarias de naturaleza militarista. Algo ya conocido en la historia venezolana.

Desde el punto de vista de la dinámica de los partidos políticos, es indispensable señalar que el logro de los consensos, necesarios para la gobernabilidad, tuvo diversas modalidades a lo largo de la evolución del régimen democrático fundado con el Pacto de Puntofijo. Durante los tres primeros quinquenios funcionó un sistema moderadamente plural de partidos que compitieron electoralmente en votaciones libres y justas. En esta etapa, a los partidos de masas originalmente firmantes del pacto, o sea, AD, URD y COPEI, se añadieron otros partidos surgidos de la escisión de los anteriores o de la iniciativa de nuevos grupos independientes, como fueron el ARS, el PRI, el MEP, la UPA, el FND, el Movimiento Desarrollista, el MAS, etcétera. Pero a partir de las elecciones del año 1973, se produjo una concentración de los votantes en los partidos AD y COPEI, con la virtual desaparición del resto de los partidos, salvo el MAS, partido de reagrupación de las izquierdas separadas de los partidos marxistas extremistas, comprometidos con las guerrillas, o sea, el PCV y el MIR (escisión izquierdista de AD).

---

[24]   *Cfr*: Stambouli, Andrés, obra citada, p. 125.

Como consecuencia de la concentración polarizada de los votantes en AD y en COPEI, representativos de la centro izquierda y de la centro derecha respectivamente, apareció el fenómeno del bipartidismo o duopolio partidista, como prefirió llamarlo Rey, el cual prevaleció por cuatro quinquenios hasta el año 1988, en el cual comenzó a desmoronarse y perder vigencia, para dar paso a la década de transición de los noventa, caracterizada por la fragmentación de los partidos y la aparición de alianzas circunstanciales. Para muchos, con el bipartidismo desapareció el espíritu del 23 de enero de 1958, pues habiéndose consolidado la democracia, lo que se instauró fue una oligarquía de los partidos AD y COPEI, que se proyectaba hacia afuera y hacia el interior de ambos partidos.

IV. EL FINAL DE LA DEMOCRACIA DE CONSENSOS EN VENEZUELA

La desaparición de la democracia de consensos en Venezuela fue el resultado de un proceso evolutivo decadente, que según el criterio de la joven y reciente autora venezolana Paola Bautista de Alemán ocurrió por etapas.[25] En una primera etapa, después de 1973, comenzó el proceso con un distanciamiento de la sociedad de los valores democráticos establecidos en los pactos fundacionales, lo cual inició la abstención electoral, al mismo tiempo que el bipartidismo, y la pérdida de fe en la democracia, porque los votantes afirmaban que no había posibilidad de influir en la conducción del Estado. Esta etapa continuó con la percepción de los ciudadanos de que los políticos eran corruptos y sólo se ocupaban de sus intereses, lo cual hizo perder representación a los partidos y generó el sentimiento antipolítico en la población y de frustración de expectativas. La percepción de corrupción en los partidos pronto se reflejó en las instituciones democráticas, haciendo que los venezolanos volvieran a pensar en las opciones militaristas. Una serie de hechos prominentes revelan la situación: la crisis económica llamada de "recalentamiento" que comenzó en 1977, caracterizada por el desbordamiento del gasto público y, al mismo tiempo, la insuficiencia de la renta petrolera para dar satisfacción al cúmulo de solicitudes de distribución, agravada por

---

[25] Bautista de Alemán, Paola; *El fin de las democracias pactadas*; Editorial Dahbar, Caracas 2021, p. 93 y ss.

la inmigración de ingentes masas empobrecidas de América del Sur y del Caribe, con desinversión privada y apelación excesiva al crédito externo; el llamado "viernes negro" (1973) primera gran devaluación monetaria del país, producto de la sobrevaluación del bolívar; los frecuentes escándalos de corrupción de los políticos y empresarios clientes; el estallido social del "Caracazo", mezcla de motín popular por descontento y de conspiración de guerrilla urbana; los golpes fallidos de Estado del año 1992, preludio del chavismo, que reflejaban la penetración de la izquierda en las Fuerzas Armadas; la destitución del presidente Carlos Andrés Pérez, por supuesta corrupción y con anuencia de los partidos políticos democráticos dominantes en el proceso, incluido AD, partido del presidente; lo cual, significó para muchos un verdadero suicidio político del régimen bipartidista, opuesto al viraje liberal y tecnocrático del segundo gobierno de Pérez.

En una segunda etapa, consolidado el bipartidismo o duopolio, los partidos sucumbieron al pragmatismo, "en el sentido de que su objetivo prioritario va a ser la conquista y conservación del poder gubernamental, desestimando los objetivos ideológicos", según Rey, citado por Paola Bautista.[26] Se abandonan los postulados ideológicos de la democracia de consensos fundada en 1958, para adoptar decisiones oportunistas dictadas por las encuestas de opinión, en lo cual coincidían los partidos del duopolio: AD y COPEI. En esta fase, se instaura lo que Allan R. Brewer-Carías llamó la "partidocracia", con sentido negativo implícito, para significar un sistema de gobierno orientado exclusivamente por y para los intereses de los partidos y de sus oligarquías internas.[27] Esta partidocracia se exacerbó durante la presidencia de Jaime Lusinchi (1984-1988) porque éste implantó la decisión de designar en todas las gobernaciones de estados a los jefes burocráticos regionales del partido de gobierno Acción Democrática, con lo cual desconocía muchos de los liderazgos naturales en cada región.[28]

---

[26] *Cfr*: Bautista de Alemán, Paola; obra citada, p. 114.

[27] *Ibid*, p. 115.

[28] Frente a la acusación de responsabilidad de la *partidocracia* en el deterioro final de la democracia, Juan Carlos Rey sostuvo que tal afirmación desconocía la injerencia de la modalidad semicorporativa impuesta por los pactos

de mutación semántica, populista se convirtió en un adjetivo que se aplica a un gobierno demagógico, como era la oclocracia o el gobierno popular corrupto en el pensamiento político clásico, o una forma de gobernar por medio de la adulación del pueblo. De modo que un partido populista equivale, según tal acepción, a un movimiento político demagógico, oportunista, manipulativo, corrupto, retórico e ineficaz. Resulta comprensible, por tanto, que ningún partido que sea populista en el sentido original de ese término, acepte ser calificado como tal, tras este cambio de significado".[33]

No obstante lo anterior, según Rey, el populismo se presenta en América Latina como un fenómeno ambiguo, pues combina policlasismo social y coalición de clases sociales diversas con elementos ideológicos heterogéneos, que pese a sus múltiples fracasos vuelve a aparecer una y otra vez, aunque en variadas formas,

---

[33] *Cfr*: Rey, Juan Carlos; *el decenio predemocrático y el surgimiento de la movilización populista, el caso Venezuela 1936-1945*. Ediciones de la Fundación Manuel García Pelayo, Colección Cuadernos de la Fundación, numero 19, Caracas, 2017, p. 99. Con sentido similar, más allá de la connotación peyorativa y de la confrontación política que genera el populismo, hay reputados autores, como el politólogo ecuatoriano César Ulloa, que invitan a "salir de la prototípica mirada del populismo como adjetivo, lo cual implica profundizar en sus causas e ir identificando vacíos que evidencia la literatura acerca de su emergencia". Para este autor, es conveniente establecer las diversas relaciones que surgen entre el populismo como fenómeno y la democracia, las cuales no siempre son opuestas y van desde una orientación favorable para la democracia, pasando por ser un peligro para ella, hasta ser un "espejo" en el cual se vea la democracia y reconozca sus defectos.

En esta perspectiva, se habla de "*signos democratizadores del populismo*", porque este fenómeno hace tomar conciencia de su existencia y derechos al "pueblo" y lo hace visible, entendido éste como los segmentos marginados de la población, que gracias a la acción populista ven ampliada su esfera de derechos políticos y sociales y superan las peores condiciones de desigualdad, a la vez que "interpelan" a la democracia liberal por sus restricciones a la representación, inexistente o insuficiente para el pueblo así concebido. Este vacío de representación del pueblo es suplido por el liderazgo populista, que emerge en un momento de debilidad del sistema y termina con la orfandad de los sectores excluidos. También se le reconocen signos modernizadores, mayor participación, redistribución de la riqueza colectiva, revolución de las aspiraciones, etcétera. Ver: Ulloa, César; *el populismo en escena: por qué emerge en unos países y en otros no*. Capítulo I. FLACSO, Ecuador, enero 2017.

"hasta el punto que no faltan quienes lo consideran el único proyecto viable para nuestros países", el cual "representa un movimiento genuinamente latinoamericano, capaz de movilizar e integrar a grandes masas".[34] Ciertamente, el populismo latinoamericano parece una interpretación de la ideología democrática tradicional importada, derivada de la revolución francesa y de la independencia de los EE.UUs, marcadamente extraña al medio propio de este continente, y adaptada por *la conciencia política* de los pueblos de nuestros países, más propensa al igualitarismo social que al tema de la libertad y a las exigencias formales de una democracia procedimental.[35]

Pasadas las dictaduras tradicionales de la primera parte del siglo XX en América Latina, trasuntos del caudillismo del siglo XIX, irrumpe en el continente la *movilización social* (Deutsch) con la modernización de las sociedades, lo cual se expresa como "un conjunto de cambios socioeconómicos bruscos, irrefrenables y combinados, que se refuerzan mutuamente, y que se producen en ciertas sociedades durante los procesos de modernización -material e inmaterial, física y tecnológica- por medio de los cuales se ocasiona la disolución o deterioro de los nexos y vínculos interpersonales tradicionales y surge una masa humana que se siente desarraigada y que está *disponible* para entrar a formar parte de nuevas organizaciones y contraer nuevas lealtades".[36] Se trata de múltiples

---

[34] Ver: Rey, Juan Carlos; *"Ideología y cultura política. El caso del populismo latinoamericano"*. Academia-Edu. 1991. También, el mismo título en *Problemas Sociopolíticos de América Latina*. Ateneo de Caracas-Editorial Jurídica Venezolana, Caracas, 1980.

[35] Juan Carlos Rey nos define el concepto de conciencia política en oposición a la ideología, así: "Distinguimos la ideología de la cultura política, pues en tanto que la primera es más coherente, elaborada, racionalizada y explícita, la segunda es más bien implícita. La cultura política comprende orientaciones efectivas hacia la acción pero que en gran parte sólo pueden hacerse explícitas a través de una interpretación por parte del analista de los comportamientos efectivos de los actores. Los componentes de la cultura política –que debe ser diferenciada de la cultura general, de la que es sólo una parte– no son sólo elementos de tipo valorativo o normativo, sino también cognoscitivos, que pueden ser verdaderos o falsos, así como las actitudes, hábitos, predisposiciones de un grupo social determinado, que, si bien orientan efectivamente su acción, no son necesariamente conscientes." Ver: *Ideología y cultura política…* obra citada, p. 2.

[36] *Cfr*: Rey, *el decenio predemocrático…* obra citada, p. 70 y ss.

procesos: industrialización, urbanización, alfabetización creciente, exposición a los *mas media*, el incremento de las comunicaciones interpersonales, y en Venezuela, especialmente, el impacto de la industria petrolera, todo lo cual desata *las fuerzas de una sociedad nueva* que busca un nuevo orden político y jurídico.[37]

En la Venezuela posterior a Juan Vicente Gómez, y particularmente en la década de los cuarenta, se da una movilización social de masas, que comprende el surgimiento de una masa humana desarraigada y disponible; una situación de relativa exclusión o bloqueo a la participación de los nuevos grupos sociales, por la estructura oligárquica y censitaria del régimen; la aparición de una élite de clase media -militares de carrera y profesionales civiles- que sufría de "incongruencia de estatus", porque no se correspondían sus capacidades con su peso en las decisiones colectivas; una alianza entre esas élites y las masas desarraigadas para formar un partido reformista radical (PND-AD); y un impulso creciente hacia la acción política de cambios. La coalición populista consistirá en una alianza entre la élite de clase media urbana, que proporciona el liderazgo, y la masa campesina y obrera movilizada y disponible, que proporciona la base del partido; a la cual se suman miembros de la nueva burguesía. "Las masas buscan fundamentalmente la articulación de todos sus intereses económicos y sociales y a cambio van a prestar su respaldo al proyecto político". Aunque no se desconocen los fuertes elementos emocionales e irracionales, tanto positivos como negativos en los partidos populistas, lo cual incluye eventuales liderazgos carismáticos, se subraya *la base racional y utilitaria de la alianza populista*. Esto último es especialmente importante en el enfoque de Rey sobre el populismo, como lo ha sido en la racionalidad de la masa, según Ernesto Laclau.[38]

En la evolución del populismo, según la visión latinoamericanista de Rey, surgen *variedades* del fenómeno que corresponderán al mayor peso que signifique en el mismo la movilización de confrontación de masas o la conciliación de intereses de los aliados. A eso se dedican las próximas líneas.

---

[37]   *Ibid*, p. 71.

[38]   Ver: Rey, *el decenio predemocrático...* obra citada, p. 72 y ss.

Aunque el populismo latinoamericano es un fenómeno que "abarca partidos políticos, regímenes, estilos e ideologías sumamente heterogéneos", reconoce Rey, las tendencias populistas del continente pueden ser agrupadas en dos grandes grupos. En primer lugar, Rey nos habla de un "sistema populista de movilización de masas", que rompe con la pasividad e inmovilidad social y política, tiene elementos de violencia, propugna cambios rápidos y radicales, y desarrolla una *"cultura Política* que trata de servir de base a un nuevo sistema de lealtades, valiéndose frecuentemente de un liderazgo carismático, y mediante una sólida unión emocional frente a un enemigo común (el imperialismo, las oligarquías, etc.). "Pero, sostiene Rey, que existe otra variedad de populismo cuyo propósito es la conservación y legitimación de un orden político existente, mediante el reconocimiento de la diversidad y el compromiso, la conciliación y las transacciones entre ellos...que tenderá a desarrollar una *cultura política* con énfasis en la acomodación de tipo utilitario", al cual propone denominar "sistema populista de conciliación de élites", en atención al papel que juegan las élites políticas, sociales y económicas.[39] Añade Rey: "En principio, tanto los componentes movilizadores como los conciliadores pueden estar presentes, aunque en medida distinta, en las diferentes variedades del populismo. Sin embargo, hay casos en que el populismo, si bien comenzó su existencia como un sistema del primer tipo -movilizador de masas- debe transformarse para aproximarse a la segunda modalidad -un sistema conciliador de élites-lo cual ocurrirá si el partido populista en cuestión llega a la convicción de que para conquistar el poder y/o conservarlo, es necesario que se desprenda de su inicial radicalismo y dar muestras de sensatez, para ser confiable a los distintos grupos de veto, especialmente los militares".[40] Según Rey, esta última variedad correspondió a los casos de AD en Venezuela, del APRA en el Perú y a la evolución del PRI en México.[41]

---

[39] Ver: Rey, Juan Carlos; *ideología y cultura política...* obra citada del año 1991, p. 13.

[40] *Ibid.*, p. 14.

[41] En relación con Colombia, Plazas Vega, aunque admite que el Frente Nacional fue esencialmente un sistema populista de conciliación de élites, prefiere llamarlo como una *democracia consociacional*, según los términos del autor

De acuerdo con Juan Carlos Rey, el populismo del trienio 1945-1948, derivado de la Revolución de Octubre, que siguió a un golpe cívico-militar, cumplió con todas las características del "sistema populista de movilización de masas", originado en votaciones populares super mayoritarias, planteó el antagonismo radical de Acción Democrática contra los demás sectores políticos, económicos y sociales, a fin de imponer su programa de gobierno, fue muy desdeñoso de las minorías y exteriorizó un duro sectarismo, todo lo cual hizo que los militares que le dieron apoyo dieran el golpe de Estado militar de 1948 contra el presidente democrático Rómulo Gallegos e iniciaran la década de la dictadura militar. En cambio, la desgraciada experiencia del trienio y la lucha contra la dictadura hizo reflexionar y cambiar de actitud a los partidos políticos de masas, a los militares, a la Iglesia, a los sindicatos, a los empresarios y demás sectores de la sociedad venezolana en favor de una genuina democracia de consensos, fundada con el Pacto de Puntofijo, la cual, al transponer los primeros tres quinquenios, terminó cumpliendo con todas las características de un sistema populista de conciliación de élites, pero dominado ampliamente por sectores minoritarios extraños a los partidos, por el pragmatismo, el utilitarismo y el clientelismo y finalmente alejado del normativismo y del espíritu de los primeros tiempos.

Como se dijo precedentemente, Rey sostuvo además que el sistema populista de conciliación de élites derivó progresivamente en Venezuela hacia un sistema *semicorporativo* para las decisiones centrales del gobierno, con tendencia creciente a la exclusión de la responsabilidad colectiva de los partidos de masas gobernantes o de oposición, a fin de dar satisfacción a los intereses de las minorías económicas por sobre los intereses de la mayoría, para asegurar así la estabilidad política, lo cual, a su juicio, le dio un cariz antidemocrático

---

Arent Lijphart, que se refiere al "gobierno estructurado por acuerdo entre élites para reorientar una democracia agobiada por divisiones internas de orden político o cultural". A lo cual añade que "son convenios que procuran, además definir las condiciones en que, después de los regímenes usualmente autoritarios, a los cuales procuran poner fin, ha de operar una fase transitoria, con limitaciones y restricciones para los partidos y la actividad política, que conduzca a una plena afirmación de la democracia liberal". *Cfr*: Plazas Vega, obra citada, p. 49.

al sistema, pues redujo considerablemente el espacio de los consensos y fue mermando la participación democrática de todos los sectores en el gobierno y en definitiva trajo el deterioro de la naturaleza democrática del régimen, para dar paso a una oligarquía liberal tecnocrática.

Sin embargo, se hace necesario buscar el equilibrio de criterios acerca del populismo en Venezuela. Siempre ha habido muchas críticas sobre este fenómeno en la democracia venezolana. En primer lugar, cabe señalar que varios autores indican que el populismo debe ser tratado no sólo como un sistema político, sino sobre todo como un sistema económico responsable tanto del auge como del fracaso de las democracias de consensos en América Latina. Por ello, escogemos a uno de esos autores, como ha sido el conocido politólogo venezolano Aníbal Romero, para representar a la corriente crítica del populismo.[42]

En tal sentido, Aníbal Romero ha dicho categóricamente sobre el *estilo político populista*: "El hecho innegable de que en Latinoamérica los sistemas democráticos han fracasado repetidamente tiene que ver en parte con cuestiones de tipo objetivo o estructural de naturaleza socioeconómica y también con factores políticos e ideológicos, entre los cuales ocupa un lugar de primordial importancia el estilo político populista. Nuestro problema no ha sido -para insistir sobre el punto- que la democracia haya requerido la convergencia y el consenso de diversos sectores, sino que el sistema se ha levantado sobre supuestos políticos populistas que han conducido la economía y la sociedad hacia el callejón sin salida de la dependencia total de la renta petrolera, creando también las bases del deterioro institucional, el clientelismo político y la corrupción administrativa".[43] De acuerdo parcialmente con Rey, a quien cita en su crítica, afirma: "El juego populista se mantiene (año 2010) en la medida en que los miembros de la coalición tomen sus recompensas *con recursos provenientes del exterior de ella*; es decir, no necesariamente con el producto de una economía sólida y equilibrada, sino con los beneficios -controlados

---

[42] Desde luego que esta escogencia no excluye las importantes críticas ya comentadas en este trabajo de Andrés Stambouli y Diego Bautista Urbaneja.

[43] *Cfr*: Romero, Aníbal; *la miseria del populismo. Historia y política de Venezuela*. En Obras Selectas de Aníbal Romero; Editorial Equinoccio, Universidad Simón Bolívar, v. II, Caracas 2010, p. 10.

por el Estado- del sector primario exportador. Es claro entonces, y se ha dicho muchas veces, que la supervivencia de la democracia populista en Venezuela se explica en buena medida, aunque no exclusivamente, por la capacidad de maniobra que ha otorgado al Estado la renta petrolera, la cual ha posibilitado, al menos hasta tiempos recientes, dar algún tipo de respuesta a las expectativas múltiples y encontradas de grupos diversos y con demandas que con frecuencia no están en armonía."[44] A lo cual añade Romero: "El populismo vigente en las concepciones económicas predominantes, dentro y fuera de nuestros principales partidos políticos, ha enfatizado permanentemente la función del Estado como un gran repartidor de beneficios en detrimento de cualquier desarrollo nacional sólido, es decir, no rentista". Y desde luego, sin dar "importancia prioritaria a los factores de eficiencia y competitividad."[45] Remarca Romero: "No es superfluo insistir en que el populismo en economía se fundamenta por sobre todo en la idolatría a la acción del Estado y en la desconfianza hacia los mecanismos del mercado y la función empresarial... Por otro lado, es iluso además de peligroso para la libertad humana, creer en el poder mágico de la acción del Estado en la organización y conducción de la sociedad y la economía".[46]

A nuestro juicio, Romero concibe el estilo populista como parte de la conciencia política en Venezuela, no sólo de los partidos políticos sino también de casi todos los sectores de la población, incluidos los empresarios clientes de los gobiernos. Por ello,

---

[44]   *Ibid*, p. 29. Resaltado del texto. Es conveniente reproducir el fragmento de Rey citado por Romero, así: "El éxito de la política populista se basa en que las relaciones en el interior de la coalición no sean suma-cero, lo cual implica que los premios y recompensas a repartirse entre sus miembros *han de tomarse del exterior de ella*. Tal reparto no tiene que hacerse en partes necesariamente iguales entre sus miembros; por el contrario, lo típico es que los sectores más marginados y desorganizados participen en proporción considerablemente inferior que los más organizados y privilegiados, de manera que, a la larga, el resultado general de las políticas redistributivas es el aumento de la brecha entre ambos sectores. Por consiguiente, el mantenimiento de la coalición está condicionado a una expansión económica y al éxito de las políticas de industrialización, que no sólo proporcionan beneficios a la burguesía, sino que también permiten el aumento de la producción, de los mercados, del empleo, y en general de la participación de sectores diversos". *Ibid*, p. 28.

[45]   *Ibid*, p. 46.

[46]   *Ibid*, p. 47.

concluye: "No es nada fácil -ni será- combatir la idolatría estatista en Venezuela, pues ésta no es sólo el producto de los cómodos beneficios que para muchos ha arrojado la economía rentista, sino también, en ciertos casos, de una genuina creencia en la bondad intrínseca de la acción del gobierno y la maldad intrínseca de los mecanismos del mercado económico en una sociedad libre".[47]

VI. CONCLUSIONES

1. No hay lugar a duda, que la democracia de consensos surgida en Venezuela en el año 1958, fundada por el Pacto de Puntofijo, mediante acuerdo suscrito por los partidos de masas aparecidos en la década de los cuarenta en Venezuela (AD, URD y COPEI) y apoyado por los sectores principales de la sociedad, ha sido la experiencia de mayor concertación y entendimiento de los venezolanos en la historia política del país. Dicho pacto fundacional fue complementado con una serie de pactos institucionales, consistentes en coaliciones de gobierno, designación consensuada de las cabezas de los tres poderes constitucionales y de los órganos de control superiores, consulta de las decisiones centrales del Estado y coordinación en la programación de la acción de gobierno.

2. Al menos por tres quinquenios, los partidos políticos mayores llegaron a ostentar mucho prestigio y a representar genuinamente al pueblo y este último se sentía realmente integrado en sus organizaciones, fueron los "agentes constituyentes" del concepto de pueblo y del orden político y factores de formación primordiales de las instituciones civiles de participación colectiva, aunque se haya afirmado que llegaron a colonizarlas para asegurar la estabilidad política.

3. Existe acuerdo en que la "metanorma del sistema" consistente en *"maximizar el consenso y minimizar el conflicto"*, mediante la satisfacción progresiva de todas las demandas sociales, con el sustento económico de la renta superavitaria estatal petrolera, fue su mayor fortaleza y luego su mayor debilidad, cuando dicha renta comenzó a disminuir hasta hacerse imposible que cubriera toda la

---

[47] *Ibid*, p. 49.

inmensa masa de los gastos asumidos por el Estado, lo cual se agravó con la ingente inmigración de pobres recibida de América del Sur y del Caribe.

4. La democracia surgida del Pacto de Puntofijo, luego de sus primeros años, adoptó plenamente un modelo de populismo de conciliación de élites, tanto en lo político como en lo económico, sustentado en la distribución de la renta petrolera estatal, con el fin de asegurar la estabilidad política y la adhesión de los sectores más influyentes, el cual permaneció con éxito hasta fines de los años ochenta del siglo XX, a partir del cual inició un período de decadencia o transición caracterizado por la insuficiencia de la renta petrolera, la fragmentación de los viejos partidos políticos, el descrédito de las instituciones democráticas y el surgimiento de nuevos liderazgos de ruptura, con tendencias militaristas y autoritarias, con poder de movilización de masas y propósitos de confrontación y antagonismo políticos.

5. En cuanto al final de este modelo de democracia, se debe reconocer que ello no sólo obedeció a la insuficiencia de la renta petrolera que lo sustentaba, sino también a otros factores no menos importantes, entre los cuales destacamos la desaparición de la responsabilidad de los partidos principales en las decisiones centrales del gobierno, que pasaron a ser competencia de sectores minoritarios influyentes en un subsistema semicorporativo, que desplazó el mecanismo de conciliación con participación principal de las élites partidistas y populares. Esto último, probablemente, redujo el papel de los partidos al mantenimiento de sus exclusivos intereses, en perjuicio de los intereses colectivos.

6. El ejemplo venezolano de democracia de consensos demuestra que el sistema no es permanente, que se transforma cuando es superada la transición entre la dictadura y la democracia y que suele hacer crisis cuando se agotan los factores que lo sustentan, pudiendo evolucionar hacia populismos autoritarios de izquierda radical o hacia sistemas liberales con mayor sentido de la productividad económica a escala global, en el mejor de los casos, siempre que la cultura política de la población lo asimile y permita su desarrollo. Sin embargo, la experiencia histórica latinoamericana, así como en Venezuela, ha puesto de relieve que

es más probable la primera alternativa que la segunda, con el retorno de los regímenes autoritarios o la radicalización del populismo.

7. Sin embargo, el Pacto de Puntofijo podría ser considerado un modelo para recuperar la concordia social y la gobernabilidad en una sociedad profundamente polarizada y dividida como la venezolana, la cual clama hoy en día por el reencuentro de todos los venezolanos y la reconstrucción democrática de sus instituciones políticas.

8. Hacemos votos para que la conciencia de las élites políticas, económicas y sociales en América Latina comprendan esta difícil realidad y enfoquen su atención en forma introspectiva en los errores que han caracterizado nuestros fracasos, en democracia o fuera de ella, lo cual implica dejar de resaltar las culpas de otros países en nuestras desgracias para tomar con coraje el timón de nuestros propios destinos.

Caracas, septiembre de 2023.

BIBLIOGRAFÍA

BAUTISTA DE ALEMÁN, Paola. *El fin de las democracias pactadas.* Editorial Dahbar, Caracas 2021.

GARCÍA PELAYO, Manuel, *Derecho Constitucional Comparado*; en Obras Completas, Centro de Estudios Constitucionales, Madrid, 1991, Tomo I.

LACLAU, Ernesto; *Consideraciones sobre el populismo latinoamericano*; Cuadernos del Cendes, Universidad Central de Venezuela; CDS, vol. 23. No. 63, Caracas 2006; versión Online ISSN 2443-468X

PLAZAS VEGA, Mauricio A.; *El Frente Nacional*; Editorial Temis, Bogotá, 2013.

REY, Juan Carlos, "Los tres modelos venezolanos de democracia en el siglo XX", en DOCX, Academia, https://www.academia.edu/ 15453850/LOS_TRES_MODELOS_VENEZOLANOS_DE_DEMO CRACIA_EN_EL_SIGLO_XX?email_work_card=thumbnail-mobile

_____ "Esplendores y miserias de los partidos políticos en la historia del pensamiento venezolano"; en el *Boletín de la Academia Nacional de la Historia,* T. LXXXVI, Caracas, julio-diciembre 2003, números 343-344.

_____ *Personalismo o liderazgo democrático. El caso de Rómulo Betancourt.* Ediciones de la Fundación Rómulo Betancourt, Caracas, 2008.

_____ *El decenio predemocrático y el surgimiento de la movilización populista, el caso Venezuela 1936-1945.* Ediciones de la Fundación Manuel García Pelayo, Colección Cuadernos de la Fundación, numero 19, Caracas, 2017.

_____ "Ideología y cultura política. El caso del populismo latinoamericano". Academia.Edu. 1991. También, el mismo título en *Problemas Sociopolíticos de América Latina.* Ateneo de Caracas-Editorial Jurídica Venezolana, Caracas, 1980.

ROMERO, Aníbal. "La miseria del populismo. Historia y política de Venezuela". En *Obras Selectas de Aníbal Romero,* Editorial Equinoccio, Universidad Simón Bolívar, Caracas 2010, volumen II.

RUAN SANTOS, Gabriel. "El populismo, destrucción o superación de la democracia", en obra colectiva, con autores varios, *El Falseamiento del Estado de Derecho,* coordinación de Allan R. Brewer Carías y Humberto Romero Muci; Academia de Ciencias políticas y Sociales; Editorial Jurídica Venezolana, Caracas 2021.

STAMBOULI, Andrés. *La política extraviada. Una historia de Medina a Chávez.* Fundación para la Cultura Urbana. Caracas, 2002.

ULLOA, César. *El populismo en escena: por qué emerge en unos países y en otros no.* Capítulo I. FLACSO, Ecuador, enero 2017.

URBANEJA, Diego Bautista. *La renta y el reclamo, ensayo sobre petróleo y economía política en Venezuela.* Editorial Alfa, Caracas, 2013.

EL PACTO DE PUNTO FIJO
Y LA SELECCIÓN DE MAGISTRADOS Y JUECES EN LOS PRIMEROS DIEZ AÑOS (1958-1968) DE LA VENEZUELA DE LA REPUBLICA CIVIL

Carlos J. Sarmiento Sosa*

INTRODUCCIÓN

A raíz del derrocamiento de Rómulo Gallegos como Presidente constitucional de Venezuela en 1948, numerosos venezolanos, especialmente miembros de los partidos Acción Democrática (AD) y Partido Comunista de Venezuela (PCV), fueron objeto de persecución política por parte de la de la tenebrosa Seguridad Nacional, órgano represivo de la Junta Militar de Gobierno[1] que había consumado el golpe de estado, lo que hacía que los perseguidos consideraran el exilio como una opción válida para mantenerse a salvo.

Rómulo Betancourt, Presidente de la Junta Revolucionaria de Gobierno[2] por tres años a raíz del 18 de octubre de 1945 que derribó

---

*   Abogado y doctor en Derecho UCV. Socio Director de Rete Iuris Consultores (www.reteiuris.com). Coordinador del Capítulo España del Bloque Constitucional de Venezuela. Email: csarmiento@reteiuris.com

[1]   La Junta Militar de Gobierno estuvo integrada por los coroneles Carlos Delgado Chalbaud -quien la presidía-, Marcos Pérez Jiménez y Luis Felipe Llovera Páez.

[2]   La Junta Revolucionaria de Gobierno fue presidida por Rómulo Betancourt y la componían Luis Beltrán Prieto Figueroa, Gonzalo Barrios, Raúl Leoni, el teniente coronel Carlos Delgado Chalbaud y el capitán Mario Vargas, siendo su Secretario el doctor Edmundo Fernández. Una Junta cívico-militar.

al Presidente Isaías Medina Angarita –el trienio adeco[3]– se vio forzado a asilarse en la embajada de Colombia para de allí partir al exilio por varios países; y otros tantos miembros y dirigentes de AD como Gonzalo Barrios, Luis Beltrán Prieto Figueroa, Raúl Leoni, Carlos Andrés Pérez, Domingo Alberto Rangel, Luis Troconis Guerrero y Valmore Rodríguez dejaron la patria para residir como exiliados en el exterior[4]. Luis Herrera Campíns, entonces joven dirigente social cristiano, se refugió inicialmente en España, para luego trasladarse a otros países.

Entretanto, la dictadura impuesta por la Junta Militar continuaba con su política represiva, aunque había anunciado elecciones para escoger una Asamblea Constituyente en diciembre de 1952 y, en el *interim*, el Presidente de la Junta, el coronel Carlos Delgado Chalbaud, caía asesinado en 1950.

El magnicidio no interrumpió los planes de los militares de ir a un proceso electoral en el cual ellos estarían representados, para lo cual los usurpadores del poder[5] seleccionaron al Frente Electoral Independiente (FEI), un improvisado partido cuyo lema "El Nuevo Ideal Nacional" contemplaba "(...) *convertir a Venezuela en un país adelantado y progresista, acorde a la época en la que se encontraba*"[6]. A la cabeza del movimiento, el coronel Pérez Jiménez.

---

[3] El Trienio Adeco es una expresión que se utiliza para referirse a los 3 años de la historia venezolana que siguieron después de la caída del general Isaías Medina Angarita y porque quienes estuvieron en el poder durante esta etapa fueron miembros del partido Acción Democrática.

[4] Sobre el exilio, véase: Sarmiento Sosa, Carlos J. "¿Qué es el exilio?". En *Exilio diáspora resistencia pacífica no violencia. Reflexiones sobre el caso venezuela* Madrid, agosto 2018. Disponible en: https://www.academia.edu/37320730/ Carlos_J_Sarmiento_Sosa_EXILIO_DI%C3%81SPORA_RESISTENCIA_P AC%C3%8DFICA_NO_VIOLENCIA_REFLEXIONES_SOBRE_EL_CASO _VENEZUELA?sm=b. Consultado en 6 de enero de 2024.

[5] Desaparecido Delgado Chalbaud físicamente, fue sustituído en la Junta por el doctor Germán Suárez Flamerich, a quien Antonio Ecarri Bolívar califica de "hombre de paja" y de ser un "personaje anodino". Véase: Ecarri Bolívar, Antonio. *Historia contemporánea de venezuela*. Almuzara. Primera edición. 2023.

[6] Véase: *Dictadura de Marcos Pérez Jiménez*. Historia de Venezuela. La historia de Venezuela en un solo click. Disponible en: https://historiadevenezuela.org/

Los partidos políticos permitidos Unión Republicana Democrática (URD) y COPEI, liderizados por Jóvito Villalba y Rafael Caldera, respectivamente, convinieron en acudir a los comicios. AD y PCV, ambos en la clandestinidad, apostaron por posiciones diferentes: los adecos por la abstención, mientras los comunistas por el ejercicio del voto[7].

El resultado electoral fue ampliamente favorable a URD –"(...) *el pueblo derrotó en las urnas a los hombres armados de la cimitarra tiránica"*[8]–, pero los militares urdieron un vergonzoso fraude electoral que dio la mayoría a Pérez Jiménez y, ante la protesta del líder del ganador –Jóvito Villalba– éste y algunos miembros y amigos del equipo fueron invitados a una reunión en el Ministerio de Relaciones Interiores[9], de donde fueron llevados a un avión y expulsados del país. Villalba, Ignacio Luis Arcaya, Mario Briceño Iragorry[10] y otros dirigentes de URD iniciaban así su exilio.

A partir de ese fraude electoral, la represión arreció contra quienes disentían del modo de pensar de los militares, y así continuó después que Pérez Jiménez, ante la renuncia de la Junta Militar, accediera a la Presidencia Provisional de la República hasta que en

---

periodos/dictadura- de-marcos-perez-jimenez/. Consultado el 20 de enero de 2024.

[7]   Véase: Ecarri. *Historia...*

[8]   Véase: Ecarri. *Historia...* La cita corresponde a Mario Briceño Iragorry. *Autoeleccion de un Déspota.* Centauro, 1971.

[9]   Ejercía como ministro de Relaciones Interiores el doctor Laureano Vallenilla-Lanz Planchart, quien había sido designado como tal por Pérez Jiménez, el 2 de diciembre de 1952, cargo que ejerció hasta 1958, pocos días antes de la caída de la dictadura. Disponible en: https://www.venciclopedia.org/index. php?title=Laureano_Jos%C3%A9_Vallenilla_Planchart . Consultado el 20 de enero de 2024.

[10]   Véase: Sarmiento Sosa, Carlos J. *8 De Diciembre De 1954.* En: Andaduras Sobre Adoquines. Disponible en: https://www.amazon.es/Andaduras-sobre-Adoquines-Carlos-Sarmiento/dp/B08CPJJSCW. Mario Briceño Iragorry se estableció inicialmente en Madrid, España, donde en 1954 fue víctima de un atentado por parte de esbirros de la Seguridad Nacional. Por razones de salud, se trasladó a Italia, donde completó su exilio hasta la caída de la dictadura.

abril de 1953 asumió como Presidente "Constitucional". Se consolidaba el "pretorianismo"[11].

Los venezolanos que activamente se oponían a la dictadura y que preferían la libertad a ser torturados y luego arrojados en una inmunda celda de una tenebrosa prisión –Guasina, Sacupana, Ciudad Bolívar eran de las más temidas– emprendieron sigilosamente caminos a Madrid, La Habana, Ciudad de México, Montevideo, Santiago de Chile y, en cada uno de esos sitios, iban reencontrándose con paisanos en la condición de exiliados.

En el caso de Madrid, para los primeros meses de 1953, comenzaron a llegar exiliados de distintas ideologías y credos y, poco a poco, crearon un grupo que fue creciendo y consolidándose con sus familias, naciendo lo que se recuerda desde entonces como la *"colonia venezolana en Madrid"*[12].

Reuniones políticas, o familiares, o jugar bolas criollas[13] en la Casa de Campo, o simplemente tomar *"cortados"*[14] en "Los Sótanos" en la avenida José Antonio (hoy Gran Vía) para hablar de cuándo caerá *"cara´e cochino"* se repetían con frecuencia; y en ellas participaban adecos, urredistas, independientes, medinistas, algunos exfuncionarios de la dictadura militar que gallardamente habían renunciado para exiliarse, copeyanos, todos en unidad, con un solo

---

[11]   Véase: Ecarri. *Historia...*

[12]   La capital española fue el lugar seleccionado por mi padre José Gabriel Sarmiento Núñez para establecerse con la familia "temporalmente", temporalidad que duró 5 años. Véase: Sarmiento Sosa, Carlos J. "La esperanza del exiliado y el proceso de transición". En: *Andaduras Sobre Adoquines*. Disponible en: https://www.amazon.es/Andaduras-sobre-Adoquines-CARLOS -SARMIENTO/dp/B08CPJJSCW

[13]   Las bolas criollas es un deporte de equipo tradicional de Venezuela, muy popular en los Llanos y la mayoría de las regiones rurales. Sus orígenes se remontan a los deportes europeos tradicionales, como las bochas y la petanca. Fuente: Wikipedia. https://es.wikipedia.org/wiki/Bolas_criollas

[14]   En España, un "café cortado" es un espresso (o café solo) al que se le añade una pequeña cantidad de leche caliente. Generalmente se sirve con una cantidad de leche que es menor que la de un café con leche típico. La idea es "cortar" o diluir el café con una pequeña cantidad de leche, resultando más suave que un expreso puro, aunque más fuerte que un café con leche tradicional.

adversario: el dictador Pérez Jiménez. Reuniones muchas de ellas bajo la disimulada y sospechosa mirada de los espías de la *"Seguranal"*[15].

Esa comportamiento de los exiliados de la colonia venezolana desmiente de la manera más clara y tajante la falsa afirmación que hiciera Pedro Estrada, el legendario y temido represor en la época de la dictadura perezjimenista, según la cual los exiliados *"(...) salen al exilio, ¿a qué?, a comprar armas, a buscar mercenarios para invadir el país (...)"*[16].

Con esto quiero significar que el exilio permite que los exiliados dejen de lado sus diferencias políticas para, al unísono, buscar los mecanismos pacíficos para el restablecimiento del Estado de Derecho; y, en mi opinión, esa conducta cívica y democrática sentó las bases del Pacto de Nueva York[17], suscrito por los dirigentes de los partidos AD, URD y Copei, –Betancourt, Villalba y Caldera– en el que, "(...) *renovados, sin el sectarismo de antaño* (...)[18]", se comprometieron a "(...) *luchar unidos contra la tiranía*" para más tarde, el 31 octubre de 1958, producir lo que en otra oportunidad califiqué como un *"acuerdo de gobernabilidad"*[19], el Pacto de Punto

---

[15] Véase: Sarmiento Sosa, Carlos J (Autor) Sarmiento Colmenares, Carla (redactor). Reminicencias sobre Adoquines. Disponible en: https://www. amazon.es/REMINISCENCIAS-SOBRE-ADOQUINES-CARLOS-SARMIEN TO/dp/B09 TTHN7D6

[16] Véase: Ecarri. *Historia...* Blanco Muñoz, Agustín. Pedro Estrada habló. UCV, 1983.

[17] Obsérvese que el Pacto de Nueva York se firmó en diciembre de 1957. En aquellos momentos, Betancourt rondaba los diez años en el exilio, Villalba cerca de seis y Caldera acababa de llegar en la misma condición a la ciudad neoyorkina, luego de haber estado detenido sin fórmula de juicio por la policía política de la dictadura y, una vez liberado, se vio precisado de asilarse en la en la Nunciatura Apostòlica de la Santa Sede para pocos días después marchar al exilio.

[18] Ecarri *dixit*. Véase: Ecarri. Historia... Además de los tres líderes, firmaron los siguientes dirigentes: Por AD, Raúl Leoni y Gonzalo Barrios; por Copei, Pedro del Corral y Lorenzo Fernández; y por URD, Ignacio Luis Arcaya y Manuel López Rivas.

[19] Véase: Sarmiento Sosa. *El Desempeño...* El texto del Pacto de Punto Fijo disponible en: http://servicio.bc.uc.edu.ve/derecho/revista/idc22/22-10.pdf. Consultado el 7 de enero de 2024.

Fijo (que en adelante denominaré Punto Fijo), que Brewer-Carías[20] designa como "*acuerdo de convivencia*". Pareciera entonces que, en efecto, la lejanía de la tierra natal, junto con las ansias de libertad, procuraron un acercamiento entre los exiliados de distinto credo político: hacer un frente común ante la dictadura, lo que confirma Ramón Guillermo Aveledo[21] al expresar:

"*En tiempos dictatoriales se cultivó el mito de la unanimidad*".

El resto de la historia ya se conoce: El 23 de enero de 1958 nació la democracia y con ella la República Civil que, gracias a Punto Fijo, dio una larga estabilidad política que, con altibajos y desencantos –y errores garrafales– dejó de existir en 1998. Como expresa José Antonio Rivas Leone[22], Punto Fijo "(...) *no sólo constituye un episodio relevante en la Venezuela del siglo XX, sino un hito histórico y político de estudio y valoración obligatoria en la fundación de la democracia en Venezuela hasta nuestros días. Permitió sin duda alguna fraguar las bases del funcionamiento de la naciente democracia (representativa), naturalmente edificado sobre el rol de los partidos políticos como interlocutores e intermediadores entre el Estado y la sociedad*".

O, en palabras de Brewer-Carías[23]:

"*Se trató, por tanto, de un convenio entre partidos democráticos, suscrito entre ellos partiendo del supuesto de que tenían "la responsabilidad de orientar la opinión para la consolidación de los principios democráticos," para lograr puntos de unidad y de cooperación y sentar las bases conducentes a la consolidación del régimen democrático*".

---

[20] Véase: Brewer-Carías, Allan R. *Sobre la militarización de la política en venezuela*. Colección de crónicas constitucionales para la memoria histórica, No. 3. Biblioteca Allan R. Brewer-Carías, Universidad Católica Andrés Bello. Editorial Jurídica Venezolana. Caracas, 2023.

[21] Véase: Aveledo, Ramón Guillermo. "Valoración Histórica y Actual del Pacto de Puntofijo". En: *Pacto de Punto Fijo. Valoracion Historica y Actual*. SIC. Fundación Centro Gumilla, dossier, Enero, 2024.

[22] Véase: Rivas Leone, José Antonio. "23 de enero de 1958 y el Pacto de Punto Fijo". En Analítica. Disponible en: https://www.analitica.com/opinion/opinión-nacional/23-de-enero-de-1958-y-el-pacto-de-punto-fijo/. Consultado el 7 de enero de 2024.

[23] Véase: Brewer-Carías. *Sobre La Militarización...*.

II. PUNTO FIJO Y EL SISTEMA JUDICIAL

"Pacta sunt servanda, *decían -o enseñaban, para ser más precisos- los antiguos romanos. Lo acordado, lo convenido, lo pactado, debe cumplirse, debe ser observado*"[24]; y uno de los compromisos de Punto Fijo que debían ser realizados era la defensa de la constitucionalidad y del orden democrático.

Si ha de entenderse que con ello se perseguía alcanzar y cumplir un acuerdo unitario para establecer y defender la democracia en el país; y si de este arreglo se interpreta que para que haya un orden democrático tiene que existir un sistema judicial independiente y autónomo, hay que deducir que la defensa de la constitucionalidad y del orden democrático implicaba contar con un Poder Judicial con esa cualidad, tal como luego lo definió y reguló la Constitución de 1961, también una derivación privilegiada de Punto Fijo, pues, según Brewer-Carías[25], fue "(...) *un producto directo del mismo: su texto se elaboró influido por los principios que hemos visto de unidad, de concordia, de evitar las divergencias interpartidistas y de lograr acuerdos entre ellos, para establecer un texto flexible, no comprometido definitivamente con ninguna orientación y que sentara las bases de la República, de acuerdo al espíritu unitario, dentro de un régimen democrático*".

Ahora bien, para hacer una interrelación concatenada entre Punto Fijo y el sistema judicial venezolano en aquel tiempo, me propuse recurrir a los antecedentes históricos del Poder Judicial a partir del inicio de la XX centuria.

1. *El sistema judicial entre 1900 y 1908*

Durante el régimen de Cipriano Castro, el Cabito, como se le llamaba entre otros epítetos, es difícil concebir una administración de justicia seria cuando el poder "omnímodo" estaba en manos de ese

---

[24] Véase: Pérez, Juan Salvador. *La observancia más allá de lo acordado. Presentación.* En: Aveledo, Ramón Guillermo. *El pacto de PuntoFijo. Valoración histórica y actual.* SIC. Fundación Centro Gumilla, dossier, Enero, 2024.

[25] Véase: Brewer-Carías, A. B. *Sobre la militarización....*

"monito lúbrico" cuyas acciones de gobierno y vida personal narra la historia[26]; pero es significativo que la Corte Federal y de Casación, estuviera integrada en 1904 por notables juristas de la época, los doctores José Ignacio Arnal, José de Jesús Paúl, Emilio Constantino Guerrero, Alejandro Urbaneja, Tomás Mármol, E. Enrique Tejera y Carlos León, como lo refirió el doctor J. R. Duque Sánchez -el magistrado insigne- en un memorable discurso con motivo del centenario del recurso de casación en Venezuela[27].

Es de suponer que, ante tanta ilustración, la justicia se administraba debidamente en la cúspide del Poder Judicial e igualmente debía suceder en instancias si se considera que un abogado de la talla del doctor Lorenzo Herrera Mendoza hizo las veces de Juez del Departamento Libertador en 1903 y, luego, de miembro de la Corte Superior Civil y Mercantil del Distrito Federal en 1906[28]. No obstante, el doctor Pedro María Morantes, conocido en la literatura como Pío Gil, enemigo acérrimo de los regímenes de Cipriano Castro y Juan Vicente Gómez, quien para 1906 cumplía como Juez de Primera Instancia en Caracas, describió un panorama distinto al denunciar la corrupción judicial y la conducta de los abogados afirmando que las talegas del cohecho se amontonaban en las mesas de los tribunales y que los abogados eran explotadores, no defensores de sus clientes, y los jueces vendedores, no distribuidores de la justicia[29].

[26] Véase: Ecarri. *Historia*...

[27] Véase: Sarmiento Sosa, Carlos J. *El Desempeño*... El discurso del doctor Duque Sánchez se denominó *Centenario del Recurso de Casación* y fue pronunciado el 30 de junio de 1976 en el acto solemne conmemorativo del centenario de la Ley de 13 de junio de 1876 que creó el recurso de casación en Venezuela.

[28] El doctor Herrera Mendoza, casi cuarenta años después sería vocal de la Corte Federal y de Casación en 1945 y magistrado de la Corte Suprema de Justicia en 1947, según el doctor Francisco Manuel Mármol en *Palabras en homenaje al doctor Lorenzo Herrera Mendoza*. Véase: Sarmiento Sosa. *El Desempeño*...

[29] Véase: Sarmiento Sosa. *El Desempeño*...

2. *El sistema judicial entre 1909 y 1936*

Durante el mandato del general Juan Vicente Gómez, a quien se califica como el *"amo del poder"*[30], el sistema de justicia ocupaba un espacio marginal a pesar de que, constitucionalmente, era considerado una de las ramas del Poder Público, y sólo un número limitado de conflictos era llevando ante los tribunales; y ello no necesariamente implicaba que esos fueran los conflictos más importantes, lo que les permitía a jueces y abogados mantener una apariencia de independencia siempre y cuanto no entraran al dominio de la política[31].

De esta manera, los cargos de jueces eran ejercidos por personas de prestigio que cumplían con la función de administrar justicia con vocación y honradez, los que les permitió completar a muchos de ellos una carrera judicial que culminarían años después, luego del 23 de enero de 1958, como expondré *infra*.

Esta separación de competencias permitió a los doctores construir un sistema judicial y jurídico que sobrevivió a la dictadura y pudo convertirse en una pieza fundamental de la liberalización del país a la muerte de Gómez. Los jueces, en particular, aparecieron con las manos y la conciencia limpias, como si no hubieran colaborado con el dictador[32].

---

[30]   Véase: Rangel, Domingo Alberto. *Gómez, El amo del poder*. Editorial Vadell Hermanos. Valencia-Venezuela, 1975.

[31]   Véase: Pérez Perdomo, Rogelio. "Estado y Justicia en Tiempos de Gómez (Venezuela 1909-1925)". *Revista Politeia*, Nº 39, vol. 30, Instituto de Estudios Políticos UCV, pp. 121-150.

[32]   Véase: Pérez Perdomo. *Una Evaluación…* Véase: Sarmiento Sosa. *El Desempeño...* Puede citarse también el doctor Pedro Manuel Arcaya quien, además de desempeñarse como ministro de Relaciones Interiores y representante diplomático ante los Estados Unidos durante el gomecismo, también fue vocal de la Corte Federal y de Casación. El doctor Angulo Ariza se desempeñó en la Corte Suprema del Distrito Federal (1927-1929 y luego a partir de 1931) y magistrado de la Corte Federal y de Casación en las tres Salas que la conformaron y, hasta su muerte, acaecida el 26 de diciembre de 1971, ejerció el cargo de Conjuez. El doctor Rosales comenzó su actividad profesional en 1911, primero en Caracas hasta 1924, como Juez de Parroquia

3. *El sistema judicial entre 1936 y 1945*

A la muerte del general Gómez comenzó una nueva etapa política en la que comenzaron las reformas para, paulatinamente, ir transitando hacia un estado democrático y de derecho, permitiéndose el advenimiento de los primeros sindicatos y organizaciones políticas modernas aparte de otros avances, como el recorte del período presidencial de seis a cinco años y la prohibición de reelección en el cargo[33].

Durante los nueve años que abarca este período, ejercieron la presidencia de la República los generales Eleazar López Contreras e Isaías Medina Angarita, y el sistema judicial continuó actuando en la misma forma que los jueces lo hacían bajo el gomecismo. Vale decir, no hubo sorpresas que pudieran dar señales que afectaran la independencia judicial.

Un ejemplo de coordinación de los poderes públicos fue el hecho de que, a la muerte del general Gómez, como establecía la Constitución asumió la Presidencia provisional de la República el doctor Arminio Borjas Pérez, Presidente de la Alta Corte Federal y de Casación, para entregarla al general López Contreras, quien había sido elegido para por el Congreso para el período 1936-1943; e igualmente, la trasmisión del poder al general Medina Angarita, electo en 1941 (recuérdese que la Constitución de 1936 redujo el período constitucional a cinco años) se llevó cívicamente, en un ambiente de plena democracia, pese a que en ese lapso no se logró desarrollar la elección presidencial por el voto popular, directo y secreto de todos los venezolanos, lo que originó la caída del Presidente Medina en 1945 ante su resistencia y la del expresidente

---

y luego, en Los Teques, Estado Miranda, desde 1927 a 1937. En reconocimiento a su servicio, el doctor Rosales, en 1942 y hasta 1948, cumplió como Juez de Primera Instancia del Distrito Federal, cuando fue nombrado magistrado de la Corte Suprema de Justicia. El doctor Chiossone, en el Poder Judicial fue juez de primera instancia en lo civil y mercantil del estado Mérida (1930-1934), vocal de la Corte de Casación (1953) y conjuez de la Corte Suprema de Justicia (1959-1975). El doctor Urbaneja fue magistrado de la Sala de Casación Civil de la Corte Suprema de Justicia.

[33] Véase: Ecarri. *Historia...*

López Contreras de *"darle"* el voto a los analfabetos, lo que significaba que la mitad de la población estaba excluida del proceso electoral[34].

En cuanto al sistema judicial en el período señalado, en los tribunales de instancia con distintas competencias del entonces Distrito Federal fueron designados jueces que permanecieron en sus cargos hasta sus jubilaciones en 1962, como se verá *infra:* jueces que solucionaron seriamente, a veces como simples mediadores, los conflictos que llegaban a sus despachos en busca de justicia, sin alardes de grandes doctrinas ni expresiones de sabiduría jurídica, pero que entendían a cabalidad la misión de dar a cada uno lo suyo[35].

4. *El sistema judicial entre 1945 y 1948*

Inicia la toma del poder por la Junta Revolucionaria de Gobierno el 18 de octubre de 1945 y, posteriormente, la asunción del poder por Rómulo Gallegos, electo en comicios populares en 1947 y derrocado ocho meses después, el 24 de noviembre de 1948; y, en ese período, pocos cambios se observaron.

Se recuerda que ingresaron como jueces de los Juzgados de Primera Instancia del Distrito Federal los doctores René De Sola y César Naranjo Ostty[36], abogados que habían egresado de las aulas universitarias en los primeros años de la década de los años 40's.

---

[34] Véase: Ecarri. *Historia...*

[35] Véase: Sarmiento Sosa. *El Desempeño...*

[36] El doctor René De Sola fue juez de primera instancia en lo civil del Distrito Federal (1947). Años después, ministro de Justicia (1958), ministro de Relaciones Exteriores (1958-1959), senador suplente por el Distrito Federal (1963), miembro del Consejo de la Facultad de Derecho de la Universidad Central de Venezuela (1950), decano en la Facultad de Derecho de la Universidad Santa María (1954), presidente de la Academia de Ciencias Políticas y Sociales (1968), embajador delegado permanente de Venezuela ante la Unesco (1970), presidente del Comité Jurídico de la Unesco (1978/1995), presidente alterno de la Junta de Apelaciones de la Unesco (1985), presidente de la Corte Suprema de Justicia (1987-1989) y presidente de la Comisión de la Reforma del Código de Comercio.; y el doctor Naranjo Ostty, prestigioso abogado, ejerció como Fiscal General de la República en el período constitucional 1969-1973.

Promulgada la Constitución de 1947, juristas como Luis Loreto[37], Rafael Pizani[38], Lorenzo Herrera Mendoza, Alejandro Urbaneja Achelpolh y Julio Horacio Rosales pasaron a formar parte de la Corte Suprema de Justicia. Obsérvese que los tres últimos nombrados habían sido jueces durante las dictaduras precedentes, y ello no fue obstáculo para que fueran electos para la función judicial.

5. El sistema judicial entre 1948 y 1958

El 4 de diciembre de 1948, o sea, 10 días después del asalto al poder, la Junta Militar de Gobierno resolvió remover a los magistrados de la Corte Suprema de Justicia y designar a quienes les sustituirían con el título de Vocales de la Corte Federal y de Casación, por haber sido anulada la Constitución de 1947 y puesta en vigencia la derogada de 1936. Además, la Corte estaba incompleta porque varios de los magistrados habían renunciado en protesta contra el golpe de estado, entre ellos los doctores Pizani y Rosales.

Los nuevos vocales eran reconocidos abogados y algunos de ellos habían sido opositores a las políticas desarrolladas durante el trienio 1945-1948 y otros simpatizaban con el régimen de facto, y otros eran personajes vinculados al lopecismo y al medinismo[39].

---

[37] El doctor Loreto volvería a la Sala de Casación Civil de la Corte Suprema de Justicia para la década de los 70's del s. XX.

[38] El doctor Pizani sería ministro de Educación en el gabinete de de la Junta de Gobierno presidida por el contralmirante Wolfgang Larrazábal y fue ratificado en el cargo por Rómulo Betancourt, al asumir éste la Presidencia de la República. También fue el primer Presidente del Consejo de la Judicatura, cargo al que renunció públicamente ante la interferencia política del organismo. Véase: José Félix Diaz Bermúdez. *Rafael Pizani, Jurista y Ciudadano Ejemplar*. En News Forum. Septiembre 16, 2023. Disponible en: https://newsforumcommunications.com.es/rafael-pizani-jurista-y-ciudadano-ejemplar/. Consultado el 15 de enero de 2024.

[39] Principales: Alberto Díaz, Héctor Parra Márquez, Rafael Ángel Camejo, Ramón Massino Valén, Carlos Montiel Molero, Francisco Ruiz Rodríguez, Esteban Agudo Freites, Antonio Gordils y Julio César Léañez Recao. Suplentes: F. S. Angulo Ariza, Luis Villalba Villalba, Carlos Tinoco Rodil, Eudoro Sánchez Lanz, Edmundo Luongo Cabello, Luis Eduardo Moncada, J. M. Gómez Mora, René Lepervanche Parparcén, Julio Díez y Alberto Arvelo

A raíz de la promulgación de la Constitución de 1953, la Corte Federal y Corte de Casación mantuvo a varios de los vocales designados en 1948, incorporándose para cubrir las vacantes los doctores Gustavo Manrique Pacanins, Darío Parra, Ibrahim García y Tulio Chiossone, prestigiosos abogados que habían ejercido distintas funciones públicas[40].

Mención aparte merece el doctor Luis Felipe Urbaneja, un ilustre y respetado abogado y profesor universitario quien fungió de ministro de Justicia de la dictadura, desde la creación de esa cartera ministerial en 1952 hasta 1958[41].

Torrealba. El doctor Parra Márquez el 2 de diciembre de 1952 fue designado presidente del Consejo Supremo Electoral y le tocó avalar los resultados de las elecciones fraudulentas del del 30 de noviembre de 1952; y en ese mismo cargo, le correspondió supervisar la preparación y ejecución del plebiscito de diciembre de 1957. El doctor Agudo Feites fue Consultor Jurídico de la Fiscalía General de la República, para el que fue designado por el doctor César Naranjo Ossty, Fiscal General de la República por el período constitucional 1974-1979. Los doctores Tinoco Rodil y Luongo Cabello fueron ministros en el gabinete del exdictador Pérez Jiménez. El resto de los vocales eran prestigiosos abogados o profesores universitarios.

[40] El doctor Manrique había sido Relator de la Corte Suprema del estado Guárico (1910) y Fiscal General ante la Corte Federal y de Casación (1912), Diputado por el estado Lara (1929) y Procurador General de la Nación (1942-1943). El doctor Parra sería Procurador General y ministro de Educación de la dictadura perezjimenista, o sea, era un personaje claramente afecto al régimen.

[41] Perteneció al directorio del Banco Central de Venezuela desde su fundación, en 1942, hasta su designación como ministro de Justicia, en 1951, cargo este que desempeñó hasta 1958. Fue designado individuo de número de la Academia de Ciencias Políticas y Sociales. Igualmente, fue miembro de la directiva de la Fundación Rojas Astudillo y de la Biblioteca de los Tribunales del Distrito Federal, la cual presidió. Como ministro de Justicia, creó el Instituto de Legislación y Jurisprudencia y el Instituto de Derecho Comparado, bajo la dirección del doctor Roberto Goldschmidt, profesor extranjero radicado en Venezuela, dando un gran impulso a la jurisprudencia de instancia en Venezuela y a la preparación de diversas leyes modernizadoras, entre ellas, la primera Ley sobre Ventas con Reserva de Dominio, la Ley de Propiedad de Apartamentos (luego modificada a Ley de Propiedad Horizontal), la Ley de Fideicomiso y la última reforma parcial del Código de Comercio (1955), en la que se introdujeron en nuestro sistema jurídico las compañías de responsabilidad limitada y se reguló la venta de fondos de comercio. Igualmente creó el servicio de notarías públicas.

En cuando a las relaciones del ministro Urbaneja con el Poder Judicial, organizó una estructura integrada por jueces honrados e imparciales –muchos de ellos con carrera judicial– al amparo de la Ley Orgánica del Poder Judicial de 1956 promulgada por el régimen, con lo que se separaban claramente las actuaciones judiciales del campo de la política represiva del dictador a cargo de la Seguridad Nacional y de ciertos negocios turbios en el Departamento de Compras del Ministerio de la Defensa que se situaban por encima de la justicia ordinaria, como cuentan Carlos Ball y Carlos Sabino[42].

La designación de los jueces estaba a cargo de la Corte Federal en cada período constitucional, quien les nombraba de una lista elaborada por el Ministerio de Justicia, con excepción de los entonces denominados jueces de instrucción con competencia en lo penal, los cuales eran investidos directamente por el citado Ministerio.

Para completar una lista de candidatos, el Ministerio de Justicia, a través de la Dirección de Justicia, evaluaba la gestión de los jueces que venían ejerciendo sus funciones y a la vez estudiaba el *curriculum vitae* de cada aspirante. De esta manera, la Corte Federal podía fácilmente estudiar la lista que le era sometida a su consideración y hacer los nombramientos para el siguiente período constitucional, o rechazarlos mediante solicitud al Ministro de Justicia para que elaborara una nueva lista.

Obviamente, al seguirse tales parámetros en el nombramiento de los jueces, puede pensarse, con acierto, que éstos gozaban de una independencia judicial relativa puesto que, entrar en el campo de la política o de los negocios de funcionarios del régimen, bien podía

---

[42]   Véase: Sarmiento Sosa. *El Desempeño...*

ocasionarles inconvenientes con la dictadura[43]. Al respecto, dice
Rogelio Pérez Perdomo[44]:

*"Cualquier ciudadano o abogado que demandara al Estado no
sólo podía esperar muy poca comprensión, sino que su acto podía
considerarse un acto de oposición al régimen, con graves
consecuencias para el peticionario".*

6. El sistema judicial entre 1958 y 1968[45]

Como he expresado, la Junta de Gobierno presidida por el
contralmirante Wolfgang Larrazábal Ugueto[46], que sustituyó a la
dictadura perezjimenista, dejó en vigencia la Constitución de 1953,
que preveía que los vocales de la Corte Federal y de Casación fueran
nombrados por el Congreso por el término de 5 años, y los jueces eran
designados por el mismo término, coincidiendo con el período
constitucional.

---

[43] Contaba mi padre una anécdota referida a una situación que se le planteó en el
ejercicio profesional: Corría el año 1950 -o 1951- cuando, en representación
de un cliente, demandó a una sociedad mercantil por unos créditos que ésta
adeudaba a su cliente, que era también una sociedad mercantil. El Presidente
de la demandada era, para el momento, el ministro de la defensa de la Junta
Militar. Al presentar al juez la demanda, éste cuidadosamente la leyó y, al ver
el nombre del ministro, se inició este diálogo: Doctor Sarmiento Núñez, ¿sabe
usted a quien está demandando? Mi padre, que esperaba la pregunta, le
respondió: Sí, señor juez, a una sociedad mercantil. El juez, volvió a insistir:
¿Pero usted sabe quién representa a la demandada? Señor juez, la representa la
persona que indico como representante legal. El juez inmediatamente cayó en
cuenta que mi padre sabía perfectamente de quién se trataba y que no iba a
disuadirlo, ordenó la admisión de la demanda y acordó la medida de embargo
solicitada.

[44] Véase: Pérez Perdomo, Rogelio. *Medio siglo de historia judicial en Venezuela.*
RDUNIMET_2007_11_3-24 PDF.

[45] En esta sección seguiré lo expuesto en mi obra *EL DESEMPEÑO....*

[46] Además, integraban la primera Junta de Gobierno los coroneles Abel Romero
Villate, Roberto Casanova, Carlos Luis Araque y Pedro José Quevedo. A los
pocos días de su nombramiento lo coroneles Romero y Casanova fueron
separados de sus cargos y en sustitución asumieron los civiles Eugenio
Mendoza Goiticoa y Blas Lamberti. El secretario de la Junta sería el doctor
Edgar Sanabria, un prestigioso catedrático universitario.

Por lo tanto, procedía cumplir con el mandato constitucional para designar a los vocales de la Corte Federal y de Casación y nombrar a los jueces que ejercerían para el período constitucional 1959-1963.

A. *El nombramiento de los vocales y de los magistrados en 1959*

En cuanto al sistema judicial, la mera circunstancia de que en el Pacto de Punto Fijo se conviniera en la elaboración de una nueva constitución en la cual se contemplara la trilogía de los Poderes Públicos, la autonomía e independencia judicial, así como la estabilidad de los jueces, hacía prever que la democracia de partidos daría un pleno respeto al sistema judicial. Así, se deduce cuando se observa que la elección de los integrantes de la Corte Federal y de la Corte de Casación para el período 1959-1964 se rigió por la constitución de 1953 y, al entrar en vigencia la de 1961, el Congreso Nacional ratificó a algunos de los vocales que habían sido designados y los denominó magistrados, quedando la Corte Suprema de Justicia integrada por los doctores José Manuel Padilla Hernández, Hugo Ardila Bustamante, José Gabriel Sarmiento Núñez, Jonás Barrios E., Eloy Lares Martínez, Carlos Acedo Toro, Julio César Léañez Recao, Joaquín Gabaldón Márquez, Héctor Serpa Arcas, Julio Horacio Rosales, José Román Duque Sánchez, Ezequiel Monsalve Casado, Alejandro Urbancja Achelpohl, José Ramón Medina y Rafael Rodríguez Méndez[47],

---

[47] Los magistrados José Manuel Padilla, Hugo Ardila Bustamante, Jonás Barrios E., Julio Horacio Rosales, Alejandro Urbaneja Achelpohl, José Román Duque Sánchez, Julio César Leáñez Recao y Ezequiel Monsalve Casado habían ejercido como jueces antes de su nombramiento en la Corte Suprema de Justicia. El doctor Carlos Acedo Toro había participado en comisiones legislativas y fungido de Consultor Jurídico del ministerio de Fomento, aparte de ser catedrático universitario. El magistrado Eloy Lares Martínez había sido diputado al Congreso y gobernador del Estado Sucre. Los magistrados José Ramón Medina y Héctor Serpa Arcas, profesores en la Facultad de Derecho de la Universidad Central de Venezuela. El magistrado José Gabriel Sarmiento Núñez volvía del exilio con dos cursos de especialización en derecho procesal en la Escuela de Práctica Jurídica de la Universidad Complutense y miembro del Instituto Español de Derecho Procesal. El magistrado Joaquín Gabaldón Márquez había sido profesor de economía política en la Facultad de Derecho

Los magistrados habían sido electos por cinco años y, por tanto, al vencerse el primer período constitucional en 1964, era procedente que el Congreso efectuara nuevas designaciones. Pues bien, al hacerlo, y en acatamiento al principio de estabilidad judicial, el Poder Legislativo ratificó a los magistrados de acuerdo a la Constitución de 1961.

B. *El nombramiento de los vocales y de los magistrados en 1964*

Como he señalado, en el nombramiento de los magistrados privó el principio de estabilidad en el cargo, razón por la cual la mayoría de ellos fueron ratificados por el Congreso Nacional en 1964; pero había que llenar algunas vacantes producto de las separaciones de algunos de ellos para otros destinos, como Lares Martínez y Monsalve Casado, quienes pasaron a ser ministros del Presidente Raúl Leoni en las carteras del Trabajo y de Justicia, respectivamente. Medina pasó a ser Secretario de la Universidad Central de Venezuela. Rosales había sido jubilado por la propia Corte Suprema de Justicia en medio de merecidos homenajes por su larga carrera judicial[48]; y otros habían fallecido en sus cargos.

Con los nuevos nombramientos, se vieron caras como las de los doctores Miguel Ángel Landáez D., Ignacio Luis Arcaya, Carlos Trejo Padilla, Carlos Ascanio Jiménez, José Agustín Méndez y Alejandro M. Osorio, entre otros. Un reflejo de Punto Fijo.

C. *El nombramiento de los vocales y de los magistrados en 1959 y 1964 y Punto Fijo*

He reseñado las respectivas experiencias de los magistrados antes citados y puede decirse, en líneas generales, que tenían unas respetables hojas de vida que, y en el ejercicio de sus cargos así lo demostraron. Ahora bien, como indicaba al principio de esta sección, los acuerdos de Punto Fijo estuvieron presentes. En efecto, ninguno de los magistrados eran políticos profesionales, aunque podían ser

---

de la Universidad Central de Venezuela El magistrado Rafael Rodríguez Méndez había egresado de la UCV como doctor en Ciencias Políticas y Jurídicas en 1935.

[48] Véase: Sarmiento Núñez, J. G. *Julio Horacio Rosales*. En: *Temas Jurídicos...*

miembros de alguno de los tres partidos comprometidos. Barrios E. era miembro de Acción Democrática y hermano del doctor Gonzalo Barrios, dirigente de ese partido, del cual fue candidato presidencial en 1968. Landáez D. –éste se había desempeñado como ministro de Justicia durante el gobierno de Betancourt–, Duque Sánchez y Monsalve Casado eran de tendencia social cristiana. Gabaldón Márquez era conocido por sus simpatías con los partidos de izquierda. Lares Martínez, Medina, Arcaya y Ron eran pro URD. Sarmiento Núñez, Padilla Hernández, Osorio, Trejo Padilla, Méndez y Rodríguez Méndez eran independientes cercanos a AD.

Otro aspecto, a mi modo de ver, expresión de Punto Fijo, fue la ratificación de los magistrados Sarmiento Núñez y Ron Troconis por el Congreso, en 1964. En efecto, solicitada en 1962 la inhabilitación del Partido Comunista de Venezuela (PCV) y del Movimiento de Izquierda Revolucionaria (MIR) ante la Sala Político Administrativa de la Corte Suprema de Justicia, por haber declarado la lucha armada contra el gobierno de Betancourt, ambos magistrados salvaron sus votos en la sentencia que declaró procedente la inhabilitación, lo que, por razones exclusivamente políticas, no fue del agrado del gobierno, ni de los partidos AD y COPEI; pero, no obstante ese disgusto, al momento de producirse el nombramiento de los magistrados, ambos resultaron confirmados con los votos de los partidos firmantes de Punto Fijo[49].

En fin, puede decirse que la conformación de la Corte en 1959 y 1964 los legisladores se ciñeron a los compromisos de Punto Fijo; y lo hicieron con un excelente tino porque algunos de esos magistrados cumplieron más de 25 años en sus funciones, hasta sus honrosos retiros, como los magistrados Barrios E., Duque Sánchez, Trejo Padilla y Rodríguez Méndez, entre otros.

---

[49] Sarmiento Núñez se retiró de la Corte en 1966 mientras que Ron Troconis continuó como magistrado y, posteriormente, en la década de los años 70´s-80's, presidió el Consejo de la Judicatura. Véase: SARMIENTO SOSA. *EL DESEMPEÑO...* Véase: SARMIENTO SOSA, Carlos J. *HITOS HISTÓRICOS DE LA REPUBLICA CIVIL 1958-1998*. https://www.amazon.es/Hitos-Hist%C3%B3ricos-Venezuela-Rep%C3%BAblica-1958-1998/dp/1729133 509.

7. El nombramiento de los jueces

Supra ha quedado explicado el procedimiento aplicable para el nombramiento de los jueces se regía por la normativa heredada de la dictadura, que suponía un cambio de jueces cada cinco años; pero a la vez, la normativa-la Ley Orgánica del Poder Judicial de 1956- contemplaba la estabilidad judicial. En efecto, en un acto en el Colegio de Abogados del Distrito Federal en 1962, se rindió homenaje a un grupo de jueces de la Circunscripción Judicial del Distrito Federal y Estado Miranda que habían sido nombrados en 1942, es decir, llevaban veinte años en la judicatura. A mi modo de ver, ese laudatorio a aquellos funcionarios judiciales confirma que, en las décadas de los años 40's y 50's del siglo XX existía una carrera judicial para aquellos jueces que cumplieran con su oficio y observaran buena conducta, reafirmando la independencia judicial existente pues se mantuvieron como operadores de justicia durante distintos regímenes, desde el del general Medina Angarita, el "trienio" adeco, el gobierno de Rómulo Gallegos, la dictadura perezjimenista y la República Civil[50]. Esto, confirma la respetabilidad personal de los jueces y también su marginalidad política[51].

Por tanto, es de presumir que había un pacto institucional de respeto a la independencia judicial aun en los gobiernos dictatoriales, y que Punto Fijo coincidía con esa conducta puesto que, estando la designación de los jueces en manos del Poder Ejecutivo podría haber sido utilizado para despedir a aquellos no afectos a los partidos AD, COPEI y URD y sustituirlos por fichas de éstos[52].

---

[50] Véase: Sarmiento Sosa. *El Desempeño...* Los jueces homenajeados fueron los doctores Antonio Landaeta Payares, Manuel Casas Briceño, Juan Bautista Machado, Guillermo Ramírez Álvarez, Fernando Martínez Aristeguieta, Mario Cordido Miralles, Martín Osorio, Diego Godoy Troconis y Miguel Salazar Yánez.

[51] Véase: Pérez Perdomo, Rogelio. *Medio Siglo...*

[52] Una excepción en el nombramiento de los jueces era el de los jueces de instrucción en materia penal que tenían a cargo las investigaciones sumariales, que eran de la libre designación y remoción del Ministro de Justicia.

Todo lo contrario, para el año 1964, cuando correspondía el nombramiento constitucional de los jueces, "(...) *se dio la debida preferencia a quienes ya venían actuando en la Judicatura, resultando así reelectos en más de un ochenta por ciento los funcionarios judiciales "*[53].

III. CONCLUSIONES

Punto Fijo debe verse históricamente como un pacto que devino de la unión de todos los factores políticos, tanto de los que se encontraban viviendo bajo la dictadura perezjimenista como de quienes estaban en el exilio, y su importancia radica en que, de esa unidad nacida en la legendaria residencia del doctor Caldera, pudo el gobierno de Betancourt, con el apoyo decidido de las Fuerzas Armadas, enfrentar las conspiraciones de la extrema derecha y el embate castro comunista de las Fuerzas Armadas de Liberación Nacional (FALN) y de la guerrilla urbana, aquella que apostaba por asesinar cada día un policía[54].

También, y gracias a Punto Fijo, la democracia dio los pasos correctos institucionales no sólo para integrar un gabinete ejecutivo con representantes de los tres partidos firmantes, AD, URD y COPEI, sino para respetar la independencia judicial como lo he demostrado a lo largo de este ensayo.

Sin un acuerdo integral al respecto, hubiera sido probable que se produjera una rebatiña por los cargos de jueces para asignárselos a los miembros afines de los citados partidos, como sucedió con la colonización del Consejo de la Judicatura años después, en 1969, con la aprobación de la Ley Orgánica del Poder Judicial.

---

[53] Véase: Sarmiento Núñez, J. G. *Balance Judicial*. En *Temas Jurídicos*. Editada por la Fiscalía General de la República. Caracas, 1972. Para aquel tiempo, Sarmiento Núñez, en su condición de magistrado, presidía el Consejo Judicial, un organismo transitorio instituido por la Constitución de 1961 integrado por tres representantes del Poder Judicial, designados por la Sala Político-Administrativa de la Corte Suprema de Justicia, un representante del Poder Ejecutivo y un representante del Poder Legislativo.

[54] Véase: Sarmiento Sosa. *Hitos Históricos...*

Desde el punto de vista histórico, en enero de 1962, URD abandonó sus compromisos con Punto Fijo, so pretexto en la negativa del ministro de Relaciones Exteriores de Venezuela, Ignacio Luis Arcaya[55] a firmar la expulsión de Cuba del sistema interamericano (OEA), en un gesto que evidenciaba las simpatías del urredismo hacia el régimen de La Habana, por lo que Betancourt destituyó a Arcaya y designó a Marcos Falcón Briceño para sustituirle; y entretanto, otros dirigentes de URD como Luis Miquilena, José Herrera Oropeza, José Vicente Rangel y Fabricio Ojeda cabalgaban, hacía tiempo, en ambas monturas, la de la democracia y la castro cubana[56].

A raíz de esa ruptura, AD y COPEI continuaron cumpliendo con los compromisos asumidos en Punto Fijo, bajo el mote coloquial de "la guanábana"[57] y, al asumir el Presidente Leoni la Presidencia de la República, un nuevo pacto –la "ancha base"– se hizo realidad, conformado por AD, URD y el FND, esta última una organización de corta vida que liderizaba el doctor Arturo Uslar Pietri[58].

Podría decirse, entonces, que, con esos acuerdos, Punto Fijo había quedado en el pasado[59]. Pero lo cierto es que Punto Fijo fue la semilla que guio tanto a la "guanábana" como a la "ancha base" y quizás cualesquiera otros acuerdos políticos que se materializaron durante la República Civil.

---

[55] Como se vio *supra*, el doctor Arcaya ingresó en 1964 a la Sala de Casación Civil de la Corte Suprema de Justicia.

[56] Véase: Sarmiento Sosa. *Hitos Históricos*...

[57] Conocida fruta tropical cuyos colores electorales combinan el verde de Copei con el blanco de AD.

[58] Véase: Sarmiento Sosa. *Hitos Históricos*... Véase: Ecarri. *Historia*...

[59] Véase: Ecarri. *Historia*... Como apunta Ecarri, el Presidente Rafael Caldera, un entusiasta de Punto Fijo, al asumir su primer gobierno (1969-1974), abandonó la política de coalición con otras fuerzas políticas. Sin embargo, para ganar las elecciones presidenciales que le dieron el triunfo para su segundo gobierno (1994-1999), Caldera organizó Convergencia, una coalición de pequeños partidos que la iniciativa popular denominó el "chiripero". Volvería a funcionar un gobierno de coalición, como funcionó durante los mandatos de Betancourt y Leoni.

Por supuesto, hay quien sostiene que es un equívoco considerar como *"puntofijismo"* a la República Civil cuando "(...) *la verdad es que ese entendimiento político forjado tras la caída de la dictadura perezjimenista fue más bien de efímera duración"*[60].

También, otros han culpado a Punto Fijo de todos los males de la República Civil como lo revela Ramón Guillermo Aveledo[61] al afirmar que desde hace "(...) *ya más de dos décadas desde las elecciones de 1998, una intensa campaña desde el poder ha denostado de aquel acuerdo, aunque su descalificación empezó antes, en plena crisis del sistema de partidos que puede decirse se inauguró con motivo de él, aunque su desarrollo pleno, con logros y falencias, haya trascendido en el tiempo al período constitucional 1959-1964 (...)".*

Fuera lo que fuera, el valor y la importancia de Punto Fijo constituyeron hitos que sirvieron para lograr la transición entre la dictadura y la democracia y una estabilidad política de cuarenta años, cuyo ciclo se cerró dramáticamente en 1998 con un salto al vacío que aún no tiene fondo[62]; y que, como consecuencia de ese pacto, en el decenio 1958-1968 Venezuela disfrutó de un sistema judicial independiente en el que, institucionalmente, funcionaba el equilibrio de poderes; y ello es atribuible a Punto Fijo, que había sentado las bases para el funcionamiento del Estado de Derecho.

A mi modo de ver, es importante mantener vivos los hechos históricos como los relatados en este ensayo porque, como decía el catedrático José Manuel Roldán Illescas[63], *"La memoria histórica existe y ¡ay del pueblo que la pierda!".*

---

[60] Véase: Jiménez, Rafael Simón. *De la guanábana a la ancha base.* Eneltapete. com. Disponible en: https://www.eneltapete.com/historia/3147/de-la-guanabana -a-la-ancha-base. Consultado el 10 de enero de 2024.

[61] Véase: Aveledo, Ramón Guillermo. *Valoración Histórica y Actual del Pacto De Puntofijo.* En: Pacto DE Punto Fijo...

[62] Véase: Sarmiento Sosa. *Hitos Historicos...* Véase: Sarmiento Sosa, Carlos J. *Proyecto de País y Unidad.* En: El Nacional. Disponible en: https://www. elnacional.com/opinion/proyecto-de-pais-y-unidad/. Consultado en: 10 de enero de 2024.

[63] Filólogo e historiador español, José Manuel Roldán es Catedrático de Historia Antigua en la Universidad Complutense de Madrid.

Porque cuando se pretende reescribir la historia con malsanas intenciones destinadas a tergiversar la información que han suministrado los historiadores, se impone la necesidad de divulgar los hechos e hitos acontecidos conforme a la verdad para que las nuevas generaciones asuman conciencia de que en Venezuela existió un período conocido como la República Civil en la cual, durante el lapso comprendido entre 1958 y 1968, el país contaba con un sistema judicial independiente, serio y confiable.

Y ese ha sido mi cometido con este ensayo.

LAS SOMBRAS DEL PACTO DE "PUNTOFIJO" Y LA CONSTITUCIÓN DE 1961

Cecilia Sosa Gómez*

*Individuo de Número de la
Academia de Ciencias Políticas y Sociales*

El "Pacto de Puntofijo" fue un acuerdo de gobernabilidad suscrito entre los máximos representantes de los partidos políticos venezolanos de Acción Democrática (AD), Comité de Organización Política Electoral Independiente Copei) y Unión Republicana Democrática

---

*   Venezolana. De profesión Abogado, graduada en la Universidad Central de Venezuela en 1967. Obtuvo Doctorado en Ciencias Administrativas, en la Universidad de la Sorbonne, París, Francia, en 1977. Profesora en el ámbito de pre-grado y de post-grado de la Cátedra de Derecho Administrativo de la Universidad Católica Andrés Bello y de la Universidad Central de Venezuela y de derecho constitucional en el área de post grado en la UCAB, UCV, UMA y UAM. Fue funcionario público en el MOP y Ministerio del Ambiente. Investigador adscrito al Instituto de Derecho Público, UCV. Director del Centro de Investigaciones Jurídicas, UCAB. Ha sido profesor invitado en la cátedra Andrés Bello (Visiting Fellow) en Saint Antony's College en 1977-1978, Universidad de Oxford, Inglaterra. Sirvió por más de diez años como Magistrado de la Corte Suprema de Justicia (desde 1989) y de la Corte Primera de lo Contencioso Administrativo (1986-1989), llegando a ser la primera mujer en presidir una Corte Suprema de Justicia en el continente americano (1996-1999). En agosto de 1999, renunció a la Corte Suprema de Justicia cuando se vio vulnerada la independencia del Poder Judicial por la intervención inconstitucional de la Institución por parte de la Asamblea Nacional Constitu-yente. Actualmente se dedica a la actividad académica, y a la lucha porque Venezuela sea una República Democrática. Es Directora Académica del Bloque Constitucional de Venezuela, e Individuo de Número de la Academia de Ciencias Políticas y Sociales.

(URD), suscrito el 31 de octubre de 1958, a pocos meses del derrocamiento de Marcos Pérez Jiménez, antes de las elecciones ese año. El acto formal de la firma se realizó en Caracas en la residencia de Rafael Caldera de nombre Punto Fijo, de donde proviene la denominación del Acuerdo.[1]

La finalidad del Pacto, de acuerdo a su texto, fue permitir la *estabilización en los primeros años del sistema democrático representativo.*

La línea a seguir para las elecciones de 1958 era la participación equitativa de todos los partidos en el gabinete ejecutivo del partido triunfador, excluyendo al Partido Comunista de Venezuela[2], y a los sectores afines a la derrocada dictadura de Marcos Pérez Jiménez.

No todas las tendencias querían instaurar un régimen civil democrático, tenían orientación hacia un gobierno de las fuerzas armadas, ante lo que calificaban de desorden democrático, evocando el trienio 1945/1948, lo que explicaría los intentos de golpe de Estado contra la Junta de Gobierno.

De modo que la transición democrática fue un ejercicio de cooperación y de cumplimiento de los resultados electorales, dado que pasaron sólo algunos meses para llamar a un proceso electoral para elegir al presidente de la República.

Los puntos sobre los que se sostendría un gobierno civil eran[3]:

---

[1] (Esa palabra en álgebra significa métodos para la resolución correcta y exacta, centrada en el uso de las propiedades de funciones mediante las que se expresan convenientemente los términos que conforman las ecuaciones o combinaciones bien elegidas de los mismos).

[2] PCV fue una de las principales organizaciones que lucharon contra la dictadura del general Marcos Pérez Jiménez. La marginación del PCV del pacto se debió, según algunas opiniones, a la dinámica de la Guerra Fría, el rechazo a ese partido por parte de la Iglesia católica y de COPEI, así como su dependencia del Partido Comunista Soviético. Véase en Naudy Suárez Figueroa: Puntofijo y otros puntos. Fundación Rómulo Betancourt: 2006. ISBN 9806191374.

[3] *Diccionario de Historia de Venezuela*. Fundación Empresas Polar. Caballero Manuel "Pacto de Punto Fijo".

1) defensa de la constitucionalidad y del derecho a gobernar conforme al resultado electoral: se explica allí que, cualquiera que fuese el partido que ganase las elecciones, los otros se opondrían al uso de la fuerza para cambiar el resultado;

2) gobierno de unidad nacional: se formaría un gobierno de coalición y ninguno de los 3 partidos tendría la hegemonía en el gabinete ejecutivo;

3) los tres partidos se comprometían a presentar ante el electorado *un programa mínimo común.*

Los peligros de una regresión militar llevaban a encausar la normalización democrática, y los partidos estaban conscientes de ello.

Ahora bien, la elección democrática del presidente de la República se realizó estando vigente la Constitución de 1953.[4] Así, el 7 de diciembre de 1958 Rómulo Betancourt gana la Presidencia de la República con una votación de 1.284.092 votos, un 49,18 % de los sufragios emitidos y asume el cargo el 13 de febrero de 1959.

Las *elecciones generales* se celebraron el domingo 7 de diciembre de 1958 para elegir al presidente de la República, realizándose conjuntamente con la elección de los diputados y senadores para el Congreso de la República, de diputados para las Asambleas legislativas y de concejales para los concejos municipales.

Fueron las primeras elecciones libres realizadas tras la dictadura militar, el cual marcó el fin de 10 años de régimen autoritario y 6 años de gobierno con el presidente Marcos Pérez Jiménez, quien había impedido durante su gestión elecciones libres desde su asunción en 1952.

Fueron las únicas elecciones directas celebradas bajo la Constitución de 1953.

El gobierno de *Rómulo Betancourt* se dedicó a la apertura y a la estabilización a la democracia, a la promulgación de una nueva Constitución, a la reforma agraria, a la industria petrolera, con una

---

[4]   Constitución de 1961. "Artículo 262.- Queda derogado el ordenamiento constitucional que ha estado en vigencia hasta la promulgación de esta Constitución."

fuerte inversión en el sector educativo y el cese de relaciones con gobiernos ilegítimos o dictatoriales del mundo, lo que se conoce como doctrina Betancourt. De estas tareas cumplidas a él se le reconoce con la calificación del "Padre de la Democracia".

El 16 de enero de 1961 el Congreso de la República con el voto afirmativo de los principales partidos políticos, Acción Democrática, Copei, y el Partido Comunista de Venezuela *aprueban la Constitución de 1961 la que entró en vigor el 23 de enero de 1961*[5]-[6].

Se consideró ante las exigencias políticas de regulación de la economía, que se dictase el Decreto de restricción de ese derecho el mismo día de la promulgación de la Constitución.[7]

Lo cierto es que a Rómulo Betancourt durante el proceso de estabilización democrática le tocó enfrentar una realidad militar de ataques internos y externos, guerrillas, huelgas laborales, intentos de golpes de estado y de asesinatos financiados por dictadores latinoamericanos que lo obligaron a tomar medidas de suspensión de la normalidad constitucional y decretar estados de excepción, incluyendo la libertad económica.

La Constitución de 1961 está dividida en cinco grandes grupos:

[5]   Rafael Caldera y Raúl Leoni, vicepresidente y presidente del Congreso Nacional, durante la promulgación de la nueva Constitución. Palacio Federal Legislativo, 23 de enero de 1961.

[6]   Ramón J. Velásquez al comentar la reunión que tuvieron los líderes políticos fundamentales en Nueva York, en la primera quincena de 1958, señala que "pasaron revista a la situación política venezolana, analizaron los graves errores y los aciertos del pasado y terminaron por aceptar la tesis de que el porvenir sería suyo, en la medida en que entendieran que el poder político es el producto de alianzas y de acuerdos entre los diversos sectores que integran un país" (Véase, Ramón J Velázquez, "Aspectos de la Evolución política de Venezuela en el Último medio siglo" en Ramón J. Velázquez y otros, *Venezuela Moderna, Medio Siglo de Historia 1926-1976*, Caracas 1979, p. 219)

[7]   Allan R. Brewer Carías. "Consideraciones sobre la suspensión o restricción de las garantías constitucionales". *Revista de Derecho Público*. N. 37. Enero-Marzo 1989. p. 15.

1. El preámbulo que sustenta el orden democrático como único e irrenunciable medio de asegurar los derechos y dignidad de los ciudadanos; se invocaba la protección de Dios y se exaltaba al Libertador Simón Bolívar y a los «grandes servidores de la patria».[8]

2. La parte en la cual se establecen como pilares la democracia, la estructura de la división política, y el carácter de forma federal del Estado venezolano;

3. **74** artículos referidos a deberes, derechos y garantías, con redacción de normas de carácter programático. Se señalaba expresamente que sería la Ley la que establecería su desarrollo, formas y limitaciones de su ejercicio (reserva legal)

4. La parte orgánica, que constaba de doce Títulos, para un total de 252 artículos; y

5. 23 disposiciones transitorias.

El "Pacto de Puntofijo", puede decirse, que tuvo como producto fundamental el texto de la Constitución de 1961, y ello resulta del hecho de que la primera tarea que se impusieron los Senadores y Diputados electos en diciembre de 1958 fue la elaboración del texto constitucional.

El texto de la Constitución de 1961 *estableció el principio de separación de poderes* de la siguiente manera; el artículo 117 afirma "La Constitución y las leyes definen las atribuciones el Poder Público y a ellas debe sujetarse su ejercicio" y luego en el artículo inmediatamente siguiente afirma "Cada una de las ramas del Poder Público tiene sus funciones propias, pero los órganos a los que incumbe su ejercicio colaborarán entre sí en la realización de los fines del Estado." Estas dos normas son similares a los artículos 84 y 137 de la Constitución de 1947, y se incorporan a la Constitución de 1999 en el artículo 136 y 137.

---

[8] Con el voto de las Asambleas legislativas de los Estados, el Congreso de la República de Venezuela, en representación del pueblo venezolano...con el propósito de decreta la siguiente Constitución..."

Lo interesante de la relación entre el pacto político y la Constitución, fue que tres años después el 31 de octubre de 1958, cuando se establece en la Constitución de 1961 el mecanismo de la separación de poderes; no obstante ya los tres líderes políticos que representaban a sus respectivos partidos (Cardera, Betancourt, Villalba), declararon bajo pacto tener "la responsabilidad de orientar la opinión para la consolidación de los principios democráticos"; y lograr puntos de unidad y de cooperación entre ellos.

Por tal razón los criterios del referido Pacto Político eran:

1. Los partidos acuerdan las pautas de *convivencia* basadas en el mutuo respeto, inteligencia y cooperación entre *las diversas fuerzas políticas*, sin perjuicio de la autonomía organizativa de cada una de ellas o de sus características ideológicas; se busca la garantía de *no romper el frente unitario* que ellas implicaban, y prolongar la tregua política, despersonalizar el debate y erradicar la violencia partidista.

2. La cooperación entre las fuerzas políticas tenía un fin inmediato: lograr, entre todos, que se desarrollase **el proceso electoral** del año siguiente, 1959 y que los poderes públicos que resultaren electos de ese proceso respondieran a pautas democráticas. Se trataba por tanto de un acuerdo para el establecimiento de un sistema democrático.

3. Como principio general del Pacto, se estableció *el compromiso de un gobierno y unos-cuerpos representativos, que agruparan equitativamente a todos los sectores de la sociedad*, interesados en la estabilidad de la República como sistema popular de gobierno.

Por tanto, el Pacto de "Puntofijo" iba más allá del acuerdo de respeto mutuo y de cooperación, y se convirtió en un acuerdo de hacer y lograr la participación de todos los sectores interesados en la formación del nuevo gobierno, lo cual se hizo realidad, no solo en la estructuración del primer gobierno de Rómulo Betancourt, llamado de "Ancha Base" en 1959, con una participación ministerial de los tres principales partidos, sino por el establecimiento del principio de la representación proporcional de las minorías, se aplicó para lograr la equitativa representación en los cuerpos deliberantes, de manera que *todos los sectores de la sociedad interesados en la estabilidad republicana estuviesen representados en ellos; por lo que quedaban fuera* del Pacto, aquellos sectores que no estaban interesados en la estabilidad republicana representados por los sectores del *perezjimenismo*, de la conspiración militar, y por el Partido Comunista de Venezuela, como quedó demostrado por la lucha subversiva interna, que se desarrolló durante más de un lustro a partir de esa fecha.

No cabe duda de que "...el Pacto permitió la consolidación de los partidos políticos firmantes como parte de un proyecto de gobernabilidad en donde se marginaba a la izquierda política (PCV y luego el MIR como ruptura de la izquierda y juventud de AD) y se mantenía una alianza con un sector militar institucional que impedía la articulación de una derecha militar derivada de la herencia política de Pérez Jiménez. Este modelo de gobernabilidad en cuanto a lo partidista derivaría en la consolidación del bipartidismo AD-COPEI mientras que URD no logró mantenerse como una fuerza relevante.

Ahora bien, se requiere destacar de la Constitución de 1961,[9] el Título IX *De la Emergencia,* en el cual se establecía la competencia del presidente de la República, para declarar el estado de emergencia en caso de conflicto interior o exterior, o cuando existan fundados motivos de que uno u otro ocurran. (art. 240). La importancia de analizar el cumplimiento de la Constitución de 1961 en cuanto a la distribución de las competencias de los poderes públicos permite comprobar cómo *los usos de normas constitucionales para momentos*

---

[9] Allan R. Brewer-Carías. "El "pacto de punto fijo" de 1958 como punto de partida para el establecimiento y consolidación del sistema democrático y del Estado constitucional de derecho en Venezuela." Texto escrito para el *Libro Homenaje a Humberto Romero Muci*, Academia de Ciencias Políticas y Sociales, Caracas 2022). "En todo caso, si se analiza globalmente la Constitución de 1961, a la luz de sus antecedentes políticos, puede concluirse que ese "espíritu del 23 de enero" tuvo efectos directos en el texto En todo caso, si se analiza globalmente la Constitución de 1961, a la luz de sus antecedentes políticos, puede concluirse que ese "espíritu del 23 de enero" tuvo efectos directos en el texto constitucional, particularmente en tres aspectos: en el establecimiento de un régimen político democrático representativo, con previsiones para su mantenimiento que marcó la constitución política del Estado; la estructuración de un Estado constitucional de derecho; y en el establecimiento de un peculiar sistema político-económico-social, que configuró la constitución económica, basada en el principio de la libertad económica con posibilidad para el Estado de promover el desarrollo económico y restringir dicha libertad."

de emergencia quedaron vigentes y permitieron un presidencialismo excesivo, que produjo un desbalance en el ejercicio del ejercicio del poder público.

Igualmente, se estableció en la Constitución, que en casos de conmoción que puedan alterar la paz de la República o de graves circunstancias que afecten la vida económica o social, el presidente de la República "podrá restringir o suspender las garantías constitucionales, o algunas de ellas, con excepción de las consagradas en el artículo 58 y en los ordinales tercero y séptimo del artículo 60".

Ese Decreto expresaría los motivos en que se fundaba, las garantías que se restringían o suspendían, y si regía para todo o parte del territorio nacional. Deja claro que ello no interrumpía el funcionamiento ni afectaba las prerrogativas del Poder Nacional. Ese Decreto sería dictado en Consejo de Ministros y sometido a consideración de las Cámaras en sesión Conjunta o a la Comisión Delegada, dentro de los diez días siguientes a su publicación.

Ahora bien, resulta necesario analizar el funcionamiento de la *separación de poderes que se aplicó de manera conjunta con el régimen de emergencia* decretado en 1961/62.

La Constitución de 1961, considerada un texto modelo para Latinoamérica, se *aplicó de forma alterada en cuanto a la separación de poderes*, dado que se mantuvo en vigencia violando el texto constitucional el régimen de excepción de los derechos económicos, otorgando al presidente de la República capacidad legislativa, la que utilizó durante veintiocho (28) años.

Fue precisamente al inicio de aplicación de la Constitución que el presidente de la República en Consejo de Ministros asume el poder político de naturaleza legislativa que se mantuvo durante años, concretamente desde el *Decreto 455 de 23 de enero de 1961* considerando que por decreto 403 del 28 de noviembre de 1960 ya se habían suspendido y restringido varias garantías constitucionales y, entre ellas, la garantía económica, y considerando que la nueva Constitución "dejaría sin efecto el decreto dictado anteriormente", se suspendieron varias garantías individuales y respecto a la garantía económica, estableció lo siguiente:

"Artículo 2. Se restringen en todo el territorio nacional las garantías constitucionales previstas en los artículos 92 y 96 en la medida en que lo determine el presidente de la República, en Consejo de Ministros."

Puede entonces entenderse que la garantía económica de la libre iniciativa de la actividad económica, junto a otras medidas, fuera suspendida por el presidente Rómulo Betancourt, por lo demás justificadas, como se observa en la secuencia de Decretos dictados, desde el 455 de 23 de enero de 1951, que el decreto 674 de 8 de enero de 1962 derogado parcialmente por el Acuerdo del Congreso el 5 de abril del mismo año, el cual señaló expresamente en relación a las diversas garantías constitucionales que habían sido restringidas lo siguiente:

"Artículo 4. Se mantiene en todo el territorio nacional, la restricción de la garantía establecida en el artículo 96 de la Constitución, en la medida determinada por el presidente de la República en Consejo de Ministros."

Posteriormente, el Congreso Nacional en fecha 6 de abril de 1062 consideró que habían cesado las causas que motivaron los decretos 674 y 455 del 23 de enero de 1961 y 8 de enero de 1962, pero consideró que para ese momento "aún subsisten en el país graves circunstancias económicas que afectan la vida de la Nación y hacen imposible la plena vigencia de la libertad establecida en el artículo 96 de la Constitución."[10]

De manera que aún superadas las causas que dieron lugar a la restricción de la garantía económica, ésta se mantuvo vigente, haciendo que el presidente de la República mantuviera el poder de legislar, lo que transformó a *"Miraflores" en el centro de control de la economía del país*; de tal manera que ya no era un "legislador de emergencia" como lo previó la Constitución de 1961, los actores económicos debían pasar por "Miraflores"[11] para acordar sus actividades.

---

[10] Varios Decretos se dictaron posteriormente referidos a la suspensión de garantías, todos mantenía vigente la suspensión de la garantía económica (Decreto 870 de 7/10/62 y Decreto 927 de 18/12/62, éste último derogado por el Decreto 963 del 3/01/63.

[11] "Miraflores" casa de gobierno y sede del Poder Ejecutivo.

Es el momento de recordar el ambiente durante el proceso de redacción de la Constitución de 1961 como lo señala José Guillermo Andueza, secretario de la Comisión Bicameral, en su "Introducción a las Actas de la Comisión de Reforma Constitucional", dos factores ambientales influyeron en las decisiones políticas tomadas en la Constitución de 1961: Por una parte, "el Espíritu del 23 de Enero" y por la otra, la reacción anti-dictatorial, lo cual hasta cierto punto, puede decirse que forma parte de la primera. Andueza, en efecto, afirma: "La reacción anti/dictatorial *llevó a los Proyectistas a acentuar la desconfianza hacia el Poder Ejecutivo, y a conferir al Congreso amplias facultades"*. Por otra parte, agrega "los hombres que redactaron la Constitución de 1961 no pudieron sustraerse a la influencia del fenómeno dictatorialista. *Creyeron que debilitando al Poder Ejecutivo y fortaleciendo al Congreso se garantizaba al país contra el peligro del establecimiento de la dictadura"*. Esta tendencia concluye Andueza se observa en el marcado tinte parlamentario que les dieron a las instituciones políticas, en una regresión histórica. Agrega además que "el marcado acento parlamentario de la Constitución de 1961 ha producido en la práctica una peligrosa confusión de poderes. El Congreso ha pretendido convertirse en Poder coadministrador."

Esta explicación del doctor Andueza, permite entender porque y cómo vuelve al cargo de presidente de la República, en esta oportunidad a Rómulo Betancourt el poder político y la capacidad de legislar bajo el régimen de emergencia de restricción o suspensión de garantías, con fundamento en la lucha contra violentas protestas estudiantiles y populares ocurridas en varias ciudades del país el 28 de noviembre de 1960. El Carupanazo (4 de mayo de 1962), el Porteñazo (2 de junio de 1962), el Barcelonazo.

Resulta interesante *descubrir el temor político de fortalecer al presidente de la República*, como señala la cita antes referida de Andueza, lo que pudiera ser una explicación para mantener la potestad de legislar en materia económica durante años en quien desempeñara el cargo de presidente de la República, siendo el presidente Carlos Andrés Pérez quien la dejara sin efecto.

Luego en 1989, veintiocho años (28) después de un presidencialismo exacerbado Carlos Andrés Pérez, en su segundo mandato como presidente de la República (primera 1974-1979) la que debía terminar en 1994, *restituye las garantías económicas*, y derogó el Decreto del entonces presidente Rómulo Betancourt.[12]

Cuando se produjo la restitución de esas garantías en 1989, pocos tenían claro su verdadero significado y la trascendencia jurídica y política de tal decisión, además de que muchos parecían haber olvidado que habían sido suspendidas en algún momento. Esto ocurre por iniciativa y trabajos realizados por la Comisión para la reforma del Estado (COPRE) y la convicción que la República de Venezuela ya tiene una democracia fortalecida y un programa económico que se inserta en una democracia liberal.

Se hizo en lo jurídico lo correcto, pero posiblemente en lo político fue el error más grande cometido por Carlos Andrés Pérez. Lo cierto es que le entregó al Congreso Nacional el poder que le otorgó la Constitución de 1961, para que cada poder tuviera sus funciones propias, y cumpliera como legislador las reservas legales que se otorgaba el texto constitucional. Lo constitucional fue volver a la separación de poderes, a que fuera el Congreso desde donde se ejerciera el poder de legislar, es decir la vuelta al poder del parlamento

---

[12] Rafael Badell Madrid. ¿Más Estado de Derecho, mejor Estado? caso de Venezuela. Presentado en el World Law Congress New York 2023. Publicado en el Boletín de la Academia de Ciencias Políticas y Sociales. Julio-septiembre 2023, p. 828. Caracas. Venezuela. "Creemos que ese largo período de 30 años tuvo un importante impacto en el pensamiento y accionar de las personas, de los empresarios y de la propia legislación respecto del derecho a la libertad económica. En efecto, por generaciones no existió esa garantía y nos acostumbramos a una legislación que no predicaba la libertad económica como dogma sino como excepción, lo que ocasionó que aun cuando la Constitución de 1999 consagró la libertad económica como derecho público subjetivo (al igual que lo hacía el artículo 96 de la Constitución de 1961), no existía entre nosotros una verdadera creencia o concepción jurídica colectiva a favor de libertad económica". "Venezuela cuenta con una Constitución neutral y así lo ha reconocido el Tribunal Supremo de Justicia en sentencia del 15 de diciembre de 1998, haciendo referencia a la Constitución de 1961, cuya regulación de la materia se mantuvo en la Constitución de 1999; la cual en su exposición de Motivos expresamente señala que se evitaron los dogmatismos ideológicos en relación a los roles que deben jugar el Estado y el mercado en la economía."

y "Miraflores "con iniciativa de las leyes, podía establecer un intercambio en la colaboración de poderes que establecía el texto constitucional.

La realidad fue otra, esa decisión valiente y constitucional a nadie le importó no fue suficientemente explicada en las exigencias hacia el Congreso Nacional ni hacia los ciudadanos electores; desprenderse del poder, lo hizo un presidente débil tanto para los sectores económicos visto que tampoco entendieron el cambió del centro del poder, y a su vez el Congreso se sintió poderoso pero sin capacidad para responder ante la enorme responsabilidad de legislar para sus representantes, quedándose en la contienda política del poder, lo que igualmente los debilitó ante la población.[13]

Así se convirtió una medida excepcional en una "normalidad" lo que supone una obvia perversión del ordenamiento jurídico y de la separación de poderes.

Toda esta explicación, histórico/jurídica, permite constatar que la política se basaba en la evasión de conflictos, en compromisos clientelistas y un paternalismo excesivo con base a la renta petrolera.

---

[13]   Jorge Luis Suárez. "El verdadero sentido de los poderes de gobierno bajo estado de excepción: Recuerdos de un fallo de la Corte Suprema de Justicia y de un estado que ya no existe" "Cuando se produjo la restitución de esas garantías en 1989, pocos tenían claro su verdadero significado y su trascendencia jurídica, además de que muchos ya habían olvidado que habían sido suspendidas en algún momento, tanto así que paralelamente a esta situación de suspensión, el Congreso de la República otorgó en distintos períodos constitucionales varias leyes habilitantes en la misma materia (económica) a diferentes presidentes de la República ya que, según la Constitución de entonces (1961), lo cual no ocurre en la actual, tales leyes sólo podían otorgarse en materia económica y financiera. Cuando se produjo la restitución de esas garantías en 1989, pocos tenían claro su verdadero significado y su trascendencia jurídica, además de que muchos ya habían olvidado que habían sido suspendidas en algún momento, tanto así que paralelamente a esta situación de suspensión, el Congreso de la República otorgó en distintos períodos constitucionales varias leyes habilitantes en la misma materia (económica) a diferentes presidentes de la República ya que, según la Constitución de entonces (1961), lo cual no ocurre en la actual, tales leyes sólo podían otorgarse en materia económica y financiera....."

Es decir, la Constitución de 1961 estuvo acompañada de presidencialismo, centralismo y partidismo, exceso de controles y restricciones de las iniciativas.

Es el tiempo de identificar en la Constitución de 1961 su ineficiente ejecución.

Por tanto, la inconsecuencia en asumir la distribución o separación de los poderes como respuesta al grave y extendido problema de la acción de los gobernantes en el sentido de si debe o no estar encuadrada y limitada por normas expresamente dictadas para el caso. La idea subyacente es preservar la libertad de las personas y por eso se distribuye el poder del Estado entre distintos órganos, intentando evitar la acumulación excesiva de poder en alguno de ellos.[14]

Además, otra manifestación política ocurrió luego de dejar sin efecto la restricción de la garantía económica, como fue la tendencia a asumir la potestad de coadministrar por parte del Congreso Nacional, como por ejemplo el desarrollo progresivo del sistema de

---

[14]   María Amparo Grau. Separación de Poderes y leyes Presidenciales en Venezuela. 24 de junio de 2021. Tomado de https://badellgrau.com/separacion -de-poderes-y-leyes-presidenciales-en-venezuela/. "Dependiendo entonces de la representación que posea el Ejecutivo (presidente de la República) en el órgano legislativo podrán entonces tener lugar Gobiernos de poderes fuertes y Gobiernos de poderes débiles. En tal sentido, si bien es cierto que el Ejecutivo como conductor de la acción de gobierno (fijar las metas de la nación y los medios para lograrlas) necesita de una gran dosis de poder, también es cierto que el mismo debe encontrarse contrarrestado por los mecanismos de control que sobre su ejercicio detenta el poder legislativo a los fines de evitar su abuso. De igual modo la función natural del poder legislativo, -hacer la ley- se encuentra controlada mediante variados mecanismos puestos a disposición del Ejecutivo por el texto constitucional a fines de evitar los posibles excesos del legislador. Así, a la Asamblea Nacional, además de la función legislativa, le corresponde ejercer el control sobre la acción del Gobierno y de la Administración Pública Nacional a través de los mecanismos que para tales fines pone a su disposición el texto constitucional y que se presentan como funciones materialmente ejecutivas del órgano legislativo." En ocasión, la línea que separa el sistema de colaboración con el sistema de confusión de poderes es ciertamente tenue, pero debe mantenerse a toda costa. El principio de separación orgánica –en el sentido de interdicción de la acumulación de poderes en un órgano- es presupuesto para el mantenimiento del Estado de Derecho y de la democracia efectiva. A su pérdida de sentido sigue, por ende, una crisis del Estado de Derecho Democrático."

autorizaciones y aprobaciones no autorizados en la Constitución, con lo cual las potestades de control han degenerado en facultades de cogestión.

En efecto, progresivamente leyes en materia financiera, aumentaron los poderes de intervención de las Comisiones del Congreso, y así ocurrió, por ejemplo, a las Comisiones de Finanzas y Contraloría de la Cámara de Diputados en materia de crédito público o en materia de Presupuesto, intervenir mediante autorizaciones o aprobaciones en diversas materias y decisiones administrativas, con lo cual se aumentó el radio de intervención del Congreso en funciones netamente ejecutivas, lo que evidencia el desequilibrio entre poderes públicos en particular en la década de los años 90.

Por el origen de nuestra normativa, el control que se establece en la Constitución y la fuerza de la separación de poderes como la primacía constitucional, sea en la Constitución de 1961 o en la de 1999. Ello significa que está unida a la práctica de la representación como baluarte contra el absolutismo, dado que en su origen está en la preservación de la libertad individual, la que se identifica con la separación de poderes, incluyendo la libertad política como protección contra el poder arbitrario y despótico y por tanto los gobernados parten de ese principio para oponerse al abuso de poder de los gobernantes.

De allí la postura contra el poder arbitrario y absoluto de gobernar sin leyes establecidas, lo que no puede ser compatible con los fines de una sociedad democrática.

Para *Locke* por ejemplo, la primera y principal norma de un Estado es el establecimiento del Poder Legislativo, como poder supremo pues ha recibido del pueblo el poder de hacer las leyes y no el poder de hacer legisladores. Mientras para *Montesquieu* "en todo Estado es posible encontrar tres clases de poderes: legislativo, ejecutivo y judicial." En este esquema a su juicio, la libertad debe impregnarse del proceso político necesario de un gobierno, de manera tal, que ningún ciudadano pueda temer a otro. Por eso la frase que lo caracteriza: "Todo estaría perdido si el mismo hombre, el mismo cuerpo de personas ejerciera los tres poderes, hacer las leyes, ejecutar las resoluciones públicas y juzgar los delitos o las diferencias entre los particulares. Por eso cada órgano tiene un poder distinto, con las respectivas funciones a su cargo."

Agregaba *Montesquieu* que la separación de poderes es condición necesaria para el ejercicio de la libertad. Cuando el poder legislativo está unido al poder ejecutivo en la misma persona o en el mismo cuerpo, no hay libertad. Tampoco hay libertad si el poder judicial no está separado del ejecutivo y del legislativo. Si va unido al poder legislativo, el poder sobre la vida y la libertad de los ciudadanos sería arbitrario, pues el Juez sería al mismo tiempo legislador. Si va unido al poder ejecutivo, el Juez podría tener la fuerza del opresor. De ahí su conclusión: "El Poder frena al Poder".

Las críticas a la división de poderes corresponden a *Jellinek* y *Kelsen*. El primero hace notar que empíricamente no existen constituciones desde las cuales se aplique estrictamente la división de poderes, y que por tanto se produce constantemente la preeminencia de alguno; él habla de una división de competencias, pero no de una división de poderes. Por su parte, *Kelsen* relaciona la separación de poderes con la democracia y su postura es que todo poder debe concentrarse en el pueblo quien los elige y éstos son jurídicamente responsables ante éste, y hace responsable a los otros órganos ante el poder legislativo aun cuando fueran igualmente electos por el pueblo. A su juicio las funciones principales del Estado son la creación y aplicación de la ley y están en una relación de subordinación. Así la función creativa la tiene sólo el legislativo.

Luego de estas referencias es imprescindible referir la situación de la Constitución de 1999, la cual nació a la vida jurídica con aprobación mediante consulta popular el 16 de diciembre de 1998, pero en la sombra la Asamblea Nacional Constituyente se sentía con más poder que al pueblo que representaba, se decía a sí misma que ella era el pueblo y cometió desmanes con los poderes constituidos como el Judicial, continuó varios meses actuando sin tener poder para ello la Asamblea Nacional Constituyente, destruyendo la separación de poderes al inventar un Congresillo espurio, que desfiguró la pretendida separación de poderes y desde entonces nunca se aplicó, por cuanto no estaba en la agenda de la llamada Revolución."[15]

---

[15]   Miguel Denis. "Significado de pacto de Punto Fijo. Definición y características político-jurídicas." https://significado.com/pacto-de-punto-fijo/

El juicio general del lapso de 36 años transcurridos desde 1962 hasta 1999, tomando en cuenta los condicionamientos políticos antes señalados, permite afirmar que la Constitución de 1961 fue ejecutada con deficiencias y ello se tradujo, tanto en una aplicación incompleta como en una ejecución inadecuada. La inejecución constitucional es responsabilidad del Congreso de la República, de los representantes electos, quienes ejercían la competencia legislativa acompañados de los decretos dictados por la restricción de garantía en particular la económica que hacía que el centro del poder político emanara del presidente de la República, y en segundo lugar, ello permitió que los representantes ante el Congreso Nacional lo fueran sólo políticamente y se ocuparan los grandes y pequeños partidos políticos de sus propios intereses y no a quienes representaban.

Una causa de la desintegración del pacto de "Puntofijo" fue el ejercicio legislativo de manera dispersa, burocratizando al Estado, mostrando que el poder de la representación del Congreso era mayor que los otros poderes y perdiendo contacto con los destinatarios de las leyes, además de asumir acciones administrativas de control del Poder Ejecutivo contrarias a la separación de poderes, perdiendo credibilidad su representación.

Esta deficiencia en la ejecución constitucional se orientó de dos aspectos:

Por una parte, se mantuvo el carácter programático de muchas normas constitucionales de derechos humanos que tuvieron leyes tardíamente legisladas, que nunca se dictaron, o quedaron sin ejecutar.

Por otra parte, el Congreso Nacional buscó retomar un poder político que ya no tenía a partir del levantamiento de las restricciones a los derechos económicos, faltaba la cohesión con los objetivos de país, por cuanto estaban más ocupados de mantener el poder de sus partidos, lo que los hizo caer en omisión de una legislación en ciertos temas fundamentales, y en otras ocasiones inadecuada e incompleta. Sólo algunos ejemplos: la reforma constitucional, la descentralización, las leyes garantistas de los derechos humanos y su protección: el amparo, el régimen municipal; el control de constitucionalidad, el régimen tributario en las instancias municipales y estadales, y las relaciones con la iniciativa privada.

Por tanto, consagrar en la Constitución la separación de poderes, no significa que se entienda cómo funciona, por qué y para qué existe ese pilar de la democracia. La forma de gobierno que caracteriza la democracia representativa sólo puede funcionar si en ejercicio de la libertad política y constitucional del poder, se evitan los abusos mediante la vigilancia y control recíproco de poderes públicos separados.

Se nos presenta hoy, una labor pendiente por hacer; como es despertar del acostumbramiento pernicioso de vivir en el desequilibrio de los poderes, y asumir la obligación que tenemos de sacudirnos lo que hoy son poderes para el dictador. Tenemos que asumir el compromiso de dedicarnos, con celo, a determinar cuáles son los límites que debemos colocar en la Constitución para lograr reequilibrar el principio de separación de poderes.

Tomemos este sendero de cambio de manera evolutiva a nuestro texto constitucional, una vez que recobremos su vigencia. Manos a la obra.

PUNTO FIJO: LA PRESERVACIÓN DE LA DEMOCRACIA Y LA VIRTUD REPUBLICANA[*]

Gustavo Tarre Briceño[**]

El 23 de enero de 1958 cae la dictadura del General Marcos Pérez Jiménez. Se derrumba una tiranía, y el clamor del pueblo venezolano expresa la voluntad de establecer un régimen de libertades. Tres de los cuatro principales partidos existentes en aquella Venezuela de hace de hace casi 70 años, deciden llegar a un acuerdo político mínimo para dar a la naciente democracia una garantía de duración y preservar una conquista que costó "sangre, sudor y lágrimas". La Venezuela del "llanto y del exilio" se une a la Resistencia interna y se dan los primeros pasos para la instauración de un nuevo régimen. La lucha conjunta contra la tiranía creó lazos de unión entre quienes participaron en ella y la común conciencia de los errores cometidos en el experimento democrático de 1945 a 1947 crearon un clima favorable al entendimiento. Había nacido lo que se llamó "el espíritu del 23 de enero" que condujo a la firma del Pacto de Punto Fijo.

---

[*] Una parte importante del contenido de estas reflexiones, en lo que al Derecho Constitucional se refiere, fue plasmada en *Solo el poder detiene al poder, La teoría de la separación de los Poderes y su aplicación en Venezuela*, de mi autoría, con prólogo de Allan Brewer Carías, Editorial Jurídica Venezolana, Colección Estudios Jurídicos N° 102, Caracas, 2014

[**] Fue profesor de derecho constitucional en la Universidad Central de Venezuela. Profesor Invitado en la George Washington University, Senior Adviser del Center for Strategic and International Studies.

Este acuerdo de voluntades políticas es la materia de estudio del presente libro y en este capítulo nos proponemos un análisis que ayude a comprender su supervivencia por el largo lapso de cuarenta años y porqué se derrumbó.

I. EL ACUERDO FIRMADO

Para las elecciones de 1958, hubiese parecido conveniente la escogencia de un candidato presidencial de consenso, ello no fue posible, a pesar de muchos intentos y conversaciones. Pero el espíritu unitario condujo a la firma de importantes acuerdos políticos.

El 30 de octubre de 1958 los tres principales partidos firmaron, en la residencia del doctor Rafael Caldera –la quinta Punto Fijo– el pacto que tomó ese nombre.

"Los partidos Acción Democrática, Social Cristiano Copei y Unión Republicana Democrática, previa detenida y ponderada consideración de todos los elementos que integran la realidad histórica nacional y la problemática electoral del país, y ante la responsabilidad de orientar la opinión pública para la consolidación de los principios democráticos, han llegado a un pleno acuerdo de unidad y cooperación."

¿En qué consiste el acuerdo? El objetivo fundamental fue la defensa del Estado de Derecho y el establecimiento de un régimen emanado de la soberanía popular. Como garantía de estabilidad se acordó, una vez realizadas las elecciones, la integración de un Gobierno de Unidad Nacional, con la participación de todos los partidos firmantes del acuerdo (que excluyó al Partido Comunista de Venezuela) y otros elementos de la sociedad, en la formación del Gabinete ejecutivo.

Igualmente se convino en elaborar un programa de gobierno mínimo común. Dice el acuerdo:

"Para facilitar la cooperación entre las organizaciones políticas durante el proceso electoral y su colaboración en el Gobierno Constitucional, los partidos signatarios acuerdan concurrir a dicho proceso sosteniendo un programa mínimo común, cuya ejecución sea el punto de partida de una administración nacional patriótica y del afianzamiento de la democracia como sistema. Dicho programa se redactará por separado, sobre las bases generales, ya convenidas, y se considerará un anexo del presente acuerdo. Como este programa no excluye el derecho de las organizaciones políticas a defender otros puntos no comprendidos en él, se acuerda para estos casos la norma siguiente: ningún partido unitario incluirá en su programa particular puntos contrarios a los comunes del programa mínimo y, en todo caso, la discusión pública en los puntos no comunes se mantendrá dentro de los límites de la tolerancia y del mutuo respeto a que obligan los intereses superiores de la unidad popular y de la tregua política."

II. LA IMPLEMENTACIÓN DEL ACUERDO

El 7 de diciembre de 1958, Rómulo Betancourt fue elegido Presidente de la República y el mismo día se eligieron los diputados y senadores integrantes del Congreso Nacional.

La caída de Pérez Jiménez no dejó dolientes del lado del régimen desplazado. Una inmensa conjunción de esfuerzos y voluntades por parte de fuerzas políticas poseedoras de un gran prestigio pudo asumir la representación de prácticamente la totalidad del país. El pasado se veía como algo vergonzoso y sus personeros abandonaron el país o callaron. Los sectores sociales y factores de poder que sirvieron de sustento al régimen perezjimenista se diluyeron, perdieron fuerza y representatividad y poco o nada contaban en la política venezolana.

El país que despertó en la madrugada del 23 de enero de 1958 quería dejar atrás los atavismos históricos, rechazaba la dictadura y sus atropellos y quería construir una democracia moderna. Los partidos políticos, los sindicatos, los estudiantes, los empresarios, las iglesias, la mayoría de las Fuerzas Armadas así lo entendían y bajo el manto del consenso se empezó una nueva etapa y se acordó sancionar un nueva Constitución.

El orden jurídico anterior había sido destruido por el hecho de fuerza de la insurrección civil y militar del 23 de enero. Correspondía entonces actuar al poder constituyente originario. Sin embargo, no fue así. Elegir una Asamblea Constituyente, discutir en su seno un nuevo Texto Fundamental, aprobarlo y luego elegir o designar los nuevos Poderes Públicos habría tomado mucho tiempo y una de las aspiraciones más sentidas era la de alcanzar rápidamente la estabilidad institucional. Por ello se resolvió mantener la vigencia de la Constitución de 1953 y, siguiendo las normas que ella establecía, el Parlamento designó una Comisión Bicameral Especial para redactar una nueva Constitución.

No era un camino inobjetable: la Constitución de 1953, diseñada a la medida del dictador caído, fue el producto de un fraude electoral y había significado un retroceso en relación con el texto de 1947. Los derechos políticos y sociales conquistados después del derrocamiento del general Medina Angarita se vieron, en muchos casos, conculcados. Se trataba de una organización política que daba forma jurídica al despotismo bajo el disfraz de una supuesta legalidad. No faltó quien propusiera restablecer la vigencia de la Constitución de 1947, pero ello traía el recuerdo de los enfrentamientos que hicieron naufragar el experimento democrático del trienio y se prefirió un cambio expedito dentro de un marco constitucional espurio.

De conformidad con el Pacto de Punto Fijo, todos los partidos políticos se comprometieron, cualquiera que fuere el ganador, a participar en el gobierno sin que ninguno de ellos prevaleciera en el Consejo de Ministros "cuando menos por tanto tiempo como perduren los factores que amenazan el ensayo republicano iniciado el 23 de enero".

El Presidente Betancourt designó el Gabinete Ejecutivo conformado con representantes de Partidos que suscribieron el Pacto. Igual ocurrió con los altos cargos de la Administración Pública. Con el mismo criterio, se designaron los gobernadores y secretarios de gobierno de los estados. El Congreso Nacional eligió Presidente del Senado a Raúl Leoni, de Acción Democrática y como Presidente de la Cámara de Diputados fue designado Rafael Caldera, líder máximo del Partido Social Cristiano Copei.

III. EL PACTO CONFRONTADO CON LA REALIDAD

Las circunstancias que enfrentó el Gobierno del Presidente Betancourt no fueron fáciles: Triunfo de la Revolución cubana e instauración de un gobierno que rápidamente se radicalizó hacia la izquierda, creando una realidad que fue vista como un rumbo a seguir por el Partido Comunista de Venezuela y por la mayoría de la

Juventud de Acción Democrática; crisis económica y crisis social que generaron gran inestabilidad; insurgencia armada de sectores militares descontentos con el cambio de rumbo que vivía el país; dificultad de adaptación a un régimen de libertades en las calles, en los sindicatos, en las universidades, en los medios de comunicación, al que no esta acostumbrada la sociedad. Todo ello trajo una ruptura del Acuerdo de gobierno que se produjo como consecuencia de la renuncia del Canciller Ignacio Luis Arcaya, de URD en ocasión de la Asamblea General de la Organización de Estados Americanos reunida en la ciudad de San José en 1960 y que procedió, con el voto venezolano, a la expulsión de Cuba de la Organización.

La coalición de gobierno se debilita, quedando en ella sólo dos partidos: AD y COPEI. Se presentaron, además, dos divisiones en el principal partido de gobierno que condujeron a que la coalición perdiera la mayoría en la Cámara de Diputados y finalmente, el abandono de la vía democrática por parte de los partidos de extrema izquierda que iniciaron la lucha armada. lo que trajo consigo represión por parte de las fuerzas gubernamentales.

El Gobierno del Presidente Betancourt logró mantenerse y culminar su mandato y el Pacto de Punto Fijo, maltrecho, igualmente se mantuvo gracias al apoyo que Acción Democrática, organización menguada por las divisiones, pero de fuerza inconmovible en los sindicatos, en las ligas campesinas y en amplios sectores de la colectividad. El Partido Social Cristiano Copei se mantuvo dentro del Pacto y puso toda su fuerza al servicio de la estabilidad del gobierno, con una especial fortaleza en el occidente del país y en los liceos y universidades.

IV. LA CONSTITUCIÓN DE 1961

Una característica especial de la Constitución de 1961 fue su carácter consensual, en el espíritu del Pacto de Punto Fijo. A diferencia de otros textos fundamentales, no fue el producto de la imposición de una mayoría sobre una minoría ni de unos vencedores sobre unos vencidos.

Actuando como poder constituyente derivado, las dos Cámaras Legislativas designaron comisiones para la reforma constitucional y estas acordaron trabajar conjuntamente bajo la dirección de Raúl Leoni, presidente del Senado, y de Rafael Caldera, presidente de la Cámara de Diputados. La Comisión Conjunta se instaló el dos de febrero de 1959 y comenzó sus trabajos acordando tomar como base de discusión el texto de la Constitución de 1947. Los parlamentarios integrantes de la comisión, que representaban las cúpulas de las organizaciones políticas existentes, más un reducido pero notable grupo de legisladores independientes, decidieron elaborar un proyecto muy acabado de Constitución, limando entre ellos las divergencias que pudiesen existir entre los partidos, con la finalidad de llegar a las sesiones plenarias con un acuerdo político previo y evitar largos debates durante las tres discusiones a las que fue sometido el proyecto.

La sanción definitiva se dio el 29 de noviembre, en sesión conjunta de las Cámaras. Unión Republicana Democrática, el Partido Comunista de Venezuela y el Movimiento de Izquierda Revolucionaria, recién surgido de la escisión de Acción Democrática, dejaron constancia de un conjunto de discrepancias que no constituyeron objeción de fondo al cuerpo constitucional.

El 23 de enero de 1961, en sesión solemne realizada en el Salón Elíptico del Capitolio Federal, el presidente del Congreso lo declaró sancionado y el presidente de la República le puso el "Ejecútese" a la nueva Constitución y a sus disposiciones transitorias. En esa oportunidad, Rafael Caldera, presidente de la Cámara de Diputados, dijo:

"Queríamos una Constitución del pueblo y para el pueblo; una Constitución de todos y para todos los venezolanos. Para ello necesitábamos animar el espíritu de unidad nacional que caracterizó el movimiento del 23 de enero. Sabíamos que pugnas inevitables irían abriendo cauces diferentes a las inquietudes y a la acción de las parcialidades, pero comprendíamos que era indispensable guardar el terreno dentro del cual se confrontaran los diferentes criterios y se sumaran las aportaciones positivas. Y ello se logró. En la Comisión y en los debates consta el elevado espíritu que pudo mantenerse, del que hay elocuente testimonio en variadas intervenciones. Se solventaron casi siempre con amplio espíritu venezolano las comprensibles discrepancias: las que subsistieron -como no podía menos de ocurrir- no alcanzan a borrar el anchuroso espacio de las convergencias"[1].

¿Qué significó la Constitución de 1961? El primer gran objetivo perseguido por quienes la elaboraron coincidió con la razón de ser del Pacto de Punto Fijo: el establecimiento de una democracia estable.

El segundo objetivo, que retoma los grandes lineamientos de la Constitución de 1947, es el establecimiento de un Estado social de Derecho. Como bien lo dice el profesor Manuel García-Pelayo:

"... los valores básicos del democrático-liberal, eran la libertad, la propiedad individual, la igualdad, la seguridad jurídica y la participación de los ciudadanos en la formación de la voluntad estatal a través del sufragio. El Estado social democrático y libre no solo no niega estos valores, sino que pretende hacerlos más efectivos, dándoles una base y un contenido material y partiendo del supuesto de que individuo y sociedad no son categorías aisladas y contradictorias, sino dos términos en implicación recíproca de tal modo que no puede realizarse el uno sin el otro."[2]

El Texto Fundamental de 1961 fue producto de un verdadero "pacto social". En mi opinión una ampliación del Pacto de Punto Fijo y la concreción del "espíritu del 23 de enero. Y allí está la gran diferencia con la mayoría de las constituciones anteriores. Como antes se dijo, no se trató de una imposición, sino de una sucesión de los más variados compromisos que buscaban los acuerdos más amplios. Esta fue, muy seguramente, la razón fundamental de su longevidad.

V. LA DEMOCRACIA PUNTO FIJISTA

Las elecciones de 1963 dieron el triunfo al candidato de Acción Democrática, el doctor Raúl Leoni, con una votación disminuida con relación a 1958 y sin mayoría parlamentaria. Estos comicios

---

[1] Discurso del Presidente de la Cámara de Diputados en el Acto Solemne de la firma de la Constitución, el 23 de enero de 1961.

[2] *Las transformaciones del Estado contemporáneo*, p. 26

produjeron dos cambios muy significativos: Los resultados obtenidos por los socialcristianos que crecen en todo el país y se presentan, hacia el futuro, como la real alternativa electoral frente Acción Democrática. Y, en segundo lugar, la gran derrota de las fuerzas insurreccionales de izquierda, que llamaron a la abstención y que fueron derrotadas por una participación electoral de más del 90% de los venezolanos con derecho al voto.

La elección de Raúl Leoni marca un hito: Por primera vez en la historia de Venezuela, un Presidente electo por el pueblo le entrega el poder a otro Presidente electo de la misma manera. Sin embargo, el Pacto de Punto Fijo se debilita aún más en lo formal, pues Copei sale del gobierno y se conforma una nueva coalición con partidos que no formaron parte del acuerdo de 1958. Pero persiste el Pacto de Punto Fijo en lo sustancial: el compromiso de la mayoría de las fuerzas política venezolanas con el sistema democrático, la aceptación de la legitimidad de la oposición y la supervivencia, a veces maltrecha del Estado de Derecho y del ejercicio de las libertades públicas. Punto Fijo deja de ser un acuerdo formal con cláusulas rigurosamente cumplidas y pasa a ser un clima y un espíritu de convivencia democrática que se reforzará aún más con el paulatino regreso, de la izquierda venezolana a la vía electoral. La "paz democrática, proclamada por el Partido Comunista de Venezuela y luego acompañada por el Movimiento de Izquierda Revolucionaria se inicia durante el mandato del Presidente Leoni y culmina en el subsiguiente período presidencial de Rafael Caldera quien hace de la Pacificación del país una de sus más preciadas banderas.

En 1968, la elección de Caldera marca otro hito histórico: Por vez primera un Presidente, elegido por el pueblo, le entrega el mando a otro Presidente igualmente elegido por los venezolanos y, además, perteneciente a un partido de oposición. Los acuerdos de convivencia democrática se fortalecen, especialmente en el Parlamento. Queda establecido que la Presidencia del Senado, estará en manos del Partido de Gobierno, así no tenga mayoría y la Presidencia de la Cámara de Diputados corresponderá al principal partido de oposición. Las directivas de las comisiones parlamentarias se repartirán entre todas las fuerzas políticas en proporción al número de congresantes que tenga cada fracción.

V. LA REPÚBLICA PUNTOFIJISTA

Los quince primeros años de Democracia en Venezuela fueron, según la mayoría de los autores y comentaristas, los mejores de los 40 años de lo que se ha llamado la República Puntofijista. El Estado de Derecho, elecciones libres, alternabilidad, crecimiento económico sostenido, respeto creciente por los derechos humanos y libertades públicas, niveles de corrupción bajos. A lo que se agrega algo esencial: la aceptación de la legitimidad del adversario político que compite dentro del marco legal; que el pensar distinto no es un acto de subversión, ni un delito ni una traición a la Patria. Esto último fundamenta el rechazo a la violencia política, fue un paso esencial para la sobrevivencia democrática y para la alternabilidad que es parte esencial de la misma. La democracia venezolana llegó a ser percibida como una excepción en un continente sometido a vaivenes políticos, a dictaduras crueles en las que los derechos humanos se veían sistemáticamente cercenados. En Venezuela, la violencia disminuyó y prácticamente desapareció de la vida política, las Fuerzas Armadas se tornaron en un cuerpo profesional y no deliberantes. La economía se manejó con eficiencia, honestidad, creció la producción y los servicios públicos mejoraron de manera sustancial. La alfabetización y la educación se extendieron de manera consistentes, aunque el crecimiento cuantitativo no dejó de afectar la calidad de la enseñanza.

Los gobiernos de los Presidentes Carlos Andrés Pérez (dos mandatos), Luis Herrera Campíns, Jaime Lusinchi y nuevamente Caldera, lograron resultados importantes: la nacionalización de los hidrocarburos y la creación de PDVSA, la elección popular de alcaldes y gobernadores, el desarrollo de las industrias básicas de Guayana, la red de autopistas, carreteras y vías de penetración agrícola, la proliferación de instituciones de educación superior, la construcción de viviendas, la infraestructura cultural, sanitaria y de telecomunicaciones, la descentralización, y pare usted de contar. Sin embargo, fueron escenario de un lento y sistémico deterioro del sistema político, de la ética administrativa y de la confianza de los ciudadanos en el sistema democrático.

Una de las críticas que con más frecuencia se formulan en contra de los llamados "40 años" tiene que ver con la excesiva presencia de los partidos políticos en todos los escenarios de la vida económica y social y con el carácter poco democrático de sus estructuras.

En Venezuela, los partidos modernos aparecen cuando muere el General Juan Vicente Gómez. Traen consigo una nueva dirigencia y nuevos planteamientos ideológicos. Frente a un gran vacío institucional, paulatinamente empiezan a ocupar todos los espacios, no solo en el mundo de la política, sino también en todas las esferas de la vida social. El resultado de ese proceso es la partidización de los gremios, los sindicatos, las ligas campesinas, las agrupaciones estudiantiles, los colegios profesionales y hasta las asociaciones de vecinos. Este fenómeno, en sus orígenes inevitable, crece y permanece, sin tomar en cuenta que la sociedad civil se fue desarrollando y fortaleciendo y espera otros procedimientos y otros liderazgos. De esa manera los partidos monopolizan sectores enteros de la actividad social, privando a la democracia venezolana de un componente esencial que Tocqueville visualizó claramente en su viaje por Norteamérica: las múltiples asociaciones de ciudadanos, independientes y autónomas, que asumen la representación de todo tipo de intereses y se transforman en canales de participación distintos a los partidos con el subsiguiente enriquecimiento del tejido social.[3]

En Venezuela, ese universo se vio cada vez más limitado o mediatizado por los partidos políticos. Inicialmente podríamos decir que los partidos fueron el sustento, no solo del sistema democrático, sino de casi todo el tejido social. Ese rol formador, pedagógico y cívico se fue desnaturalizando en una sociedad cada vez más exigente y compleja, como la venezolana de los años 80, al tiempo que los partidos, unos más otros menos, se enquistaban en los más diversos sectores de la sociedad civil, sin permitir que la natural dinámica social se desarrollara de acuerdo con los intereses genuinos de cada colectividad.

Se puede decir que, en las últimas décadas del siglo XX, los partidos desdibujaron el proyecto político y social global, relegando el diálogo cívico y la comunicación entre gobernantes y gobernados, agotando sus mensajes y muchas veces desvirtuando su propia razón de ser, ya golpeada por el clientelismo.

---

[3] Ver *La democracia en América*.

Paralelamente, en el seno de los partidos se fue haciendo cada vez mayor el reclamo por más democracia. La sociedad empezó a rechazar la escogencia de candidatos y dirigentes en elecciones en muchos grados y que se prestaban a manipulaciones; una concepción excesivamente rígida de la disciplina; la concentración del poder en la cúspide, en los llamados "cogollos", versión criolla de la famosa Ley de Hierro de las Oligarquías Partidistas formulada por Robert Michels.[4]

Todo esto fue generando una creciente desconfianza hacia los dirigentes políticos, que perdieron el reconocimiento de sus conciudadanos, lo que se tradujo finalmente en un componente importante de una creciente abstención electoral.

Como consecuencia de este proceso de desprestigio, en ocasiones los gobiernos se volvieron dependientes de los centros exteriores de toma de decisiones, así como de los intereses de los grupos oligárquicos nacionales. Estos grupos, además, se comportaban cínicamente, pues criticaban a los gobiernos, a los partidos y al sistema, al tiempo que se beneficiaban en todos los órdenes, cualquiera que fuera el partido que estuviera mandando.

Paralelamente con el desprestigio de los partidos y bajo el manto de la libertad de expresión, el poder se desplazó también hacia los medios de comunicación, muchas veces en manos de los mismos grupos económicos. Los procesos de apertura en la economía privaron al Estado de instrumentos de presión, expresos o implícitos, sobre los medios, que quedaron en total libertad para atacar sin límite al gobierno y a los partidos. De esta manera, los errores y carencias de las agrupaciones políticas se vieron magnificados y resaltados, rara vez sus aciertos.

Para concluir, la partidocracia venezolana confirmó la imagen ideada por Antonio Gramsci en el sentido de que el partido político es el "Príncipe moderno".[5]

---

[4]   *Los partidos políticos. Un estudio sociológico de las tendencias oligárquicas en la democracia moderna.*

[5]   *Il Moderno Principe* (1932).

Este muy modesto resumen de la historia de los denostados "40 años, con todos sus grandes aciertos y muchos errores, debemos resaltar que el Pacto de Punto Fijo fue, al final del Siglo XX y en lo que va del Siglo XX, objeto hoy de una implacable campaña denigratoria y que ya la historia empieza a reivindicarlo.

Así lo hicieron, de manera profética, dos de los más preclaros pensadores contemporáneos venezolanos, Juan Carlos Rey y Luis Castro Leyva.

Definió Rey al Pacto de Punto Fijo, como "uno de los más notables ejemplos que cabe encontrar en sistema político alguno, de formalización e institucionalización de unas comunes reglas de juego, al mismo tiempo que muestra la lucidez de la élite de los partidos políticos venezolanos."[6]

No se quedó atrás Luis Castro Leiva cuando afirmó:

Se nos devolvió, el 23 de enero de 1958, el sentido de nuestra vergüenza hasta entonces perdida en la indignidad de una dictadura más. Nos vino devuelta a través del poder del sufragio y de los partidos, de aquellos partidos que conscientes de su prudencia, atentos a la inteligencia de la circunstancia, forjaron el Pacto de Punto Fijo, la decisión política y moralmente más constructiva de toda nuestra historia: no un "festín de Baltazar", ni un pacto entre mafiosos. Fue la construcción racional del camino para pasar de un voluntarismo político sectario a la realidad de la división del poder político como condición necesaria, nunca suficiente, para el funcionamiento de la democracia representativa consagrada en la Constitución de 1961.[7]

VI. ¿POR QUÉ NO LOGRÓ EL PACTO DE PUNTO FIJO LA ESTABILIDAD DEFINITIVA DE LA DEMOCRACIA VENEZOLANA?

En primer lugar, podríamos decir que la pregunta está mal formulada ya que en los procesos histórico-políticos no hay nada

---

[6] El sistema de partidos venezolano, en *Problemas socio-políticos de América Latina,* Editorial Ateneo de Caracas, 1980, p. 315.

[7] Discurso en la sesión solemne del Congreso para conmemorar el 40 aniversario del 23 de enero de 1958.

definitivo. 40 años de "vigencia" no pueden calificarse de fracaso. Pero no puede ocultarse que, a partir de 1999, la Democracia instaurada en 1958 desapareció y fue sustituida por una sistema, autoritario, populista y demagógico que derivó en una dictadura.

Ya hemos hablado del excesivo poder de los partidos políticos, de los excesos de la libertad de prensa. Podríamos ampliar el análisis de la falta de transparencia y de la corrupción, de las deficiencias del sistema electoral y de los efectos dañinos del populismo. Vamos a centrar nuestro análisis en dos aspectos: las salvaguardas jurídicas establecidas para salvaguardar la democracia, en la Constitución de 1961 y el rol que correspondía a algo más intangible, me refiero a la "virtud republicana". Es decir, a las salvaguardas jurídico-políticas y a los pesos y contrapesos político-éticos.

1. *Los límites jurídico-políticos*

La Constitución de 1961 reguló el establecimiento de las condiciones jurídicas que permitieran, para usar la expresión del Barón de Montesquieu, que "el poder detuviera al poder" y preservar así la democracia, cumpliendo el objetivo fundamental del Pacto de Punto Fijo. Correspondiendo un lugar principal, pero no único a la separación de poderes.

A observar el transcurso de los años, parece posible visualizar en Venezuela, durante la vigencia de la Constitución de 1961, dos sistemas políticos diferentes, productos de un mismo ordenamiento jurídico-constitucional. Esta situación no es inusual en el estudio de la historia constitucional y del derecho constitucional comparado.

En efecto, observamos que el principio de la separación y colaboración entre las distintas ramas del Poder Público establecido en el artículo 118 de la Constitución,[8] produjo, en la Venezuela de los cuarenta años de la República civil, "sistemas de gobierno" diferentes dependiendo de la correlación de fuerzas existente en el Congreso.

---

[8]   Artículo 118: "Cada una de las ramas del Poder Público tiene sus funciones propias; pero los órganos a los que incumbe su ejercicio colaborarán entre sí en la realización de los fines del Estado."

Si el partido o coalición de partidos que sustentaba el Ejecutivo poseía mayoría parlamentaria, nos encontrábamos en presencia de-gobiernos fuertes, poderosos, aptos para decidir y, en consecuencia, para enfrentar los problemas del país, pero, a su vez, proclives al abuso originado por una acción no susceptible de ser controlada: *Le pouvoir n´arrêtait pas le pouvoir.*

La existencia de partidos disciplinados llevaba a que una sola voluntad, la del presidente de la República, líder del partido de gobierno, tendiera a controlar tanto el Poder Legislativo como el Poder Ejecutivo, e incluso el Poder Judicial. Se trataba, sobre todo en el caso de gobierno de un partido mayoritario, de lo que Maurice Duverger ha denominado "la monarquía republicana" y Arthur M. Schlesinger, "la Presidencia imperial"[9]. Estos autores no limitan esta nueva concentración del poder a un apoyo mayoritario en el Parlamento. Recuerdan que, en la psicología popular, en buena parte gracias a los medios de comunicación, la gente suele encarnar la autoridad en quien ocupa la máxima jerarquía del Estado. El presidente responde por todo y de él se espera todo. A ello se agrega, como lo constató Montesquieu, la tendencia natural del ser humano a abusar del poder que recibe, y a que se manifiesten instintos de dominación. Quienes aspiran a estas altas funciones, por su propia psicología, gustan dominar e imponer. Desarrollan una propensión mesiánica. Puede uno imaginar, nos recuerda Duverger, que un santo que llegue al poder lo usaría para alcanzar un mundo más justo, más igualitario y más humano. Pero ocurre que los santos no buscan el poder, ni están dispuestos a usar los medios que se requieren para alcanzarlo. Schlesinger, por su parte, destaca el carácter plebiscitario de la Presidencia imperial, que ya no responde al Congreso, sino al pueblo en el momento de las elecciones. No escapó Venezuela, durante la vigencia de la Constitución de 1961, a esta tendencia mundial, aunque no sobra recordar que las características personales de cada uno de los sucesivos presidentes también tuvieron una incidencia importante. No eran iguales Rómulo Betancourt y Raúl Leoni; ni Rafael Caldera y Luis Herrera Campíns. Tampoco eran exactamente similares el Carlos Andrés Pérez de 1974 y el de 1989.

---

[9]   Ver Duverger, Maurice. *La monarchie republicaine, ou comment les démocraties se donnent des rois,* Paris, 1974, Robert Laffont y Schlesinger, Arthur. *The Imperial Presidency*, Boston, 2004, Mariner Books.

En esta hipótesis de un presidente con mayoría parlamentaria, hay que distinguir los gobiernos de coalición de los gobiernos unipartidistas.

En los primeros encontramos un Ejecutivo fuerte, pero el poder del presidente se ve limitado por la necesaria consulta a los partidos que integran la coalición. Una vez tomada la decisión, la unión de partidos, mayoritaria en el Congreso, impone su punto de vista en claro desequilibrio de poderes, pero con un no desestimable freno a la tentación de abusar.

Distinto es el caso de un Gobierno monopartidista respaldado por una mayoría parlamentaria.

En las elecciones del 9 de diciembre de 1973 resulta electo Carlos Andrés Pérez presidente de la República y su partido Acción Democrática obtiene mayoría absoluta en ambas Cámaras. Además, dispondrá, no solamente de mayoría parlamentaria, sino que contará con cuantiosos recursos fiscales, producto del aumento de los precios de los hidrocarburos; ausencia de oposición armada y apoyo total de las principales centrales obrera y campesina, así como de numerosos gremios; su partido es mayoritario en 19 de las 20 Asambleas Legislativas y en gran parte de los Concejos Municipales. En parecidas condiciones gobernó el doctor Jaime Lusinchi, entre 1984 y 1989. La separación de poderes se vio menguada durante estas presidencias y las propensiones al abuso no dejaron de manifestarse.

Frente a estos gobiernos con plena posibilidad de decisión, esta corta evolución democrática evidenció períodos signados por la debilidad de un Poder Ejecutivo respaldado por una minoría parlamentaria. En esa situación con variaciones, se encontraron los presidentes Rómulo Betancourt, de 1962 hasta comienzos de 1964; Raúl Leoni a comienzos y a final de su mandato; Rafael Caldera durante sus dos gestiones; Luis Herrera Campíns de 1979 a 1984; y Carlos Andrés Pérez durante toda su segunda presidencia, así como Ramón José Velásquez en su corto interinato.

La comparación se hace mucho más reveladora entre los primeros gobiernos de los presidentes Caldera y Pérez, que corresponden a una época en la cual ya el sistema político se encontraba de cierta forma consolidado, no era objeto de tentativas insurreccionales y el libre juego democrático era aceptado por la inmensa mayoría de los venezolanos.

593

El de Caldera, como muchas veces lo señaló el propio expresidente, fue el gobierno más controlado de nuestra historia. Sobre todo, en los primeros dos años, la mayoría opositora se ejercitó, más que en función de control, como instrumento para bloquear iniciativas gubernamentales. Por el contrario, la primera administración del presidente Pérez, no sólo obtuvo apoyo incondicional para todos sus proyectos legislativos y presupuestarios, sino que fue habilitado por el Parlamento para legislar por decreto. Durante ese quinquenio, el gobierno estuvo sometido a un muy limitado control parlamentario, lo que no significó ausencia de control, pues la minoría tenía posibilidad de promover debates, interpelar ministros y altos funcionarios, denunciar ante la opinión pública lo que considerara errores o ilegalidades del gobierno. Lo mismo puede decirse, y con idénticas consecuencias, de la administración del presidente Jaime Lusinchi.

Parece difícil asegurar que alguna de estas situaciones -poder fuerte o poder débil- pueda ser conveniente para el país, aunque cada una de ellas lleve consigo irrebatibles ventajas. Se ha sostenido que la función de gobernar, es decir, fijar las metas de la nación y escoger los caminos para alcanzarlas, requiere concentración del poder. Sobre todo, en un país de fuerte tradición presidencialista como el nuestro, donde el ciudadano ve en el jefe del Estado el factor decisivo en la toma de decisiones.

El Ejecutivo, por lo demás, y este no es un fenómeno venezolano, tiende, aun siendo minoría en el Parlamento y con más intensidad cuando es mayoría, a ir creando situaciones de hecho que van disminuyendo el poder del Congreso y de los tribunales. El crecimiento de la Administración, por otra parte, hace cada vez más difícil el control parlamentario. Centenares de institutos autónomos, de empresas del Estado o con participación estatal y de fundaciones, por su número y complejidad, escapaban cada día más del control de un Congreso desprovisto de los mecanismos técnicos para ejercer su función y carente de recursos para transformarse.

En la realidad venezolana en el tiempo de vigencia de la Constitución de 1961, cuando un partido unido ganaba las elecciones y obtenía una mayoría en los cuerpos deliberantes, ocurría lo que Montesquieu temía: el abuso y la corrupción por la excesiva

594

concentración del poder sin que se ejerciera sobre él suficiente control. La disciplina rígida que existía en los partidos venezolanos de la época agravaba esta situación.

Bueno es aclarar que la concentración del poder originada en el control del Congreso que hemos descrito puede ser que permita el abuso, pero no por ello es ilegítima. Lo que conduciría a aceptar que cuando el cuerpo electoral dota al presidente de la República de una mayoría parlamentaria, el poder ya no está obligado a detener al poder. Cuestión compleja ésta que, de asumirse, permitiría a una mayoría de ciudadanos poner fin a los efectos de la separación de los poderes. No creemos que la cuestión sea tan sencilla y puede encontrar solución en el establecimiento de reglas muy claras que regulen el trato a la minoría y establezcan los derechos de la oposición.[10]

La Separación de Poderes también debió haber conducido a los pesos y contrapesos que tienen que operar por la vía de un Poder Judicial Independiente.

Durante la vigencia de la Constitución de 1961, el Poder Judicial también se encontraba mediatizado y disminuido en su autonomía: Recuérdese que la Corte Suprema de Justicia era designada, de conformidad con la Constitución, por el Congreso y por mayoría simple. Los partidos con mayoría parlamentaria tendían a designar magistrados inclinados hacia el oficialismo, aunque debe decirse que rara vez se trató de monopolizar de manera absoluta estos nombramientos. Cuando no había mayoría de un solo partido, las

---

[10] Así lo hace el artículo 112 de la Constitución de Colombia al establecer: "Los partidos y movimientos políticos con personería jurídica que se declaren en oposición al gobierno, podrán ejercer libremente la función crítica frente a éste, y plantear y desarrollar alternativas políticas. Para estos efectos, se les garantizarán los siguientes derechos: el acceso a la información y a la documentación oficial, con las restricciones constitucionales y legales; el uso de los medios de comunicación social del Estado o en aquellos que hagan uso del espectro electromagnético de acuerdo con la representación obtenida en las elecciones para Congreso inmediatamente anteriores; la réplica en los mismos medios de comunicación. Los partidos y movimientos minoritarios con personería jurídica tendrán derecho a participar en las mesas directivas de los cuerpos colegiados, según su representación en ellos. Una ley estatutaria reglamentará íntegramente la materia."

designaciones eran más equilibradas, pero se incurrió, muchas veces, en el desacierto de "repartir" los cargos de la Corte Suprema entre los partidos que aportaban sus votos. Debe observarse que, durante la última década de vigencia de la Constitución de 1961 (segundas presidencias de Carlos Andrés Pérez y Rafael Caldera) se produjo un sustancial cambio en esa materia, procurándose una escogencia basada más en los méritos y condiciones académicas y profesionales. Por un lapso relativamente corto, le *pouvoir arretait le pouvoir.*

Se llegó al extremo de que en marzo de 1993 el Fiscal General de la República introdujo una solicitud de antejuicio de mérito en contra del Presidente Carlos Andrés y la Corte Suprema autorizó su enjuiciamiento, lo que condujo a su separación del cargo.

En cuanto a los niveles inferiores del Poder Judicial, ocurrió una similar. Los jueces eran nombrados inicialmente por el Poder Ejecutivo, en virtud de una disposición Transitoria de la Constitucional y a partir de 1974, cuando fue sancionada la Ley Orgánica del Poder Judicial, por el Consejo de la Judicatura, reflejándose muchas veces, en esas designaciones las influencias políticas del momento.

2. *Los límites ético-políticos*

En su muy famoso ensayo, *¿Cómo mueren las democracias?,* Steven Levitsky y Daniel Ziblatt plantean que no bastan las instituciones para frenar a los autócratas que alcanzan el poder por la vía de las elecciones y destruyen la democracia de manera "legal", sin tanques en las calles y con la anuencia de instituciones esenciales de la democracia (parlamentos y tribunales) por ellos controladas. Las instituciones y las libertades públicas se transforman en *political weapons* usadas contra quienes tratan de frenar el tránsito hacia la autocracia o de derrotarla una vez consolidada. Agregan que "las democracias funcionan mejor -y sobreviven por más tiempo, cuando **las constituciones se refuerzan con normas no escritas**". Indican que dos normas han preservado el sistema de pesos y contrapesos (*checks and balances*) en los Estados Unidos: La tolerancia, es decir la aceptación de la legitimidad de la partes que compiten por el poder y la "autocontención" entendida como la prudencia y restricción de los gobernantes en el uso de sus poderes y prerrogativas.[11] Como ya lo hemos dicho, la República puntofijista logró, con altibajos, la vigencia de la primera norma[12] y trataremos de examinar en qué medida se cumplió con la segunda.

Hay que analizar diferentes supuestos: Ocasiones en las que, por razones de Estado se saltaron barreras y protecciones jurídicas, mediante dudosas interpretaciones de la Constitución. Casos muy notorios fueron el voto de la mayoría para despojar de la inmunidad parlamentaria a los diputados y senadores del MIR y del PCV y la aprobación de una enmienda constitucional para inhabilitar a Marcos Pérez Jiménez. Las motivaciones podrían haber sido válidas pero la vía escogida se acercó demasiado al atropello y poco contribuyó a la confianza de los ciudadanos en sus parlamentarios.

Mucho más frecuente fue el recurso excesivo a la disciplina partidista de los parlamentarios. Se cumplía con aquella famosa confesión de un parlamentario inglés, reseñada por Bertrand de Jouvenel en su famoso escrito sobre *El Poder*: "A lo largo de mi carrera parlamentaria he oído muchos discursos que me hicieron cambiar de opinión, ninguno que me hiciera cambiar mi voto."

Fue frecuente el abuso de la mayoría, como ya lo mencionamos, en las designaciones de magistrados de la Corte Suprema y de fiscales y contralores generales; en la sanción de leyes habilitantes que permitían al Presidente legislar por decreto; en no condenar en el Congreso y ante la opinión pública, faltas administrativas y hechos de corrupción en los que estaban incursos "compañeros" de partido. Los medios de comunicación acuñaron el término de solidaridades "mecánicas" o "automáticas" ya que el resultado de la investigación estaba predeterminado por la mayoría de determinada militancia política.

---

[11] How Democracies Die, Nueva York, Crown, 2018. Se trata de un texto esencial para la comprensión del autoritarismo populista que vive Venezuela y que es un fenómeno mundial. Los mismos autores publicaron muy recientemente, 2023, en la misma editorial, The Tiranny the Minority, que complementa el texto anterior.

[12] Lamentablemente no podemos decir lo mismo en los tiempos que vivimos.

El uso indebido de la mayoría pudo observarse en no dar cumplimiento al mandato constitucional relativo a la elección popular de los gobernadores de estado, extendiendo abusivamente la potestad provisional del Presidente de la República "hasta que fuese aprobada una Ley Especial para regular la elección". La demora duró 28 años. Igual puede denunciarse de la suspensión indefinida de las garantías económica por más de 30 años, lo que transformó una situación que debió ser excepcional, en una práctica normal. La Ley de Vagos y Maleantes, originalmente sancionada en 1933, fue derogada 33 años después de haberse promulgado la Constitución de 1961, a pesar de establecer privaciones de libertad absolutamente contrarias al debido proceso establecido en aquella.

Vale la pena señalar casos en los cuales los Presidentes de la República demostraron un claro apoyo a la Constitucionalidad a pesar de incitaciones públicas y menos públicas a violentarla. Esa prudencia evitó que la democracia venezolana naufragara mucho antes de 1999.

Cabe recordar la fortaleza del Presidente Raúl Leoni al rechazar la tentación de desconocer la victoria electoral de Rafael Caldera en 1968. Fueron muchas las voces que se lo exigieron fundamentándose en el estrecho margen de 30.000 votos que decidieron el resultado. Gran mérito corresponde doctor Gonzalo Barrios, candidato de Acción Democrática, eventual beneficiario de este atropello y que lo rechazó con vigor.

Igualmente, loable la actitud de Rafael Caldera en su segundo mandato, al no caer en la tentación de disolver el Congreso. Recordemos que el gobierno de Caldera no tenía mayoría parlamentaria. Peor aún, los partidos que le respaldaban, el Movimiento al Socialismo y Convergencia no llegaban ni a un tercio, lo que permitía, por vez primera en la vigencia de la Constitución, que los votos de censura a los ministros acarrearan destitución. No se puede decir que el Congreso impedía gobernar, pero sí significaba un fuerte control y la necesidad de armar consensos que no necesariamente obedecían a la voluntad del gobernante. Muy reciente estaba el precedente de Alberto Fujimori, Presidente del Perú, quien el 5 de abril de 1992, decidió, con el apoyo de las Fuerzas Armadas, la "disolución temporal" del Parlamento y la "reorganización" del Poder Judicial.

La tentación del "fujimorazo" estuvo presente y más de un actor político la sugirió. El Presidente Caldera se mantuvo firme en su deber constitucional.

Concluimos con un ejemplo de normas no escritas, cuyo cumplimiento refleja el *self restraint* de quienes ostentaban mayoría en el Parlamento y no la usaban para imponer decisiones sectarias. Me refiero a la manera de conducir al Congreso de la República en lo que a la elección de sus directivas concierne: Durante casi cuarenta años, es decir más de siete legislaturas, la Presidencia del Congreso correspondió al partido de Gobierno y la Vicepresidencia al principal partido de oposición. De esta forma se alternaron en las presidencias de las presidencias de las Cámaras, y de igual forma en las vicepresidencias y en las directivas de las comisiones permanentes, representantes de todos los partidos que a lo largo de los años tuvieron presencia en el Congreso de Venezuela, en proporción a la magnitud de su representación. Otra norma no escrita que casi siempre se cumplió, consistía en que la presidencia de las Comisiones Especiales de investigación le era asignada al senador o diputado que había planteado el tema a tratar o efectuado la denuncia que correspondía investigar.

VII. LA VIRTUD REPUBLICANA

El tema del sometimiento a la Ley y a las normas no escritas que deben observarse para fortalecer y preservar la democracia encuentra fundamento en la existencia de la *Virtud Republicana*. Para no remontarnos a Aristóteles, Polibio, Cicerón o Plutarco, recordemos a Montesquieu quien decía que a cada forma de gobierno corresponde un modo de obediencia y sometimiento a la ley que les es propio: el honor para la monarquía, el miedo para el despotismo y la virtud para la república.[13] En palabras del autor de *El espíritu de las leyes*, "cuando esta virtud desaparece, la ambición entra en los corazones que pueden recibirla y la avaricia entra en todos.

---

[13] *Esprit del Lois*, III,3.

La república es un despojo y su fuerza se limita al poder de algunos ciudadanos y a la licencia de todos".[14] "Sin la virtud, la república no puede subsistir, pasa a ser una estructura sin vida".[15]

Alexis de Tocqueville emprendió su largo periplo para tratar de contestar la siguiente pregunta que él mismo se formuló:

¿Cómo puede conciliarse el interés que cada ciudadano debe prestar a los asuntos públicos, con la atención que le pone a sus propios negocios?[16]

Retomó el tema al describir el espíritu cívico que pudo observar en su viaje por los Estados Unidos, tanto en las múltiples asociaciones como en los *town meetings* de Nueva Inglaterra.[17]

Los Padres Fundadores de los Estados Unidos sostenían que "el éxito de la república descansa en la virtud pública. El requisito de que tanto los conductores como los pueblo dejen de lado su inclinación a buscar la gratificación personal y actúen en beneficio de la comunidad, *res publica*."[18]

No ha sido la virtud republicana un tema de frecuente análisis en la discusión política venezolana. Son pocos los pensadores que fundamentaron en la virtud la existencia de un buen gobierno. Juan Germán Roscio fue uno de ellos. Recordó que la fortaleza y la gloria de la República romana encontraba base en "la rica mina de sus virtudes".[19]

Como bien dice Pedro Urruchurtu, "Roscio logra unir un conjunto de ideas importantes para armar una concepción republicana con la

[14] *Esprit des Lois*, III, 3.

[15] Ver CARSIN (Didier) "La vertu républicaine selon Monstesquieu", *Revista Humanisme*, # 311, Paris, 2016, pp. 37-42.

[16] Ver *La démocratie en Amérique*, y sobre el tema en referencia, el tomo 1°, en las ediciones de la Pleiade.

[17] *Idem.*

[18] Knipprath, Joerg. *America's Founders on Virtue as Fundamental to Republican Government,* https://constitutingamerica.libsyn.com/2022/06

[19] Ver Roscio, Juan Germán. *El triunfo de la libertad sobre el despotismo.* Filadelfia, 1817, Biblioteca Ayacucho, Caracas, 1996 y *El patriotismo de Nirgua y el abuso de los reyes*, 1811.

cual el orden y la felicidad a través de la búsqueda del beneficio para todos, traería la felicidad a los pueblos, pues esas virtudes vendrían directamente de Dios, quien funge como garante de la estabilidad y la felicidad en la tierra".[20]

Sin embargo, el carácter excepcional del debate sobre el tema no significa que la virtud republicana no subyace en todo el pensamiento de la emancipación y que su carencia es la explicación, no siempre expresa, de lo que ocurrió después de 1810.[21]

¿Qué pensaba Bolívar? El pensamiento y el accionar de Simón Bolívar tienen para los venezolanos un peso innegable. El Libertador, en el Manifiesto de Cartagena, señala que fue un error del Constituyente de 1811 el haber establecido un sistema federal, y argumentaba: "El sistema federal bien que sea el más perfecto y más capaz de proporcionar la felicidad humana en sociedad es, no obstante, el más opuesto a los intereses de nuestros nacientes Estados. Generalmente hablando, *todavía nuestros conciudadanos no se hallan en aptitud de ejercer por sí mismos y ampliamente sus derechos; porque carecen de las virtudes políticas que caracterizan al verdadero republicano: virtudes que no se adquieren en los gobiernos absolutos, en donde se desconocen los derechos y los deberes del ciudadano*." No ponía de lado la importancia de la virtud republicana, pero constataba su inexistencia en Venezuela. Es bueno enfatizar que este antifederalismo, que fue una constante en su vida, dejó sembrada la semilla del centralismo que tanto daño le hizo y hace a la República.

Son muchos los autores que han señalado las contradicciones que se evidencian en las diferentes etapas de la vida de Simón Bolívar. Recordemos, de reciente publicación, el magistral ensayo de José

---

[20]   *Libertad y república en la obra de Juan Germán Roscio,* p. 34, Ediciones Cedice/Libertad, Caracas, 2022. Es bueno recordar que el autor citado es una víctima reciente del despotismo que hoy impera en Venezuela.

[21]   Ver, entre muchos otros textos, *El pensamiento político y jurídico de la emancipación,* publicado por la Academia de Ciencias Políticas y Sociales y coordinado por Allan R. Brewer-Carías y Rafael Badell, Editorial Jurídica Venezolana, Caracas, 2021.

Rodríguez Iturbe, *Bolívar y a gestación de la patria criolla*"[22] y, citados por Rodríguez Iturbe, a José Enrique Rodó[23] y a Enrique Krauze[24]. Todo ello bajo el paraguas conceptual desarrollado en *El culto a Bolívar* de Germán Carrera Damas[25].

Una cosa es el Bolívar que en Angostura consideraba que entregar su autoridad al Congreso como "un dulce deber" pues se libraba de la responsabilidad ilimitada que le deparaba el cargo de Dictador, Jefe Supremo de la República. Recalcaba que la autoridad ilimitada pertenece sólo al pueblo que sólo puede alguien ejercerla de manera excepcional y provisoria. El Bolívar que prefería el título de buen Ciudadano más que el de Libertador.

Todo ese pensamiento desprendido, institucional y fundamentalmente virtuoso, choca con el Bolívar de la dictadura de 1828 o el de la presidencia vitalicia establecida en la Constitución de Bolivia.

José Enrique Rodó encara esta contracción: después de un elogio claro y contundente, contenido en expresiones como "Grande en el pensamiento, grande en la acción, grande en la gloria, grande en el infortunio, grande, para magnificar la parte impura que cabe en el alma de los grandes y grande para sobrellevar, en el abandono y en la muerte, la trágica expiación de su grandeza"[26], el gran escrito uruguayo concluye afirmando que "la autoridad que investía no era ya el mandato de las leyes, sino el poder dictatorial."[27]

Lapidario, Rodríguez Iturbe concluye: "La patria criolla tuvo en su gestación un pecado original: La imposición de un personalismo pretoriano que colocó en la fuerza de las armas la capacidad de decisión. Con dolor, debe destacarse que el liderazgo hegemónico y

---

[22]   Caracas, Editorial Alfa, 2022, y ver también el estudio que sobre este texto realizó Carlos Leañez Aristimuño en el *Papel Literario* de El Nacional, intitulado Bolívar obstáculo mayor,

[23]   *Bolívar,* en *El Mirador de Próspero,* Colección de Clásicos Uruguayos, v. 79, Montevideo, 1965.

[24]   *Simón Bolívar: el demonio de la gloria, en Letras Libres,* junio, 2013.

[25]   Caracas, 1973.

[26]   *El Espejo de Próspero*, p. 102 citado por Rodríguez Iturbe en *Bolívar y la gestación de la Patria Criolla*, p. 103.

[27]   *Idem*, p, 133.

centralista de Simón Bolívar no solo no fue ajeno a ese mal, sino que constituyó –en el período bélico independentista– su máxima expresión en cuanto mito de origen de nuestra entidad republicana"[28]. Contribuye el autor a la desmitificación de un bolivarianismo acrítico, en la línea iniciada por Germán Carrera Damas en 1973.

No es este el lugar para un debate que es y será apasionante, pero sin negar la influencia negativa de un militarismo bolivariano a lo largo de la historia y que encuentra su más vulgar expresión en la parodia "bolivariana" que nos ha tocado vivir en Venezuela desde 1998, no podemos olvidar al "otro" Bolívar. El Bolívar que se dirige el 2 de enero de 1814 a la Asamblea reunida en el templo de San Francisco, la cual le suplica que siga ejerciendo poderes extraordinarios para la feliz culminación de la Independencia y declara: "No usurparé una autoridad que no me toca. ¡Pueblo! Ninguno puede poseer vuestra soberanía, sino violenta e ilegítimamente. ¡Huid del país dónde uno solo ejerza todos los poderes: es un país de esclavos! Vosotros me tituláis Libertador de la república; yo nunca seré el opresor".

Ese mismo Simón Bolívar afirmó siete años más tarde, al prestar juramento ante el Congreso de Cúcuta que lo eligió Presidente de Colombia:

"Yo soy el hijo de la guerra, el hombre que los combates han elevado a la magistratura: la fortuna me ha sostenido en este rango, y la victoria lo ha confirmado. Pero no son éstos los títulos consagrados por la justicia, por la dicha, y por la voluntad nacional. La espada que ha gobernado a Colombia no es la balanza de Astrea, es un azote del genio del mal que algunas veces el cielo deja caer a la tierra para el castigo de los tiranos, y escarmiento de los pueblos. Esta espada no puede servir de nada el día de la paz, y éste debe ser el último de mi poder; porque así lo he jurado para mi, porque lo he prometido a Colombia, y porque no puede haber república, donde el pueblo no está seguro del ejercicio de sus propias facultades. Un hombre como yo es un ciudadano peligroso en un gobierno popular: es una amenaza inmediata a la soberanía nacional. Yo quiero ser ciudadano para ser libre, y para que todos lo sean. Prefiero el título de ciudadano

---

[28] Obra citada, Conclusión.

al de Libertador, porque éste emana de la guerra, aquel emana de las leyes. Cambiadme, señor, todos mis dictados por el de buen ciudadano."

Para rematar con una tercera faceta del pensamiento de Bolívar, recordemos lo dicho en el Manifiesto de Carúpano, comentando uno de los más tormentosos momentos de su vida:

"Es una estupidez maligna atribuir a los hombres públicos las vicisitudes que el orden de las cosas produce en los Estados, no estando en la esfera de las facultades de un general o magistrado contener en un momento de turbulencia de choque, y de divergencia de opiniones el torrente de las pasiones humanas, que, agitadas por el movimiento de las revoluciones, se aumentan en razón de la fuerza que las resiste. Y aún cuando graves errores o pasiones violentas en los jefes causen frecuentes perjuicios a la República, estos mismos perjuicios deben, sin embargo, apreciarse con equidad y buscar su origen en las causas primitivas de todos los infortunios: la fragilidad de nuestra especie y el imperio de la suerte en todos los acontecimientos."

La discusión sobre Simón Bolívar no es un debate fácil. Como bien lo señala Germán Carrera Damas, "por fe, conveniencia o temor, todos los venezolanos queremos dar muestras de devoción, o en toda circunstancia no ser señalados como descreídos y ni siquiera como disidentes"[29].

El hecho es, sin embargo, que una República que nació civilista, culta y apegada al Derecho, de la mano de Juan Germán Roscio, Francisco Javier Yánez, Francisco Isnardi, Miguel José Sanz y Francisco Espejo devino en pretoriana. Consecuencia de ello, el abandono de las virtudes cívicas y una visión de nuestra historia más vinculada a batallas y hazañas bélicas que al pensamiento y a la cultura. Hemos vivido, en palabras de Rodríguez Iturbe, una "patología militarista" que ha marcado un rumbo distinto al civilismo que dio nacimiento a la República.

---

[29] *Ver Hispanic American Historical Review*, Duke University Press, Durham, NC, v. 55 N° 11, Febrero 1983.

El Pacto de Punto Fijo tuvo que enfrentar esa "patología" pretoriana, pero no fue ese el único factor que contribuyera a su infeliz final. Agreguemos factores: El primero de ellos es el desencanto por la democracia debido al exceso de promesas incumplidas, a la corrupción no suficientemente ni exitosamente combatida, los caminos errados para repartir el ingreso público, los altibajos del precio del petróleo, el clientelismo, el excesivo antagonismo entre las fuerzas políticas que, sin buscar el aniquilamiento del adversario, buscaron siempre su descrédito. Todo ello dio lugar a un desprestigio creciente de las instituciones y de los mismos partidos y a una lenta erosión de las virtudes cívicas que son un sostén indispensable de la democracia. Este es un análisis que se ha venido desarrollando en paralelo al surgimiento de la antipolítica y de los populismos autoritarios, de izquierda y de derecha. Como consecuencia de ello, los inmensos éxitos de los cuarenta años de gobierno civil fueron quedando de lado y es sólo ahora cuando la mayoría de los venezolanos se dan cuenta que, sin ignorar las fallas y carencias antes indicadas, fueron los mejores gobiernos que ha tenido Venezuela en su historia.

Mucho se ha dicho y escrito sobre "los cuarenta años", incluyendo una campaña difamatoria que llegó a considerar la palabra Punto Fijo, como un estigma y un pasado que nunca volverá. El trágico y horrible fracaso del Socialismo del Siglo XXI poco a poco ha permitido el regreso al análisis crítico, objetivo y constructivo.

Punto Fijo deja unas lecciones imprescindibles por parte de los líderes a quienes corresponderá el futuro democrático de Venezuela. La democracia se consolidó en Venezuela cuando, en palabras de Levitsky y Ziblatt, "los partidos aprendieron a perder".[30] Y este aprendizaje conduce a que la alternabilidad eche raíces. Para que la aceptación de la derrota se convierta en algo normal, es primordial, según los autores citados, el cumplimiento de dos condiciones. 1) Que los partidos acepten las derrotas electorales y para ello se requiere que existan razonables oportunidades de volver a ganar en el futuro. 2) Que la derrota no sea una catástrofe, que el cambio de gobierno no ponga en riesgo su existencia misma, o la vida de sus dirigentes, su forma de vivir y sus creencias fundamentales.

---

[30]   *The Tiranny of the Minority*, p. 20 y siguientes.

Luego los autores sintetizan el planteamiento con tres requisitos básicos que deben ser esenciales para los políticos democráticos:

1. Respetar el resultado de elecciones libres y limpias.

2. Rechazar categóricamente el uso de la violencia con fines políticos y 3. Nunca transigir con las fuerzas antidemocráticas.

Durante la vigencia del Pacto de Punto Fijo el primer requisito siempre se cumplió: De 1958 a 1998 nunca hubo rechazo fundamentado a un resultado electoral. A nivel de la Presidencia nunca llegó a ejercerla alguien cuya legitimidad electoral fuese seriamente objetada. El fin de la lucha armada, durante las presidencias de Leoni y Caldera condujo a que la casi totalidad de la izquierda se incorporara a la lucha democrática y esa fue otro éxito de la democracia puntofijista: los excomandantes de guerrilla muy pronto ocuparon escaños en el parlamento y mas de un insurrecto de los años sesenta terminó siendo candidato presidencial, ministro, embajador, gobernador, parlamentario en los diferentes niveles, alcalde o concejal.

En torno al tercer planteamiento no existe la misma percepción. Muchos fueron los políticos que, sin abandonar su "apoyo" a la democracia, coquetearon con la insurrección armada y veían con buenos ojos el proceso revolucionario cubano. De la misma manera, debe constatarse que los intentos de golpe de estado del 4 de febrero y del 27 de noviembre de 1992 no recibieron el contundente rechazo que debía esperarse de todos los líderes democráticos.

Concluyen Levitsky y Ziblatt: "La conducta *semi-leal* luce benigna. Usualmente proviene de políticos respetables que no han participado en ataques violentos a la democracia. Pero esa es una percepción engañosa. La historia nos enseña que cuando líderes políticos *normales* toman el camino expedito de la *semi-lealtad*, tolerando o condonando a extremistas antidemocráticos, esos extremistas se ven consolidados y una democracia aparentemente sólida, puede colapsar"..."Además de proteger a los extremistas antidemocráticos, la conducta *semi-leal* legitimiza sus ideas. En una democracia sana los extremistas antidemocráticos deben ser tratados como parias. Deben ser rechazados por los medios de comunicación. Políticos, empresarios y otros miembros del *establishment*, temiendo un costo reputacional, evitan contactarlos. Pero el tácito apoyo de prominentes políticos puede cambiarlo todo. Los medios de comunicación empiezan a *darles la misma cobertura* que reciben otros líderes, les invitan a entrevistas y debates. Los empresarios se sienten autorizados a financiarlos, los consultores políticos que antes los evitaban, empiezan a regresarles las llamadas. Y muchos políticos y activistas que en privado simpatizaban con ellos, pero que no se atrevían a apoyarlos, entonces se percatan que el hacerlo no tiene costos".[31] Esas conductas, son la negación de la virtud republicana.

CONCLUSIÓN

La lectura de los artículos contenidos en este libro ayudará sin dudas en enriquecer el debate sobre el Pacto de Punto Fijo y cada lector emitirá su juicio. Hace algunos años, la condena hubiese sido mayoritaria. Hoy las cosas han cambiado. Nuestra intención no es convencer a nadie. Lo que creemos importante es contribuir, con base a la experiencia vivida en Venezuela de 1958 a 1998, a que no se crea que bastan las leyes para que una democracia sea sólida. Importan mucho las conductas y la conciencia de que ellas son la garantía real de la supervivencia de la democracia, en Venezuela y en el mundo.

Los 24 años de chavismo-madurismo no sólo han destruido el Estado, la democracia, las instituciones, la economía, la infraestructura, las instituciones, el sistema educativo, el sistema sanitario, sino que han acabado con el tejido social existente. Se produjo lo que se ha llamado un daño antropológico.

Mucho se ha escrito sobre esta tragedia societaria. La idea toma su origen en Cuba y fue planteada por Dagoberto Valdés al estudiar las consecuencias de sesenta años de dictadura fidelista en su país. No se pretende un análisis exhaustivo del tema, que sería ajeno a la materia que nos ocupa. Se trata simplemente de constatar una realidad que, con esa calificación, u otra, afecta la realidad venezolana. Para ello nos basta con una cita de la investigadora y dirigente político Paola Bautista de Alemán y del estudio que ella hace de las reflexiones de Valdés.[32] "Entiendo por daño antropológico... el

---

[31] *Idem*, pp. 42-45

[32] Reflexiones sobre el daño antropológico en Venezuela, *Prodavinci,* 12-05-2021, con referencia a Valdés, Dagoberto, "Causas, síntomas y consecuencias

debilitamiento, la lesión o quebranto, de lo esencial de la persona humana, de su estructura interna y de sus dimensiones cognitiva, emocional, volitiva, ética, social y espiritual, todas o en parte, según sea el grado de trastorno causado. El mismo ha surgido y se ha instaurado como consecuencia de vivir largos años bajo un régimen en el que el Estado, y más en concreto, un Partido único pretende encarnar al pueblo, orientar unívocamente toda la institucionalidad, interpretar el sentido de la historia y mantener el control total sobre la sociedad y el ciudadano. De esta forma subvierte la vida en la verdad, menoscaba su libertad, y vulnera los derechos y deberes cívicos, políticos, económicos, culturales y religiosos de las personas, lo que hiere profundamente su dignidad intrínseca, al mismo tiempo que provoca una adaptación pasiva del ciudadano al medio y una anomia social persistente." Bautista de Alemán recoge de los escritos de Valdés catorce síntomas y consecuencias del daño causado. De ellas tomamos cinco que afectan el comportamiento del ciudadano y a la necesidad de virtudes cívicas.

1. La incoherencia entre lo que se dice, se piensa, se siente y se hace.

2. Predominio del relativismo moral y lo que el autor denomina "Maquiavelismo inconsciente" porque "todo vale con tal de yo salvarme o salvar a mi familia provocando dificultades en la formación ética".

3. Analfabetismo ético y cívico.

4. El adormecimiento de la conciencia crítica.

5. Maniqueísmo político.

Si, como lo hemos afirmado, la carencia de la virtud republicana ha afectado en forma negativa nuestro devenir histórico y político, el daño que un cuarto de siglo de chavismo le ha hecho al ser venezolano, incrementa esa carencia a niveles trágicos que afectan no sólo a los que nos han gobernado sino a muchos que se dicen opositores.

---

del daño antropológico provocado por los regímenes totalitarios", *Democratización* 7 (Marzo 2020): 5. https://redformaweb.com/articulos-septima-edicion /Marzo2020): https://redformaweb.com/articulos-septima-edicion/.

¿Cómo regresar a las virtudes que adornaron a los próceres civiles fundadores de la Patria y a algunos jefes militares entre los cuales destacan el Mariscal Antonio José de Sucre y el general Carlos Soublette?

¿Cómo reparar el daño causado por Hugo Chávez y Nicolás Maduro? No hablamos sólo de la reconstrucción física del país sino de su reconstrucción ética. Ese, en nuestra opinión, el reto del futuro y el debate que debe abrirse. Queremos, como conclusión de estas breves páginas, señalar que esto los lograremos fundamentalmente con un cambio radical de nuestro sistema educativo. No sólo por las carencias que todos conocemos, sino para transformarlo y reconstruirlo con la finalidad de sembrar en la juventud una consciencia ética y un espíritu de respeto reverencial hacia la "cosa pública", hacia la *res pública*. Nuestros centros educativos tienen que convertirse en "fábricas de ciudadanos" para reivindicar el pensamiento y la obra de virtuoso venezolano que ha dedicado buena parte de su vida a esa tarea y que escribió un libro que lleva ese título: Gustavo Coronel.

El camino, señala Coronel en este nuevo libro, está en el sistema educativo. No se trata sólo de regresa a una calidad académica que antes conocimos, ni siquiera basta con superarla, alcanzando niveles de excelencia. Se trata de un nuevo sistema educativo que parta desde la infancia temprana, un proyecto a largo plazo que puede sonar utópico o imposible para nosotros hoy y consiste en formar verdaderos ciudadanos.

Volviendo a Bolívar, no sólo hacen falta "las luces" sino también "la moral".

Milton Keynes UK
Ingram Content Group UK Ltd.
UKHW010304010624
443378UK00001B/84